W9-BUT-911

YO EL SUPREMO

Diseño de tapa: Mario Blanco

AUGUSTO ROA BASTOS

Yo el Supremo

EDITORIAL SUDAMERICANA
BUENOS AIRES

PRIMERA EDICION
Marzo de 1985

TERCERA EDICION
Agosto de 1992

IMPRESO EN LA ARGENTINA

Queda hecho el depósito
que previene la ley 11.723.

ISBN 950-07-0277-0

Yo el Supremo Dictador de la Repúb^ca^.

Ordeno q al acaecer mi muerte mi cadáver sea decapitado; la cabeza puesta en una pica por tres días en la Plaza de la República donde se convocará al pueblo al son de las campanas echadas a vuelo.

Todos mis servidores civiles y militares sufrirán pena de horca. Sus cadáveres serán enterrados en potreros de extramuros sin cruz ni marca q memore sus nombres.

Al término del dicho plazo, mando q mis restos sean quemados y las cenizas arrojadas al río...

¿Dónde encontraron eso? Clavado en la puerta de la catedral, Excelencia. Una partida de granaderos lo descubrió esta madrugada y lo retiró llevándolo a la comandancia. Felizmente nadie alcanzó a leerlo. No te he preguntado eso ni es cosa que importe. Tiene razón Usía, la tinta de los pasquines se vuelve agria más pronto que la leche. Tampoco es hoja de Gaceta porteña ni arrancada de libros, señor. ¡Qué libros va a haber aquí fuera de los míos! Hace mucho tiempo que los aristócratas de las veinte familias han convertido los suyos en naipes. Allanar las casas de los antipatriotas.

Los calabozos, ahí en los calabozos, vichea en los calabozos. Entre esas ratas uñudas greñudas puede hallarse el culpable. Apriétales los refalsos a esos falsarios. Sobre todo a Peña y a Molas. Tráeme las cartas en las que Molas me rinde pleitesía durante el Primer Consulado, luego durante la Primera Dictadura. Quiero releer el discurso que pronunció en la Asamblea del año 14 reclamando mi elección de Dictador. Muy distinta es su letra en la minuta del discurso, en las instrucciones a los diputados, en la denuncia en que años más tarde acusará a un hermano por robarle ganado de su estancia de Altos. Puedo repetir lo que dicen esos papeles, Excelencia. No te he pedido que me vengas a recitar los millares de expedientes, autos, providencias del archivo. Te he ordenado simplemente que me traigas el legajo de Mariano Antonio Molas. Tráeme también los panfletos de Manuel Pedro de Peña. ¡Sicofantes rencillosos! Se jactan de haber sido el verbo de la Independencia. ¡Ratas! Nunca la entendieron Se creen dueños de sus palabras en los calabozos. No saben más que chillar. No han enmudecido todavía. Siempre encuentran nuevas formas de secretar su maldito veneno. Sacan panfletos, pasquines, libelos, caricaturas. Soy una figura indispensable para la maledicencia. Por mí, pueden fabricar su papel con trapos consagrados. Escribirlo, imprimirlo con letras consagradas sobre una prensa consagrada. ¡Impriman sus pasquines en el Monte Sinaí, si se les frunce la realísima gana, foliculários letrinarios!

Hum. Ah. Oraciones fúnebres, panfletos condenándome a la hoguera. Bah. Ahora se atreven a parodiar mis Decretos Supremos. Remedan mi lenguaje, mi letra, buscando infiltrarse a través de él; llegar hasta mí desde sus madrigueras. Taparme la boca con la voz que los fulminó. Recubrirme en palabra, en figura. Viejo truco de los hechiceros de las tribus. Refuerza la vigilancia de los que se alucinan con poder suplantarme después de muerto. ¿Dónde está el legajo de los anónimos? Ahí lo tiene, Excelencia, bajo su mano.

No es del todo improbable que los dos tunantes escri-vanos Molas y de la Peña hayan podido dictar esta mofa. La burla muestra el estilo de los dos infames faccionarios porteñistas. Si son ellos, inmolo a Molas, despeño a Peña. Pudo uno de sus infames secuaces aprenderla de memoria. Escribirla un segundo. Un tercero va y pega el escarnio con cuatro chinches en la puerta de la catedral. Los propios guardianes, los peores infieles. Razón que le sobra a Usía. Frente a lo que Vuecencia dice, hasta la verdad parece mentira. No te pido que me adules, Patiño. Te ordeno que busques y descubras al autor del pasquín. Debes ser capaz, la ley es un agujero sin fondo, de encontrar un pelo en ese agujero. Escúlcales el alma a Peña y a Molas. Señor, no pueden. Están encerrados en la más total obscuridad desde hace años. ¿Y eso qué? Después del último Clamor que se le interceptó a Molas, Excelencia, mandé tapiar a cal y canto las claraboyas, las rendijas de las puertas, las fallas de tapias y techos. Sabes que continuamente los presos amaestran ratones para sus comunicaciones clandestinas. Hasta para conseguir comida. Acuérdate que así estuvieron robando los santafesinos las raciones de mis cuervos durante meses. También mandé taponar todos los agujeros y corredores de las hormigas, las alcantarillas de los grillos, los suspiros de las grietas. Obscuridad más obscura imposible, Señor. No tienen con qué escribir. ¿Olvidas la memoria, tú, memorioso patán? Puede que no dispongan de un cabo de lápiz, de un trozo de carbonilla. Pueden no tener luz ni aire. Tienen memoria. Memoria igual a la tuya. Memoria de cucaracha de archivo, trescientos millones de años más vieja que el homo sapiens. Memoria del pez, de la rana, del loro limpiándose siempre el pico del mismo lado. Lo cual no quiere decir que sean inteligentes. Todo lo contrario. ¿Puedes certificar de memorioso al gato escaldado que huye hasta del agua fría? No, sino que es un gato miedoso. La escaldadura le ha entrado en la memoria. La memoria no recuerda el miedo. Se ha transformado en miedo ella misma.

¿Sabes tú qué es la memoria? Estómago del alma, dijo erróneamente alguien. Aunque en el nombrar las cosas nunca hay un primero. No hay más que infinidad de repetidores. Sólo se inventan nuevos errores. Memoria de uno solo no sirve para nada.

Estómago del alma. ¡Vaya fineza! ¿Qué alma han de tener estos desalmados calumniadores? Estómagos cuádruples de bestias cuatropeas. Estómagos rumiantes. Es ahí donde fermenta la perfidia de esos sucesivos e incurables pícaros. Es ahí donde cocinan sus calderadas de infamias. ¿De qué memoria no han de necesitar para acordarse de tantas patrañas como han forjado con el único fin de difamarme, de calumniar al Gobierno? Memoria de masca-masca. Memoria de ingiero-digiero. Repetitiva. Desfigurativa. Mancillativa. Profetizaron convertir a este país en la nueva Atenas. Areópago de las ciencias, las letras, las artes de este Continente. Lo que buscaban en realidad bajo tales quimeras era entregar el Paraguay al mejor postor. A punto de conseguirlo estuvieron los areopagitas. Los fui sacando de en medio. Los derroqué uno a uno. Los puse donde debían estar. ¡Areópagos a mí! ¡A la cárcel, collones!

Al reo Manuel Pedro de Peña, papagayo mayor del patriciado, lo desblasoné. Descolguélo de su heráldica percha. Lo enjaulé en un calabozo. Aprendió allí a recitar sin equivocarse desde la A a la Z los cien mil vocablos del diccionario de la Real Academia. De este modo ejercita su memoria en el cementerio de las palabras. No se le vayan a herrumbrar los esmaltes, los metales de su diapasón palabrero. El doctor Mariano Antonio Molas, el abogado Molas, vamos, el escriba Molas, recita sin descanso, hasta en sueños, trozos de una descripción de lo que él llama la Antigua Provincia del Paraguay. Para estos últimos areopagitas sobrevivientes, la Patria continúa siendo la antigua provincia. No mentan, aunque sea por decoro de sus lenguas colonizadas, a la Provincia Gigante de las Indias, al fin de cuentas, abuela, madre, tía, parienta pobre del virreinato del Río de la Plata enriquecido a su costa.

Aquí usan y abusan de su rumiante memoria no solamente los patricios y areopagitas vernáculos. También los marsupiales extranjeros que robaron al país y embolsaron en el estómago de su alma el recuerdo de sus ladronicidios. Ahí está el francés Pedro Martell. Después de veinte años de calabozo y otros tantos de locura sigue temando con su cajón de onzas de oro. Todas las noches saca furtivamente el cofre del hoyo que ha cavado con las uñas bajo su hamaca; recuenta una por una las relucientes monedas; las prueba con las desdentadas encías; las vuelve a meter en su caja fuerte y la entierra otra vez en el hoyo. Se tumba en la hamaca y duerme feliz sobre su imaginario tesoro. ¿Quién podría sentirse más protegido que él? Del mismo modo vivió en los sótanos por muchos años otro francés, Charles Andreu-Legard, ex prisionero de la Bastilla, rumiando sus recuerdos en mi bastilla republicana. ¿Puede decirse acaso que estos didelfos saben qué cosa es la memoria? Ni tú ni ellos lo saben. Los que lo saben no tienen memoria. Los memoriones son casi siempre antidotados imbéciles. A más de malvados embaucadores. O algo peor todavía. Emplean su memoria en el daño ajeno, mas no saben hacerlo ni siquiera en el propio bien. No pueden compararse con el gato escaldado. Memoria del loro, de la vaca, del burro. No la memoria-sentido, memoria-juicio dueña de una robusta imaginación capaz de engendrar por sí misma los acontecimientos. Los hechos sucedidos cambian continuamente. El hombre de buena memoria no recuerda nada porque no olvida nada.

A mi presunta hermana Petrona Regalada se le infestó de garrapatas la vaca que se le permite tener en el patio de su casa. Le mandé que la tratara del modo como se combaten ese y otros males en las estancias patrias: Perdiendo el ganado. Tengo una sola vaca, Señor, y no es mía sino de mi escuelita de catecismo. Da justo el vaso de leche para los veinte chicos que vienen a la doctrina. Se quedará, señora, sin la vaca y sus alumnos no podrán beber ni siquiera la leche del Espíritu Santo, que usted les ordeña mientras baña sus velas. Se quedará sin vaca, sin catecúmenos, sin catequesis. La garrapata no sólo se comerá la vaca. Los comerá a ustedes. Invadirá la ciudad, que ya tiene bastante con su plaga de mala gente y perros orejanos. ¿No oye usted cómo crece el rabioso ulular de los aullidos que sube de todas partes? Sacrifique la vaca, señora.

Vi en sus ojos que no lo iba a hacer. Mandé a un soldado que achurara el animal enfermo a bayonetazos, y lo enterrara. La ex viuda de Larios Galván, mi supuesta hermana, vino a presentar queja. Prevaricada del cerebro, la vieja aseguró que, aun después de muerta, la vaca seguía mugiendo sordamente bajo tierra. Mandé a los forenses suizos hacer la autopsia del animal. Le encontraron en la entraña una piedra-bezoar del tamaño de una toronja. Ahora la vieja pretende que el cálculo cabelloso vale contra todo veneno. Cura enfermedades, Señor. Especialmente el tabardillo. Adivina sueños. Pronostica muertes, se entusiasma. Asegura, inclusive, que ha escuchado murmurar a la piedra voces inaudibles. Ah locura, memoria al revés que olvida su camino al par que lo recorre. Quien que tenga en su cerebro algún tinte puede sostener tales manías.

Con perdón de Vuecencia, me permito decir que yo he escuchado esas voces. Lo mismo el granadero que ultimó la vaca. ¡Vamos, Patiño, no desvaríes tú también! Perdón, Señor, con su licencia debo decirle que yo he oído esas palabras-mugidos, parecidas a palabras humanas. Voces muy lejanas, medio acatarradas, gargantean palabras. Restos de algún lenguaje desconocido que no quiere morir del todo, Excelencia. Tú eres demasiado tonto para volverte loco, secretario. La locura humana suele ser astuta. Camaleona del juicio. Cuando la crees curada, es porque está peor. No ha hecho sino transformarse en otra locura más sutil. Por eso, al igual que la vieja Petrona Regalada, tú oyes esas voces inexistentes en una carroña. ¿Qué lenguaje se te ocurre que puede recordar esa bola excremental, petrificada en el estómago de una vaca? Con su permiso, algo dice, Su Merced. Capaz que en latín o en otra lengua desconocida. ¿No cree Usía que podría existir un oído para el cual todos los hombres y animales hablaran un solo idioma? La última vez que la señora Petrona Regalada me permitió escuchar su piedra, la oí murmurar algo así como... *rey del mundo*... ¡Claro, bribón, debí habérmelo figurado! Qué otra cosa sino realista podía ser esa piedra que encalabrinó a la viuda. ¡Sólo eso falta! Que los chapetones, además de pasquines en la catedral, pongan una piedra de contagio en el buche de las vacas.

Tanto o más que la memoria falsa, las malas costumbres enmudecen los fenómenos habituales. Forman una segunda naturaleza, así como la naturaleza es el primer hábito. Olvida, Patiño, la piedra-bezoar. Olvida tu chifladura de ese oído que podría comprender todos los idiomas en uno solo. ¡Insanias!

He prohibido a la que consideran mi media hermana esas prácticas de brujería con que alucina a los ignorantes crédulos como ella. Ya hace bastante daño con prender en los muchachuelos que asisten a su escuelita la garrapata del catecismo. La dejo hacer. Manía inofensiva. El Catecismo Patrio Reformado y la militancia ciudadana les extirparán a esos chicos cuando sean grandes el quiste catequístico.

La maldita bezoar no impidió que la vaca fuera invadida por la garrapata, le he dicho cuando vino a quejarse. No la curó a usted, señora, de su encalabrinamiento. No pudo sacar la ponzoña de la demencia al obispo Panés. Menos aún, aliviarme la gota cuando trajo aquí su piedra a restregármela sobre la pierna hinchada durante tres días seguidos. Si la piedra no sirve más que para repetir al bureo esas palabras provenientes de un mundo trasmundano, en un lenguaje contranatural que únicamente los orates y chiflados creen escuchar, ¡maldito para lo que sirve la piedra!

Usted tiene también su piedra, me replicó señalándome el aerolito. No la utilizo en agüerías como usted la suya, señora Petrona Regalada. Acabará nublándole el cerebro igual lo tuvieron sus otros hermanos. Usted sabe que a los suyos les rondó siempre el fantasma de la demencia. Especie de cualidad familiar en los consangres. Entierre usted su piedra-bezoar. Entiérrela en su patio. Póngala al pie de una cruz-legua. Arrójela al río. Desembárguese de esa zoncera. No vuelva a darme usted un disgusto como cuando después de diez años de separación supe que usted seguía viéndose a escondidas con su ex marido Larios Galván. ¿Qué quiere de ese farsante? Ha pretendido burlarse de usted. Antes se burló de la Primera Junta Gubernativa. Después del Supremo Gobierno. ¿Qué quiere hacer usted en plena vejez con ese corrompido bragante? ¿Hijos güérfanos? ¿Hijarros bezoares? ¿Eh, qué? Entierre usted su piedra-bezoar, como yo enterré a su ex marido en la cárcel. Bañe sus velas en paz y déjese de pamplinas.

Se le mudó la vista. Peculiar astucia de la demencia cuando finge un firme sentido exterior. Empezó a mirar para adentro buscando esconderse de mi presencia en la malvada taciturnidad de los França. ¡Ah malditos!

Vea, señora Petrona Regalada, de un tiempo a esta parte anda armándome los cigarros más gruesos que de costumbre. Tengo que desenrollarlos. Sacarles algo de tripa. De otro modo, imposible fumarlos. Fabríquelos del grueso de este dedo. Ármelos en una sola hoja de tabaco enserenado, bien seco. El que menos irrita los pulmones. Responda. No se quede callada. ¿Estoy dirigiéndome a una estaca? ¿Ha perdido usted el habla además del juicio? Míreme. Vea. Hable. Ha girado la cabeza. Me mira con la expresión de ciertos pájaros que no tienen otro rostro. El suyo, extraordinariamente parecido al mío. Da la impresión de que está aprendiendo a ver, viendo por primera vez a un desconocido por quien no sabe aún si sentir respeto, desprecio o indiferencia. Me veo en ella. Espejo-persona, la vieja França Velho me devuelve mi apariencia vestida de mujer. Por encima de las sangres. ¿Qué tengo yo que ver con ellos? Confabulaciones de la casualidad.

Hay mucha gente. Hay más rostros aún, pues cada uno tiene varios. Hay gentes que llevan un rostro durante años. Gentes sencillas, económicas, ahorrativas. ¿Qué hacen con los otros? Los guardan. Sus hijos los llevarán. También sucede a veces que se lo ponen sus perros. ¿Por qué no? Un rostro es un rostro. El de Sultán se parecía mucho al mío en los últimos tiempos, sobre todo un poco antes de morir. Se parecía tanto la cara del perro a la mía como la de esta mujer que está parada ante mí, mirándome, parodiando mi figura. Ella ya no tendrá hijos. Yo ya no tendré perros. En este momento nuestros rostros coinciden. Por lo menos el mío es el último. Con levita y tricornio, la vieja França Velho sería mi réplica exacta. Habría que ver cómo se podría usar este casual parecido... *(el resto de la frase, quemado, ilegible)*. ¡Fábula para mejor reír!

Aquí la memoria no sirve. Ver es olvidar. Esa mujer está ahí, inmóvil, espejándome. El no-rostro, todo entero, caído hacia adelante. ¿Desea algo? No desea nada. No desea la más ínfima cosa de este mundo, salvo el no-deseo. Mas el no-deseo también se cumple si los no-deseantes son testarudos.

¿Entendió usted cómo debe fabricarme los cigarros en adelante? La mujer se arrancó violentamente de sí misma. La cara le quedó entre las manos. No sabe qué hacer con ella. Del grosor de este dedo ¡eh! Armados en una sola hoja de tabaco. Enserenado. Seco. Los que mejor pitan hasta que el fuego llega muy cerca de la boca. Cálido el aliento se escapa con el humo. ¿Me ha entendido usted, señora Petrona Regalada? Ella mueve los labios alforzados. Sé en qué está pensando, desollada viva por los recuerdos.

Desmemoria.

No se ha separado de su piedra-bezoar. La guarda escondida bajo el nicho del Señor de la Paciencia. Más poderosa que la imagen del Dios Ensangrentado. Talismán. Grada. Plataforma. Último peldaño. El más resistente. La sostiene en el lugar de la constancia. Lugar donde ya no se precisa ninguna clase de auxilio. La obsesión se fundamenta allí. La fe se apoya toda entera en sí misma. Qué es la fe sino creer en cosas de ninguna verosimilitud. Ver por espejo en obscuro.

Tiene la piedra-rumiante su propia vela. Llegará a tener su propio nicho. Tal vez con el tiempo, su santuario.

Frente a la piedra-bezoar de la que consideran mi hermana, el meteoro tiene aún ¿dejará de tenerlo alguna vez? el sabor de lo improbable. ¿Y si el mundo mismo no fuera sino una especie de bezoar? Materia excremental, cabellosa, petrificada en el intestino del cosmos.

Mi opinión es... *(quemado el borde del folio)*... En materia de cosas opinables todas las opiniones son peores...

Mas no es esto lo que quería decir. Nubes se amontonan sobre mi cabeza. Mucha tierra. Pájaro de largo pico, no saco pelotillas de la alcuza. Sombra, no saco sombras de los agujeros. Sigo dando rodeos de vagabundo como aquella noche atormentada que me tumbó en el lugar de la pérdida. Del desierto creía saber algo. De los perros, un poco más. De los hombres, todo. De lo demás, la sed, el frío, traiciones, enfermedades, no me faltó nada. Mas siempre supe qué hacer cuando debía obrar. Que yo recuerde, esta es la peor ocasión. Si una quimera, bamboleándose en el vacío, puede comer segundas intenciones, según decía el compadre Rabelais, bien comido estoy. La quimera ha ocupado el lugar de mi persona. Tiendo a ser "lo quimérico". Broma famosa que llevará mi nombre. Busca la palabra "quimera" en el diccionario, Patiño. *Idea falsa, desvarío, falsa imaginación* dice, Excelencia. Eso voy siendo en la realidad y en el papel. También dice, Señor: *Monstruo fabuloso que tenía cabeza de león, vientre de cabra y cola de dragón.* Dicen que eso fui. Agrega el diccionario todavía, Excelencia: *Nombre de un pez y de una mariposa. Pendencia. Riña.* Todo eso fui, y nada de eso. El diccionario es un osario de palabras vacías. Si no, pregúntaselo a de la Peña.

Las formas desaparecen, las palabras quedan, para significar lo imposible. Ninguna historia puede ser contada. Ninguna historia que valga la pena ser contada. Mas el verdadero lenguaje no nació todavía. Los animales se comunican entre ellos, sin palabras, mejor que nosotros, ufanos de haberlas inventado con la materia prima de lo quimérico. Sin fundamento. Ninguna relación con la vida. ¿Sabes tú, Patiño, lo que es la vida, lo que es la muerte? No; no lo sabes. Nadie lo sabe. No se ha sabido nunca si la vida es lo que se vive o lo que se muere. No se sabrá jamás. Además, sería inútil saberlo, admitido que es inútil lo imposible. Tendría que haber en nuestro lenguaje palabras que tengan voz. Espacio libre. Su propia memoria. Palabras que subsistan solas, que lleven el lugar consigo. Un lugar. Su lugar. Su propia materia. Un espacio donde esa palabra suceda igual que un hecho. Como en el lenguaje de ciertos animales, de ciertas aves, de algunos insectos muy antiguos. ¿Pero existe lo que no hay?

Tras aquella noche de tormenta, a la luz mortecina del alba me salió al encuentro un animal en forma de ciervo. Un cuerno en medio de su frente. Pelaje verde. Voz en que se mezclaba el aliento de la trompeta y el suspiro. Me dijo: Ya es hora de que el Señor vuelva a la tierra. Peguéle un bastonazo en el hocico, y seguí adelante. Me detuve ante el almacén "No hay que no hay" de nuestro espía Orrego, que abría las puertas del local a la luz de un candil. Ni él me reconoció en el mendigo embarrado que entraba en su establecimiento cuando empezaban a cantar los gallos. Le pedí que me sirviera un vaso de caña. ¡La pucha, compañero, qué temprano se le ha despertado la sed con tanta agua como cayó anoche! Arrojé sobre el mostrador una macuquina corrumbrosa que rebotó en el suelo. Mientras se agachaba el pulpero, salí. Me esfumé en la cerrazón.

Excelencia, un chasque a matacaballo ha traído este oficio del comandante de Villa Franca:

Suplico se me permita elevar un breve detalle del modo como hemos obrado en la celebración del acto de las exequias de nuestro Supremo Señor. El día de la víspera se hizo iluminación en la plaza y en todas las casas de esta Villa.

El día 18 celebró el padre cura misa cantada solemne por la salud, acierto y felicidad de los individuos que componen el nuevo Gobierno de fatuo provisorio y único. Acabada la misa, se publicó el Acta y con vivas exclamaciones de regocijo fue recebida y obedecida. Yo, como cabeza de esta Villa, presté juramento. Se hizo una corta salva de tres fusiles en medio de los repiques, y se cantó un solemne Te-Demus.

En esta noche se repitió la iluminación.

El día 19 se celebraron las honras fúnebres. Se levantó un cúmulo de tres cuerpos revestidos de espejos. Ante él se colocó una mesa cubierta con los albos paños de los altares, que el padre cura cedió en préstamo por la señalada ocasión. Sobre una almohada de raso negro se cruzaban un bastón y una espada, distintivos del Poder Soberano. Estaba el cúmulo iluminado con 84 candelas, una por cada año de vida del Supremo Dictador. Muchos, por no decir todos, notaron su aparición entre los reflejos que se multiplicaban sin término a semejanza de su infinita protección paternal.

El 20 se cantó una vigilia solemne, y en la misa el padre cura predicó la oración fúnebre exponiendo por tema: Que el Excelentísimo Supremo finado Dictador había desempeñado no sólo las obligaciones de un Fiel Ciudadano, sino también de un Fiel Padre y Soberano de la República. Pero la oración quedó incompleta a causa de no poder la multitud ni el padre contener el llanto que, silencioso al principio, reventó en desacompasada lamentación. El Predicador se apeó del púlpito bañado en lágrimas.

Todo era en rededor gemidos, sollozos, lamentos desgarradores. Muchos se arrancaban los cabellos con gritos de profundo dolor. Almas paraguayas en su máxima intensidad. Lo mismo la apreciable cantidad de hasta más de veinte mil indios que llegaron de ambas márgenes a celebrar sus ceremonias funerarias delante del templo mezclados a la multitud. La agitación que se sintió sobrepasa toda descripción.

Nuestras cortas facultades no nos han permitido consagrar más solemnidad a la memoria del finado Dictador. Por una parte la desolación nos ha asaltado. Por otra, nos sentimos inundados de consuelo; nos damos el parabién cuando se nos aparece o se nos representa en nuestras sesiones la presencia del Supremo Señor.

Hasta aquí escribía mi pluma temblorosa el 20, hacia las seis de la tarde. Pero desde esta mañana muy temprano han comenzado a circular rumores de que El Supremo vive aún; esto es, que no ha muerto y que, por tanto, no existe todavía un Gobierno provisorio de fatuo.

¿Será posible que esta terrible conmoción haya alterado de raíz el sentido de lo cierto y de lo incierto?

Suplicamos a V.S. nos saque de esta horrible duda que nos suspende el aliento.

Contesta al comandante de Villa Franca que no he muerto aún, si estar muerto significa yacer simplemente bajo una lápida donde algún idiota bribón escribirá un epitafio por el estilo de: Aqui yace el Supremo Dictador/para memoria y constancia/de la Patria vigilante defensor... etcétera, etcétera.

Lápida será mi ausencia sobre este pobre pueblo que tendrá que seguir respirando bajo ella sin haber muerto por no haber podido nacer. Cuando esto suceda, puesto que no soy eterno, yo mismo te mandaré comunicar la noticia, mi estimado Antonio Escobar.

¿De qué fecha es el oficio? Del 21 de octubre de 1840, Excelencia. Aprende, Patiño: He aquí un paraguayo que se adelanta a los acontecimientos. Mete su oficio por el ojo de la cerradura de un mes aún no llegado. Salta por encima de los embarullamientos del tiempo. Lo bueno es encontrar un tiempo para cada cosa. Algo que no se detenga. ¿Qué agua de río tiene antigüedad? ¿Es posible que gente como Antonio Escobar conozca con todo rigor algo que no sucedió todavía? Sí. Es posible. No hay cosa que no haya sucedido ya. Dudan pero están seguros. Adivinan con sus simples entendimientos que la ley es simbólica. No lo toman todo literalmente como los que hablan un lenguaje embrollado.

Yo no afirmo: Esta generación no pasará hasta que todo esto se haga. Yo afirmo: Tras esta generación vendrá otra. Si no estoy Yo, estará Él, que tampoco tiene antigüedad.

Ah con respecto al oficio de Escobar, exprésale mi agradecimiento por las lucidas exequias. Dile que las segundas no resulten tan llovidas; que las arrancadas de pelos no sean tan copiosas. No tienes necesidad, mi estimado Escobar, de levantar "cúmulos" iluminados, pues mi edad no se mide por candelas. Puedes ahorrar este gasto en mi homenaje. Tampoco revestirlos con espejos que dan una visión falsa de las cosas. Esos espejos deben ser los que se tomaron a los correntinos años ha, durante el sitio de su ciudad. Devuélvelos a sus dueños, que desde entonces no saben dónde tienen sus caras caídas en la vergüenza.

Otra cosa, Escobar. Hazme saber de inmediato, antes de que se enfríen mis cenizas, quién firmó la circular que te notificó mi muerte y la instalación de eso que llamas gobierno provisorio "de fatuo". La expresión que corresponde es *de facto* que quiere decir "de hecho". Aunque de hecho lo que hay en este país es una tracalada de fatuos. Por lo que en tu oficio yerras y aciertas a la vez.

Dime Patiño... Sí, Excelencia. ¿Sabes tú algo acerca de eso? ¡Ni media palabra, Señor! Averígualo un poco. No *nos* vendría mal a los dos enterarnos de lo que pasa. Incómodo estar vivo/muerto al mismo tiempo. Pierda cuidado, Excelencia. Ya lo he perdido; por eso ocurren estas cosas. ¿Tienes alguna sospecha de alguien en particular? Ninguna, Señor. Nunca nadie se ha avanzado a tanto. No sé Excelencia, quién será, quién puede ser el culpable. La verdad, Excelentísimo Señor, que dentro de lo que puedo saber no sé nada. Casualmente por un casual, esta vez ni siquiera puedo sospechar de nadie, particular, grupo o facción. Si una nueva conspiración está en marcha después de veinte años de paz pública, de respeto y acatamiento al Supremo Gobierno, le prometo que no escaparán los culpables aunque se escondan bajo tierra. Deja de deshollinarte las fosas nasales. ¡Perdón Excelencia! ¡Ea! Basta ya de andar cuadrándote a cada momento. ¿Debo repetírtelo todos los días? Tus chapuzones en la palangana terminarán por convertir el piso en un estero. Nos ahogaremos los dos en este lodazal antes de que nuestros enemigos se den el gusto de incinerarnos en la plaza. ¡Dios nos guarde, Excelencia! No es Dios quien te librará de esas molestias. Cuando estamos trabajando, también te lo he ordenado infinidad de veces, no uses tanto Usía, Vuecencia, Vuesa Merced, Su Excelencia, todas esas paparruchas que ya no se estilan en un Estado moderno. Menos aún en este crónico estado de incomunicación que nos separa al tiempo que nos junta sin jerarquía visible. Más, si hemos de ser pronto compañeros en el cenizario de la Plaza de Armas. Por ahora usa el Señor, si necesitas vocarme a toda costa. No te acercará eso más a mí aunque revientes. Mientras yo dicto tú escribes. Mientras yo leo lo que te dicto para luego leer otra vez lo que escribes. Desaparecemos los dos finalmente en lo leído/escrito. Sólo en presencia de terceros emplea el tratamiento adecuado. Pues, eso sí, hemos de guardar dignamente las formas mientras seamos figuras visibles. Palabras corrientes del lenguaje de lo general.

Volvamos al panfleto encontrado esta mañana en la puerta de la catedral. ¿Donde está? Aquí, Señor. Al pellizcarte los cornetes con la pluma lloviznas a cada rato sobre el anónimo. Ya estás a punto de borrar su hermosa letra. Alcánzamelo. Los gachupines o porteñistas que han parido este engendro no se han mofado de mí sino de ellos mismos. Cómense los comejenes. Más me río yo de la majadera seguridad de sus anónimos. Este papel no vale sus orejas. Quien se cubre debajo de una hoja dos veces se moja. Aunque se cubran bajo una selva entera de pasquines, igualmente se mojarían en sus propios orines. Miserable descendencia de aquellos usureros, comerciantes, acaparadores, tenderos, que desde sus mostradores vociferaban: ¡Nos cagamos en la patria y en todos los patriotas! ¡En la republiqueta de los paraguayos nos cagamos! Se cagaban en su miedo. En su mierda fueron enterrados. De aquellos estiércoles salieron estos miércoles. Anofeles tercianeros. Zumban por el trasero, que no por la trompa, como todo mosquito. En este caso, Señor, buscaré con fina voluntad hasta en los papeles usados de los excusados... ¡Muérdete la lengua, truhán! Te prohíbo propasarte en sucios juegos de palabras. No trates de imitar las bufonadas letrinarias de esos culícidos. ¡Pido humildemente perdón a Su Merced por mi grosera aunque involuntaria irreverencia! Nunca me he permitido ni me permitiré faltar en lo más mínimo al respeto debido a nuestro Supremo Señor.

Déjate de seguir gimoteando. Empéñate más vale en cazar al pérfido escriba. Veamos, Patiño, ¿no se te ocurre que los curas, el propio provisor, podrían ser los autores? Con los curas nunca se sabe, Señor. Tejen muy delgado, muy tupido. La letra y hasta la firma del pasquín, tales iguales a las suyas, Señor. Aunque mal tiro sería para ellos meterse en estos negocios del peje-vigüela, ahora que están mejor que nunca. No les conviene un nuevo Gobierno de gente yente-viniente. Se les acabará su bigua salutis. ¡Bien dicho Patiño! Te corono rey de las inteligencias. Te legaré mi vaso de noche. Durante el día, ahora que nos ha atacado de nuevo la época miserable, lo pondrás sobre tu frente. Símbolo de tu poder. Durante la noche devolverás la corona de alabastro a su lugar ordinario, de modo que te sirva dos veces en usos distintos y distantes. Lo cierto, Señor, es que la realidad se ha movido de lugar. Cuando leí el pasquín sentí que un pie pisaba el suelo, otro el aire. Exactamente es lo que te sucederá. Sólo sé, Excelencia, que removeré cielo y tierra en busca de los culpables. Le prometo que he de encontrar el pelo en un agujero sin fondo. No corras tras los pelos-hembras únicamente, según tu costumbre. No me salgas haciendo lo del otro que abrió de noche una alacena en lugar de una ventana. Venir luego a decirme que hace obscuro y güele a queso por oler donde no debes, por no buscar donde debes. En menos de tres días has de llevar al culpable bajo el naranjo. Darle su ración de cartucho a bala. Quienquiera que sea. Aunque sea El Supremo.

Harás hablar hasta a los mudos del Tevegó que según los pasquines ya andan en cuatro patas. Paren hijos mudos con cabezas de perros-monos. Sin lengua. Sin orejas. Conjunto de patrañas, supersticiones, embustes, como los que escribieron los Robertson, los Rengger, esos resentidos, esos pillastres, esos ingratos. Lo que ha sucedido con el pueblo del Tevegó es cierto, Señor. Aunque mientan los pasquines, *eso* es cierto. ¡Cosa de no ver y no creer ni viendo con mis ojos! Yo tampoco quise creer hasta que por su orden Señor, fuimos a investigar el caso con el comisionado de Kuruguaty, don Francisco Alarcón, y un destacamento de los efectivos de línea de esa región.

Después de tres días con sus noches, cortando camino, llegamos al penal del Tevegó a la salida del sol. Silencio demasiado. Ningún sitio de vida. ¡Allá está!, dijo el baqueano. Sólo después de un largo rato, forzando mucho los ojos, vimos la población sembrada en el campo. A obscuras todavía porque los rayos del sol no entraban en ese lugar que se había llevado su lugar a otro lugar, por decirlo con sus palabras, Señor. No hay otro modo de explicar esa cosa muy extraña que allí se ha formado, sin que se pueda saber lo que pasa. ¡Lástima no haber tenido en ese momento su anteojo de ver-lejos! Su aparato-estrellero. Aunque pensándolo bien, tal vez para ver eso no hubiera funcionado. Saqué el espejito que llevo siempre en el bolsillo para señear a los compañeros de viaje. Chispeó un momento y se apagó cuando chocó su reflejo contra ese aire parado dentro de abra. Al pueblo-penitenciario del Tevegó no se puede entrar, Excelencia. ¿Cómo que no? Allá entraron sin muchas garambainas los criminales, ladrones, vagos, malentretenidos, prostitutas, los conspiradores que se salvaron del fusilamiento del año 21. Entraron los primeros correntinos que mandé capturar en sus invasiones al Apipé, a Yasyretá, a Santa Ana, a Candelaria. Entraron hasta mulatos y negros. Razón que le sobra, Excelencia. Digo nomás que no se puede entrar *ahora*. No porque no se pueda sino porque se tarda.

Tratándose de ti, que estando en servicio caminas de espaldas, es natural. Entrar allí no es entrar, Señor. No hay alambrados, empalizadas, defensas de abatises ni zanjones. Nada más que la tierra ceniza y piedras. Piedras chatas, peladas, hasta de un jeme, marcando la línea donde se acaba el verde del espartillar y los pirizales. Del otro lado de esta marca, todo ceniza-tanimbú. Hasta la luz. Luz quemada que larga su ceniza en el aire y ahí se queda qüieta, pesada-liviana, sin subir ni bajar. Si hay gente allá lejos no se sabe si es gente o piedra. Lúnico que si son gentes están ahí sin moverse. Negros, pardos, mulatos, hombres, mujeres, chicos, todos cenizos, cenizos-tanimbulos, cómo explicarle, Señor, no del color de su piedra-aerolito que es negra y no refleja la luz, sino más bien de esa piedra arenisca de las barrancas cuando hay mucha seca o de esos piedrones que ruedan por las faldas de los cerros. Esos no pueden ser los destinados, dijo don Francisco Alarcón. ¿Dónde está entonces la custodia? Vea don Tikú, dijo el baqueano, si son piedras no precisan custodia. Los soldados se rieron sin ganas. Después vimos *eso*. Capaz nomás que creíamos que veíamos. Porque le digo, Señor, cosa es de ver y no creer.

*(En el cuaderno privado *)*

Mi amanuense medio miliunanochero ha puesto a calentar su azogue. Busca por todos los medios hacerme perder el tiempo, desvariar la atención que me ocupa en lo principal. Ahora sale con la gracia de una extraña historia de esa gente en castigo que ha migrado a alguna parte desconocida permaneciendo en el mismo sitio bajo

* Libro de comercio de tamaño descomunal, de los que usó *El Supremo* desde el comienzo de su gobierno para asentar de puño y letra, hasta el último real, las cuentas de tesorería. En los archivos se encontraron más de un centenar de estos Libros Mayores de mil folios cada uno. En el último de ellos, apenas empezado a usar en los asientos de cuentas reales, aparecieron otros irreales y crípticos. Sólo mucho después se descubrió que, hacia el final de su vida, *El Supremo* había asentado en estos folios, inconexamente, incoherentemente, hechos, ideas, reflexiones, menudas y casi maniáticas observaciones sobre los más distintos temas y asuntos; los que a su juicio eran positivos en la columna del Haber; los nega-

otra forma. Transformada en gente desconocida que ha formado allí su ausencia. Animales. Cantos rodados. Figuras de piedra. Lo que llaman endriagos. Patiño todo lo imita. Me ha visto practicar a mí la transmutación del azogue. Materia la más pesada del mundo, se vuelve más liviana que el humo. Luego al topar la región fría al punto se cuaja y torna a caer en ese licor incorruptible que todo lo penetra y corrompe. Sudor eterno lo llamó Plinio, pues apenas hay cosa que lo pueda gastar. Peligrosa conversación con criatura tan atrevida y mortal. Bulle, se dispersa en mil gotillas, y por menudas que sean no se pierde una sino que todas se vuelven a juntar. Siendo el azogue el elemento que aparta el oro del cobre es también el que dora los metales, medianero de esta junta. ¿No se parece a la imaginación, maestra del error y la falsedad? Tanto más embustera cuanto no lo es siempre. Porque sería regla infalible de verdad si fuera infalible de mentira.

Acaso el fide-indigno sólo miente a medias. No alcanza a fundir el azogue de los espejos. Carece del olvido suficiente para formar una leyenda. El exceso de memoria le hace ignorar el sentido de los hechos. Memoria de verdugo, de traidor, de perjuro. Separados de su pueblo por accidente o por vocación, descubren que deben vivir en un mundo hecho de elementos ajenos a ellos mismos con los cuales creen confundirse. Se creen seres providenciales de un populacho imaginario. Ayudados por el azar, a veces se entronizan en la idiotez de ese populacho volviéndolo aún más imaginario. Migrantes secretos están y no están donde parecen estar. Le cuesta a Patiño subir la cuesta del contar y escribir a la vez; oír el son-ido de lo que escribe; trazar el signo de lo que escucha. Acordar la palabra con el sonido del pensamiento que nunca es un murmullo solitario por más íntimo que sea; menos aún si es la palabra, el pensamiento del dictare.

---

tivos, en la columna del Debe. De este modo, palabras, frases, párrafos, fragmentos, se desdoblan, continúan, se repiten o invierten en ambas columnas en procura de un imaginario balance. Recuerdan en cierta forma, las notaciones de una partitura polifónica. Sabido es que *El Supremo* era buen músico; al menos excelente vihuelista, y que tenía veleidades de compositor.

El incendio originado en sus habitaciones, unos días antes de su muerte, destruyó en gran parte el Libro de Comercio, junto con otros legajos y papeles que él acostumbraba guardar en las arcas bajo siete llaves. *(N. del Compilador.)*

Si el hombre común nunca habla consigo mismo, el Supremo Dictador habla siempre a los demás. Dirige su voz delante de sí para ser oído, escuchado, obedecido. Aunque parezca callado, silencioso, mudo, su silencio es de mando. Lo que significa que en El Supremo por lo menos hay dos. El Yo puede desdoblarse en un tercero activo que juzgue adecuadamente nuestra responsabilidad en relación al acto sobre el cual debemos decidir. En mis tiempos era un buen ventrílocuo. Ahora ni siquiera puedo imitar mi voz. El fide-indigno, peor. No ha aprendido aún su oficio. Tendré que enseñarle a escribir.

¿De qué hablabas, Patiño? De la gente del pueblo del Tevegó, Señor. Cuesta mucho ver que los bultos no son piedra sino gente. Esos vagos, malentretenidos, conspiradores, prostitutas, migrantes, tránsfugas de todo pelo y marca, que en otro tiempo Su Excelencia destinó a aquel lugar, ya no son más gente tampoco, si uno ha de desconfiar de lo que ve. Bultos nomás. No se mueven, Señor; al menos no se mueven con movimiento de gente, y si por un casual me equivoco, su movimiento ha de ser más lento que el de la tortuga. Un decir, Excelencia: De aquí donde yo estoy sentado hasta la mesa donde Su Señoría tiene la santa paciencia de escucharme, por ejemplo, un bulto de ese tortugal de gente tardaría la vejez de un hombre en llegar, si es que mucho se apura y llega. Porque esos bultos al fin y al cabo no viven como cristianos. Deben tener otra clase de vivimiento. Gatean parados en el mismo lugar. Se ve que no pueden levantar las manos, el espinazo, la cabeza. Han echado raíces en el suelo.

Como le decía, Excelencia, toda esa gente sembrada así al barrer en el campo. Ningún ruido. Ni el viento se oye. No hay ruido ni viento. Grito de hombre o mujer, lloro de criatura, ladrido de perro, la menor seña. Para mí, esa gente no entiende nada de lo que le pasa, y en verdad que no le pasa nada. Nada más que estar ahí sin vivir ni morir, sin esperar nada, hundiéndose cada vez un poco más en la tierra pelada. Frente a nosotros un chircal que antes debió ser un montecito usado como excusado, lleno de marlos de maíz que usted sabe, Señor, para qué usan nuestros campesinos cuando van al común. Lúnico que las manchas en esos marlos brillaban con el brillo dorado de las chafalonías.

Esta gente no está muerta; esta gente come, dijo el comisionado Tikú Alarcón. Eso era antes, dijo el baqueano. No vimos ningún maizal cerca. Desperdicios, eso sí, a montones. Trapos secos, muchas cruces entre los yuyales también secos. Ningún pájaro, ningún loro maicero, ninguna tortolita. Un taguató se largó desde arriba contra el aire duro que techaba el pueblo. Rebotó como contra una plancha y se alejó dando vueltas de borracho, hasta que al fin cayó cerca de nuestro grupo. Tenía la cabeza partida y los burujones de espuma salían hirviendo por el agujero.

Vamos a vichear más, dijo Tikú Alarcón. Los soldados se largaron de los caballos a recoger los miérdalos dorados. Los cargaron en sus mochilas por si fueran nomás marlos de oro. Todo puede suceder, dijo uno. Pegamos la vuelta alrededor. Desde todas partes se veía lo mismo. Los bultos mirándonos lejos; nosotros los veíamos a ellos medio borrados por la humazón. Un decir, ellos desde un tiempo de antes; nosotros desde el tiempo de ahora sin saber si nos veían. Uno sabe cuándo su mirada se cruza con la de otro ¿no Excelencia? Bueno, con esta gente, ni noticia, ni la menor seña para saber o no saber.

Hacia el mediodía ya teníamos los ojos secos de tanto mirar; sancochados por la luz del sol rebotando contra la sombra que estaba detrás. Medio muertos de sed porque en varias leguas a la redonda todos los ríos y arroyos estaban sin agua desde hacía muchísimo tiempo. Eso también se notaba. El pueblo iba obscureciendo como si adentro ya estuviera creciendo la noche, y era solamente que la sombra se volvía más espesa.

Hay que tener paciencia, dijo el baqueano. Sabiendo esperar, alguien ha visto allá hasta una función patronal de los negros el día de los Tres Reyes. También la vio mi abuelo Raymundo Alcaraz, pero él estuvo aquí vicheando como tres meses. Contaba que hasta alcanzó a ver un ataque de indios mbayás, cuando andaban maloqueando por estos lados con los portugueses. Para ver hay que tener paciencia. Hay que mirar y esperar meses, años, si no más. Hay que esperar para ver.

Yo voy a vichear adentro, dijo el comisionado, bajando del caballo. Para mí que esos hijos-del-diablo no son, sino que se hacen. Escupió y entró. Al cruzar la línea entre el verde y lo seco no lo vimos más. Entró y salió. Para mí que entró y salió. Para los otros también. Un decir, yendo-viniendo. Ni el gargajo que escarró se había secado cuando volvió. Pero volvió hecho un anciano, agachado hacia el suelo, a punto de gatear él también. Buscando el habla perdida, dijo el baqueano.

Tikú Alarcón, el comisionado Francisco Alarcón, hombre joven entró y salió hombre viejo de unos ochenta años por lo menos; sin pelo, sin ropa, mudo, enchiquecido más que un enano, doblado por la mitad, colgándole el cuero lleno de arrugas, piel escamosa, uñas de lagarto. ¿Qué le pasó, don Tikú? No contestó, no pudo hacer la menor seña. Lo envolvimos en un poncho y lo alzamos atravesado sobre el caballo. Mientras los soldados lo ataban a la montura, eché una mirada al pueblo. Me pareció que los bultos bailaban en cuatro patas el baile de los negros de Laurelty o de Campamento-Loma. Esto sí pudo ser un engaño de los ojos llenos de lágrimas. Regresamos como después de un entierro. El muerto venía vivo con nosotros.

Cuando llegamos a Kuruguaty, el comisionado entró gateando en su casa. Vino todo el pueblo a ver el sucedido. Se mandó llamar al cura párroco de San Estanislao y excusador de los xexueños del Xexuí. Misa, procesión, rogativas, promesas. No hubo caso; nada podía remediar el daño. Probé el recurso de los guaykurúes: Pegué un tironazo a los cabellos de don Tikú. La cabellera me quedó en las manos más pesada que un pedazo de piedra. Un profundo olor a cosa enterrada.

Se mandó llamar a Artigas, que dicen que sabe curar con yuyos. El general de los Orientales vino de su chacra trayendo una carretada de yuyos de todas clases. Escátulas de melecinas. Un pomo de Agua-de-ángeles de extremado olor, destilada de muchas flores diferentes como ser las de azar, jazmín y murta. Vio y trató al enfermo. Hizo por él todo lo que se sabe que sabe hacer el asilado oriental. No le pudo sacar una sola palabra, qué digo Excelencia, un solo sonido de la boca. No le pudo meter una gota de melecina en la juntura de los labios hechos ya también piedra. Al comisionado lo subían a su catre. Sin saber cómo, ya estaba otra vez en el suelo en cuatro patas como los de allá. Se le friccionó con seis estadales de cera negra. Don José Gervasio Artigas midió el espacio que va de los dedos de una mano a la otra, que es la misma distancia que hay de pies a cabeza. Pero encontró que la hilada correspondía a dos hombres diferentes. El ex Protector de los Orientales movió la cabeza. Este no es mi amigo don Francisco Alarcón, dijo. ¿Y entonces quién es?, preguntó el cura. No sé, dijo el general, y volvió a su chacra.

¡Cosa de malos espíritus! se encocoró el cura xexueño. Hubo nuevas rogativas, procesiones. La cofradía sacó a la calle la imagen de San Isidro Labrador. Tikú Alarcón seguía envejeciendo en cuatro patas, cada vez más duro. Alguien quiso sangrarlo. La hoja del cuchillo se quebró al tocar la piel del viejo que también se iba poniendo cada vez más caliente que piedra de horno.

¡Hay que ir a quemar el Tevegó! corrió la voz por el pueblo. ¡Allí vive el Malo! ¡Eso es el infierno! Bueno entonces, dijo mansamente Laureano Benítez, el Hermano Mayor de la cofradía, si este santo hombre pudo salir y volver del infierno, a mí me parece que hay que hacerle un nicho. Ya el comisionado no tenía ni el altor del Señor San Blas.

Al día siguiente, Tikú Alarcón se murió en la misma posición, más viejo que un lagarto. Hubo que enterrarlo en un cajón de criatura. ¡Ea basta ya, deslenguado palabrero! Hablas como los pasquines. Perdón, Excelencia, yo fui testigo de esta historia; traje la instrucción sumaria levantada por el juez de la Villa del Kuruguaty y el oficio del comandante Fernando Acosta, de la Villa Real de la Concepción. Cuando Vuecencia regresó del Cuartel del Hospital rompió los papeles sin leerlos. Lo mismo sucedió, Señor, con el informe sobre la misteriosa piedra redonda encontrada en las excavaciones de los cerros de Yariguaá por el millar de presos políticos que Vuecencia envió bajo custodia a trabajar en esas canteras. ¿Sucedieron ambos hechos al mismo tiempo? No, Excelencia. La piedra del cerro de Yariguaá o Silla-del-viento fue encontrada hace cuatro años, después de la gran cosecha del 36. Lo del Tevegó no hace un mes, poco antes de que Vuecencia se desgraciara en el accidente. Yo ordené que se me remitiera copia fiel de todos los signos que están labrados en la piedra. Así se hizo, Excelencia, pero usted rompió la copia. ¡Porque estaba mal hecha, bribón! ¿O crees que no sé cómo son estas inscripciones rupestres? Envié instrucciones de cómo debía efectuarse la copia a escala del petroglifo. Medición de sus dimensiones. Orientación astronómica. Pedí muestras del material de la piedra. ¿Sabes lo que hubiera sido encontrar allí los vestigios de una civilización de miles de años? Envía de inmediato un oficio al comandante de la región de Yariguaá ordenándole me remita la piedra. No costará más trabajo que haber traído el aerolito ochenta leguas del interior del Chaco. Me parece, Excelencia, que usaron la piedra de Silla-del-viento en la construcción del cuartel nuevo de la zona. ¡Que la saquen de allí! ¿Y si la quebraron en pedazos para armar los cimientos, Señor? ¡Que junten los pedazos! Voy a estudiarlos yo mismo al microscopio. Determinar la antigüedad, porque las piedras sí la tienen. Descifrar el jeroglífico. Soy el único que puede hacerlo en este país de cretinos sabihondos.

Otro oficio al comandante de Villa Real. Ordenarle que con los efectivos de línea a su mando proceda a desmantelar la colonia penitenciaria del Tevegó. Si resta algún sobreviviente enviarlo engrillado con segura custodia. ¿Qué acabas de farfullar? Nada, Excelencia, de particular. Sólo pienso que me parece va a ser más fácil traer la piedra con sus miles de años y sus miles de arrobas, que a esa gente del Tevegó.

Vamos a lo que nos importa por el momento. Recomencemos el ciclo. ¿Dónde está el pasquín? En su mano, Excelencia. No, secretante chupatintas. En el pórtico de la catedral. Clavado bajo cuatro chinches. Una partida de granaderos lo retira a punta de sable. Lo llevan a la comandancia. Te dan aviso. Cuando lo lees te quedas media res al aire viendo ya la hoguera encendida en la plaza, a punto de convertirnos a todos en tizones. Me traes el papel con ojos de carnero degollado. Aquí está. No dice nada. No importa lo que diga. Lo que importa es lo que está detrás. El sentido del sin-sentido.

Vas a ponerte a rastrear la letra del pasquín en todos los expedientes. Legajos de acuerdos, desacuerdos, contraacuerdos. Comunicaciones internacionales. Tratados. Notas reversales. Letras remisorias. Todas las facturas de los comerciantes portugueses-brasileros, orientales. El papelaje de sisa, diezmo, alcabala. Contribución fructuaria. Estanco, vendaje, ramo de guerra. Registros de importación-exportación. Guías de embarques remitidos-recibidos. Correspondencia íntegra de los funcionarios, del más bajo al más alto rango. Cifrados de espías, vicheadores, agentes de los distintos servicios de inteligencia. Remitos de contrabandistas de armas. Todo. El más mísero pedazo de papel escrito.

¿Has entendido lo que te mando hacer? Sí, Excelencia: Debo buscar el molde de la letra del pasquín catedralicio, buscar su pelo y marca en todos los documentos del archivo. Al fin vas aprendiendo la manera de hablar sin andar bajo muchas nubes. No se te olvide tampoco revisar prolistamente los nombres de los enemigos de la Patria, del Gobierno, fieles amigos de nuestros enemigos. Agarra al crapuloso intempestivo de los muchos aturdidos que zumban por las calles del Paraguay, según clama en su Proclama mi patriotero tío el fraile Bel-Asco. Caza al culícido. Achichárralo en su vela definitiva. Entiérralo en su propia hez. Haz lo que te ordeno. ¿Me has entendido? Pues manos a la obra. Bájate de la luna. Lúnico, Excelencia... ¿Qué pasa ahora? Que el trabajo me va a llevar cierto tiempo nomás. Hay unos cuantos veinte mil legajos en el archivo. Otros tantos en las secretarías de los juzgados, comisarías, delegaciones, comandancias, puestos fronterizos y demás. Fuera de los que están a la mano en trámite de despacho. Unas quinientas mil fojas poco más o menos en total, Señor. Sin contar las que se te han perdido por tu incuria, maestro del desorden, de la dejadez, del abandono. No has perdido las manos, sólo porque te hacen falta para comer. Yo siendo que pueda, Excelencia, un decir con todo respeto, mi voluntad no se enfría en el servicio, y si Su Merced me ordena, encuentro el pelo en un agujero sin fondo, cuantimás a estos malhechores de la letra escrita del rumor. Siempre dices lo mismo pero no has acabado con ellos. Se pierden los expedientes; los pasquineros son cada vez más numerosos. De los expedientes, me permito recordar a Vuecencia, sólo falta el proceso del año 20, presuntamente robado por el reo José María Pilar, su paje a mano, quien por mandato de la inexorable justicia de Su Excelencia ya tuvo su merecido. Si no por ese delito que no se le pudo probar, por otros no menos graves que lo llevaron bajo el naranjo. Los demás legajos están todos. Yo diría a Vuecencia, con su venia, que hasta sobran de tantos que son. ¡Sólo tus patas en remojo pueden evaporar semejante idiotez! Esos documentos, aun los más insignificantes a tu desjuicio, tienen su importancia. Son sagrados puesto que ellos registran circunstanciadamente el nacimiento de la Patria, la formación de la República. Sus muchas vicisitudes. Sus victorias. Sus fracasos. Sus hijos beneméritos. Sus traidores. Su invencible voluntad de sobrevivir. Sólo Yo sé las veces que para tapar sus necesidades tuve que añadir un trozo de pellejo de zorro cuando no bastó la piel del león parado en el escudo de la República.

Revisa esos documentos uno por uno. Regístralos a lupa con ojos de lupus, con los tres ojos de las hormigas. A pesar de ser completamente ciegas ellas saben qué hoja cortan. Para no restar tu tiempo al servicio recluta a la caterva de escribientes de juzgados, escribanos, pendolistas que no hacen más que andar gorroneando todo el día por plazas y mercados. Haz la leva. Enciérralos en el archivo. Ponlos a rastrear la letra. Por algunos días se quedarán las placeras sin sus cartas; los escribientes sin su plato de locro. También nosotros vamos a descansar por un tiempo de tantos escritos de mil zoncerajes. ¡Cuánto más le habría valido al país que estos parásitos de la pluma hubieran sido buenos aradores, carpidores, peones, en las chacras, en las estancias patrias, no esta plaga de letricidas peores que las langostas!

Excelencia, son más de ocho mil escribientes, y hay un solo pasquín. Tendría que ir turnándolos de a uno por vez, de tal forma que de aquí a unos veinticinco años podrán revisar los quinientos mil folios... ¡No, bribón, no! Mutila el papel en trozos muy pequeños hasta hacerle perder el sentido. Nadie debe enterarse de lo que contiene. Reparte el rompecabezas a esos millares de perdularios. Ve la manera de componértelas para que se espíen mutuamente. El caraña que ha tejido esta tela caerá por sí solo. Tropezará en una frase, en una coma. Lo negro de su conciencia lo engañará en el delirio de la semejanza. Cualquiera de ellos puede ser el malhechor; el más insignificante de entre esos pendolines. Su orden será cumplida, Excelencia. Aunque me animaría a decirle, Señor, que casi no hace falta. ¿Cómo que no hace falta, holgazán? En la punta del ojo, Excelencia, tengo la letra de cada uno de los escritos. Del más mínimo papel. Y si Vuecencia me apura, yo diría que hasta las formas de los puntos al final de los párrafos. Su Señoría sabe mejor que yo que los puntos nunca son del todo redondos, así como en las letras más parecidas siempre hay alguna diferencia. Un rasgo más grueso. Un rasgo más fino. Los bigotes de la *t*, más largos, más cortos, según el pulso de quien los marcó. La colita de chancho de la *o*, levantada o caída. Ni hablar del empeine, de las piernas retorcidas de las letras. Los fustes. Los florones. Los lances a dos aguas. Las cabezas de humo. Los techos de campanillas de las mayúsculas. Las enredaderas de las rúbricas dibujadas en una sola espiral sin un respiro de la pluma, como es la que Su Excelencia traza debajo de su Nombre Supremo trepado a veces por la tapia del escrito... ¡Acaba mentecato con tu floricultura escrituraria! Sólo quería recordar a Vuecencia que me acuerdo de todos y de cada uno de los legajos del archivo. Por lo menos desde que Su Señoría se dignó nombrarme su fiel de fechos y actuario del Supremo Gobierno, en la línea sucesoria de don Jacinto Ruiz, de don Bernardino Villamayor, de don Sebastián Martínez Sanz, de don Juan Abdón Bejarano. Don Mateo Fleitas, el último a quien reemplacé en el honor del cargo, disfruta ahora en Ka'asapá de un merecido retiro. Encerrado en su casa, como en un calabozo, en la más total obscuridad, vive don Mateo Fleitas. Nadie lo ve durante el día. Una lechuza, Señor. Más escondido que el urukure'á en la espesura del monte. Únicamente por las noches cuando no sale la luna, su fuego-frío le saca en la piel una especie de sarna parecida a la lepra-blanca, en los ojos un flujo legañoso parecido a la pitaña, don Mateo sale a pasear por el pueblo. Cuando la luna no sale, sale don Mateo. Envuelto en la capa de forro colorado que Su Excelencia le regaló. Su sombrero-caranday coronado de velas encendidas. Ya el vecindario no se asusta cuando ve esas luces porque sabe que bajo ese sombrero iluminado va don Mateo. Lo encontrará por ahí, capaz que hacia el bajo del Pozo Bolaños, me dijeron cuando pregunté por él en la noche de mi llegada al pueblo por el asunto aquel de los abigeatos.

Seyendo noche muy obscura lo vi subir la arribada de la fuente milagrosa. Vi el sombrero solo flotando en el aire, muy afarolado, lleno de lumbre, que al principio creí ver un mazacote de cocuyos alumbrando verdosamente los cardales. ¡Don Mateo! grité llamándolo fuerte. El sombrero coronado de velas se me arrimó. Eh don Polí, ¿qué hace usté por estos lugares tan noche? He venido para investigar el robo de ganado de la estancia-patria. ¡Ah cuatreros! dijo don Mateo Fleitas que ya estaba siendo un poco de sombra humana a mi lado. ¿Y a usted cómo le va? dije por decir algo. Ya ve colega, lo mismo de siempre. Sin novedad. Me pareció que tenía que bromearle un poco. ¿Qué, don Mateo, anda jugando al torocandil o qué? Ya estoy un poco viejo para eso, dijo con su voz cascadita y chilladita. Con esas velas en el sombrero no va a perderse, compadre. No es que me vaya perder, más perdido de lo que ya estoy. Conozco bien estos yavorais. Si se me antoja puedo recorrer todo Ka'asapá con los ojos cerrados. ¿Una promesa entonces? Antes de dormir vengo siempre al Pozo Bolaños a tomar un trago de la surgente del Santo. Mejor remedio no hay. Opilativo. Corrial. Vamos a casa. Así conversamos un poco. Me puso la mano en el hombro. Sentí que sus uñas se engancharon en los flecos de mi poncho. Ni me di cuenta de que habíamos entrado al rancho. Se sacó el sombrero. Lo puso sobre un cántaro. Apagó todas las velas menos el cabo más gastadito con esas uñas de kaguaré; las del pulgar y el índice sobre todo, Señor, ganchudas y filosas como una navaja. Con el líquido de una limeta roció el cuarto tres veces. Una fragancia sin segundo en un segundo borró el aire a cerrado, a orines de viejo, a carne descompuesta que olí al entrar. Ahora olía mismamente a jardín. Me fijé si había puesto algunas plantas aromáticas en los rincones. Sólo alcancé a ver unas sombras que revolaban casi pegadas al techo; otras, colgadas en racimos, de la paja misma.

Trajo una manta que sacó de un baúl; parecía tejida en lana o pelo muy suave de un color tirando a pardo-oscuro; yo diría más bien un color sin color porque la luz desteñida del candil no entraba en esa espumilla que a más luz sería todavía menos vible; un suponer, el color de la nada si la nada tuviese color. Tóquela, Policarpo. Tiré retiré la mano. Tóquela sin miedo, colega. Tenté la mano. Más blanda que la seda, el terciopelo, el tafetán o la holanda era. ¿De qué está hecha esta tela, don Mateo? Parece plumilla de pichones recién nacidos, plumón de pájaros que no conozco, y eso que no hay pájaro que no conozca. Señaló hacia el techo: De esos que andan revoloteando sobre su cabeza. Hace diez años que estoy tejiendo la manta para regalar a Su Excelencia el día de su cumpleaños. Este 6 de enero, si el reumatismo me deja caminar las cincuenta leguas hasta Asunción, yo mismo voy a ir a llevarle mi regalo porque me han contado que nuestro Karaí anda medio sin ropa y medio enfermo. Esta manta lo va a abrigar y lo va a curar. ¡Pero hecha con ese pelo, don Mateo! ¿Le parece que Su Excelencia va a usar semejante cosa? tartamudeé entre arcadas. Usted sabe muy bien que nuestro Karaí Guasú no acepta luego ningún regalo. ¡Ea, don Polí! Esto no es regalo. Es remedio. Va a ser una manta única en el mundo. Suave, ya la ha tocado usté mismo. La más liviana. Si la tiro al aire en este momento, usté y yo podemos envejecer esperando que vuelva a caer. La más abrigada. No hay frío que pueda atravesar el tejido. Contra la calor de afuera y la calentura de adentro también sirve. Esta manta es contra todo y por todo. Yo miraba el techo cerrando los ojos. ¿Pero cómo ha podido juntar tantos orejudos? Ya me conocen. Vienen. Se sienten como en su casa. Si acaso hacia el atardecer salen a ventilarse un rato. Después vuelven a entrar. Aquí están a gusto. ¿No le muerden, no le chupan la sangre? No son zonzos, Polí. Saben que en mis venas ya no hay sino sanguaza. Yo les traigo animalitos del monte; ésos que andan de noche son los más vivos y de sangre más caliente. Mis mbopís cebados y contentos crían un pelo tan fino que sólo manos acostumbradas a la pluma, como la suya o la mía, pueden hilar, manejar, tejer, dijo despabilando el candil con esas uñas larguísimas. Mientras duermen les arranco la plumita de seda con miradas de seda y tironcitos de seda. Somos muy compañeros. Pero dejando aparte la colcha que no es de discutir, yo malicio que uno de estos mis animalitos podría aliviar los males de Su Excelencia. Aquí, hará unos años, un fraile dominico se moría de una ardiente calentura. El sangrador no consiguió sacarle una gota de sangre con su lanceta. Los frailes estimando que el enfermo se moría, después de darle el último adiós se fueron a dormir y mandaron a los indios a cavar la sepultura para enterrarlo con la fresca. Por la ventana largué un murciélago que yo por esos días guardaba en arresto y sin comida por haberse desacatado. El mbopí se le prendió a un pie. Cuando se atracó echó a volar dejando rota la vena. A la salida del sol volvieron los frailes creyendo que el enfermo ya estaría muerto. Lo encontraron vivo, alegre, casi güeno, leyendo su Breviario en la cama. Gracias al mbopí-médico el fraile volvió muy pronto a su natural. Hoy por hoy es el más gordo y activo de la congregación; el que más hijos tiene con las indias-feligresas se dice; pero yo no me ocupo de esas calumnias ocupado día y noche en el trabajo de tejer la manta para nuestro Supremo.

Quédese a dormir, amigo Policarpo. Le invito a hacer penitencia. Allí está su catre. Tenemos mucho que conversar de aquellos güenos tiempos de antes. Volvió a guardar la manta en el baúl. Contra las sombras del techo revolaban chillaban los ratones orejudos de don Mateo, cubiertas las caritas acalaveradas con puntillas de luto. Se sacó despacio la capa dejando al aire el esqueleto desnudo. ¿Qué he de hacer sino tomar el pelo de esos inocentes para hacer ropa a nuestro Padre? Acuéstese, Policarpo. Iba a soplar la vela. Me levanté. No, don Mateo, me voy a ir nomás. Ya hemos pasado un rato muy agradable. Me espera el comisionado. Creo que ya han agarrado a los cuatreros ladronicidas. Si es así habrá que fusilarlos al alba, y yo tengo que estar presente para firmar el acta. ¡Metan bala a esos bandidos!, dijo el viejo soplando la vela.*

Eres el charlatán más desaforado del mundo. Pajarraco que grazna todo el tiempo. Pajarraco para el cual la muerte ya vino; que va a morir de inmediato aunque poco a poco. No he conseguido hacer de ti un servidor decente. No encontrarás nunca materia suficiente

* Don Mateo Fleitas, primer "fiel de fechos" de *El Supremo*, le sobrevivió más de medio siglo. Murió en Ka'asapá, a la edad de ciento seis años, rodeado de hijos y nietos, del respeto y cariño de todo el pueblo. Un verdadero patriarca. Lo llamaban *Tamoi-ypy* (Abuelo-primero). Ancianos de su época a quienes consulté, negaron rotundamente, algunos con verdadera indignación, el cuento del "sombrero coronado de velas", así como la vida de reclusión maniática de don Mateo, según el relato de Policarpo Patiño. "Son calumnias de ese deslenguado que se ahorcó de puro malo y traicionero", sentencia desde la banda grabada la voz cadenciosa pero aún firme del actual alcalde de Ka'asapá, don Pantaleón Engracia García, también centenario.

A propósito de mi viaje al pueblo de Ka'asapá, no me parece del todo baladí referir un hecho. Al regreso, cruzando a caballo el arroyo Pirapó desbordado por la creciente, se me cayeron al agua el magnetófono y la cámara fotográfica. El alcalde don Panta, que me acompañaba con una pequeña escolta, ordenó de inmediato a sus hombres que desviaran el curso del arroyo. No hubo ruego ni razones que le hicieran desistir de su propósito. "Usté no se irá de Ka'asapá sin sus trebejos —gruñó indignado—. ¡No voy a permitir que nuestro arroyo robe a los arribeños alumbrados que vienen a visitarnos!" Anoticiada del suceso, la población acudió en pleno a colaborar en el desagotamiento del arroyo. Hombres, mujeres y niños trabajaron con el entusiasmo de una "minga" transformada en festividad. Hacia el atardecer, entre el barro del cauce, aparecieron los objetos perdidos, que no habían sufrido mayor daño. Hasta la madrugada se bailó después con la música de mis "cassettes". A la salida del sol seguí camino, saludado largo trecho por los gritos y vítores de esa gente animosa y hospitalaria, llevando la voz y las imágenes de sus ancianos, hombres, mujeres y niños; de su verde y luminoso paisaje. Cuando consideró que ya no tendría inconvenientes, el alcalde se despidió de mí. Lo abracé y besé en ambas mejillas. "Muchas gracias, don Pantaleón" le dije con un nudo en la garganta. "¡Lo que ustedes han hecho no tiene nombre!" Me guiñó un ojo y me hizo crujir los huesos de la mano. "No sé si tiene nombre o no —dijo—. Pero estas pequeñas cosas, desde el tiempo de *El Supremo*, para nosotros son una obligación que hacemos con gusto cuando se trata del bien del país." *(N. del C.)*

para callarte. Con tal de no trabajar, inventas sucedidos que no han sucedido. ¿No crees que de mí se podría hacer una historia fabulosa? ¡Absolutamente seguro, Excelencia! ¡La más fabulosa, la más cierta, la más digna del altor majestativo de su Persona! No, Patiño, no. Del Poder Absoluto no pueden hacerse historias. Si se pudiera, El Supremo estaría demás: En la literatura o en la realidad. ¿Quién escribirá esos libros? Gente ignorante como tú. Escribas de profesión. Embusteros fariseos. Imbéciles compiladores de escritos no menos imbéciles. Las palabras de mando, de autoridad, palabras por encima de las palabras, serán transformadas en palabras de astucia, de mentira. Palabras por debajo de las palabras. Si a toda costa se quiere hablar de alguien no sólo tiene uno que ponerse en su lugar: Tiene que *ser* ese alguien. Únicamente el semejante puede escribir sobre el semejante. Únicamente los muertos podrían escribir sobre los muertos. Pero los muertos son muy débiles. ¿Crees tú que podrías relatar mi vida antes de tu muerte, zaparrastroso amanuense? Necesitarías por lo menos el oficio y la fuerza de dos Parcas. ¿Eh eh, compilador de embustes y falsificaciones? Recogedor de humo, tú que en el fondo odias al Amo. ¡Contesta! ¿Eh eh? ¡Ah! ¡Vamos! Aun suponiendo a tu favor que me engañas para preservarme, lo que haces es quitarme pelo a pelo el poder de nacer y morir por mí mismo. Impedir que yo sea mi propio comentario. Concentrarse en un solo pensamiento es tal vez la única manera de hacerlo real: Esa manta invisible que teje Mateo Fleitas; que no llegará a cubrir mis huesos. ¡Yo la he visto, Excelencia! No es suficiente. Tu ver no es todavía saber. Tu ver-de-vista borronea los contornos de tu rejuntativa memoria. Por ello se te hace imposible descubrir, entre otras cosas, a los pasquinistas. Supongamos que estás con uno de ellos. Suponte que yo mismo soy un autor de pasquines. Hablamos de cosas muy graciosas. Me cuentas cuentos. Hago mis cuentas. Cierras los ojos y caes en la irresistible tentación de creer que eres invisible. Al levantar los párpados te parece que todo sigue como antes. Estornudas. Todo ha cambiado entre dos estornudos. Esta es la realidad que *no ve* tu memoria.

Señor, con su licencia, yo digo, un decir, siento que sus palabras, por más pobremente copiadas que estén por estas manos que se va a comer la tierra, siento que copian lo que Vuecencia me dicta letra por letra, palabra por palabra. No me has entendido. Abre el ojo bueno, cierra el malo. Tiende tus orejas al sentido de lo que te digo: Por más que excedas a los animales en memoria bruta, en palabra bruta, nunca sabrás nada si no penetras en lo íntimo de las cosas. No te hace falta la lengua para esto; al contrario, te estorba. Por lo que, además de la palangana en que enfrías los pies para despejar el caletre, voy a mandar que te pongan una mordaza. Si no te ahorcan antes, según la amable promesa de nuestros enemigos, yo mismo te haré mirar fijamente el sol cuando llegue tu minuto de hora. En el momento en que sus rayos calcinen tus pupilas, recibirás la orden de estirar la lengua con los dedos. La colocarás entre los dientes. Te darás un puñetazo en la quijada. La lengua saltará al suelo, culebreando igual que la cola de una iguana trozada por la mitad. Entregará a la tierra tu saludo. Sentirás que te has librado de un peso inútil. Pensarás: Soy mudo. Lo cual es una silenciosa manera de decir: No soy. Sólo entonces habrás alcanzado un poco de sabiduría.

Voy a dictarte una circular a mis fieles sátrapas. Quiero que también ellos se regalen con la promesa reservada a sus méritos.

A los Delegados, Comandantes de Guarnición
y de Urbanos,
Jueces Comisionados, Administradores,
Mayordomos, Receptores Fiscales, Alcabaleros
y demás autoridades:

La copia del infame pasquín que va adjunta es un nuevo testimonio de los crecientes desafueros que están cometiendo los agentes de la subversión. No es uno más en la multitud de panfletos, libelos y toda especie de ataques que vienen lanzando anónimamente casi todos los días desde hace algún tiempo, en la errónea creencia de que la edad, la mala salud, los achaques ganados en el servicio de la Patria me tienen postrado. No es una más de las escandalosas diatribas e invectivas de los convulsionarios.

Reparen atentamente en un primer hecho: No sólo se han avanzado a amenazar de muerte infamante a todos los que conllevamos la pesada carga del Gobierno. Se han atrevido ahora a algo mucho más pérfido: Falsificar mi firma. Falsificar el tono de los Decretos Supremos. ¿Qué persiguen con ello? Aumentar en la gente ignorante los efectos de esta inicua burla.

Segundo hecho: El anónimo fue encontrado hoy clavado en el pórtico de la catedral, sitio hasta ahora respetado por los agentes de la subversión.

Tercer hecho: La amenaza de la mofa decretoria establece claramente la escala jerárquica del Gobierno; en consecuencia, la punitiva. A ustedes que son mis brazos, mis manos, mis extremidades, les ofrecen horca y fosa común en potreros de extramuros sin cruz ni marca que memore sus nombres. A mí, que soy la cabeza del Supremo Gobierno, me obsequian mi autocondena a decapitación. Exposición en la picota por tres días como centro de festejos populares en la Plaza. Por último, lanzamiento de mis cenizas al río como culminación de la gran función patronal.

¿De qué me acusan estos anónimos papelarios? ¿De haber dado a este pueblo una Patria libre, independiente, soberana? Lo que es más importante ¿de haberle dado el sentimiento de Patria? ¿De haberla defendido desde su nacimiento contra los embates de sus enemigos de dentro y de fuera? ¿De esto me acusan?

Les quema la sangre que haya asentado, de una vez para siempre, la causa de nuestra regeneración política en el sistema de la voluntad general. Les quema la sangre que haya restaurado el poder del Común en la ciudad, en las villas, en los pueblos; que haya continuado aquel movimiento, el primero verdaderamente revolucionario que estalló en estos Continentes, antes aún que en la inmensa patria de Washington, de Franklin, de Jefferson; inclusive antes que la Revolución Francesa.

Es preciso reflexionar sobre estos grandes hechos que ustedes seguramente ignoran, para valorar en todos sus alcances la importancia, la justeza, la perennidad de nuestra Causa.

Casi todos ustedes son veteranos servidores. La mayoría sin embargo no ha tenido tiempo de instruirse a fondo sobre estas cuestiones de nuestra Historia, atados a las tareas del servicio. Los he preferido leales funcionarios, que no hombres cultos. Capaces de obrar lo que mando. A mí no me preocupa la clase de capacidad que posee un hombre. Únicamente exijo que sea capaz. Mis hombres más hombres no son más que hombres.

Aquí en el Paraguay, antes de la Dictadura Perpetua, estábamos llenos de escribientes, de doctores, de hombres cultos, no de cultivadores, agricultores, hombres trabajadores, como debiera ser y ahora lo es. Aquellos cultos idiotas querían fundar el Areópago de las Letras, las Artes y las Ciencias. Les puse el pie encima. Se volvieron pasquineros, panfleteros. Los que pudieron salvar el pellejo, huyeron. Escaparon disfrazados de negros. Negros esclavos en las plantaciones de la calumnia. En el extranjero se hicieron peores aún. Renegados de su país, piensan en el Paraguay desde un punto de vista no paraguayo. Los que no lograron emigrar, viven migrando en la obscuridad de sus cubiles. Convulsionarios engreídos, viciosos, ineptos, no tienen cabida en nuestra sociedad campesina. ¿Qué pueden significar aquí sus hazañas intelectuales? Aquí es más útil plantar mandioca o maíz, que entintar papeluchos sediciosos; más oportuno desbichar animales atacados por la garrapata, que garrapatear panfletos contra el decoro de la Patria, la soberanía de la República, la dignidad del Gobierno. Cuanto más cultos quieren ser, menos quieren ser paraguayos. Después vendrán los que escribirán pasquines más voluminosos. Los llamarán Libros de Historia, novelas, relaciones de hechos imaginarios adobados al gusto del momento o de sus intereses. Profetas del pasado, contarán en ellos sus inventadas patrañas, la historia de lo que no ha pasado. Lo que no sería del todo malo si su imaginación fuese pasablemente buena. Historiadores y novelistas encuadernarán sus embustes y los venderán a muy buen precio. A ellos no les interesa contar los hechos sino contar que los cuentan.

Por ahora la posteridad no nos interesa a nosotros. La posteridad no se regala a nadie. Algún día retrocederá a buscarnos. Yo sólo obro lo que mucho mando. Yo sólo mando lo que mucho puedo. Mas como Gobernante Supremo también soy vuestro padre natural. Vuestro amigo. Vuestro compañero. Como quien sabe todo lo que se ha de saber y más, les iré instruyendo sobre lo que deben hacer para seguir adelante. Con órdenes sí, mas también con los conocimientos que les faltan sobre el origen, sobre el destino de nuestra Nación.

Siempre hay tiempo para tener más tiempo.

Cuando nuestra Nación era aún parte de estas colonias o Reinos de Indias como se llamaban antes, un funcionario de la corte con cargo de fiscal oidor en la Audiencia de Charcas, José de Antequera y Castro, vio al llegar a Asunción la piedra de la desgracia pesando sobre el Paraguay hacía más de dos siglos. No se anduvo con muchas vueltas. La soberanía del Común es anterior a toda ley escrita, la autoridad del pueblo es superior a la del mismo rey, sentenció en el Cabildo de Asunción. Pasmo general. ¿Quién es este joven magistrado caído de la luna? ¿Es que ahora la Audiencia se ha convertido en una casa de orates? No le hemos oído bien, señor oidor.

José de Antequera se puso a estampar a fuego en la letra, en los hechos, su sentencia de juez pesquisidor: Los pueblos no abdican su soberanía. El acto de delegarlo no implica en manera alguna el que renuncien a ejercerla cuando los gobiernos lesionan los preceptos de la razón natural, fuente de todas las leyes. Únicamente los pueblos que gustan de la opresión pueden ser oprimidos. Este pueblo no es de esos. Su paciencia no es obediencia. Tampoco podéis esperar, señores opresores, que su paciencia sea eterna como la bienaventuranza que le prometéis para después de la muerte.

El juez pesquisidor vino no con la fe del carbonero que se santigua. Llegó, vio, pesquisó todo muy a fondo. Le sublevó lo que vio. La corrupción absolutista había acabado por infestarlo todo. Los gobernadores traficaban con sus cargos. La corte hacía manga ancha con los que le hacían la corte, a trueque de seguir recibiendo sus doblones. ¿Les puedo yo vender a ustedes el cargo de Dictador Perpetuo? Los veo mover hipócritamente la cabeza gacha. Pues bien, Diego de los Reyes Balmaceda compró la gobernación del Paraguay por unos patacones. De un puntapié Antequera expulsó al crápula Reyes que fue a quejarse al virrey de Buenos Aires. Así estaban de corrompidos estos Reinos de Indias.

Los paquetes oligarcones de las villas empaquetaban carne de indio en las encomiendas. Inmenso cuartel de sotana el de los jesuitas. Imperio dentro de otro imperio con más vasallos que el rey.

En el califato fundado por Irala, cuatrocientos sobrevivientes de los que habían venido en busca de El Dorado, en lugar de la Ciudad-resplandeciente encontraron el sitio de los sitios. Aquí. Y levantaron un nuevo Paraíso de Mahoma en el maizal neolítico. Tacha esta palabra que todavía no se usa. Millares de mujeres cobrizas, huríes las más hermosas del mundo, a su completo servicio y placer. El Alcorán y la Biblia ayuntados en la media luna de la hamaca indígena.

El somatén antequerino levantó a los comuneros contra realistas-absolutistas. Blasfemias. Lamentaciones. Rogativas. Cabildeos. Conjuras. Libelos, sátiras, panfletos, caricaturas, pasquines, repitieron entonces lo que está ocurriendo hoy. Los jesuitas acusaron a Antequera de la pretensión de hacerse rey del Paraguay bajo el título de José I. Poco antes habían querido monarquizar su imperio comunista coronando al indio Nicolás Yapuguay bajo el nombre de Nicolás I, rey del Paraguay y emperador de los mamelucos. Perdón, Señor, no he oído bien eso de los reyes del Paraguay. No es que no oyes. Por tiempos no entiendes lo que escuchas. Pídele al negro Pilar que te cuente la historia. Los reyes del Paraguay no eran otra cosa que fábulas como las de Esopo, Patiño. El negro Pilar te las contará. Señor, como usted sabe, el negro José María Pilar ya no está. Es decir está, pero bajo tierra. No importa; dile que te cuente esas fábulas. Son justamente para ser contadas bajo tierra, escuchadas a caballo sobre una sepultura. Ya la contó, Señor, aunque de otra manera en el Aposento de la Verdad bajo los azotes. A mí me pareció pura parada de su ex paje a mano y ex ayuda de cámara. Desafinancias que arranca el tormento. El propio juez instructor don Abdón Bejarano me dijo que no anotara aquella disconveniencia en el sumario. ¿Qué dijo el negro infame? Declaró, juró, perjuró, Señor, que a él se lo castigaba y se lo iba a ajusticiar nada más porque había querido ser rey del Paraguay con el nombre de José I. Eso dijo con cara de risa y corazón de diablo entre sus mocos y sus lágrimas. Agregó otras zafadurías que tampoco anoté en el sumario por orden de don Abdón. Malagüerías del disconfidente reo. Locura del juicio. ¿No has aprendido aún, actuario, que la locura dice más verdades que la confesión voluntaria? ¿No será que el falsario trató de sobornarte con el cargo de fiel de fechos en su negra monarquía? ¡Por Dios, Señor, no! ¿No será que prometió hacerte cónsul de su ínsula barataria? Señor, si es así debimos de ser dos los Cónfules de la Infula, Bejarano y yo. Dos cónfules, Pompeyo y César, como lo fueron Su Excelencia y el infame traidor a la Patria el ex brigadier Fulgencio Yegros, que ya tuvo su merecido bajo el naranjo, junto con los demás complotados en la conspiración.

¿No será que tú también fabulas hacerte algún día rey del Paraguay? ¡Ni por un queso, Señor! Usted mismo suele decir que eso solo valdría la pena si el pueblo y el soberano fueran una misma persona; pero para eso no hace falta ser rey sino un buen Gobernante Supremo, como es Su Excelencia. Sin embargo tú ves que aquí como en el resto de América, desde la Independencia, ha quedado flotando en el aire el virus de la monarquía, tanto o más que el del garrotillo o la mancha que apesta al ganado. Los ayudas de cámara, los fiel-de-fechos, los doctores, los militares, los curas. Todos sufren de calentura por ser reyes.

¿Dónde habíamos quedado? En el común, Señor. Tú siempre andas por las ramas, te paseas por las tripas. Te pregunto dónde terminaba el último párrafo, bribón. Leo, Señor: Acusaron a Antequera de la pretensión de hacerse rey del Paraguay bajo el título de José I. ¡No, que no y no! No es eso de ninguna manera lo que dije. Has trabucado como siempre lo que dicto. Escribe despacio. No te apures. Haz cuenta de que dispones de ocho días más de vida. Si son ocho días pueden ser ochenta años. No hay como poner plazos largos a las dificultades. Mejor aún si no tienes más que una hora. Entonces esta hora tiene la ventaja de ser corta e interminable a la vez. Quien tiene una hora buena no las tiene todas malas. Se hace más en esa hora que en un siglo. Feliz del condenado a muerte, que por lo menos tiene la certeza de saber la hora exacta en que ha de morir. Cuando estés en tal situación lo sabrás. La pasión de tu apuro proviene de creer que siempre estás en presente. Malinformado aquel que se proclame su propio contemporáneo. ¿Vas entendiendo, Patiño? Para decirle toda la verdad, no mucho, Señor. Mientras escribo lo que me dicta no puedo agarrar el sentido de las palabras. Ocupado en formar con cuidado las letras de la manera más uniforme y clara posible, se me escapa lo que dicen. En cuanto quiero entender lo que escucho me sale torcido el renglón. Se me traspapelan las palabras, las frases. Escribo a reculones. Usted, Señor, va siempre avante. Yo, al menor descuido, me ataranto, me atoro. Caen gotas. Se forman lagunas sobre el papel. Luego con toda justicia Vuecencia se enoja. Hay que comenzar de nuevo. Ora que si leo el escrito una vez firmado por Su Excelencia, echada la arenilla a la tinta, me resulta siempre más claro que la misma claridad.

Alcánzame el libro del teatino Lozano. Nada mejor que destacar la verdad de los hechos comparándola con las mentiras de la imaginación. Bien pérfida la de este otro majadero tonsurado. El más testarudo calumniador de José de Antequera. Su Historia de las Revoluciones del Paraguay, contraria al movimiento comunero, contraria a su jefe. Éste ya no podía defenderse de tales bellaquerías porque lo habían asesinado dos veces. El padre Pedro Lozano pretendió hacerlo por tercera vez recopilando los infundios, imposturas e infamias que se tejieron contra el jefe comunero. Lo mismo que obran y obrarán contra mí los anónimos panfletistas. Alguno de esos escritorzuelos emigrados se animará sin embargo, en la impunidad de la distancia, a estampar cínicamente su firma al pie de tales truhanerías.

Tráeme el libro. No está aquí, Señor. Lo dejó usted guardado en el Cuartel del Hospital. Ténganlo pues a pan y agua; que le den una purga diariamente hasta que muera o arroje al sumidero todas sus mentiras. El Paí Lozano no está aquí, Señor; no estuvo nunca, que yo sepa. Te he pedido que me alcances las Revoluciones del Paraguay. Están en el Cuartel del Hospital, Señor. La Historia, bribón. La Historia está en el Hospital, Señor, guardada bajo llave en el almario. La dejó usted allá cuando su internación.

Quedamos en la primera interrupción de la Colonia. Un siglo atrás José de Antequera llega, brega, no se entrega. El gobernador de Buenos Aires, el ínclito mariscal de campo Bruno Mauricio de Zabala invade el Paraguay con cien mil indios de las Misiones. Barbilla hundida, buclés enrulados, se pone a la cabeza de la expedición represora. Cinco años de batallas. Colosal carnicería. Desde los tiempos de Fernando III, el santo, y de Alfonso X, el sabio, no se ha visto lucha más cruenta. Con retardo de siglos la Edad Media entra a talar las selvas, los hombres, los derechos de la provincia del Paraguay.

En la gran pelotera, cada uno sólo ve la rueda de hechura de sol de oro muy fino, tamaño de una rueda de carreta. Los sarracenos de Buenos Aires, los padres del imperio jesuítico, los encomenderos godo-criollos, descabezan, destripan la rebelión. Antequera es llevado a Lima. También Juan de Mena, su alguacil mayor en Asunción. Son arcabuceados en las mulas que los llevan al cadalso, antes de que el pueblo amotinado pueda libertarlos. Para mayor seguridad arrojan sus cadáveres sobre el tablado. El verdugo troncha las cabezas. Las dos primeras cabezas que ruedan por la independencia americana. Gorgorito de historiador. Lo que no impide que aquello haya ocurrido. Visto y oído lo cual aprendí a ser desconfiado. Cien años en un día. Un día antes del siglo rematé la vuelta de aquel levantamiento proclamando, yo a mi vez en estas colonias, que el poder español había caducado. No solamente los derechos realengos del borbón. También los usurpados por la cabeza del virreinato donde el despotismo monárquico había sido reemplazado por el despotismo criollo bajo disfraz revolucionario. Lo que resultaba dos veces peor.

Igual aquí en el Paraguay. Asunción no era mejor que Buenos Aires en este sentido. Asunción ciudad-capital. Fundadora de pueblos. Amparo-reparo de la conquista, la estigmatizaron cédulas reales. Honor deshonorante.

Los oligarcones querían seguir viviendo hasta el fin de los tiempos de la cría de su dinero y de sus vacas. Vivir haciendo el no hacer nada. Prole de los que traicionaron el levantamiento comunero. Aristócratas-iscariotes. Los que vendieron a Antequera por la maldición de los Treinta Dineros. Bando de los contrabandos. Bando de los escamoteadores de los derechos del Común. Bastardos de aquella legión de encomenderos. Mancebos de la tierra y del garrote. Eupátridas que se autotitulaban patricios. Pon una nota al pie: Eupátrida significa propietario. Señor Feudal. Dueño de tierras, vidas y haciendas. No, mejor tacha la palabra eupátrida. No la entenderán. Empezarán a meterla en sus oficios sin ton ni son. Les alucina todo lo que no entienden. ¿Qué saben ellos de Atenas, de Solón? ¿Has oído tú algo de Atenas, de Solón? Lo que Vuecencia ha dicho de ellos, nomás. Continúa escribiendo: Por otra parte aquí en el Paraguay esta palabra nada significa. Si alguna vez hubo eupátridas, ya no los hay. Difuntados o emparedados están. Pese a que los genes de la gens testarudos tarados engendran: La gens godo-criolla reproduciéndose sin cesar en la cadena de los genes-iscariotes. Estos han sido, continúan siendo los judiscariotes que pretenden erigirse en judiscatarios del Gobierno. Desde hace un siglo han traicionado la causa de nuestra Nación. Los que traicionan una vez traicionan siempre. Han tratado, seguirán tratando de venderla a los porteños, a los brasileros, al mejor postor europeo o americano.

No me perdonan que me haya intrusado en sus dominios. Desprecian el trato justo que doy a guacarnacos y espolones campesinos; así es como estos delicados espíritus designan al chusmerío. Han olvidado que la chusma de la gleba era la que amamantaba sus haciendas en servidumbre perpetua. Para estos mancebos de la tierra, para estos fierabrases del garrote, la chusma no era sino un apero de labranza más. Piezas laborativas/procreativas. Utensilios-animados. Trabajaban en los feudos con las rodillas rotas a una orden del sol hasta la caída de la noche. Sin día libre, sin hogar, sin ropa, sin nada más que su nada cansada.

Hasta que recibí el Gobierno, el don dividía aquí a la gente en don-amo/siervo-sin-don. Gente-persona/gente-muchedumbre. De un lado la holganza califaria del mayorazgo godo-criollo. Del otro, el esclavo colgado del clavo. El muerto-ser-continuamente-vivo: Peones, chacareros, balseros, caminadores del agua, del monte, gente de remo y yerba, hacheros, vaqueros, artesanos, caravaneros, montañeses. Esclavos armados una parte de ellos, debían defender los feudos de los kaloikagathoí criollos. Si tuviera Vuecencia la bondad de repetirme el término que se me ha escapado. Escribe simplemente: Amos. ¿Pretendían aún los dones-amos que la chusma hambrienta además de servirlos los amara? La gente-muchedumbre; en otras palabras, la chusma laborativa-procreativa producía los bienes, padecía todos los males. Los ricos disfrutaban de todos los bienes. Dos estados en apariencia inseparables. Igualmente funestos al bien común: Del uno salen los causantes de la tiranía; del otro, los tiranos. ¿Cómo establecer la igualdad entre ricos y pordioseros? ¡No se fatigue usted con estas quimeras! me decía el porteño Pedro Alcántara de Somellera en vísperas de la Revolución. Voto, sueño piadoso, que no puede realizarse en la práctica. Vea usted don Pedro, precisamente porque la fuerza de las cosas tiende sin cesar a destruir la igualdad, la fuerza de la Revolución debe siempre tender a mantenerla: Que ninguno sea lo bastante rico para comprar a otro, y ninguno lo bastante pobre para verse obligado a venderse. Ah ah, exclamó el porteño, ¿usted quiere distribuir las riquezas de unos pocos emparejando a todos en la pobreza? No, don Pedro, yo quiero reunir los extremos. Lo que usted quiere es suprimir la existencia de clases, señor José. La igualdad no se da sin la libertad, don Pedro Alcántara. Esos son los dos extremos que debemos reunir.

Entré a gobernar un país donde los infortunados no contaban para nada, donde los bribones lo eran todo. Cuando empuñé el Poder Supremo en 1814, a los que me aconsejaron con primeras o segundas intenciones que me apoyara en las clases altas, dije: Señores, por ahora pocas gracias. En la situación en que se encuentra el país, en que me encuentro yo mismo, mi única nobleza es la chusma. No sabía yo que en los días de aquella época el gran Napoleón había pronunciado iguales o parecidas palabras. Empequeñecido, derrotado después, por haber traicionado la causa revolucionaria de su país.

(En el cuaderno privado. Letra desconocida.)
¿Qué otra cosa has hecho tú?... *(quemado, ilegible el resto del párrafo).*

Me alentó coincidir con el Gran Hombre que en cada momento, bajo cualquier circunstancia, sabía qué tenía que hacer a continuación y lo hacía continuamente. Cosa que ustedes, funcionarios servidores del Estado no han aprendido todavía, ni parece que vayan a aprender ya, según me abruman en sus oficios con preguntas, consultas, zoncerajes sobre la menor nadería. Cuando por fin a las cansadas hacen algo, yo debo proveer también sobre el modo de deshacer lo malo que han hecho.

En cuanto a los oligarcones ninguno de ellos ha leído una sola línea de Solón, Rousseau, Raynal, Montesquieu, Rollin, Voltaire, Condorcet, Diderot. Tacha estos nombres que no sabrás escribir correctamente. Ninguno de ellos ha leído una sola línea fuera del Paraguay Católico, del Año Cristiano, del Florilegio de los Santos, que a estas horas ya también estarán convertidos en naipes. Los oligarcones se quedan en éxtasis hojeando el Almanaque de las Personas Honradas de la Provincia, trepados a las ramas de sus genealogías. No quisieron comprender que hay ciertas situaciones desgraciadas en que no se puede conservar la libertad sino a costa de los más. Situaciones en las que el ciudadano no puede ser enteramente libre sin que el esclavo sea sumamente esclavo. Se negaron a aceptar que toda verdadera Revolución es un cambio de bienes. De leyes. Cambio a fondo de toda sociedad. No mera lechada de cal sobre el desconchado sepulcro. Procedí procediendo. Puse el pie al paso del amo, del traficante, de la dorada canalla. De bruces cayeron del gozo al pozo. Nadie les alcanzó un palito de consuelo.

Redacté leyes iguales para el pobre, para el rico. Las hice contemplar sin contemplaciones. Para establecer leyes justas suspendí leyes injustas. Para crear el Derecho suspendí los derechos que en tres siglos han funcionado invariablemente torcidos en estas colonias. Liquidé la impropiedad de la propiedad individual tornándola en propiedad colectiva, que es lo propio. Acabé con la injusta dominación y explotación de los criollos sobre los naturales, cosa la más natural del mundo puesto que ellos como tales tenían derecho de primo-genitura sobre los orgullosos y mezclatizos mancebos de la tierra. Celebré tratados con los pueblos indígenas. Les proveí de armas para que defendieran sus tierras contra las depredaciones de las tribus hostiles. Mas también los contuve en sus límites naturales impidiéndoles cometer los excesos que los propios blancos les habían enseñado.*

* "En vista de las frecuentes quejas de vecinos de la campaña sobre las depredaciones y robos que los indios cometían en las propiedades rurales con las continuas invasiones que efectuaban, el Dictador Perpetuo en un extenso decreto dictado en marzo de 1816 censuraba agriamente la inepcia de los comandantes de las tropas encargadas de la vigilancia de la frontera, disponiendo sin pérdida de tiempo fueran reforzadas con fuerzas de caballería los destacamentos de Arekutakuá, Manduvirá, Ypytá y Kuarepotí, debiendo las partidas armadas de todos los destacamentos de frontera organizar continuas recorridas en los campos inmediatos, para castigar a los salvajes en cualquier intentona de invasión. El mismo decreto hacía responsables a los comandantes por cualquier timidez que demostraran en el cumplimiento de estas medidas, y mandaba fueran lanceados todos los indios invasores que pudiesen ser tomados prisioneros con robo, mandando se colocasen las cabezas de éstos en el mismo sitio por donde hubieran invadido, sobre picas, distantes cincuenta varas una de otra.

"Los indios más temibles que invadían continuamente la región del Norte, eran los Payaguaces. Vagabundos, habitaban en hordas y aduares nómades. Muy traicioneros en sus incursiones, vivían dedicándose al robo de ganado, a la pesca y a la caza. Había, sin embargo, un número reducido de indios que tenían sus toldos un poco más al norte de Concepción, quienes ayudaban con sus canoas a las fuerzas del destacamento próximo a dicho punto, a perseguir a los indios matreros. Un malón como de cinco mil de éstos fue reprimido a fines de 1816. Todos fueron lanceados y colocadas sus cabezas so-

Hoy por hoy los indios son los mejores servidores del Estado; de entre ellos he cortado a los jueces más probos, a los funcionarios más capaces y leales, a mis soldados más valientes.

Todo lo que se necesita es la igualdad dentro de la ley. Únicamente los pícaros creen que el beneficio de un favor es el favor mismo. Entiéndanlo todos de una vez: El beneficio de la ley es la ley misma. No es beneficio ni es ley sino cuando lo es para todos.

En cuanto a mí, en beneficio de todos no tengo parientes ni entenados ni amigos. Los libelistas me echan en cara que uso de más rigor con mis parientes, con mis viejos amigos. Rigurosamente cierto. Investido del Poder Absoluto, El Supremo Dictador no tiene viejos amigos. Sólo tiene nuevos enemigos. Su sangre no es agua de ciénaga ni reconoce descendencia dinástica. Esta no existe sino como voluntad soberana del pueblo, fuente del Poder Absoluto, del absolutamente poder. La naturaleza no da esclavos; el hombre corruptor de la naturaleza es quien los produce. El mojón de la Dictadura Perpetua libertó la tierra arrancándoles del alma los mojones de su inmemorial sumisión. Si continúa habiendo esclavos en la República ya no se sienten esclavos. Aquí el único esclavo sigue siendo el Supremo Dictador puesto al servicio de lo que domina. Mas todavía hay quien me compara con Calígula y llega al extremo de inquietar a Incitato nombre del caballito hecho cónsul por ocurrencia peregrina del tonto emperador romano. ¿No hubiera valido más que mi peregrino difamante averiguara el significado de los hechos y no de los desechos de la historia? Hubo, sí, un caballo-cónsul en la Primera Junta: Su propio presidente. Mas yo no lo elegí. El Dictador Perpetuo del Paraguay nada tiene que ver con el cónsul solípedo de Roma ni con el bípedo cónsul de Asunción que finó bajo el naranjo.

Me acusan de haber planificado y construido en veinte años más obras públicas de las que los indolentes españoles desedificaron en dos siglos. Levanté en las desiertas soledades del Gran Chaco y de la Región Oriental casas, fortines, fuertes y fortalezas. Las más grandes y poderosas de la América del Sur: El primero de todos, el que anti-

---

bre picas a cincuenta varas unas de otras formaron un cordón escarmentador a lo largo de muchas leguas de frontera de la región invadida donde desde entonces reinó una era de paz que los historiadores denominan la Era de las Cabezas Quietas." (*Wisner de Morgenstern, op. cit.)*

guamente se decía Borbón. Borré este nombre. Borré esta mancha. Lo que antes no fue sino una estacada de palmas y troncos fue reconstruido desde los cimientos. Así mientras los portugueses fortificaban Coímbra para asaltarnos en el remoto Norte, erigí para contrarrestarlos la Fortaleza del Olimpo. La mandé amurallar de piedras. Bastión inexpugnable. Torreones de enceguecedora blancura contra los piratas negros y negreros del Imperio. Luego fue la Fortaleza de San José, al Sur.*

* "La Fortaleza de San José es sin discusión la más portentosa de las construcciones de ingeniería militar, única por sus inauditas dimensiones, en toda la América del Sur de la primera mitad del siglo XIX. El proyecto de su erección se concibió al cese de las hostilidades del Brasil y Buenos Aires, en la Banda Oriental, que hizo propicia la invasión del Paraguay hasta ofrecer en ciertos momentos indicios de inminencia. Tras detenidos estudios y una cuidadosa concentración de medios se inició la obra en los últimos días de 1833, frente a Itapua, pasando el río, en la Guardia o Campamento de San José. Doscientos cincuenta hombres, pernoctando en tiendas y barracas de cuero en torno al caserío de la Guardia, comenzaron a trabajar simultáneamente. Intermediaron en la dirección (de las obras) el sub-delegado José León Ramírez, su reemplazante Casimiro Rojas y el comandante de la guarnición José Mariano Morínigo. Creciendo día a día la ambición del proyecto, todos los hombres que en el transcurso de la ejecución se pudieron contratar, resultaban pocos. [Los doscientos cincuenta hombres del comienzo aumentaron a veinticinco mil.] El ritmo de las faenas se intensificó en 1837 y todo finalizó en lo fundamental en los últimos meses de 1838. La Fortaleza, que entre los paraguayos continuó llamándose con el modesto nombre de su origen, Campamento San José, y entre los correntinos y demás provincianos Trinchera de San José o Trinchera de los Paraguayos, tenía un murallón exterior totalmente de piedra, de casi cuatro varas de altura y dos de espesor, con perfil almenado y cuajado de torreones con bocas de fuego batiendo todos los ángulos del horizonte. Salvo la tranquera que se abría en el camino de los convoyes de San Borja, este murallón, con un profundo foso paralelo, se extendía ininterrumpidamente hasta perderse de vista, arrancando del bañado de la Laguna de San José, al borde del Paraná, para después de describir un dilatado semicírculo de muchos kilómetros, volver a cerrarse como un monstruo semienroscado sobre el mismo río.

"Tamaña mole de cal y piedra, símil en cierta manera de la Gran Muralla China, encerraba los cuarteles de la tropa, el alojamiento de oficiales y sargentos, el parque de armas y demás dependencias auxiliares, dispuestos en forma de pequeño pueblo con una calle de quince lances de casas de cada lado, midiendo cada cuarto cinco varas y media, y las aceras más de una cuerda, y por último,

El edificio del Cabildo, del Cuartel del Hospital, la reconstrucción de la Capital y de numerosos pueblos, villas y ciudades en el interior del país. Todo esto fue posible mediante la primera fábrica de cal que instauré, y no por milagro, en el Paraguay. De modo y manera que, según lo afirma el amigo José Antonio Vázquez, sobre un pasado de adobe y barro batido, yo introduje aquí la civilización de la cal. A las estancias de la patria, a las chacras de la patria, se sumaba así el resplandeciente impulso de la cal patria.

Desde la Casa de Gobierno hasta en el más pequeño rancho del último confín, blanqueó el ampo de la cal patria. Mi panegirista dirá: La Casa de Gobierno se convirtió en receptáculo que recogía las vibraciones del Paraguay entero. Palingenesia de lo blanco en lo blanco. Los chivosis pasquineros murmurarán, por su parte, que se convirtió en el tímpano de los gemidos que exhalan día y noche los cautivos en el laberinto de las mazmorras subterráneas. Trompa-mandataria. Recipiente de los rumores de un pueblo en marcha. Cornucopia del fruto-múltiple de la abundancia, loan unos. Palacio del Terror que ha hecho del país una inmensa prisión, croan los batracios viajeros, los oligarcones expatriados. ¡Qué me importa lo que digan estos tránsfugas! Digan, que de Dios dijeron. Apología/Calumnia nada significan. Resbalan sobre los hechos. No manchan lo blanco. Blancas son las túnicas de los redimidos. Veinticuatro ancianos están vestidos de blanco ante el gran trono blanco. El ÚNICO que allí se sienta, blanco como la lana: El más blanco de todos en el tenebroso Apocalipsis.

También aquí en el luminoso Paraguay lo blanco es el atributo de la redención. Sobre ese fondo de blancura cegadora, lo negro de que han revestido mi figura infunde mayor temor aún a nuestros

---

hacia las afueras, oprimía dos grandes rinconadas o potreros interiores separados de una espesa selva partida por una picada que iba a desvanecerse en el río.

"En lontananza, ante la mirada de las patrullas correntinas que deambulaban por los montes y las soledades del desierto misionero, la Fortaleza aparecíase de improviso con aspecto impresionante y sobrecogedor. Más allá de las murallas, en la punta de un altísimo mástil de urundey, enhiesta como una aguja, casi pinchando el cielo, llameaba el símbolo tricolor de la legendaria, respetada y temible República del Perpetuo Dictador." (J. A. Vázquez, *Visto y Oído.*)

enemigos. Lo negro es para ellos el atributo del Poder Supremo. Es una Gran Obscuridad, dicen de mí temblando en sus cubículos. Cegados por lo blanco, temen más, muchísimo más lo negro en lo cual huelen el ala del Arcángel Exterminador.

Me acuerdo muy bien, Excelencia, como si lo estuviera viendo, cuando puso un problema al enviado del Imperio del Brasil. El sabiorondo Correa da Cámara no supo resolver la adivinanza. ¿De qué adivinanza estás hablando? Vuecencia dijo aquella noche al brasilero: ¿Por qué el león con su solo bramido y rugido aterroriza a todos los animales? ¿Por qué el llamado rey de la selva sólo teme y reverencia al gallo blanco? Voy a explicarle el asunto ya que usted no lo sabe, le dijo Vuecencia: La razón es porque el sol, órgano y prontuario de toda luz terrestre y sideral, más efecto produce, se simboliza mejor en el gallo blanco del alba por su propiedad y naturaleza, que en el león rey de los ladronicidios selváticos. El león anda de noche en busca de sus presas y depredaciones, bandeirante de gran melena y hambre grande. El gallo despierta con la luz y se mete al león en el buche. Correa tragó fuerte y revoleó los ojos. Vuecencia le dijo luego: De repente aparecen diablos emplumados en forma de león y desaparecen ante un gallo... ¡Vamos, Patiño, déjate de antiguas animaladas! No podemos pronosticar lo que provendrá. Puede ocurrir que de pronto se inviertan los papeles y que el rey de los ladronicidios selváticos cometa la salvajada de meterse al gallo en la panza. Sólo que esto no sucederá mientras dure la Dictadura Perpetua. Si es Perpetua, Señor, la Dictadura durará eternamente y por toda la eternidad. Amén. Con su licencia suelto un momento la pluma. Voy a santiaguarme. Ya estoy, Señor. A su orden. ¡Listo Valoïs! Conozco tu grito de guerra. Hambre y calambre te atacan. Vete al poroto y santíguate sobre la olla.

Basta por ahora. El resto continuará. Envía sucesivamente lo que vaya saliendo. Llévame a la cámara. ¿A la Cámara, Señor? A mi cama, a mi lecho, a mi agujero. Sí, patán, a mi propia Cámara de la Verdad.

Ah lecho, odiado lecho. Buscas mi gravedad, quieres ser dueño de mi fin. ¿No es ya bastante que me hayas robado horas, días, meses, años? ¡Cuánto, cuánto tiempo mi persona ha recorrido tu inmensidad de trasudados jergones! Cálzame el espinazo, Patiño. El almohadón primero. Esos dos o tres libros después. Las Siete Partidas bajo una nalga. Las Leyes de Indias bajo la otra. Levántame la rabadilla con el Fuero Juzgo. Ay ah uy. No, así no. Todavía más, mete un poco más abajo el Fuero. Así, así está algo mejor. Necesitaría la palanca de Arquímedes. Ah si una ciencia desconocida pudiera sustentarme en el aire. Esas argollas de las que cuelgan ollas sobre el fuego. Aun inflado de gas caliente, no puedo levitar como mis caballos. Podría, Señor, mandar tejer una buena hamaca, como las que tienen los presos en los calabozos. Tan livianos se sienten en ellas, que hasta olvidan el peso de sus barras de grillos. Tal vez tengas razón. Es lo último que me falta. Gracias por el consejo. Vete a almorzar, que ya las tripas te lloran en la cara. Eh eh ¡aguarda un momento! Tráeme el pasquín. Quiero examinarlo otra vez. Alcánzame la lupa. ¿Entorno más el postigo, Señor? ¿Qué, piensas escaparte a lo pájaro por la ventana? No, Señor; sólo para que Vuecencia tenga más luz. No hace falta. Debajo de mi cama hay tanta claridad como al cielo raso del mediodía.

Me intriga este papelucho. Te habrás dado cuenta por lo menos de que este papel del anónimo ya no se usa desde hace años. Yo nunca lo vi, Excelencia. ¿Qué observas en él? Papel cubierto de moho, largamente guardado, Señor. Mirado a contraluz se nota la filigrana listada de la marca de agua: Un florón de extrañas iniciales que no se dejan entender, Excelencia. Pregunta al delegado de Villa del Pilar si esa contrabandista llamada La Andaluza ha traído más resmillas de esta marca. A Tomás Gill le alucina garrapatear sus oficios en papel verjurado. Si perjurado, mejor. Debo recordarle, Señor, que la viuda de Goyeneche no ha vuelto al Paraguay. ¿Quién es la viuda de Goyeneche? La capitana del barco que traía los contrabandos, la señora a quien llaman La Andaluza, Señor. Ah, creí que te referías a la viuda de Juan Manuel de Goyeneche, enviado confidencial del Buonaparte y de la Carlota Joaquina, el espía maturrango que jamás pisó el Paraguay. Después de la entrevista que Vuecencia le concedió, La Andaluza no ha hecho más viajes. ¡Mientes! Jamás la recibí. No trastornes las cosas. No pongas arriba lo de abajo. Averiguar con los comisionados, administradores de fronteras, jefes de resguardos, cuándo y cómo han entrado más resmas de este papel vergueteado al país. Ahora retírate. ¿Almorzará, Señor? Dile a Santa que me traiga un jarro de limonada. ¿Ha de venir maese Alejandro a las cinco como de costumbre? ¿Por qué no ha de venir? Quién eres tú para alterar mis hábitos. Dile al rapabarbas que vaya poniendo las tuyas en remojo. Vete y buen provecho.

(En el cuaderno privado)

Creo reconocer la letra, este papel. Antiguamente, en los años más atrás, representaron para mí la realidad de lo existente. Golpeando una piedra de chispa sobre la hoja se podía ver en la tinta aún húmeda un pulular de infusorios. Fibrillas parásitas. Corpúsculos anulares, semilunares del plasmodium. Acababan formando los rosetones afiligranados de la malaria. Tiembla el papelucho atacado de chucho. ¡Viva la terciana!, zumba la fiebre en mis oídos. Obra de los culícidos anopheles.

Seguir el rastro de la letra en los laberintos de... (*roto*).

...las filigranas de agua en el papel ver-jurado, las letras flageladas, marcan ahora la irrealidad de lo inexistente. En la selva de diferencias en que yacemos, también Yo debo cuidarme de ser engañado por el delirio de las semejanzas. Todos se calman pensando que son un solo individuo. Difícil ser constantemente el mismo hombre. Lo mismo no es siempre lo mismo. YO no soy siempre YO. El único que no cambia es EL. Se sostiene en lo invariable. Está ahí en el estado de los seres superlunares. Si cierro los ojos, continúo viéndolo repetido al infinito en los anillos del espejo cóncavo. (Tengo que buscar mis apuntes sobre este asunto de almastronomía.) No es una cuestión de párpados solamente. Si a veces ÉL me mira sucede entonces que mi cama se levanta y boga al capricho de los remolinos, y YO acostado en ella viéndolo todo desde muy alto o desde muy abajo, hasta que todo desaparece en el punto, en el lugar de la ausencia. Sólo EL permanece sin perder un ápice de su forma, de su dimensión; más vale creciendo-acreciéndose de sí propio.

¿Quién puede asegurarme que no esté yo en el instante en que vivir es errar solo? Ese instante en que efectivamente, como lo ha dicho mi amanuense, uno muere y todo continúa sin que nada al parecer haya sucedido o cambiado. Al principio no escribía; únicamente dictaba. Después olvidaba lo que había dictado. Ahora debo dictar/escribir; anotarlo en alguna parte. Es el único modo que tengo de comprobar que existo aún. Aunque estar enterrado en las letras ¿no es acaso la más completa manera de morir? ¿No? ¿Sí? ¿Y entonces? No. Rotundamente no. Demacrada voluntad de la chochez. La vieja vida burbujea pensamientos de viejo. Se escribe cuando ya no se puede obrar. Escribir fementiras verdades. Renunciar al beneficio del olvido. Cavar el pozo que uno mismo es. Arrancar del fondo lo que a fuerza de tanto tiempo allí está sepultado. Sí, ¿pero estoy seguro de arrancar lo que es o lo que no es? No sé, no sé. Hacer titánicamente lo insignificante es también una manera de obrar. Aunque sea al revés. De lo único que estoy seguro es que estos Apuntes no tienen destinatario. Nada de historias fingidas para diversión de lectores que se lanzan sobre ellas como mangas de acridios. Ni Confesiones (como la del compadre Juan Jacobo), ni Pensamientos (como los del compadre Blas), ni Memorias Íntimas (como las rameras ilustres o los letrados sodomitas). Esto es un Balance de Cuentas. Tabla tendida sobre el borde del abismo. La pierna gotosa va arrastrándose hacia el extremo hasta ese punto del balanceo en que tabla, caminante, cuentas y cuentos, deudas y deudos son tragados por el abismo. ¡Salud, bienvenido talud!

El idiota de Patiño acierta siempre las cosas por la mitad. No recibí a La Andaluza. Le concedí audiencia mas no la recibí. Recíbala, S. Md., me hace decir su socio Sarratea. La insigne comerciante es una encantadora persona, devota de Ud. a no pedir más. Lleva a S. E. la propuesta de un negocio que habrá de dejarlo satisfecho por mucho tiempo, pero que no puede menos que ser tratado a solas por los riesgos que implica. Falsas palabras de porteño, falso como todo porteño. Pretende alucinarme con la supercheria de un gran contrabando de armas. Poco menos vendría en el cargamento todo al arsenal robado al Paraguay en el bloqueo pirata del río, más las armas que dejaron las tropas paraguayas cuando fueron a defender Buenos Aires contra las invasiones inglesas. Hasta los cañones del Puerto, por no decir más.

La chamusquina del complot se olía desde lejos antes de que brotara el humo. Yo a veces gusto de parecer ingenuo. Qué es mañana que no pueda venir hoy la insigne comerciante, si ayer sería ya un poco tarde, chasqueé al porteño. Al punto la garza verde alas blancas de veinte metros de eslora cubrió las setenta leguas desde la Villa del Pilar, donde la barca ha estado anclada durante dos meses esperando mi autorización. Planeando entre los cerros de Lambaré y Takumbú descendió suavemente en la bahía del puerto frente a la Casa de Gobierno.

Primero entró en el estudio por la lente del catalejo la menuda silueta de la capitana al gobernalle. Está ahí de espaldas en el espejo. Cuerpo-junco. Cuerpo tercerola. Espingarda-mujer. Los dedos crispados sobre el gatillo de la voluntad. Fue entonces cuando escribí, nihil in intellectu, este ejercicio retórico que ahora copio para castigarme dos veces con la vergüenza de aquella cursilería provocada por la visita fabularia de la real mujer. Deyanira me trae la túnica empapada en sangre del río-centauro Neso. Neso: Anagrama de seno. Criaturas anfibio-lógicas las mitológicas. ¿Saben cómo es la cosa? Pueden encontrarla en cualquier diccionario portátil sobre los mitos. Si para entonces el mío no está consumido por el fuego, acucioso compilador-acopiador de cenizas, acude a las pp. 70-7, donde hallarás marcada una cruz: Hércules se enamora de Deyanira destinada a Aqueloo. Lucha con éste que ha tomado la forma de serpiente, luego la de toro. Le arranca un cuerno y éste será celebrado después como el Cuerno-de-la-abundancia. Perder una mujer es siempre encontrar la abundancia. Hércules, en cambio, es llevado por su victoria a la perdición. Lleva a Deyanira al cerro de Takumbú, en realidad a Tirinto. Lo que no importa mucho, pues en tales fábulas unos nombres no son más reales que otros. Entra en escena el centauro Neso que conoce los sitios vadeables del río. Se ofrece a pasar sobre sus espaldas a Deyanira. Mas como todas estas deidades machihembradas son traicioneras, el río-centauro Neso huye con ella. Hércules dispara al raptor una flecha envenenada. Sintiéndose morir, da su túnica empapada en sangre y veneno a Deyanira, quien a su vez la entregará como presente a Hércules. Aquí hay todo un enredo. Detalles de celos, recelos, desconsuelos. ¿De qué se nutren las fábulas sino de menudas fatalidades? Hércules agoniza vestido con la túnica de Neso. Todavía le sobran fuerzas para derribar grandes árboles al pie del Cerro-León. Forma una pirámide; mide una pira a la medida de su rabia. Manda a Filoctetes, su Policarpo Patiño, que prenda fuego a los troncos sobre los cuales ha extendido su piel de león, acostándose sobre ella como en un lecho, la cabeza apoyada en su maza. El portátil dice que también Deyanira se mató por desesperación. No; las mujeres fabularias o reales no se matan. Matan por esperación. Entre dos lunas se desangran, pero no mueren.

¡Ah traidora, astuta, bella Deyanira-Andaluza! Viuda del maturrango Goyeneche, emisaria de los necios porteños. ¡A buen puerto has llegado! ¿Piensas que voy a desvestirme de mi piel de león para que la tela fatal roce mi cuerpo con su hechicería de sangre monstrual-menstrual? Guárdate tu transparente presente. Con muy poco dinero han comprado tu hermosura, tu audacia, mi muerte por tu mano, Amazona-del-río. ¡Ah si pudiera poblar mi país de mujeres belicosas como tú, mas no traidoras, belicosas contra el enemigo, las fronteras del Paraguay llegarían hasta el Asia Menor donde moraban las amazonas que sólo pudieron ser vencidas por Hércules! Mas Hércules, mujeriego infiel, fue vencido por mujeres. Yo no me tenderé a yacer contigo.

Desde muy niño amé a una deidad a quien llamé la Estrella-del-Norte. Más de una veleidad quiso ocupar su lugar tomando otras formas falsarias sin poder engañarme. Un día de mi juventud dirigí a un espíritu la pregunta: ¿Quién es la Estrella-del-Norte? Mas los espíritus son mudos. (*Al margen*): Salvo para Patiño, que cree conversar con ellos, sólo porque cometí el error de enseñarle algunos rudimentos de ocultismo y de astrología judiciaria. Le han bastado para creerse con el tiempo un mago. Imago. Mariposa-coleóptero. Gran-Sarcófaga, lleva pintados cráneos y tibias fosfóriles en las alas enlutadas... *(roto el margen).* Copié en latín la pregunta sobre un papel Mi primer pasquín, no calumnioso ni amoral, sino amorado, enamorado, alucinado. Puse la esquela bajo una piedra, en lo alto del cerro Takumbú. ¡Que no hubiera existido entonces un farsante para responder a esa pregunta!

De todos modos falta me hacía esa fantasía, viniera o no a cuento el contrabando de armas. Inmóvil ante la mesa curiosea a ojo los papeles, el armerillo con cincuenta de los fusiles que ella me ha vendido en numerosas oportunidades, a más del vino carlón, harina, galletas, herrajes, contrabando-hormiga que atraviesa el bloqueo del río. Pasa la mano sobre el meteoro mientras observa por el rabillo del ojo. Suave caricia al azor del cosmos. Azar-piedra encadenado en un rincón del cuarto manando luz invisible, aviso de azares menores: Esa mujer de cuerpo prieto a-penas trémulo. No oculta sus claras intenciones en lo más obscuro de su pensamiento. Primera-última Adelantada de atentados tentados a tientas. ¡Bienvenida seas, capitana de La Paloma del Plata! Deyanira-Andaluza traficante de armas, de especias, de amantes. Dicen las malas-lenguas que todos los tripulantes de tu barca elegidos por ti se acuestan contigo uno por vez a la hora en que el mahometano ora tocando el suelo con la frente. El meteoro te desnuda mientras lo acaricias. Costumbre de mando, de cópula. No traes armas para mi ejército. Nada más que tu rojo pañuelo. Señuelo para el trabucazo que piensas descerrajarme a quemarropa apenas veas mi aparición en la puerta. Retraes la mano hacia la cintura. Los botones peruvianos de tu blusa alumbran la rendija. Doy un paso atrás dejando pasar el centelleo. Vuelves tu rostro hacia el espejo buscándome/buscándote. Te retocas el bucle azulino que escapa del turbante a lo pirata. Estás doblando el Cabo de las Oncemil Vírgenes. Te inclinas sobre el sextante. Buscas las coordenadas rectilíneas/esféricas; dónde, cómo fijar el punto que se ha volado de lugar dejándote sin lugar en el espacio de lo imposible; o peor aún abandonándote a la deriva en ese lugar inexistente donde coexistes con todas las especies posibles. Lugar común que borra el sentido común; anula el hecho mismo de que estés ahí inclinada sobre el sextante esperando que te reciba, espiando el rumbo, el momento oportuno para hacerme caer a tu vez en el lugar común de una frase. Cosa la más fácil del mundo; la más infalible manera de hacer desaparecer una cosa: Gente, animal, seres animados-inanimados. Permíteme un aparte entre corchetes: [En un drama de la antigüedad, no recuerdo cuál en este momento, hay un pasaje en que un conspirador-usurpador está hablando con los hombres que enviará para que maten al rey. Los mercenarios alegan ser hombres y él les dice que sólo son una especie de hombres]. Tú tampoco eres una mujer; sólo una especie de mujer. Enviada-extraviada a contramarcha de lo posible. Ya no estás navegando el río Paraguay, ni surcando el Estrecho bajo las nubes de Magallanes. Navegas por detrás de las cosas sin poder salir de un espacio sin espacio. En contraste con el brillo de las

Nubeculae magallánicas las sombras de tus ojeras han crecido: Dos bolsas-de-carbón bajo el fuego de tus ojos derraman lluvia de tizne sobre tu impersonal-persona. Por momentos te invisibilizan. Uf. No. Sé que no estoy escribiendo lo que quiero. Probemos otro matiz. Te has metido en una caverna obscura hasta el mismísimo centro de la tierra. Rebulles mudamente en mi silenciario. Tocas, husmeas, revisas todo. Registras acariciante/suspirante los tubos: ¡Eh, cuidado! No te ilusiones, Deyanira-Andaluza: Hércules ya se ha arrojado a las llamas envuelto en la túnica. No vas a medir mis bragas con mi teodolito. Ese aparato me sirvió para reedificar la Ciudad que en tres siglos tus antepasados dejaron más lleno de inmundicias que el establo de Augías. Demarqué, desinfecté el país, mientras cortaba de un solo tajo las siete cabezas de los Lernos que aquí no pudieron rebrotar dobles. El único Doble es El Supremo. Mas tú no entiendes la expresión ser-dos. Te arrimas al telescopio. Desenfundas el escroto de guantílope. Observas a través del lente: Ves el Crucero invertido; a la vez y del revés el mete-oro. La brújula tiene clavada su aguja en el Norte magnético de la piedra. Levantas el tubo hasta el ángulo más alto. Si las bolsas-de-carbón no hubieran obscurecido el cielo, tal vez habrías podido divisar el espacio completamente vacío de estrellas entre Escorpio y Ofluco: Verdadero agujero por el que nuestras miradas pueden penetrar los más apartados rincones del Universo. Sobre la mesa los siete relojes laten a un solo pulso que yo sincronizo todos los días al darles cuerda setenta veces siete. No puedes franquear esa línea latiente por más que empujes con el hombro, con tu sombra, el espacio sin espacio que te contiene junto con las otras miserables especies, fénix-hembra de la humedad. Memento homo. Nepento mulier. Se te hace tarde. Inútil que muevas el bastón de hierro del cuadrante solar; en el reloj de Acaz la sombra suele ir hacia atrás. Asida a la barra del timón, codo en bauprés avanzas hacia la mesa orzando contra el viento que llena los bordes de la puerta detrás de la cual te observo. Tu respiración agita los banderines, estremece rítmicamente tus senos, mueve las olas de papeles. Levantas la carta de Sarratea. La arrojas al canasto. Sacudes la cabeza liberándote de la distracción. Has traído orden de matarme y me estás divirtiendo: Escribiendo-describiendo lo que no puede suceder, obstinado changador, barquero de justicia. ¡Apúrate! Bueno, ah bueno. Te has decidido por fin a un fin que no tendrá comienzo. Garrapateas unas palabras al desgaire. Ah ah. Tú escribes primero, obras después. Primero juntas las cenizas para encender luego el fuego; y bien, cada uno tiene su modo y manera. Te incorporas. Enfrentas la puerta. Metes la mano entre los pliegues de la blusa. Lo haces con tal fuerza que salta el voto. Un botón. Rueda, cruza la juntura de la puerta, cae junto a mis zapatos. Lo recojo. Está tibio. Lo guardo en el bolsillo... (*roto*). Del seno sacas algo. Tiras. Algo rebota sobre el planisferio, entre las constelaciones del Altar y el Pavo Real. El aire se adensa en el gabinete. Acido hedor a gata almizclera. El inconfundible, el inmemorial husmo a hembra. Tufo carnal a sexo. Lujurioso, sensual, lúbrico, libidinoso, salaz, voluptuoso, deshonesto, impúdico, lascivo, fornicatorio. Sus vaharadas se expanden, llenan el aposento. Penetran los menores intersticios. Remueven en balanceo de marea los objetos más pesados. Los muebles, las armas. Hasta el meteoro parece flotar y cabecear en la jedencia terrible. Debe de estar invadiendo la ciudad entera. La náusea me paraliza al borde de la arcada. Estoy a punto de vomitar. Me contengo en un esfuerzo supremo. No es que huela solamente ese olor a hembra; que lo haya recordado de pronto. Lo veo. Más feroz que un fantasma que nos ataca a plena luz saltando hacia atrás, hacia adelante, hasta el final de esos días primeros, quemados, olvidados en los prostíbulos del Bajo. El olor está ahí. Sansón-hembra se ha abrazado a las columnas de mi templado templo. Enrosca sus millares de brazos a los horcones de mi inexpugnable eremitorio-erectorio. Pretende desmoronarlo. Me mira ciegamente, me olfatea invisible. Pretende desmoronarme. Entra Sultán. Se acerca a La Andaluza. Comienza a olisquearla desde los calcañares. Las corvas, las entrepiernas lupanarias, las combas de las nalgas. El anciano perro sans-culotte también vacila. El que rompe los miembros, el Deseo, el viejo deseo relampaguea en sus ojos legañosos. Gime un poco al borde de la capitulación. Retira empero al instante el hocico de esos mórbidos valles. Belfos goteantes de espumosa baba. La insulta soezmente: ¡Hembra traidora! ¡Ojalá te mueras de hambre de hombre! Que no tengas otro techo que el firmamento. Otro lecho, que el puente de tu barco. Que vivas rodeada de alarmas aunque no nos traigas más armas. Que la cabeza de tu marido muerto se apriete contra tus muslos, barboquejo de castidad contra tu furor hembrino. ¡Fuera! ¡Adiós puta! Eh, eh, eh. ¿Qué es eso, Sultán? ¿Qué es ese lenguaje incivil de perro carbonario? ¡No debes tratar así a las señoras! ¡Qué se puede esperar de ti, viejo perro misógino y cascarrabias! Sultán agacha la cabeza y se aleja refunfuñando dicterios irreproducibles. No conviene recargar aquí la nota chocarrera. También en estos excesos me voy repitiendo. Un poco deliberadamente, quizás. Exagero las minucias. Las palabras son sucias por naturaleza. La suciedad, la excrementicidad, los pensamientos innobles y ruines están en la mente de los teratos, de los literatos; no en los voquibles. Aplico a estos apuntes la estrategia de la repetición. Ya me tengo dicho: Lo que prolijamente se repite es lo único que se anula. Además ¡qué mierda! yo hago y escribo lo que se me antoja y del modo que se me antoja, puesto que sólo escribo para mí. Por qué entonces tanto espejo, escrituras jeroglíficas, tiesas, engomadas. Literatología de antífonas y contraantífonas. Cópula de metáforas y metáforos. ¡Por la luna del carajo, Sultán estuvo muy bien en echar a la puta de La Andaluza!

En realidad podría suprimir toda la noveleta. En todo caso, la revisaré y la corregiré de tornatrás. Lo cierto y lo real es que la andaluza Deyanira se ha marchado en un soplo. Soplo-mancha-mujer rápidamente saliendo; lentamente siendo otra vez la juncal Andaluza, seguida por los ojos del negro Pilar. El indiscreto rufiancillo de mi ayuda de cámara también ha estado espiando desde otra rendija. Más pálido que un muerto, si es que la mortal palidez de un negro puede notarse. Más turbado que nadie el paje a mano se ha hecho humo hacia la cocina. Vuelve al momento con el mate. Agua hervida de dos horas; lo noto al primer chupeteo de la bombilla. ¿Has visto salir a una mujer del estudio? No, mi Amo. No he visto salir ni entrar a nadie. He estado todo el tiempo en la cocina preparando el mate, aguardando su orden. Vete a preguntar a la guardia. Ya está de regreso. Esta escrófula puede recorrer varios lugares al mismo tiempo. Señor, ninguno de los guardianes ni centinelas ha visto entrar ni salir a ninguna mujer de la Casa de Gobierno mientras Su Merced estuvo trabajando hasta hace un momento.

El borrador de la noveleta en la que quiero representarme aquel hecho continúa así: Rebusqué el botón en mis bolsillos; no encontré más que una macuquina de plata de a medio real. Pasé al estudio. Sobre la mesa me aguarda el papel escrito por la mujer. Letras grandes, la esquela solfea: ¡SALUDOS DE LA ESTRELLA-DEL-NORTE! Me abalanzo con el catalejo a la ventana. Escudriño el puerto hasta en sus menores recovecos. Sobre la plancha de azogue de la bahía no hay rastros de la barca verde. Entre el Arca del Paraguay a medio construir desde hace más de veinte años, las garandumbas y demás embarcaciones pudriéndose al sol, sólo tiemblan los reflejos del agua. Sobre la mesa ha desaparecido también la esquela. Tal vez la estrujé con rabia y la arrojé al canasto. Tal vez, tal vez. Qué sé yo. Encuentro en su lugar entre los legajos y las constelaciones, una flor fósil de amaranto; y entonces se puede seguir escribiendo ya cualquier cosa, por ejemplo: Flor-símbolo de la inmortalidad. A semejanza de las piedras lanzadas al azar, las frases idiotas no vuelven hacia atrás. Salen del abismo de la no-expresión y no se dan paz hasta precipitarnos en él quedándose dueñas de una realidad cadavérica. Conozco esas frasecitas-guijarras por el estilo de: Nada es más real que la nada; o Memoria estómago del alma; o Desprecio este polvo que me compone y os habla. Parecen inofensivas. Una vez echadas a rodar por la ladera escrituraria pueden infestar toda una lengua. Enfermarla hasta la mudez absoluta. Deslenguar a los hablantes. Volverlos a poner en cuatro patas. Petrificarlos en el límite de la degradación más extrema, de donde ya no se puede volver. Monolitos de vaga forma humana. Sembrados en un carrascal. Jeroglíficos, ellos mismos. Las piedras del Tevegó ¡esas piedras!

Cogí pues la flor. En el interior de la ramita cristalizada la lupa permitía ver imperceptibles veteaduras. En lo hondo de la cresta amaranta picos de montañas infinitamente pequeñas. ¿Substancia del aroma fosilizado? Hedor débil; un olor más que olor, rumor. Chisporroteo de corpúsculos que están ahí desde ANTES y que sólo se dejan percibir después que uno ha frotado largamente la flor-momia contra el dorso de la mano. Nebulosas. Constelaciones semejantes a las del cosmos. Un cosmos vuelto del revés hacia lo infinitesimal, contrayéndose sobre sí mismo. A un paso de la contramateria. ¡Diantres! Continúa la retórica haciendo estragos. Es que he perdido por completo la facultad de poner en palabras de todos los días lo que pienso o creo recordar. De conseguirlo, estaría curado. Viene una pelanduzca, una zorra-del-agua. Desparrama todo lo escrito. Aparece una archirramera navegante. Te manda recordar que olvides.

Otro asunto.

A propósito de la Historia de las Revoluciones de la Provincia del Paraguay mencioné esta mañana al jesuita Lozano. Leí el manuscrito en el Cuartel del Hospital durante mi internación a raíz de la caída en el último paseo. Si he de dar razón al testimonio de mis sentidos debo escribir que esa tarde *vi* a Pedro Lozano en el cura que me cortó el paso, calle de la Encarnación abajo, en el momento en que se desencadenaba la tormenta. Con las primeras gotas cayó lo obscuro de repente. El sargento de descubierta, los batidores, el cornetero, el tambor, ya habían pasado. En un recodo apareció el cura de sobrepelliz y estola. Dos o tres monaguillos lo acompañaban portando velones encendidos que la lluvia y el viento no lograban apagar. La charanga de la escolta se desvaneció en el rumor de la campanilla que uno de los acólitos agitaba empavorecido ante mí como ante la aparición de un espectro. El moro siguió avanzando al tranco, las orejas vibradoras hacia el campanilleo. Pensé en un nuevo complot tras ese simulacro del viático para un moribundo. Me admiró el ingenio de la treta. Han previsto todo: Atizarme el balazo, luego el viático. No; tal vez no, dijo otra voz en mí. ¿No es el jesuita Pedro Lozano que viene a entregarte en propias manos su libelo contra José de Antequera? Detenido en mitad del callejón el séquito de la emboscada eucarística me enfrenta. No da muestras de apartarse. Me cierra el camino. ¡Arráncate de ahí, Pedro Lozano! le grito. Ahora lo distingo claramente en el fulgurar de los refucilos. Se le ven hasta los poros de la piel. Lívida la cara. Ojos cerrados. Labios moviéndose en el balbuceo de la antífona. Se hinca en el barro. En ese momento recuerdo haber leído que el cronista de la orden murió un siglo antes, en la quebrada de Humahuaca, cuando viajaba rumbo al Alto Perú por el mismo camino que hizo Antequera rumbo a su decapitación. Vuelvo a escuchar el campanilleo asordinado por las rachas de lluvia y de viento cada vez más fuertes. El moro pega un bote espantado. Los monaguillos huyen chillando ¡Xake Karaí! ¡Xake Karaí! Estoy casi encima del cura. Lo que de lejos parecía la tapa dorada de un libro es en realidad el copón de oro que guarda la forma consagrada. A punto de desbocarse contengo al moro con un tironazo de las riendas. Es entonces cuando el extremo del látigo viboreando entre las ráfagas se engancha al fuste del copón arrancándolo de las manos del clérigo. Lo veo arrastrarse en su busca por el fango. Lo extraño es que la sobrepelliz no pierde su blancura. La viejísima estola de luto, las guardas, las dos cruces desflecadas de los pectorales, se tornan de un reluciente blancor. El moro salta sobre el cura y se lanza en los remolinos de la tormenta. Resbala en un charco. Cae; me arroja lejos de sí. A mi turno me revuelco en el barro en busca de no sé qué cosa perdida. Perdido en dos por la concusión de la caída. Me encontré en el caso de quien ya no puede decir Yo porque no está solo, sintiéndose más solo que nunca en esas dos mitades, sin saber a cuál de ellas pertenece. Sensación de haber llegado hasta ahí empujado, engañado, arrojado como un desecho, encadenado al charco. En ese momento, bajo el Diluvio, sólo atinaba a golpear el barro con manotazos de ciego. ¡Idiota idiota idiota! Un hueso roto, la columna quebrada, un golpe en la base del cráneo pueden provocarte esta alucinación. Tal vez no lo supe en ese momento. En las situaciones desalentadoras la verdad exige tanto apoyo como el error. En ese momento no tenía más apoyo que el barro; me chupaba hacia adentro. En medio de la lluvia y del viento el caballo esperaba.

Dame la mano. ¿Va a levantarse, Señor? Venga la mano. Honor muy grande para este servidor es que Vuecencia me tienda la mano. No te tiendo la mano. Te ordeno que me tiendas la tuya. No te propongo una reconciliación; únicamente un simulacro de transitoria identificación.

Esto es una clase. La última. Debió ser la primera. Ya que no puedo proponerte una Última Cena con la cáfila de Judas que son mis apóstoles, te ofrezco una primera-última clase. ¿Clase de qué clase, Señor? Homenaje a tu supina ignorancia en beneficio del servicio. Desde hace más de veinte años eres el escribano mayor del Gobierno, el fiel de fechos, el supremo amanuense, y no conoces todavía los secretos de tu oficio. Tu don escriturario continúa siendo muy rudimental. Poco, mal y peor atado. Te precias de tener en la punta del ojo la facultad de distinguir las más ínfimas semejanzas y diferencias hasta en las formas de los puntos, mas no eres capaz de reconocer la letra de un infame pasquín. Razón que le sobra, Señor. Con su permiso quiero informar a Vuecencia que ya tengo acuartelados a siete mil doscientos treinta y cuatro escribientes en el archivo, para cotejar las letras del pasquín en los veinte mil legajos, sus quinientas mil fojas, más toda la papelería que Usía me ha ordenado reunir a este efecto. He traído en la leva hasta al Paí Mbatú. Con su cerebro medio atacado, es el más vivo y activo de todos los escribidores reclutados. ¡Soy loco forrado de ciencia y calzo botines de paciencia!, grita a cada rato el ex cura. ¡Vengan pues los expedientes, que para mí este asunto es pan comido! Los tengo a galleta cuartelera y agua para avivar su apuro y buena voluntad. ¿Se acuerda, Señor, de aquellos indios viejos de Jaguarón que se negaron a seguir trabajando en el beneficio del tabaco alegando estar cegatones? Se les mandó servir un buen locro con muchos marandovases adentro. Los indios se sentaron a comer. Se comieron hasta el último grano de maíz pero dejaron enteritos todos los gordos verdes gusanos del tabaco al borde del plato. Pienso hacer lo mismo con estos haraganes. Sólo aguardo que Su Excelencia me entregue el pasquín para empezar la investigación de la letra.

Desde hace más de veinte años eres mi fide-indigno secretario. No sabes secretar lo que dicto. Tuerces retuerces mis palabras. Te dicto una circular a fin de instruir a los funcionarios civiles y militares sobre los hechos cardinales de nuestra Nación. Ya les he enviado la primera parte, Señor. Cuando la lean, esos bestias iletrados creerán que les hablo de una Nación imaginaria. Te estás pareciendo a esos ampulosos escribas, los Molas y los Peñas, por ejemplo, que se creen unos Tales de Mileto y no son más que unos tales por cuales. Aun presos se pasan ratereando los escritos ajenos. No te empeñes en imitarlos. No emplees palabras impropias que no se mezclan con mi humor, que no se impregnan de mi pensamiento. Me disgusta esta capacidad relativa, mendigada. Tu estilo es además abominable. Laberíntico callejón empedrado de aliteraciones, anagramas, idiotismos, barbarismos, paronomasias de la especie pároli/párulis; imbéciles anástrofes para deslumbrar a invertidos imbéciles que experimentan erecciones bajo el efecto de las violentas inversiones de la oración, por el estilo de: Al suelo del árbol cáigome; o esta otra más violenta aún: Clavada la Revolución en mi cabeza la pica guíñame su ojo cómplice desde la Plaza. Viejos trucos de la retórica que ahora vuelven a usarse como si fueran nuevos. Lo que te reprocho principalmente es que seas incapaz de expresarte con la originalidad de un papagayo. No eres más que un biohumano parlante. Bicho híbrido engendrado por especies diferentes. Asno-mula tirando de la noria de la escribanía del Gobierno. En papagayo me habrías sido más útil que en fiel de fechos. No eres ni lo uno ni lo otro. En lugar de trasladar al estado de naturaleza lo que te dicto, llenas el papel de barrumbadas incomprensibles. Bribonadas ya escritas por otros. Te alimentas con la carroña de los libros. No has arruinado todavía la tradición oral sólo porque es el único lenguaje que no se puede saquear, robar, repetir, plagiar, copiar. Lo hablado vive sostenido por el tono, los gestos, los movimientos del rostro, las miradas, el acento, el aliento del que habla. En todas las lenguas las exclamaciones más vivas son inarticuladas. Los animales no hablan porque no articulan, pero se entienden mucho mejor y más rápidamente que nosotros. Salomón hablaba con los mamíferos, los pájaros, los peces y los reptiles. Yo también hablo por ellos. Él no había comprendido el lenguaje de las bestias que le eran más familiares. Su corazón se endureció con el mundo animal cuando perdió su anillo. Se dice que lo tiró bajo el efecto de la cólera cuando un ruiseñor le informó que su mujer novecientos noventa y nueve amaba a un hombre más joven que él.

Cuando te dicto, las palabras tienen un sentido; otro, cuando las escribes. De modo que hablamos dos lenguas diferentes. Más a gusto se encuentra uno en compañía de perro conocido que en la de un hombre de lenguaje desconocido. El lenguaje falso es mucho menos sociable que el silencio. Hasta mi perro Sultán murió llevándose a la tumba el secreto de lo que decía. Lo que te pido, mi estimado Panzancho, es que cuando te dicto no trates de artificializar la naturaleza de los asuntos, sino de naturalizar lo artificioso de las palabras. Eres mi secretario ex-cretante. Escribes lo que te dicto como si tú mismo hablaras por mí en secreto al papel. Quiero que en las palabras que escribes haya algo que me pertenezca. No te estoy dictando un cuenticulario de nimiedades. Historias de entretén-y-miento. No estoy dictándote uno de esos novelones en que el escritor presume el carácter sagrado de la literatura. Falsos sacerdotes de la letra escrita hacen de sus obras ceremonias letradas. En ellas, los personajes fantasean con la realidad o fantasean con el lenguaje. Aparentemente celebran el oficio revestidos de suprema autoridad, mas turbándose ante las figuras salidas de sus manos que creen crear. De donde el oficio se torna vicio. Quien pretende relatar su vida se pierde en lo inmediato. Únicamente se puede hablar de otro. El Yo sólo se manifiesta a través del Él. Yo no me hablo a mí. Me escucho a través de Él. Estoy encerrado en un árbol. El árbol grita a su manera. ¿Quién puede saber que yo grito dentro de él? Te exijo pues el más absoluto silencio, el más absoluto secreto. Por lo mismo que no es posible comunicar nada a quien está fuera del árbol. Oirá el grito del árbol. No escuchará el otro grito. El mío. ¿Entiendes? ¿No? Mejor.

Lo malo, Patiño, es que la situación empeora por el creciente ceceo de tu frenillo. Me cargas de zetas las fojas. La decreciente facultad de tu voz las va dejando cada vez más afónicas. Ah, Patiño, si tu memoria, ignorante de lo que no ha sucedido todavía, pudiera descubrir que los oídos funcionan como los ojos y los ojos como la lengua enviando a distancia las imágenes y las imágines, los sonidos y los silencios oíbles, ninguna necesidad tendríamos de la lentitud del habla. Menos todavía de la pesada escritura que ya nos ha atrasado millones de años.

Con los mismos órganos los hombres hablan y los animales no hablan. ¿Te parece esto razonable? No es, pues, el lenguaje hablado el que diferencia al hombre del animal, sino la posibilidad de fabricarse un lenguaje a la medida de sus necesidades. ¿Podrías inventar un lenguaje en el que el signo sea idéntico al objeto? Inclusive los más abstractos e indeterminados. El infinito. Un perfume. Un sueño. Lo Absoluto. ¿Podrías lograr que todo esto se transmita a la velocidad de la luz? No; no puedes. No podemos. Razón por la cual tú sobras y faltas al mismo tiempo en este mundo en que los charlatanes y embaucadores sobran, mientras que los individuos honrados faltan con notable encarnizamiento. ¿Me has entendido? A decir verdad, no mucho, no del todo, Excelencia. Mejor dicho, absolutamente nada de todo, Señor, por lo que le pido me otorgue su excelentísimo perdón. No importa. Dejémonos por ahora de zonceras. Comencemos por el principio. Pon tus cascos en la palangana. Remójate los juanetes solípedos. Cálzate en la cabeza el balde del barbero Alejandro, el casco de Mambrino o de Minerva. Lo que quieras. Escucha. Atiende. Vamos a realizar juntos el escrutinio de la escritura. Te enseñaré el difícil arte de la ciencia escriptural que no es, como crees, el arte de la floración de los rasgos sino de la desfloración de los signos.

Prueba tú primero solo. Enclavija la pluma. Levanta los ojos. Fíjate en el busto de escayola de Robespierre a la espera de una palabra. Escribe. El busto no me dice nada, Señor. Interroga al grabado de Napoleón. Tampoco, Excelencia, ¡qué me va a hablar a mí el señor Napoleón! Fíjate en el aerolito; a lo mejor te dice algo. Las piedras hablan. Lo que pasa, Señor, es que a esta hora de la media tarde ando siempre medio desatinado hasta para escuchar mi propia memoria. ¡Qué le digo si siento que hasta se me duerme la mano! Dámela. Voy a darle cuerda, ponerla tensa de nuevo. Medianoche. Las doce en punto y sereno. Bajo el cono blanco de la vela sólo se ven nuestras dos manos encabalgadas. Para que descanse tu menguada memoria mientras te instruyo con el mágico poder de los aparecidos guiaré tu mano como si escribiera yo. Cierra los ojos. Tienes en la mano la pluma. Cierra tu mente a todo otro pensamiento. ¿Sientes el peso? ¡Sí, Excelencia! ¡Pesa terriblemente! No es solamente la pluma, Excelencia; es también su mano... un bloque de hierro. No pienses en la mano. Piensa únicamente en la pluma. La pluma es metal puntiagudo-frío. El papel, una superficie pasiva-caliente. Aprieta. Aprieta más. Yo aprieto tu mano. Empujo. Prenso. Oprimo. Comprimo. Presiono. La presión funde nuestras manos. Una sola son en este momento. Apretamos con fuerza. Vaivén. Ritmo sin pausa. Cada vez más fuerte. Cada vez más hondo. No hay nada más que este movimiento. Nada fuera de él. El fierro de la punta rasga la hoja. Derecha/izquierda. Arriba/abajo. Estás escribiendo empezando a escribir hace cinco mil años. Los primeros signos. Dibujos. Cretinográficos palotes. Islas con árboles altos envueltos en humareda, en llovizna. El cuerno de un toro embistiendo en una caverna. Aprieta. Sigue. Descarga todo el peso de tu ser en la punta de la pluma. Toda tu fuerza en cada movimiento en cada rasgo. Móntala a horcajadillas, a la bastarda, a la estradiota. ¡No no! No hagas pie a tierra todavía. Siento, Señor, no veo pero siento que están saliendo letras muy extrañas. No te extrañes. Lo más extraño es lo que más naturalmente sucede. Escribes. Escribir es despegar la palabra de uno mismo. Cargar esa palabra que se va despegando de uno con todo lo de uno hasta ser lo de otro. Lo totalmente ajeno. Acabas de escribir soñoliento YO EL SUPREMO. ¡Señor... usted maneja mi mano! Te he ordenado que no pienses en nada

nada

olvida tu memoria. Escribir no significa convertir lo real en palabras sino hacer que la palabra sea real. Lo irreal sólo está en el mal uso de la palabra en el mal uso de la escritura. No entiendo Señor... No te preocupes. La presión es enorme pero casi no la sientes no la sientes eh qué es lo que sientes

siento que no siento

peso que se descarga de su peso. El vaivén de la pluma es cada vez más rápido. Penetra hasta el fondo. Siento, Señor... siento mi cuerpo yente-viniente en una hamaca... ¡Señor... el papel se ha escapado! ¡Ha girado media vuelta! Continúa entonces escribiendo de espaldas. Aferra la pluma. Apriétala tal si te fuera en ello la vida que todavía no tienes. Continúa escribiendo

continúooo

voluptuosamente el papel se deja penetrar en las menores hendiduras. Absorbe, chupa la tinta de cada rasgo que lo rasga. Proceso pasional. Conduce a una fusión completa de la tinta con el papel. La mulatez de la tinta se funde con la blancura de la hoja. Mutuamente se lubrican los lúbricos. Macho/hembra. Forman ambos la bestia de dos espaldas. He aquí el principio de mezcla. Eh ah no gimas tú, no jadees. No, Señor... no jodo. Sí jodes. Esto es representación. Esto es literatura. Representación de la escritura como representación. Escena primera.

Escena segunda:

Un aerolito cae del cielo de la escritura. El óvulo del punto se marca en el lugar donde ha caído, donde se ha enterrado. Embrión repentino. Brota bajo la costra. Pequeño, desborda de sí. Marca su nada al mismo tiempo que sale de ella. Materializa el agujero del cero. Del agujero del cero sale la sin-ceridad.

Escena tercera:

El punto. El pequeño punto está ahí. Sentado sobre el papel. A merced de sus fuerzas interiores. Grávido de cosas. Buscan procrearse en la palpitación interior. Quiebran la cáscara. Salen piando. Se sientan sobre la costra blanca del papel.

Epílogo:

He ahí el punto. Semilla de nuevos-huevos. La circunferencia de su círculo infinitesimal es un ángulo perpetuo. Las formas ascienden ordenadamente. De la más baja a la más alta. La forma más baja es angular, o sea la terrestre. La siguiente es la angular perpetua. Luego la espiral origen-medida de las formas circulares. En consecuencia se la llama la circular-perpetua: La Naturaleza enroscada en una espiral-perpetua. Ruedas que nunca se paran. Ejes que nunca se rompen. Así también la escritura. Negación simétrica de la naturaleza.

Origen de la escritura: El Punto. Unidad pequeña. De igual modo que las unidades de la lengua escrita o hablada son a su vez pequeñas lenguas. Ya lo dijo el compadre Lucrecio mucho antes que todos sus ahijados: El principio de todas las cosas es que las entrañas se forman de entrañas más pequeñas. El hueso de huesos más pequeños. La sangre de gotitas sanguíneas reducidas a una sola. El oro de partículas de oro. La tierra de granitos de arena contraídos. El agua de gotas. El fuego de chispas encontradas. La naturaleza trabaja en lo mínimo. La escritura también.

Del mismo modo el Poder Absoluto está hecho de pequeños poderes. Puedo hacer por medio de otros lo que esos otros no pueden hacer por sí mismos. Puedo decir a otros lo que no puedo decirme a mí. Los demás son lentes a través de los cuales leemos en nuestras propias mentes. El Supremo es aquel que lo es por su naturaleza. Nunca nos recuerda a otros salvo a la imagen del Estado, de la Nación, del pueblo de la Patria.

Vamos, apéate de tu soñolencia. A partir de aquí escribe solo. ¿No has fanfarroneado muchas veces de acordarte de las letras y hasta de las formas de los puntos sentados sobre la papelada de los veinte o treinta mil legajos del archivo? No sé si tu ojo memorativo te engaña, si tu lengua lorificada miente. Lo cierto es que en las letras más parecidas, en los puntos aparentemente más redondos, existe siempre alguna diferencia que permite compararlos, comprobar esa cosa nueva que aparece en el follaje de las semejanzas. Treinta mil noches más otras treinta mil me llevaría enseñarte las distintas formas de puntos. Aun así sólo habríamos comenzado. Las comas, los guiones, las diéresis, los corchetes, las vírgulas, las comillas, los paréntesis más iguales son también diferentes bajo su apariencia de aparecidos. La letra de una misma persona es muy distinta escrita a medianoche o a mediodía. Jamás dice lo mismo aun formando la misma palabra.

¿Sabes qué es lo que distingue a la letra diurna de la letra nocturna? En la letra de noche hay obstinación con indulgencia. La proximidad del sueño lima los ángulos. Se distienden más las espirales. La resistencia de izquierda a derecha, más débil. El delirio, amigo íntimo de la letra nocturna. Las curvas cimbran menos. El esperma de la tinta seca con mayor lentitud. Los movimientos son divergentes. Los rasgos se inclinan más. Tienden a tenderse.

Por el contrario la letra de día es firme. Rápida. Se ahorra poluciones inútiles. El movimiento es convergente. Los rasgos están en ascenso. Hay acompañamiento de curvas libremente onduladas. Sobre todo en la espiral de las rúbricas. Lucha encarnizada entre los polos del círculo-perpetuo. La presión positiva es un continuo aproximarse-al-límite. El trazo sale del cauce. Salta las orillas. Su obstinación es más rígida. La resistencia de derecha a izquierda más fuerte. Más duros los dobles, los arcos, los dobleces, la doblez. La soltura salta al aire. Mas en la letra diurna como en la nocturna la palabra sola sirve sólo para lo que no sirve. ¿Para qué sirven los pasquines? ¡Perversión la más vergonzante del uso de la escritura! ¿Para qué el trabajo de araña de los pasquinistas? Escriben. Copian. Garrapatean. Se amanceban con la palabra infame. Se lanzan por el talud de la infamia. De repente el punto. Sacudida mortal de la parrafada. Quietud súbita del alud parrafal, de la salud de los pasquinistas. No el punto de tinta; el punto producido por un cartucho a bala en el pecho de los enemigos de la Patria es lo que cuenta. No admite réplica. Suena. Cumple.

Comprendes ahora por qué mi letra cambia según los ángulos del cuadrante. Según la disposición del ánimo. Según el curso de los vientos, de los acontecimientos. Sobre todo cuando debo descubrir, perseguir, penar la traición. ¡Sí, Excelencia! Con toda claridad comprendo ahora sus ínclitas palabras. Lo que quiero que comprendas con mayor claridad aún, ínclito amanuense, es tu obligación de descubrir al autor del anónimo. ¿Dónde está el pasquín? Ahí lo tiene bajo su mano, Señor. Tómalo. Estúdialo de acuerdo con la cosmografía letraria que te acabo de enseñar. Podrás saber exactamente a qué hora del día o de la noche fue emborronado ese papel. Coge la lupa. Rastrea los rastros. A su orden, Excelencia.

(En el cuaderno privado)

Patiño estornuda pensando no en la ciencia de la escritura sino en las intemperies de su estómago.

Ahora estoy seguro de reconocer la letra del anónimo. Escrito con la fuerza torcida de una mente afectada. ¡Demasiado recargado en su brevedad el pasquín catedralicio! Las mismas palabras expresan diferentes sentidos, según sea el ánimo de quien las pronuncia. Nadie dice "mis servidores civiles y militares" sino para llamar la atención de que son servidores, aunque no sirvan para maldita la cosa. Nadie ordena que su cadáver sea decapitado sino aquel que quiere que lo sea el de otro. Nadie firma YO EL SUPREMO una parodia falsificatoria como ésta, sino el que padece de absoluta insupremidad. ¿Impunidad? No sé, no sé... Sin embargo no hay que descartar ninguna posibilidad. Um. Ah. ¡Ea! Obsérvala bien. Letra nocturna, seguro. Las ondas se debilitan hacia abajo. Las curvas contrapónense en líneas angulares; buscan descargar su energía hacia tierra. La resistencia de derecha es más fuerte. Rasgos centrípetos, temblorosos, cerrados hacia la mudez.

En otros tiempos yo hacía con los dos cuervos blancos un experimento de letromancia que siempre daba buenos resultados. Trazar en tierra un círculo del radio del pie de un hombre. Mismo radio del disco del sol al filo del Poniente. Dividirlo en veinticuatro sectores iguales. Sobre cada uno dibujar una letra del alfabeto. Sobre cada letra colocar un grano de maíz. Entonces mandaba traer a Tiberio y a Calígula. Rápidos picotazos de Tiberio comiéndose los maíces de las letras que arman el presagio. Calígula, tuerto, los maíces de las letras que vaticinan lo opuesto. Entre los dos aciertan siempre. El uno o el otro, alternativamente. A veces, los dos juntos. Acertaban. Mucho más preciso el instinto de mis buitres que la ciencia de los arúspices. Alimentados de maíz paraguayo, los buitres grafólogos escriben sus predicciones en un círculo de tierra. No precisan como los cuervos de César escribirlas en los cielos del imperio romano.

(Al margen, escrito en tinta roja)

¡OJO! Releer el Contra-Uno Parte primera: Prefaciones sobre la servidumbre voluntaria. El borrador se encuentra, probablemente, entre las páginas del Espíritu de las Leyes o de El Príncipe. Tema: La capacidad de la inteligencia se limita a comprender lo que hay de sensible en los hechos. Cuando es preciso razonar, el pueblo no sabe más que andar a tientas en la obscuridad. Más todavía con estos aprendices de brujo. Riegan su malicia con la maldita saliva de sus estornudos. Mi empleado en el ramo de almas, el más peligroso. Capaz hasta de echar furtivamente arsénico o cualquier otra substancia tóxica en mis naranjadas y limonadas. Le otorgaré una nueva regalía. Prueba de confianza suma: Lo haré desde hoy el probador oficial de mis beberajes.

Eh Patiño ¿te has dormido? ¡No, Excelencia! Estoy tratando de descubrir de quién es la letra. ¿Lo has descubierto? A la verdad, Señor, sospechas nomás. Veo que cuando más dudas más sudas. Observa el anónimo una vez menos. Delicada atención eh ah. ¿Qué nombre recoge tu memoria? ¿Qué figura tu ver-de-vista sábelotodo? ¿Qué rasgos escriturarios? Temblor de párpados ahilando en las protuberancias una rajita quimérica. Dime, Patiño... Toda la persona del fide-indigno se adelanta en su pesado carapacho hacia lo que no sabe aún qué es lo que voy a decir. Desesperada esperanza de una conmutación. Espanto del borracho ante el culo de la botella vacía. Dime ¿la letra del pasquín no es la mía? Sordo chasquido de la lupa cayendo sobre el papel. Tromba de agua levantándose de la palangana. ¡Imposible, Excelencia! ¡Ni con locura de juicio podría pensar semejante cosa de nuestro Karaí-Guasú! Hay que pensar siempre en todo, secretario-secretante. De lo imposible sale lo posible. Fíjate ahí, bajo la marca de agua, el florón de las iniciales ¿no son las mías? Son suyas, Señor; tiene razón. El papel, las iniciales verjuradas también. ¿Ves? Alguien entonces mete la mano en las propias arcas del Tesoro donde tengo guardado el taco exfoliador. Papel reservado a las comunicaciones privadas con personalidades extranjeras, que no uso desde hace más de veinte años. Acordes. Pero la letra. ¿Qué me dices de la letra? Parece la suya, Excelencia, pero no es la suya propiamente. ¿En qué te basas para afirmarlo? La tinta es distinta, Señor. Esta perfectamente copiada la letra nomás. El espíritu es de otro. A más, Excelencia, nadie que no sea enemigo declarado va a amenazar de muerte al Supremo Gobierno y a sus servidores. Me has convencido sólo a medias, Patiño. Lo malo, lo muy malo, lo muy grave, es que alguien viole las Arcas, robe las resmillas de filigrana. Más imperdonable aún es que ese *alguien* cometa la temeraria fechoría de manosear mi Cuaderno Privado. Escribir en los folios. Corregir mis apuntes. Anotar al margen juicios desjuiciados. ¿Es que los pasquinistas han invadido ya mis dominios más secretos? Continúa buscando. Por ahora seguiremos con la circular-perpetua. Mientras tanto prepárate a esgrimir con ganas la pluma. Quiero oírla haciendo gemir el papel cuando me ponga a dictarte el Auto Supremo con el cual corregiré la mofa decretoria.

Ah Patiño, ¿qué es de esa otra investigación que te ordené? ¿La del penal del Tevegó, Señor? Aquí está ya escrito el oficio al comandante de la Villa Real de la Concepción para que proceda al desmantelamiento del penal. Sólo falta su firma, Señor. ¡No, patán! No te hablo de ese pueblo de fantasmas de piedra. Te ordené investigar quién fue el cura que portando el viático me salió al paso la tarde del temporal en que caí del caballo. Sí, Señor; no hubo ningún cura que portara viático esa tarde. No hubo ningún moribundo. Lo he averiguado perfectamente. Sobre ese asunto o barrumbada a su decir, Señor, no hubo más que vagos díceres. Se dice decires, mal decidor. Exacto, Señor. Malignos rumores, chismes, habladurías que salieron de la casa de los Carísimos por su odio contra el Gobierno para probar que su caída fue un castigo de Dios. Hasta un barato pasquín anduvo viboreando por ahí con ese rumor entre los malaslenguas. Vuecencia tiene toda la información sumaria en ese legajo. Lo ha leído a su regreso del Cuartel del Hospital. ¿Quiere, Señor, que lo vuelva a leer? No. No vamos a perder más tiempo en menudencias que los murmuradores escribas repetirán prolijamente a través de los siglos.

¿Éstos son los que van a defender la verdad mediante poemas, novelas, fábulas, libelos, sátiras, diatribas? ¿Cuál es su mérito? Repetir lo que otros dijeron y escribieron. Príapo, aquel dios de madera de la antigüedad, llegó a retener algunas palabras griegas que escuchaba a su dueño mientras leía a su sombra. El gallo de Luciano, dos mil años atrás, a fuerza de frecuentar el trato de los hombres acabó por hablar. Fantaseaba tan bien como ellos. ¡Si tan siquiera supiesen los escritores imitar a los animales! Héroe, el perro del último gobernador español, pese a ser chapetón y realista, fue más sabio palabrero que el más pintado de los areopagitas. Mi ignorante y rústico

Sultán después de muerto adquirió tanta o mayor sabiduría que la del rey Salomón. El papagayo que regalé a los Robertson, rezaba el Padre Nuestro con la misma voz del obispo Panés. Mejor, mucho mejor que el obispo, el lorogallo. Dicción más nítida, sin salpicaduras de saliva. Ventaja del pajarraco tener la lengua seca. Entonación más sincera que la hipócrita jerga de los clerigallos. Animal puro, el papagayo parlotea el lenguaje inventado por los hombres sin tener conciencia de ello. Sobre todo, sin interés utilitario. Desde el aro al aire libre, pese a su doméstico cautiverio, predicaba una lengua viva que la lengua muerta de los escritores encerrados en las jaulas-ataúdes de sus libros no puede imitar.

Hubo épocas en la historia de la humanidad en que el escritor era una persona sagrada. Escribió los libros sacros. Libros universales. Los códigos. La épica. Los oráculos. Sentencias inscriptas en las paredes de las criptas; ejemplos, en los pórticos de los templos. No asquerosos pasquines. Pero en aquellos tiempos el escritor no era un individuo solo; era un pueblo. Transmitía sus misterios de edad en edad. Así fueron escritos los Libros Antiguos. Siempre nuevos. Siempre actuales. Siempre futuros.

Tienen los libros un destino, pero el destino no tiene ningún libro. Los propios profetas, sin el pueblo del que habían sido cortados por señal y por fábula, no hubieran podido escribir la Biblia. El pueblo griego llamado Homero, compuso la Ilíada. Los egipcios y los chinos dictaron sus historias a escribientes que soñaban ser el pueblo, no a copistas que estornudaban como tú sobre lo escrito. El pueblo-homero hace una novela. Por tal la dio. Por tal fue recibida. Nadie duda que Troya y Agamenón hayan existido menos que el Vellocino de Oro, que el Candiré del Perú, que la Tierra-sin-Mal y la Ciudad-Resplandeciente de nuestras leyendas indígenas.

Cervantes, manco, escribe su gran novela con la mano que le falta. ¿Quién podría afirmar que el Flaco Caballero del Verde Gabán sea menos real que el autor mismo? ¿Quién podría negar que el gordo escudero-secretario sea menos real que tú; montado en su mula a la saga del rocín de su amo, más real que tú montado en la palangana embridando malamente la pluma?

Doscientos años más tarde, los testigos de aquellas historias no viven. Doscientos años más jóvenes, los lectores no saben si se trata de fábulas, de historias verdaderas, de fingidas verdades. Igual cosa nos pasará a nosotros, que pasaremos a ser seres irreales-reales. Entonces ya no pasaremos. ¡Menos mal, Excelencia!

Debiera haber leyes en todos los países que se consideran civilizados, como las que he establecido en el Paraguay, contra los plumíferos de toda laya. Corrompidos corruptores. Vagos. Malentretenidos. Truhanes, rufianes de la letra escrita. Arrancaríase así el peor veneno que padecen los pueblos.

"El atrabiliario Dictador tiene un almacén de cuadernos con cláusulas y conceptos que ha sacado de los buenos libros. Cuando le urge redactar algún papel los repasa. Selecciona las sentencias y frases que a su juicio son las de más efecto, y las va derramando aquí y allá, vengan o no a cuento. Todo su estudio se cifra en el buen estilo. De los buenos panegíricos memoriza las clásulas que más le impresionan. Pone a mano el diccionario para variar las voces. Sin él no trabaja cosa alguna. La Historia de los Romanos y las Cartas de Luis XIV son el diurno en que reza diariamente. Ahora se ha dedicado a aprender el inglés con su socio Robertson, para aprovechar los buenos libros que éste tiene y le ha acopiado en Londres y Buenos Aires por medio de sus socios.

"Hay algo más, Rvdo. Padre, sobre la simulada fobia que el Gran Cancerbero manifiesta tener contra los escritores, producto, sin duda, de la envidia y los resentimientos de este hombre con pujos de César y de Fénix de los Ingenios, a quien la lipemanía que padece le anemizó el cerebro.

"¡Vea Ud., fray Bel-Asco, si no es fábula para mejor reír! Ya sabrá S. Md. que nuestro Gran Hombre desaparece por tiempos en periódicas clausuras. Durante meses se encierra en sus habitaciones del Cuartel del Hospital, según lo hace saber con el método del rumor oficial, o sea del público secreto de Estado, para dedicarse al estudio de los proyectos y planes que su calenturienta imaginación pretende haber concebido para poner al Paraguay a la cabeza de los países americanos. Se ha filtrado sin embargo la especie de que estos retiros a su *hortus conclusus* responden al propósito de escribir una novela imitada del Quixote, por la que siente fascinada admiración. Para desdicha de nuestro Dictador novelista, le falta ser manco de un brazo como Cervantes, que lo perdió en la gloriosa batalla de Lepanto, y le sobra manquedad de cerebro y de ingenio.

"Otras versiones dignas de crédito de estas temporales desapariciones permiten suponer que ellas se deben, más vale, a los furtivos viajes que el ínclito Misógino hace a las casas de las numerosas concubinas en la campaña, con las que tiene habidos más de quinientos hijos naturales habiendo sobrepujado ya en esto a Don Domingo Martínez de Irala y a otros fundadores no menos prolíficos.

"Mis informantes han mencionado inclusive a una de estas concubinas, una ex monja apóstata que sería su favorita. Dicen que esta barragana, doblemente impura y sacrílega, vive en una quinta entre los pueblos de

Pirayú y Cerro-León. Nadie, empero, ha conseguido ver hasta hoy el invernáculo íntimo del Dictador, pues se halla protegido en toda su extensión por altos vallados y setos de amapola, además de sigilado por numerosos retenes de centinelas. El Gran Hombre ha echado a difundir la especie de que ha establecido allí el parque de su artillería.

"Publique Ud. su Proclama a nuestros paysanos, Rvdo. Padre. Puede llegar a ser un verdadero Evangelio para la liberación de nuestros compatriotas del sombrío déspota de quien S. Md. tiene la desgracia de ser pariente muy cercano. Lo que pongo en este papel son verdades desnudas, que no las ha de desmentir. Es hombre de pelea de tejado, que tira con cuanto topa en sus accesos de furia. No le tema usted, que lejos de su alcance es como mejor podemos combatirle". (*Carta del Dr. V. Días de Ventura a fray Mariano Ignacio Bel-Asco.*)

La manía de escribir parece ser el síntoma de un siglo desbordado. Fuera del Paraguay, ¿cuándo se ha escrito tanto como desde que el mundo yace en perpetuo trastorno? Ni los romanos en la época de su decadencia. No hay mercadería más nefasta que los libros de estos convulsionarios. No hay peste peor que los escribones. Remendones de embustes, de falsedades. Alquilones de sus plumas de pavos irreales. Cuando pienso en esta fauna perversa imagino un mundo donde los hombres nacen viejos. Decrecen, se van arrugando, hasta que los encierran en una botella. Adentro se van volviendo más pequeños aún, de modo que se podría comer diez Alejandros y veinte Césares untados a una rebanada de pan o a un trozo de mandioca. Mi ventaja es que ya no necesito comer y no me importa que me coman estos gusanos.

En lo más riguroso del verano mandaba traer del calabozo a mi recámara, por las siestas, al catalán francés Andreu-Legard. Amenizaba mis digestiones difíciles con sus cánticos e historietas. Me ayudaba a tomar el sueño aunque fuera a sorbos. En cinco años supo darse maña y hacía su trabajo con bastante eficiencia, como que con él pagaba su comida de preso, sin mayores estorbos. Extraña mezcla de prisionero-transmigrante. Cautivo en la Bastilla por agitador. En una ocasión, el hacha del verdugo le pasó muy cerca del cogote. Mostróme una siesta en la nuca la cicatriz de lo que pudo ser el tajo fatal. Después de la toma del 14 de julio, salió de allí y participó en la Comuna Revolucionaria, al mando directo de Maximiliano Robespierre, según dijo o mintió. Miembro de una sección de Picas durante la dictadura jacobina, cayó nuevamente en desgracia luego del ajusticiamiento del Incorruptible.

En la prisión conoció y se hizo particularmente amigo del libertino marqués a quien Napoleón mandó apresar a causa de un panfleto clandestino que el noble crápula hizo circular contra el Gran Hombre y su amante Josefina de Beauharnais. Napoleón era el primer cónsul. Los autores de panfletos y pasquines no tenían allá ningún freno. Así apareció, supuestamente traducida del hebraico, una Carta del Diablo a la Gran Puta de París. El catalán-francés aseguraba que, si bien su licencioso amigo no fue el autor de dicho panfleto, éste hubiese merecido serlo por la fuerza corrosiva del mismo. Decírmelo era mentar la soga en casa del ahorcado, lancer des piques por el ex sargento de Picas fichu comme l'as de pique. Tais-toi canaille, eh! Mais non, Sire, se disculpaba Legard. No entiendo cómo este desaforado, sórdido, feroz, maligno sodomita de tu amigo pudo ser, como lo afirmas, un amigo del pueblo y de la Revolución. Es lo que fue, Excelencia. Un revolucionario avant la lettre. ¡Ah la la y con qué fuerza! La convicción más honrada. Siete años antes de la Revolución escribió el Diálogo entre un Sacerdote y un Moribundo, que acabo de recitar a Vuecencia. Un año antes del asalto a la Bastilla y en el onceno de su cautiverio, el marqués exclama en otras de sus obras: Una gran Revolución se incuba en el país. Los crímenes de nuestros soberanos, sus crueldades, sus libertinajes y necedades le han cansado. El pueblo de Francia está asqueado del despotismo. Está a la puerta el día en que, airado, romperá sus cadenas. Ese día, Francia, te despertará una luz. Verás a los criminales que te aniquilan, a tus pies. Conocerás que un pueblo sólo por la naturaleza de su espíritu es libre, y por nadie más que por sí mismo puede ser dirigido. De todos modos, me resulta extraño lo que afirmas, Legard. Eso no sucedió aquí ni en sólo un caso con los putañeros oligarcones a quienes tuve que embastillar. Lo mismo a la canalla tonsurada que a los militones; a los cacalibris que se consideraban alumbrados por Minerva, y no eran sino bastardos del perro de Diógenes y de la perra de Eróstrato. En cuanto al gran libertino, Excelencia, su libertinaje fue más vale una tarea profunda de liberación moral en todos los terrenos. En la Sección de Picas, donde su ateísmo lo enfrentó con Robespierre. En las sesiones de la Comuna de París. En la Convención. En la Comisión de los Hospitales. Hasta en el hospicio donde fue finalmente recluido. ¡Eso, eso! ¡Ese bribón licencioso tenía que terminar en el manicomio! Considere, sin embargo, Excelentísimo Señor, que su obra política más revolucionaria data de aquella época. Su proclama *¡Hijos de Francia: Un esfuerzo más si queréis ser republicanos!* iguala o sobrepasa tal vez el Contrato Social del no menos libertino Rousseau y a la Utopía de Santo Tomás Moro. El cátalo-francés perturbaba mis siestas. Forzaba su pequeño desquite con sutilezas de forzado, escarbando la tierra sepulcral de la insidia. Cuando el marqués muere en 1814, el mismo año en que Vuecencia asume el Poder Absoluto, se descubre entre sus papeles del hospicio el testamento ológrafo: Una vez recubierta, la fosa será sembrada de bellotas, para que en lo venidero mi tumba y el bosque se confundan. De este modo, mi sepulcro desaparecerá de la superficie de la tierra, como espero que mi memoria se borre del espíritu de los hombres; excepto del pequeño número de los que han querido amarme hasta el último momento y de quienes llevaré un dulce recuerdo a la tumba. Su póstumo deseo no se cumplió. Tampoco fue oído su clamor: ¡Sólo me dirijo a aquellos capaces de entenderme! Vivió casi toda su vida en prisión. Sepultado en una profunda mazmorra, le fue rigurosamente vedado por decreto, contra cualquier pretexto que invocase, el uso de lápices, tinta, pluma, carbonilla y papel. Enterrado en vida, le prohibieron bajo pena de muerte escribir. Enterrado su cadáver, le negaron las bellotas que había pedido sembraran sobre su tumba. No pudieron borrar su memoria. Posteriormente abrieron el sepulcro. Profanación más pérfida aún, porque fue hecha en nombre de la ciencia. Se llevaron el cráneo. Nó encontraron nada extraordinario, como Vuecencia me cuenta que ocurrirá con el suyo. El cráneo del "degenerado de tristísimo renombre" era de armoniosas proporciones, "pequeño tal si fuera de una mujer". Las zonas que indican ternura maternal, amor a los niños, eran tan evidentes como en el cráneo de Heloísa, que fue un modelo de ternura y amor. Este último enigma, sumado a los anteriores, lanzó pues el postrer desafío a sus contemporáneos. Los enganchó para siempre en la curiosidad, en la execración. Acaso en su glorificación final.

El réquiem no conseguía amortecerme. El cátalo-franchute se sabía de pe a pa no menos de veinte de esas obras del delirante pornógrafo, puesto que le había servido durante muchos años de memorioso repositorio; algo así como los tiestos-escucha que yo fabrico con la arcilla caolinosa de Tobatï y las resinas del Árbol-de-la-Palabra. Uno rasga la delgada telita himen-óptera; la aguja de sardónice y crisoberilo despierta, pone de nuevo en movimiento, hace volar en contramovimiento las palabras, los sonidos, el más ligero suspiro, presos en las celdillas y membranas nerviosas de las vasijas-escuchantes-parlantes, puesto que el sonido enmudece mas no desaparece. Está ahí. Uno lo busca y está ahí. Zumba por debajo de sí, pegado a la cinta engomada con cera y resinas salvajes. En el arca tengo guardados más de un centenar de esos cacharros llenos de secretos. Conversaciones olvidadas. Gemidos dulcísimos. Sones marciales. Gemidos exquisitos. La voz mortal de los supliciados, entre las rachas de los latigazos. Confesiones. Oraciones. Insultos. Estampidos. Descargas de ejecuciones.

El cátalo-galo era de la misma especie de estos cazos-parlantes. Venía a mi cámara todas las siestas, en invierno y verano, las dos únicas estaciones del Paraguay. Ya está ahí. Sáquenle los grillos. Los chirridos de las cadenas lo ponían absorto, crispado. No empezaba pronto, tal si le costara desesposar la lengua. ¡Vamos, habla, canta, cuenta! A ver si me duermo, si me duermes. Primero sacaba un murmullo; cierto gangoseo muy suave, entrecerrando los ojos verdepizarra. Abría generalmente la sesión con uno de esos delirios lascivos del marqués. Ordalías de machocabrío. El sátiro faunesco embiste contra el sexo del universo. Mas el fragor de sus embestidas, el ruido de su orgasmo, no es mayor que el zumbido de una mosca. La furia inconmensurable de la lujuria gime, clama, insulta, suplica con voz de mosca a las divinidades machorras. Furor de agotamiento. Parece llenar el cielo y cabe en una mano. El tremendo volcán no deja caer una gota de su ardiente lava. Lacio el velamen del sueño, sin brisa que pueda rizarlo. ¡Basta!

El prisionero cambia de tema, de voz, de intenciones. Vasto es su repertorio. Enciclopedia de estupros, obscenidades hiperbólicas. Sabe de memoria, no sólo esas inagotables y mentirosas historias de vana profanidad, llenas de malas costumbres e vicios, escritas por el marqués. Demás desto, compuestas con mayor fuerza que las Sagradas Escrituras en los signos, aunque débiles e imponentes en su objeto; de modo que dan más avidez en el simulacro de la hartura. ¿Qué es lo que busca este hinchado sodomita, este saturnal uranista? ¿Un Dios-hembra en quien saciar su estéril desesperación? Hubo aquí, en el Paraguay, una mulata llamada Erótida Blanco, de los Blanco Encalada y Balmaceda de Ruy Díaz de Guzmán. Capaz de calmar un ejército. Al mismísimo ejército de Napoleón tal vez Erótida Blanco habría calmado; al infernal marqués en la Bastilla. ¡Pero no, pero no! Erótida Blanco precisaba una selva virgen, una cordillera, para copular con mil, con cien mil faunos velludos a la vez. ¡Acabemos con estas profanidades!

En las celdillas de su memoria, por fortuna, estaban guardadas también otras voces, otras historias. La voz pálato-nasal empezaba a canturrear las endechas del ginebrino: ¡Hombre, Gran Hombre, Hombre Supremo, encierra tu existencia dentro de ti! Permanece en el lugar que te señaló la naturaleza en la cadena de los seres, y nada te podrá forzar a que salgas de él. No des coces contra el aguijón de la necesidad. Tu poderío y tu libertad alcanzan hasta donde rayan tus fuerzas naturales. No más allá. Hagas lo que hagas, nunca tu autoridad real sobrepasará tus facultades reales. La voz del catalán-francés va pareciéndose cada vez más a la del ginebrino. Erres muy arrastradas en las arengas filosóficas del Contrato, en las pedagógicas del Emilio. Nasales, jadeantes-confidenciales, en las impúdicas Confesiones. Por la voz de Andreu-Legard veo en el compadre Rousseau a un niño anciano, a un hombre mujer. ¿No es él mismo quien hablaba de un enano de dos voces?; la una, artificial, de bajo-viejo; la otra, aflautada, aparvulada; por lo que el enano recibía siempre en la cama para que no le descubrieran su doble dolo, que es lo que yo hago ahora bajo tierra.

Mucho sufrí, Excelencia, antes y después del 9 termidor, que corresponde a vuestro 27 de julio; peut-être, a vuestro inconsolable 20 de septiembre, en que todo queda detenido alrededor de Vuecencia. Sin embargo, hay Francia para rato. La Historia no acaba el 20 de septiembre de 1840. Podría decirse que comienza.

En Francia se establece el Directorio el 27 de octubre de 1795. En 1797, Napoleón triunfa en Rívoli. Comienza el Segundo Directorio. Expedición de Napoleón a Egipto. Salgo, o me sacan de la cárcel. Me enrolo como soldado raso en el ejército del Gran Corso. Palmeras se recortan contra el cielo de Egipto. También aquí, contra el azurado y candente cielo paraguayo. La gran serpiente del Nilo repta a los pies de las pirámides. Aquí el Río-de-las-coronas, al pie de su cámara, Excelencia. No logras hacerme dormir, Legard. Qué quieres que te diga. Te estoy oyendo siempre lo mismo desde hace diez años. Tu cascada voz de viejo no te hace más joven. A ver, trabaja con la cornucopia. Charles Legard carraspea, entona la voz. A ritmo de danzón, de los que se estilan en Bali, en Tanga-Nika, en las Islas de la Especiería, se larga a canturrear el Calendario Republicano. Sólo entonces empiezo a adormecerme un poco bajo una lluvia de hortalizas, de flores, de verdes legumbres, de frutos de todas las especies, doradas naranjas, melodiosos melones, sandías melodías, maravillas de semillas, de cosechas. Todas las fases del año, los meses, las semanas, los días, las horas. La naturaleza entera con sus fuerzas genésicas y elementales. La humanidad del trabajo y el trabajo de la humanidad sans-culottides. Animales, sementales, substancias minerales, asnos y yeguas, caballos y vacas, vientos y nubes, mulos y mulas, el fuego y el agua, las aves, sus fertilizantes excrementos, germinaciones, vendimias floreales, fructidoras, mesidoras, pradiales, caen sobre mí, semejante a un fresco rocío, de ese cuerno de la abundancia fabricado por Fabre d'Eglantine. La Fiesta de la Virtud comenzaba a aletargarme el 17 de septiembre en una suave modorra, que la Fiesta del Genio interrumpía bruscamente el 18. Sentía que roncaba un poco durante la Fiesta del Trabajo, el 19. La Fiesta de la Opinión, que coincidía con mi muerte o tal vez la provocaba el 20 de septiembre, me incorporaba el 21, para la Fiesta de las Recompensas.

No puedo brindarte la tuya, Charles Legard. Has cantado mal. Has sacudido mal el Cuerno. Acaso las resonancias de tus solos lo han rayado, lo han cascado, gastado, traicionado. Cuando voy a dormirme la punta del cuerno rasga la membrana del sueño. Abro los ojos. Te observo. Tu figura gesticula al son de unos ritmos bárbaros de cazadores, no de agricultores. Me incorporo. Te echo. ¿Quieres irte del país? Tienes veinticuatro horas para hacerlo. Por un minuto que te retrases, sólo viajará parte de ti: Tu cabeza será puesta en una pica en la Plaza de Marte para escarmiento de los que se permiten cachonderías con el Supremo Gobierno y hacen mal su trabajo. Te ha perdido tu memoria, Charles Andreu-Legard. Tu buena memoria. Tu terrible memoria. ¡Adiós y salud!

Partió con los Rengger y Longchamp, entre algunos otros franceses atrevidos que yo tenía en conserva en mis calabozos. Los liberé por estar cansado de ellos y para que se fueran con su música a otra parte. En mi tiempo sin tiempo, el Calendario Republicano de Francia ya no servía. Dejé ir sin pena al catalán-francés. Nada de cierto he llegado a saber más de este migrante aventurero. Vagos informes me anoticiaron que se estrelló en la Bajada; otros, que enseña el idioma guaraní en una Universidad de Francia.

La historia del libertino marqués de la Bastilla, trasladado luego al Asilo de Charenton, la historia de sus historias narradas por Legard, me trae a la memoria la de otro degenerado de tristísimo renombre: El burlesco marqués de Guarany. Una prueba más de la desaforada falacia, malas artes y diabólicas maquinaciones que usan los europeos y españoles para engañar, encubrir sus fraudes y sus intentos de menoscabar la dignidad de estos pueblos, la majestad de esta República. Así maquinarón la descomunal o más bien ridícula patraña del fingido marqués de Guarany. Es público y bien sabido en Europa y América que este aventurero español europeo fue a España con la superchería de que iba en comisión de este Gobierno enviado al monarca de aquel país. La imaginación carece del instinto de la imitación pero el imitador carece totalmente del instinto de la imaginación. Así que la ficción y brutal mentira del impostor quedaron al descubierto en poco tiempo. El propio Tribunal de Alcaldes de la corte borbonaria no tuvo más remedio que imponer a este falsario insolente la pena del último suplicio, que al fin se reservó para el caso de quebrantar el destierro a que fue confinado.

Mucho fue el daño, sin embargo, que el taimado aventurero produjo en desmedro del nombre de este país y del prestigio de su Gobierno. El bribón catalán que había residido en América y que ni siquiera conocía este país, decía llamarse José Agustín Fort Yegros Cabot de Zuñiga Saavedra. Adornado de estos oropeles gentilicios (¡la lista completa del procerazgo patricial!) hizo su teatral aparición en la corte borbónica. Afirmó poseer una inmensa fortuna y haber donado al Gobierno del Paraguay más de doscientos mil pesos en monedas de oro. Llegó a comienzos de 1825, por la época en que Simón Bolívar planeaba aún asaltar el Paraguay, en la creencia de que este otro aventurero también iba a salirse con la suya. Ambos estaban condenados al fracaso desde el comienzo de los tiempos. Ellos no lo sabían.

Desde Badajoz ofició a la corte anoticiando que era portador de una supuesta comisión de este Gobierno, tan importante ella que de facilitársele los medios podía proporcionar a la Metrópoli la recuperación de sus antiguas colonias. Exigió tratar directamente con el rey. Los pretendidos poderes de que se hallaba investido le permitían, según afirmó el impostor, estipular en mi nombre las siguientes condiciones: 1) Establecimiento de un gobierno representativo de España en el Paraguay; 2) Aprobación del sistema jesuita perfeccionado que rige (¡maldito canalla!) en este país ya suficientemente esquilmado por más de un siglo del imperio de sotanas; 3) Que él, como supremo comisionado del Dictador Perpetuo, en su calidad de mayorazgo de la Casa de Guarany y coronel de la Legión Voluntaria del Paraguay, fuera puesto a la cabeza del gobierno monárquico de España con título de virrey, y 4) Que si el rey aceptaba estas condiciones, le entregaría doce millones de duros del tesoro paraguayo.

Entre los documentos fraguados que el bribón presentó se hallaban el Acta Declaratoria de Independencia del Paraguay, su nombramiento como supremo comisionado y embajador en que falsificó mi firma bajo el escudo con una flor de lis, la insignia borbónica, en lugar del de la palma, la oliva y la estrella, que son los de la República. En su comitiva se avanzó arteramente a hacer figurar a un Yegros y a un tal fraile Botelho, socio honorario de la Academia del Real Proto-Medicato del Paraguay que el bribón postuló como encargado de negocios. Eran muchas falsedades y falsificaciones juntas. No satisfecho aún con ellas, me dio finalmente por derrocado del Gobierno por la Legión que él comandaba y desterrado en una canoa a remo perpetuo por los esteros de Villa del Pilar de Ñeembukú.

Cuando descubrieron su felonía, el presidente del Tribunal de Alcaldes de Madrid decretó que le diesen doscientos azotes y se le pasease en burro por las calles. El rey, burlado pero aún esperanzado en algún giro imprevisto de la patraña, le conmutó la pena por diez años de prisión. Luego otro felón americano, Pazos Kanki, se encargó de difundir la frustrada hazaña del español. Cuanto más idiotas, las historias son más creíbles. La leyenda del marqués de Guarany corrió por toda Europa. Pasó a América. Hay gente que todavía cree y escribe sobre ella. La idiotez no tiene límites, sobre todo cuando anda a trompicones por los angostos corredores de la mente humana.

(Circular perpetua)

Los pasquineros consideran indigno que yo vele incansablemente por la dignidad de la República contra los que ansían su ruina. Estados extranjeros. Gobiernos rapaces, insaciables agarradores de lo ajeno. Su perfidia y mala fe las tengo de antiguo bien conocidas. Llámese Imperio del Portugal o del Brasil; sus hordas depredadoras de mamelucos, de bandeirantes paulistas a los que contuve e impedí seguir bandereando bandidescamente en territorio patrio. Algunos de ustedes fueron testigos, se acordarán, habrán oído cómo las fulminantes invasiones incendiaban nuestros pueblos, mataban gentes, robaban ganado. Se llevaban cautivos por millares a los naturales. Sobre las relaciones de nuestra República con el Imperio; sobre sus tramposas maquinaciones, acechanzas, bellaquerías y perversiones, antes y después de nuestra Independencia, les instruiré más detalladamente en sucesivas vueltas de esta circular.

El pantagruélico imperio de voracidad insaciable sueña con tragarse al Paraguay igual que un manso cordero. Se tragará un día al Continente entero si se lo descuida. Ya nos ha robado miles de leguas cuadradas de territorio, las fuentes de nuestros ríos, los saltos de nuestras aguas, los altos de nuestras sierras acerradas con la sierra de los tratados de límites. Así fueron engañados reyes y virreyes de España por malos gobernadores tirados de las bragas por sus mujeres y de los bolsillos por sus negocios y quehaceres. El imperio de las bandeiras negreras inventó el sistema de linderos que se desplazan con los movimientos de una inmensa boa.

Otro chivo-emisario enemigo: La Banda Oriental. Sus bandas de forajidos fueron las que ayudaron a cerrar aún más el bloqueo de la navegación. Tengo aquí bien guardadito a uno de sus principales caporales. José Gervasio Artigas, que se hacía llamar Protector de los Pueblos Libres, amenazaba todos los días con invadir el Paraguay.

Arrasarlo a sangre y fuego. Llevarse mi cabeza en una pica. Cuando a su vez fue traicionado por su lugarteniente Ramírez que se alzó con su tropa y su dinero, perdida hasta la ropa, Artigas vino a refugiarse en el Paraguay. Mi alternativo extorsionador, mi jurado enemigo, el promotor de conjuras contra mi Gobierno, se avanzó a mendigarme asilo. Yo le concedí trato humanitario. En una situación como la mía, el más magnánimo de los gobernantes no habría hecho caso de este bárbaro, que no era acreedor a la compasión sino al castigo. Yo reventé de generosidad. No solamente lo admití a él y al resto de su gente. También gasté liberalmente centenares de pesos en socorrerlo, mantenerlo, vestirlo, pues llegó desnudo, sin más vestuario ni equipo que una chaqueta colorada y una alforja vacía. Ninguno de los ruines, aturdidos revoltosos que habían fundado en él las mayores esperanzas de ventajas y adelantamientos, le hizo la menor limosna. Yo le di lo que me pidió en la carta que me escribió desde la Tranquera de San Miguel, dentro ya de nuestras fronteras.

La carta de Artigas era sincera.* No mentía en cuanto a su guerra contra españoles, portugueses-brasileros y porteños. No dejé de tomarlo en cuenta. Si a muchos los desvíos en la defensa de una causa justa los condenan, los principios, las proyecciones de esa causa contribuyen a rescatar aunque sea parcialmente a los errados que no son cerrados en el error. Artigas, hundido en tal angustia y fatalidad, era un ejemplo escarmentativo para los ilusos, los facciosos, los depravados ambiciosos de subyugar e imponer leyes a los paraguayos, extraer sus riquezas y finalmente llevar gente esclavizada a sus em-

* "Desengañado de las defecciones e ingratitudes de que he sido víctima, le suplico siquiera un monte donde vivir. Así tendré el lauro de haber sabido elegir por mi seguro asilo la mejor y más buena parte de este Continente, la Primera República del Sur, el Paraguay. Idéntica ambición a la suya, Excmo. Señor, la de forjar la independencia de mi país, fue la causa que me llevó a rebelarme, a sostener cruentas luchas contra el poder español; luego contra portugueses y porteños que pretendían esclavizarnos de manera aún más inicua. Batallar sin tregua que ha insumido tantos años de penurias y sacrificios. Con todo, habría continuado defendiendo mis patrióticos propósitos si el germen de la anarquía no hubiera penetrado en la gente que obedecía mis órdenes. Me traicionaron porque no quise vender el rico patrimonio de mis paysanos al precio de la necesidad." *(Cartas del general Artigas a El Supremo, pidiendo asilo. Sbre. 1820.)*

presas y servicios, para después reírse del Paraguay y mofarse orgullosamente de los paraguayos.

Mandé un destacamento de 20 húsares a cargo de un oficial para recoger a Artigas. Le otorgué trato humanitario, cristiano, en el verdadero sentido de la palabra. Acto no sólo de humanidad sino aun honroso para la República conceder asilo a un jefe desgraciado que se entregaba. Le hice preparar alojamiento en el convento de la Merced y ordené que diariamente hiciese ejercicios espirituales y se confesase. Yo respeto las convicciones ajenas, y si bien es cierto que los curas sirven para poco, por lo menos que sirvan para recoger las cuitas pecaminosas de los extranjeros. Concedí pues al jefe oriental el monte que me pidió para seguir viviendo; no un monte de lauros sino un predio en los mejores terrenos del fisco en la Villa del Kuruguaty, para que levantara allí su casa y su chacra, lejos del alcance de sus enemigos. El traidor y alevoso lugarteniente de Artigas me pidió insistentemente su entrega para que respondiera en juicio público a las provincias federadas sobre los cargos que justamente deben hacerle, me escribió el cínico bandolero, por suponérsele a él la causa y origen de todos los males de América del Sud. Como no contesté a ninguna de sus notas, me intimó la entrega de su ex jefe bajo amenaza de invadir el Paraguay. Que venga, dije, el Supremo Salvaje entrerriano. No alcanzó a llegar. Dejó la cabeza en la jaula que le estaba destinada.

A ochenta leguas de Asunción al norte, sin enterarse siquiera de los peligros que corrió, el ex Supremo Protector de los Orientales labra la tierra que juró convertir en erial, en tapera. Véanlo cultivándola con el sudor de su frente, no con la sangre de los naturales. Hoy me jura gratitud y lealtad eternas. Me alaba como al más justo y bueno de los hombres. Reverso del más perverso hato de jefes porteños, como fueron los Rivadavias, los Alveares, los Puigrredones.

La Hidra del Plata es precisamente la única que sigue insistiendo en su afán de apropiarse del Paraguay. Destruirlo, mutilarlo, cercenarlo, ya que no ha conseguido anexarlo al conjunto de las pobres provincias sofocadas entre sus tentáculos.

Punto por hoy. Meses les llevará a los sátrapalones leer las entregas del folletín circular, si van muy tupidas. Tendrán pretexto ahora para abandonar por completo las tareas del servicio y dedicarse enteramente al gollete de la haraganería.

En el fuerte de Buenos Aires, el nuevo virrey, Baltasar Hidalgo de Cisneros, apronta cañones, hachas de abordaje, creyéndose de seguro todavía vicealmirante de la Armada Invencible rumbo al descalabro final de Trafalgar. Luego del bastillazo del fuerte... *(faltan folios).*

Aquí, en Asunción, los acólitos realistas, los porteños disfrazados de borbonarios, gachupines, porteñistas, merodean en torno a la sordera del gobernador Velazco. Se le meten por el cornetín. Le salen por la otra oreja agorando presagios de desastre. La primera invasión inglesa a Buenos Aires y la huida del virrey Sobremonte, le producen un derrame que le tapa a medias el ojo izquierdo. La segunda, con el franchute Liniers como virrey interino, le pone rígida la comisura de la boca. El capitán de milicias que dicen fue mi padre, transporta en cureñas barriles de miel de lechiguanas, toneles de jalea-real a casa del gobernador medio sordo y medio mudo, para que lubrique su laringe. Hay la substancia que los indios xexueños sacan del cedro, la resina del Árbol-sagrado-de-la-palabra. Ni con esas. Todo el tiempo el áfono gobernador mastica, deglute esas materias, que los criados miran salir de su boca en guedejas-cenefas de todos colores.

El virrey urgiendo desde Buenos Aires ¿Qué pasa ahí? ¿Se han vuelto todos mudos? ¿O es que los comuneros han vuelto? Los escribientes esperando en el despacho del gobernador, bragas hinchadas, plumas en alto. Tu padre uno de esos infide-escribientes, venía a traerme las quisicosas que pasaban en este mismo lugar por los días de la época.

Aquella mañana el gobernador Bernardo de Velazco y Huidobro en un ataque de furor echó a curanderos, frailes, desempayenadores, que el sobrino traía en procesión a palacio. Se lanzó al patio. Allí se pasó toda la mañana en cuatro patas comiendo pasto entre el burro y la vaca del Pesebre, en el lugar donde el gobernador mandaba hacer los Nacimientos al natural. Junto a su amo, el perro Héroe también arrancaba yuyos, segaba el césped, arrancaba flores de los canteros a dentelladas, en ese delirio que para ambos era una batalla contra los espíritus del mal. Sigiladamente regresó la caterva de familiares, servidores, funcionarios a contemplar con lágrimas cómo pastaba el gobernador. Enhierbado se incorpora al fin. Arrímase al aljibe. Dóblase sobre el brocal. Héroe abandona su guerra florida. Se lanza sobre el gobernador sujetándolo de los faldones del levitón hasta arrancárselo por completo. Vuelve a la carga. Tironea de los fondillos. Las nalgas de don Bernardo quedan al aire. Inclínase cada vez más sobre el brocal. Mi padre pensaba, Señor, que el gobernador estaría rogando ayuda al alma del teatino muerto en el aljibe, épocas más atrás, cuando ésta era aún la Casa de Ejercicios Espirituales de los jesuitas. Malinformado tu padre. No fueron los teatinos quienes levantaron este edificio. Lo mandó construir el gobernador Morphi, el Desorejado, a quien el barbero le había limpiado una oreja de un navajazo. Disculpe, su merced, le habría dicho el barbero al gobernador. Tenía usted una mosca en la oreja, Excmo. Señor. Ya no la tiene.

El edificio también quedó desorejado. Poder de las moscas. Por manos de un barbero tronchan el asa falsa de una cabeza de gobernador. Convierten un edificio sin terminar en flamante ruina. Eh Patiño, saca esa mosca que ha caído en el tintero. Con los dedos no ¡animal! Con la punta de la pluma. Como cuando te deshollinas las fosas nasales. ¡Despacio, hombre! Sin manchar los papeles. Ya está, Excelencia; aunque me permito decirle que en el tintero no había ninguna mosca. No discutas las verdades que no alcanzas a ver. Siempre hay alguna que me zumba junto al oído. Luego aparece ahogada en el tintero.

La construcción del edificio, techo armado, huecos de ventanas, de puertas, paredes a tres varas del suelo, continuó en tiempos del gobernador Pedro Melo de Portugal, que lo inauguró denominándolo pomposamente Palacio Melodía, al igual que los otros pueblos melodiosos fundados bajo su gobierno en la margen izquierda del río. Antemurales contra los malones de los indios del Chaco.

De muchachuelo me colaba, a observar en estos lugares la excavación de los fosos donde se levantaron pretiles terraplenados contra los raudales de las lluvias, contra sorpresivas invasiones de indígenas. No sabía aún que yo entraría a habitar para siempre esta Casa. En mi cabeza de chico revolvía órdenes y contraórdenes. Daba instrucciones a los trabajadores. Hasta al maestro de obra. Prolongar ese foso hasta la barranca. Levantar esa pared, ese muro un poco más acá. Ahondar las zanjas de los cimientos ¿Y si en lugar de arena les hiciera cargar salina en las fosas? Parecían hacerme caso pues cumplían las órdenes que salían calladas fuera de mí. Las puntas de los picos, de las palas, de los azadones, daban a luz vasijas, utensilios, arcos, restos de armaduras, escombros de huesos. El maestro de cantería Cantalicio Cristaldo, padre de nuestro tamborero mayor, desenterró una mañana un cráneo, una chirimía, varios arcabuces herrumbrados. Le pedí el cráneo. ¡Váyase a su casa, hijo de la diabla! Seguí insistiendo. Pidiendo sin pedir. Muda presencia. Brazos cruzados. Impasible a los cascotazos, a las paletadas de los excavadores que me iban enterrando. Por fin el cráneo voló por encima de los montículos. Cazado al vuelo, púselo bajo mi capillo de monaguillo. Mancha roja volando hacia la obscuridad. El cráneo, ése que está ahí. Toda la tierra metida adentro. Imposible que hubiese podido caber en la tierra. ¡Un mundo en el mundo! Lo llevaba bajo el brazo corriendo sin aliento. Cada latido partido en dos latidos. ¡Párate un poco, no me aprietes tanto! se quejó el cráneo. ¿Cómo has estado enterrado ahí? Contra mi voluntad, muchacho; tenlo por seguro. Digo ahí, en los fosos de la Casa de Gobierno. Siempre se está enterrado después de muerto en algún lugar. Te aseguro que uno ni se da cuenta de ello. ¿De qué murió el que te llevaba sobre sus hombros? De haberle dado su madre a luz, muchacho. De qué muerte, te pregunto. De muerte natural, ¿qué otra podía ser? ¿Conoces tú alguna otra clase de muerte? Me decapitaron porque intenté atizar un trabucazo al gobernador. Todo por no haber hecho caso del consejo de mi madre. No cruces el mar, hijo. No vayas a la Conquista. El mal del oro es peligroso. El día de la partida, con ojos vidriosos, me dijo: Cuando estés en la cama y oigas ladrar a los perros en el campo, escóndete bajo el cobertor. No tomes a broma lo que hacen. Madre, díjele al darle un beso de despedida, allá no hay perros ni cobertores. Los habrá, hijo, los habrá; el deseo está en todas partes, ladra y lo encubre todo; y así ahora me estás llevando bajo el brazo rumbo a la resurrección después de la insurrección. No, sino a una cueva, le dije. Íbamos cruzando el enterratorio de la Catedral. Qué, monago, ¿vas a enterrarme ahora en sagrado después de tantos siglos? No hace falta;

no hagas trampa a nuestra Santa Madre la Iglesia. Shsss. Asordinélo bajo el capillo. Dos sepultureros cavaban una fosa. ¿Es para mí esa hoya? volvió a runrunear. ¿Me has sacado de una para meterme en otra? No es para ti, no te preocupes; es para una figura muy principal que ahorcaron esta madrugada. ¿Ves, muchachuelo? Lo triste del caso es que los poderosos hayan de tener en este mundo facultad para mandar ahorcar o dejarse ahorcar a su capricho. Déjame ver un poco el trabajo de esos rústicos. Me detuve; entreabrí un poco el sayo sólo por darle gusto. Cavan, dijo. Lo cierto es que no hay caballeros de más antigua prosapia que los hortelanos, los cavadores, los sepultureros; o sea los que ejercen el oficio de Adán. ¿Era Adán caballero?, me burlé. Fue el primero que usó armas, dijo el cráneo con voz de payaso. ¿Qué estás diciendo? ¡Nunca fue armado ni heredó armas ni las compró! Cómo que no. ¿Monaguillo y hereje? ¿No has leído la Sagrada Escritura? En alguna parte dice: Adán cavaba. ¿Cómo podía cavar sin ir armado de brazos? Voy a proponerte otro acertijo: ¿Quién es el que construye más sólidamente que el albañil? El que hace las horcas. Para un rapaz como tú, la respuesta no está mal. Pero si alguna otra vez te hacen la pregunta di: El sepulturero. Las casas que él construye duran hasta el Día del Juicio.

¿No estás copiando lo que te dicto? Señor, estoy disfrutando de oírlo contar esa divertida historia de la calavera habladora. ¡No he escuchado en mi vida otra más divertida! Después copiaré, Señor, el párrafo de los sepultureros que está casi íntegro en aquel sucedido que el Juan Robertson traducía en las clases de inglés. Copia no lo contado por otros sino lo que yo me cuento a mí a través de los otros. Los hechos no son narrables; menos aún pueden serlo dos veces, y mucho menos aún por distintas personas. Ya te lo he enseñado cabalmente. Lo que sucede es que tu maldita memoria recuerda las palabras y olvida lo que está detrás de ellas.

Durante meses lavé el cráneo oxiflorecido en una cueva del río. El agua se volvió más roja. Desbordó en la creciente del año setenta que por poco se lleva el melodioso palacio de don Melo. Cuando entré a ocupar esta casa al recibir la Dictadura Perpetua, la reformé, la completé. La limpié de alimañas. La reconstruí, la hermoseé, la dignifiqué, como corresponde a la sede que debe aposentar a un mandatario elegido por el pueblo de por vida. Dispuse la ampliación de las dependencias; su nueva distribución, de modo que en la Casa de Gobierno se encontraran los principales departamentos del Estado. Mandé cambiar los antiguos horcones de urundey por pilares de sillería. Ensanchar los aleros de los corredores en los que hice poner escaños de madera labrada; lugar y asiento que desde entonces colmáronse cada mañana con la multitud de funcionarios, oficiales, chasques, soldados, músicos, marineros, albañiles, carreteros, peones, campesinos libres, artesanos, herreros, sastres, plateros, zapateros, carpinteros de ribera, capataces de estancias y chacras de la Patria, indios corregidores de los pueblos portando la vara-insignia en la mano, negros esclavos-libertos, caciques de las doce tribus, lavanderas, costureras. Todo aquel que hasta aquí se llega para entrevistarme. Cada uno sube en derecho de sí ocupando su lugar ante la presencia de El Supremo que no reconoce privilegios a ninguno.

La última vez que mandé refeccionar la Casa de Gobierno fue cuando hice entrar al meteoro a mi gabinete. Se negó a hacerlo por la puerta. De entrada no se pueden exigir buenos modales a una piedra-azar. Los meteoros no conocen la genuflexión. Hubo que voltear dos pilares, un lienzo de pared. Al fin, el aerolito subió a ocupar el rincón. No en derecho de sí. Vencido, prisionero, encadenado a mi silla. Año de 1819. Se estaba incubando la gran sedición.

Cegué el aljibe. Si el teatino, capellán del gobernador, o quien fuera, se arrojó verdaderamente al aljibe, eso debió de haber sucedido por los días del desjesuitamiento de 1767, para escapar de la fulminante cédula que cayó sobre los padres de la Compañía sin darles tiempo de decir Jesús ni amén.

El equívoco del origen de la Casa de los Gobernadores como Casa de Ejercicios Espirituales, provino del hecho de haber sido construido el edificio con los materiales que figuraban en el inventario general o cuentas de bienes de los expulsos bajo el rótulo de Real Secuestro. Ves, Patiño, en ese tiempo los secuestradores eran los reyes. Terroristas por Derecho Divino.

Los gobernadores Carlos Morphi, llamado el Irlandés y también el Desorejado a causa de la mosca; luego Agustín de Pinedo; luego Pedro Melo de Portugal; todos ellos la ocuparon en esta creencia, si bien no se dedicaron en ella exclusivamente a ejercicios espirituales para la salvación de sus almas.

Causa del equívoco: El aljibe ¡Cretinos! Nadie se arroja a un aljibe para salir al otro lado de la tierra. Mandé trasladar el brocal al obispario. Su adorno de hierro forjado en forma de mitra, destinado a sostener la roldana, encantó al obispo. Mas aquella mañana el gobernador Velazco aún estaba allí. Encorvado sobre el brocal. La cabeza embocada en el arco mudéjar, en lugar de la roldana. Lamentaciones, plegarias de los que contemplaban la escena queriendo en el fondo de esas preces que el gobernador se arrojara de una vez al fondo. Tu padre contóme que oyó murmurar al asesor Pedro de Somellera y Alcántara: ¡Arre, viejo sordo! ¡Arrójate al cántaro antes de que sea tarde!

Abrazado a su panza, el gobernador persignó el aire con la cabeza. Las patas de Héroe lo tenían abrazado por detrás. Don Bernardo abrió la boca con ansia de lanzar el grito que no salía. Salió la parvada que había ingerido. Callaron las roncas Aves, las Salves, los murmullos. Los curiosos se desvanecieron en los vanos. Calmado al fin, el gobernador retornó al despacho. Empezó a dictar el oficio al virrey:

Corren ciertas malicias con las que se está abrumando al vulgo estúpido para inclinarlo a la credulidad y alborotarlo en la desobediencia; especies tan irracionales que no pueden hacer la menor impresión en gentes sensatas pero que excitan funestamente a la bestia de la plebe, de modo que no es posible por ahora desengañarla. Los patricios y fieles vasallos me apoyan, respaldan nuestra causa en su totalidad. Por más que he estado y estaré cuidadosamente atento a indagar cuanto pueda conducir a la averiguación del promotor o los promotores de tales agitaciones, bien sea descubriendo alguna carta o bajo cualquier otro arbitrio, en lo que mis ayudantes son muy expertos, en especial mi asesor, el porteño Pedro de Somellera. Hasta ahora sólo he alcanzado a escuchar voces extendidas entre el vulgo, incapaz de dar razón de dónde o cómo las han concebido.

Tu padre pasó en limpio el oficio que por poco no rebuznaba ni mugía, puesto que la voz de don Bernardo no daba para más. Por la tarde me hizo llamar. A solas en el gabinete metió su cornetín en mi oreja. El soplo cavernoso me habló de esas especies irracionales esparcidas entre la plebe. Inmensa, poderosa bestia, a la que hay que amansar a todo trance, dijo Velazco, aunque sea usando un poco la picana. Su tío de usted, fray Mariano, me aconseja con justísima razón que es peligroso decir al pueblo que las leyes no son justas porque las obedece creyendo que son justas. Hay que decirle que han de ser obedecidas como ha de obedecerse a los superiores. No porque sean justos solamente, sino porque son superiores. Así es como toda sedición queda conjurada. Si se le puede hacer entender esto, la populosa bestia se aplaca, agacha la cabeza bajo el yugo. No importa que esto no sea justo; es la definición exacta de la justicia.

El poder de los gobernantes, me asegura sabiamente su tío, está fundado sobre la ignorancia, en la domesticada mansedumbre del pueblo. El poder tiene por base la debilidad. Esta base es firme porque su mayor seguridad está en que el pueblo sea débil. Tantísima razón la de fray Mariano Ignacio, mi estimado Alcalde de Primer Voto. Observe V. Md. un ejemplo, continuó corneteando el gobernador-intendente: La costumbre de ver a un gobernante acompañado de guardias, atambores, oficiales, armas y demás cosas que inclinan al respeto y al temor, hace que su rostro, aun si alguna vez se ve solo, sin cortejo alguno, imprima en sus súbditos temor y respeto, porque nunca el pensamiento separa su imagen del cortejo que ordinariamente lo acompaña. Nuestros magistrados conocen bien este misterio. Todo el aparato de que se rodean, el indumento que gastan, les resulta muy necesario; sin ellos verían reducida su autoridad a casi nada. Si los médicos no cargasen el maletín con sus ungüentos y pociones; si los clérigos no vistiesen sotanas, bonetes cuadrados y amplios manteos, no habrían logrado engañar al mundo; igualmente los militares con sus deslumbrantes uniformes, entorchados, espadines, espuelas y hebillas de oro. Sólo las gentes de guerra no van disfrazadas cuando van de verdad al combate con las armas a cuestas. Los artificios no sirven en el campo de batalla. Por eso es por lo que nuestros reyes no han buscado augustos atavíos sino que se rodean de guardias y gran boato. Esas armadas fantasmas, los tambores que van a la vanguardia, las legiones que los rodean, hacen temblar a los más firmes encapuchados-complotados. Precisaríase una razón muy sutil para considerar como a un hombre cualquiera al Gran Turco guardado en su soberbio serrallo por cuarenta mil

jenízaros. Es indudable que en cuanto vemos a un abogado con birrete y toga como V. Md., tenemos de inmediato una alta idea de su persona. Sin embargo, cuando yo exercía el cargo de gobernador de Misiones, me movía solo, sin custodia, sin guardias. Claro es que por ahí habían andado los hijos de Loyola que en cien años lograron una casi perfecta domesticación de los naturales. De entre ellos no va a surgir ningún José Gabriel Cóndor Kanki. Y si se alzara en estas tierras un nuevo Tupac Amaru, volvería a ser vencido y ajusticiado como lo fueron a su debido tiempo el rebelde José de Antequera, el inca rebelde, los rebeldes de todo tiempo y lugar.

Aquí, en Asunción, he tomado por regla de justicia seguir la costumbre con la mayor templanza posible. Por eso me quieren y me respetan. La indulgencia me es connatural. Si no siempre he hallado lo justo, al menos abrevo en la fuente de una moderada justicia. ¿No lo cree así V. Md? El cornetín prendió su forma de signo de interrogación delante de mis ojos. Permanecí en silencio. El cornetín volvió a zumbar en la boca de don Bernardo:

Vuesa merced, Alcalde de Primer Voto, descendiente de los más antiguos hijosdalgo y conquistadores de esta América Meridional, según rezan las informaciones sumarias sobre su genealogía; el más conspicuo de los hombres de esta ciudad por su ilustración tanto como por su celo, debe saber algo acerca de los promotores, de los propagadores de tales irracionales especies. Dígame pues, con toda franqueza, lo que sepa de estas habladurías. Mirándole fijamente le respondí: Si no lo supiera se lo diría, viejo borbonario. Mas como lo sé no se lo digo. Así quedamos en paz. No se alteran las cosas. Ni delaciones ni dilaciones en este día de nada y víspera de mucho, pues aunque el hablador sea loco, el que escucha ha de ser cuerdo. Volvió a la carga el cornetín: Como digno súbdito de nuestro Soberano debe contribuir a mantener el orden y concierto, la tranquilidad pública en esta provincia. El virrey Cisneros me ha prevenido sobre la multitud de papeles anónimos contrarios a la causa del Rey que se están enviando desde Buenos Aires a Asunción. Un verdadero diluvio. He encomendado al asesor Somellera la investigación de estas actividades subversivas. Ayúdenos V. M. en su carácter de Síndico Procurador General.

El soplido que me instaba a ser soplón me arañaba la trompa de Eustaquio. Mi fastidio estalló. Cogí el cornetín. Lo metí de golpe en la peluda oreja del gobernador. Grité a voz en cuello: ¡Rebuzno de asno sin pelo no llega al cielo! El gobernador rió muy satisfecho. Retiró la mano de mi vientre donde la tenía apoyada como para incitarme a la confidencia y estimular la evacuación. Me palmeó familiarmente. Ya sabía yo que S. Md. entiende la cosa. No dudaba que su ayuda me iba a ser de mucha importancia, mi doctísimo amigo. Siga proporcionándomela en honor a nuestro amado Soberano. Quien con fe busca siempre encuentra, dije por decir algo. Y él, no tanto para responder al dicho como por hacerse dueño de su empeño, extendió su alón de terciopelo: ¡De esta capa nadie escapa! Cayósele el cornetín. Desapareció en las encrucijadas del piso. Durante un buen rato gateamos los dos bajo la mesa topándonos los cuernos, los cascos, los traseros, en esa especie de arrastrada tauromaquia. Por último, amigotero, bonachón, Héroe levantó triunfalmente de la escupidera el cornetín chorreante. Se lo entregó al amo en un pase de verónica.

Así terminó mi última entrevista reservada con el gobernador Velazco, que ya estaba en vísperas de ser arrojado al aljibe de la destitución.

¿Qué es ese ruido de charanga, Patiño? Su Excelencia está volviendo del paseo. Alcánzame el catalejo. Abre bien los postigos. Despliega todos los tubos. Alguien agita los brazos allá lejos. Está llamando, pide auxilio. Ha de ser ese mosquito nomás, Excelencia, pegado al vidrio. Límpialo con el trozo de bayeta.

Una lámina de azogue se levanta de golpe. La bahía, el puerto, los barcos, lanzados contra el cielo. El Arca del Paraguay en carena, ya casi lista para ser botada. ¿Quién te ha dicho que el maderamen se ha podrido enteramente? Aseguranzas de los calafates, de los carpinteros de ribera, Señor; hace veinte años que está abandonada al sol, a las lluvias, a las sequías. ¡Mientes! Olor a brea caliente trae el viento norte a remezones. Oigo el golpeteo de los martillos. Retumban las herramientas en el vientre del Arca. Yo estoy allí dirigiendo los trabajos, dando órdenes a mis mejores armadores, Antonio Iturbe, Francisco Trujillo, el italiano Antonio de Lorenzo, el indio artesano Mateo Mboropí. Veo el Arca toda roja y azul. Su mascarón de proa rasga las nubes. ¡Ahora sí real, definitiva! Tercera reconstrucción del Arca del Paraguay. Tres veces rehecha, resucitada. ¿La ves tú también, Patiño? Completísimamente, Señor. ¿Dónde la ves? Allí donde Vuecencia la pone. Tal vez sólo estás queriendo complacerme una vez más por adulonería. Si fuera así, Excelencia, el catalejo que Vuecencia tiene puesto sobre los ojos sería otro vil adulón que le muestra lo que no existe.

Cuando logre restablecer la libre navegación, el Arca del Paraguay llevará hasta el mar la enseña de la República izada al tope. Bodegas repletas de productos. ¡Mira! ¡Se va deslizando sobre los rodillos del astillero! ¡Flota! ¡Flota, Señor! Repítelo con todas tus fuerzas

ooootaaa Seeeñooorrr

Veo los cañones sobre cubierta. ¿En qué momento los han instalado? Los cañones están en la barranca, Señor; son las baterías que defienden la entrada del puerto. Pero entonces, Patiño, si los cañones no están en el puente del Arca, tampoco el Arca está donde está. No, Señor, el Arca está donde Vuecencia la ve. ¿Por qué ha cesado de pronto el ruido de los trabajos? Era la charanga de la escolta nomás, Señor. Esto es lo malo, mi estimado secretario. Oigo un silencio muy grande. Da orden a los comandantes de cuarteles que desde mañana todas las bandas de músicos vuelvan a tocar sin parar desde la salida a la entrada del sol. Su orden será cumplida, Excelencia.

Sobre la barranca, al alcance de la mano, el naranjo de los fusilamientos. Seco, las ramas retorcidas, el tronco una sola costra de tiña. ¿Quién es aquel centinela de la ribera que ha colgado su tercerola de una de las ramas? Señor, es el fusil que quedó embutido en el árbol hace mucho tiempo. Ese idiota ha puesto a secar allí su chaqueta, su camisa, su corbatín. ¿Qué acto de indisciplina es ése? Manda arrestarlo. Di al oficial de guardia que le dé un mes de calabozo a pan y agua. Podría cuidar mejor su uniforme. Señor, no alcanzo a ver al incurioso centinela. No me avanzo a ver sus ropas. Eso no prueba que no estén hechas un andrajo. Tal vez, Señor el centinela esté con la ropa de Adán nomás. Da la orden, de todos modos.

(En el cuaderno privado)

Del otro lado del riacho Kará-kará lavanderas baten ropa en la orilla. Muchachuelos se bañan desnudos. Uno de ellos mira hacia aquí. Levanta el brazo. Señala la Casa de Gobierno. Una de las mujeres, santiguándose, lo arroja al agua de un capirotazo. El negrito pega un chapuzón. Las mujeres han quedado inmóviles. Esa gente no se engaña. Me ven cabalgando el cebruno. No se engañan. Saben que ese Yo no es El Supremo, a quien temen-aman. Su amor-temor les permite saberlo, obligándoles a la vez a ignorar que lo saben. Su miedo es toda la sabiduría que tienen. No ser nada. No saber nada. Girasoles obscuros, su aflicción proyecta su sombra sobre el agua. Qué saben de fémures cruzados, de palabras cruzadas, de cruzadas crucíferas. Volúmenes y volúmenes de ignorancia y saber humean de sus bocas. Fuman inmensos cigarros mientras blanden el palo y blanquean montones de ropa. Se han reído meses enteros del mascarón de proa del Arca que Mateo Mboropí labró con forma de cabeza de víbora-perro. Si el viento pega de frente y se le mete por la boca, el monstruo pintado ladra con aullidos cortados por accesos de tos muy acatarrada. Se han reído años de esa figura que no entendían, de ese lamento que entendían menos aún. Hasta que del mascarón no quedó sino un pedazo de quijada.

Hace mucho que no se ríen. Saben menos que antes. Su miedo es mayor. De una orilla a la otra, las lavanderas se arrojan el nombre de un personaje fantástico. Luego cantan. Sus canciones llegan hasta aquí. Llegan a espiar, iguales a las palomas mensajeras que he mandado al ejército. Voy, digo, a ver. Voy, digo, a oír. Una tarde me acerqué al riacho. Pregunté a una lavandera de qué se reía. Su risa trocóse en incredulidad muy grande. Miróme a los ojos parpadeando a lo desconocido, tal si yo mismo hubiese regresado a la infancia. ¿De qué nace el pez? le pregunto. De una espina muy chiquita que anda en el agua, dice la mujer. ¿De qué nace el mono? le pregunto. De un coco que anda por el aire, dice. Y entonces, ¿el cocotero? El cocotero nace del pez, del mono y del coco. Y entonces nosotros ¿de qué nacemos? Del hombre y la mujer que se salvaron en un cocotero muy alto durante el Diluvio, dice el Paí en la iglesia, Señor. Pero mi madre fue un trompo, de tan sarakí que fue, y mi padre, el látigo de ese trompo. Cuando los dos se quedaron quietos, nací yo. Dicen.

Pero saber no se sabe, porque el que nace no sabe que nace y el que muere no sabe que muere. Bien dicho, dije y me fui echando sus risas a mi espalda.

De haberme podido llegar esta tarde hasta el riacho habría preguntado a las lavanderas si también vieron ellas caer la manga de pájaros ciegos a las cinco de la tarde hace un mes, tres días después de la tormenta. Les habría preguntado si oyeron gritar a esos pájaros que vinieron del norte. Para qué. Nada saben, nada vieron, nada oyeron.

Ya no escucho la charanga. En diecisiete minutos entrará Él por esta puerta. Entonces ya no podré seguir escribiendo a escondidas.

La cara acalaverada me observa fijamente. Remeda los movimientos de mi ahogo. Clavo las uñas en la nuez, aferro la tráquea que bombea el vacío. El espectro de cara de momia hace lo mismo. Tose. La risa descompuesta me golpea por dentro la tapa del cráneo. Seguirá observándome aunque me acomode a desmirarlo. Ignorarlo. Encogerme de hombros. Encógese de hombros. Cierro los ojos. Cierra los ojos. Me figuro que no está ahí. No; no se ha ido. Me observa. Destruirlo de un tinterazo. Agarro el tintero. Agarra el tintero. Peor si logro adelantarme. El viejo esquelético quedaría clavado, multiplicado, bailoteando en los fragmentos de la luna, del redondel de vidrio empañado de sudor. Gira hacia las rejas. Lo pierdo de vista. Por el rabillo del ojo veo que me ve. Monstruos. Animales quiméricos. Seres que no son de este mundo. Viven clandestinamente dentro de uno. A veces salen, se distancian un poco para acecharnos mejor. Para mejor alucinarnos.

¿Qué ves en ese espejo? Nada de particular, Excelencia. Fíjate bien. Bueno, Señor, si he de decirle lo que veo, lo mismo de siempre. El retrato del señor Napoleón a la izquierda. ¿Qué más? El retrato de su compadre Franklin a la derecha. ¿Qué más? La mesa llena de papeles. ¿Qué más? La punta recortada del aerolito con el candelero encima. ¿No ves mi cara? No, Señor; únicamente la caravela. ¿Qué caravela? Digo, la calavera que Vuecencia ha tenido desde siempre en la mesa sobre el paño de bayeta colorada. Vuélvete. Mírame. Levanta la cabeza, levanta esos ojos rastreros. ¿No sabrás alguna vez mirar de frente? ¿Cómo me ves? A Vuecencia yo siempre lo veo trajeado en uniforme de gala, con su levita azul, el calzón blanco de cachemir. Ahora que acaba de volver del paseo lleva puesto el pantalón de montar color canela, algo esponjado en las entrepiernas por el sudor del caballo. Tricornio. Zapatos de charol con hebillas de oro... Nunca usé hebillas de oro ni cosa alguna que fuese de oro. Con su perdón, Excelencia, todos le han visto y descrito con este atuendo y figura. Don Juan Robertson, por ejemplo, lo pintó a Vuecencia en esta traza. Por eso te mandé quemar el mamarracho pintado por el inglés en que me hizo aparecer bajo extraña imagen, mezcla confusa de mono y niña malhumorada, chupando la inmensa bombilla de un mate, que nada tenía de mate paraguayo; para peor, sobre el fondo de un paisaje del Indostán o del Tibet, en nada semejante a nuestra libre campiña. Quemé ese retrato, Excelencia, con mis propias manos, y en su lugar volví a poner, por su mandato, el retrato del señor Napoleón, cuya figura majestativa tanto se parece a la suya. Quemé el retrato pintado por el inglés, pero quedaron esos papeles que le secuestramos. También en ellos está pintada la figura de Vuecencia. ¿Qué figura? La estampa de nuestro Primer Magistrado, que el gringo contempló cuando el primer encuentro con Vuecencia en la chacra de Ybyray. Me di vuelta, dice a la letra el anglómano, y vi a un caballero vestido de negro con una capa escarlata echada sobre los hombros. Tenía en una mano un mate de plata con una bombilla de oro de descomunales dimensiones, y un cigarro en la otra. Bajo el brazo llevaba un libro encuadernado en cuero de vaca con guarniciones de los mismos metales. Un muchachuelo negro con los brazos cruzados esperaba junto al caballero. El rostro del desconocido... vea, Excelencia, la desfachatez del gringo. ¡Llamar a Su Merced, El Desconocido! Continúa, bribón, sin hacer comentarios por tu cuenta. El rostro del desconocido era sombrío y sus ojos negros muy penetrantes se clavaban en uno con inmutable fijeza. Los cabellos de azabache peinados hacia atrás descubrían una frente altiva, y cayendo en bucles naturales sobre los hombros, le daban un aspecto digno e impresionante, mezcla de fiereza y bondad; un aire que llamaba la atención e imponía respeto. Vi en sus zapatos grandes hebillas de oro. Repito que nunca usé hebillas de oro en mis zapatos ni nada que fuese de oro en parte alguna de mi indumentaria. Otro extranjero, Excelencia, don Juan Rengo, también lo vio vestido de este modo cuando con su compañero y colega don Marcelino Lonchán, llegaron a esta ciudad el 30 de julio de 1819, cuatro años después del destierro de los anglómanos. ¡Estampa imponente la del Supremo Dictador!, escriben los cirujanos suizos en el capítulo VI, página 56 de su libro: Llevaba puesto aquel día su traje de ordenanza, casaca azul con galones, capa mordoré puesta sobre los hombros, uniforme de brigadier español... ¡Jamás usé uniforme de brigadier español! Habría preferido los andrajos de un mendigo. Yo mismo diseñé las vestiduras que corresponden al Dictador Supremo. Razón que le sobra, Excelencia. Los extranjis sucios e inglésicos eran muy ignorantes. No se dieron cuenta de que el uniforme de nuestro Supremo era un supremo y único uniforme en el mundo. No vieron sino la capa mordoré, chaleco, calzones y medias de seda blanca, zapatos de charol con grandes hebillas de oro... ¡Pobres diablos! Ven la insignia de mi poder en las hebillas de mis zapatos. No pueden mirar más alto. Ven en tales hebillas cosas de maravillas: El caduceo de oro de Mercurio, la lámpara de Aladino. Del mismo modo podrían pintarme con las plumas del Pájaro-que-nunca se-posa, emponchado en la capa del Macabeo, rayando el piso con las espuelas de oro del Gran Visir. ¡Exactísimo, Excelentísimo Señor! Eso es lo que vieron los extranjis. Cómo me ves tú, te pregunto. Yo, Señor, veo colgada de su hombro la capa negra de forro punzó... No, patán. Lo que me cuelga del hombro es la bata de dormir el sueño eterno hecha jirones, la bata andrajosa que ya no alcanza a cubrir la desnudez de mi osamenta.

(En el cuaderno privado)

El negrito ha vuelto a reflotar arrojando buches de agua. Blande al aire los dientes blanquísimos. Bulla entre el parvulaje. Las comadres vuelven a batir la ropa sucia comadreando entre ellas. Idéntico el negrito al esclavo José María Pilar. Su misma edad tendría cuando lo compré junto con las dos esclavas viejas, Santa y Ana. Por ellas pagué mucho menos en atención a su edad avanzada y su enfermedad de llagas. Las viejas curaron y viven. Me son fieles en vida y muerte. En cambio, el negro Pilar me fue infiel. Tuve que hacerle curar sus llagas ladronicidas bajo el naranjo. La pólvora es siempre buen remedio para los enfermos sin remedio.

Yo, aquí, hecho un espectro. Entre lo negro y lo blanco. Entre el gris y la nada, viéndome doble en el embudo del espejo. Los que se ocuparon del aspecto exterior de mi persona para denigrarme o ensalzarme, no han logrado coincidir en la descripción de mi vestimenta. Menos aún en la de mis rasgos físicos. ¡Qué mucho, si yo mismo no me reconozco en el fantasma mulato que me mira! Todos se fijan embrujados en las inexistentes hebillas de oro, que apenas fueron de plata. El último par que llegué a usar, antes de que la gota hinchara mis pies, lo regalé al liberto Macario, mi ahijado, hijo del traidor ayuda de cámara José María Pilar. Este quiso en póstumo deseo que también se llamara José María. Para que no cargara con la herencia nominativa del paje traidor mandé que le impusieran en la pila el nombre Macario. Lo puse al cuidado de las esclavas. Gateaba entre la ceniza. Le di las hebillas para que jugara con ellas. Macario niño desapareció. Se esfumó. Más enteramente que si lo hubiese tragado la tierra. Desapareció como ser vivo, como ser real. Tiempos después reapareció en una de esas innobles noveletas que publican en el extranjero los escribas migrantes. Raptaron a Macario de la realidad, lo despojaron de su buen natural para convertirlo en la irrealidad de lo escrito en un nuevo traidor.

Cae el sol tras una última explosión que incendia la bahía. Negro el ramaje del naranjo. Continúo viéndolo a través de la pantalla de mi mano. Su ramaje se confunde con mis falanges. Los pensamientos tristes lo han secado más rápidamente que a mis huesos. Sabia caricatura. Madrastra-naturaleza, más hábil que los más hábiles pasquinistas. Tu imaginación no necesita del instinto de la imitación; hasta cuando imitas creas algo nuevo. Encerrado en este agujero, yo no puedo sino copiarte. Al aire libre, el naranjo remeda mi mano pelleja. Más fuerte que yo, no puedo trasplantarlo a estos folios y ocupar yo su puesto en la barranca. El negrito está haciendo aguas contra el tronco; acaso consiga revivirlo. Yo sólo puedo escribir; es decir, negar lo vivo. Matar aún más lo que ya está muerto. YO, naranjo-en-cuclillas. Despumado sobre los jergones. Remojado en mis propios sudores-orines. Desplumado, se me cae la pluma.

Erguido en la puerta, lleno de ojos, EL me está observando. Su mirada se proyecta en todas direcciones. Da una palmada. Una de las esclavas acude al punto. Trae algo de bebér, oigo que EL ordena. Ana me mira con ojos de ciega. YO no he hablado. Oigo que EL dice: Trae al Doctor una limonada bien fresca. Voz burlona. Poderosa. Llena la habitación. Cae sobre mi fiebre. Llueve dentro de mí. Goterones de plomo fundido. Me vuelvo en la penumbra rajada por refucilos. Lo veo alejarse erguido, en medio de la tormenta que se abre a su paso. Afuera, la noche va apagando nuevamente el atardecer.

Ana entra con el vaso de limonada.

(Circular Perpetua)

En julio de 1810 el gobernador Velazco se dispone a quemar su último cartucho de hora. No volverá a pastar; la gobernación está pelada de césped, de maravedises. Plena sequía de cequíes. Los rumiantes del Cabildo le aconsejan convocar a un congreso con el objeto de decidir la suerte de la provincia. El virrey Cisneros ha sido derrocado en Buenos Aires por una Junta Gubernativa de patricios criollos. Don Bernardo ya se ve corriendo la misma suerte en medio de la lastimosa fermentación. Huye a refugiarse en un navío de guerra. Descubre que la cañonera no tiene cañones. No tiene agua el río por la bajante. Retorna a palacio y convoca entonces a los miembros del clero, jefes, magistrados, corporaciones, sujetos de literatura, vecinos arraigados-desarraigados. Por supuesto la "inmensa bestia" de la plebe no es admitida al concilio. El cónclave se reúne no en la Casa de Gobierno sino en el obispario. Circunstancia bien notable de lo que notoriamente pretenden. El obispo Pedro García Panés y Llorente acaba de llegar de la corte de José Napoleón. Se lo nota empachado por el atracón de las "especies irracionales" que el gobernador le ha brindado como saludo. El prelado se ha traído sus propias especies del otro lado del charco. Por otra parte, los zorros de la Primera Junta porteña han enviado como nuncio del nuevo sistema al hombre más viejo y odiado de la provincia, el coronel de milicias paraguayo Espínola y Peña, quien se pretende con órdenes de relevar al gobernador. ¡Brillante forma de ganar adeptos, y qué flaco negocio para los paraguayos la Revolución si iba a consistir en cambiar a Velazco por Espínola! Genio y figura de lo que iba a acontecer luego.

Con estos auspicios los doscientos notables se reúnen en el avispario. Sin querer, aquellos monigotes hicieron de todos modos la asamblea inaugural de la Patria; lo malo a veces trae lo bueno. La rebelión leudaba ya la masa lista para ser metida al horno; no allí desde ya. Conque si os parece, amados conciudadanos, proclama el gachupín portavoz del gobernador sin voz y dentro de poco sin voto, reconozcamos aquí mismo por aclamación al Supremo Consejo de Regencia de la Corona y mantengamos mientras tanto relaciones fraternales con Buenos Ayres y demás provincias del Virreynato. Pero como el Imperio vecino de Brasil-Portugal observa el momento de tragarse esta preciosa y preciada provincia, agrega el cabildante sarraceno, y tiene sus tropas a orillas del río Uruguay, conviene levantar un ejército para defendernos. Mostremos lo que somos y debemos ser, evitando ser subyugados por nadie que no sea nuestro legítimo Soberano. Este fue el *argumento Aquiles* de los españolistas de aquella emergencia, escribe Julio César en sus Comentarios.

Nequáquam! Dije: El gobierno español ha caducado en el Continente. Chilló el cornetín del gobernador-intendente; chillaron los ratones asustados del congreso. Latinizó el obispo su mitral estupor. Se apoyó en el báculo. La cruz pectoral me apuntó trémulamente: ¡Nuestro Soberano Monarca sigue siéndolo de las Españas y las Indias, comprendidas todas sus Islas y la Tierra Firme! Gran batahola de desembarco. Descargué un manotazo acallándola: ¡Aquí al monarca lo hemos puesto en el arca!, grité. ¡Aquí, en el Paraguay, la Tierra Firme es la firme voluntad del pueblo de hacer libre su tierra desde hoy y para siempre! La única cuestión a decidir es cómo debemos defender los paraguayos nuestra soberanía e independencia contra España, contra Lima, contra Buenos Aires, contra el Brasil, contra toda potencia extranjera que pretenda sojuzgarnos. ¿En qué se funda el Síndico Procurador General para lanzar estos rebeldes proferimientos?, chilló un ratón chapetón. Saqué mis dos pistolas. He aquí mis argumentos: Uno contra Fernando VII. Otro contra Buenos Aires. Con el dedo en el gatillo intimé al gobernador a que se votara mi moción. Creyó que me había vuelto loco. Cornetín en boca, voz traqueada, tartamudeó: ¡Usted prometió ayudarme en la lucha antisubversiva! Es lo que estoy haciendo. Las fuentes de la subversión son ahora los españolistas y los porteñistas. Quedó parpadeando. Sus ojos desorbitados iban del cornetín a mis pistolas. Exijo que se vote sobre tablas y a rajatabla mi moción, intimé tras otro palmetazo. Muchos creyeron que yo había descerrajado un pistoletazo. Los más asustados se arrojaron al piso. El obispo se enjaretó la mitra hasta el barbijo. El gobernador hacía gestos de ahogado. La máquina de sus secuaces comenzó a funcionar. Se desató el tumulto a la grita de ¡Viva el Consejo de Regencia! Trajeron la urna-aljibe para el sufragio. Los sarracenos echaron allí sus papeletas, desgañitándose ¡Viva la Restauración Institucional de la Provincia! El gobernador recobró la voz. En ese momento, según me refirió después José Tomás Isasi, de una fiesta popular que se celebraba cerca de allí, entraron a rebato un negro tras otro negro que corría detrás de una mascarita travestida de payaso. La extraña mojiganga alteró el concurso hasta la alucinación. Parece que el negro perseguidor cogió una de mis pistolas; la destinada al rey. Disparó contra el payaso que huía escudándose entre los pelucones, hasta que cayó detrás de la silla del gobernador.

Yo no vi nada de eso. Si lo que contó el traidor Isasi fue cierto, la pipirijaina no pudo ser sino tramoya fraguada por los chapetones del Cabildo para frustrar la asamblea. Pantomima o no, sólo puedo decir que resultó una muy digna representación de lo que allí se ventiló. Un momento antes yo había abandonado el gallinero obispal abriéndome paso entre la gachupinada que alborotaba la sala. Salí a la calle espantando el montón de cluecas, gallos capones, clérigos, magistrados, sujetos de literatura invertidos-travestidos, que se quedaron alharaqueando en torno a mis dos pistolas argumentales.

Poco iba a durarles el triunfo. Yo me llevé el huevo de la Revolución para que empollara en el momento oportuno.

(*Escrito al margen. Letra desconocida*: Quisiste imitar en esto a Descartes, que odiaba los huevos frescos. Los dejaba incubarse bajo la ceniza y se bebía la substancia embrionada. Quisiste hacer lo mismo sin ser Descartes. No ibas a desayunarte la Revolución todas las mañanas con el mate. Convertiste este país en un huevo lustral y expiatorio que empollara quién sabe cuándo, quién sabe cómo, quién sabe qué. Embrión de lo que hubiera podido ser el país más próspero del mundo. El gallo más pintado de toda la leyenda humana.)

Monté a caballo. Me alejé al galope. Aspiré con fuerza el olor a tierra, a boscaje recalentado al sol. La noche tiernamente desde abajo nacía. El redoble marcial del pájaro-campana en los montes de Manorá trajo cierta paz a mi espíritu. Solté las riendas al caballo que apuró el tranco rumbo a la querencia acompasándolo con el ritmo de mis pensamientos. A las ideas se las siente venir igual que a las desdichas. De regreso a mi retiro de Ybyray iba reflexionando sobre lo que acababa de ocurrir; sobre el hecho de que hasta en el más mínimo hecho la casualidad está en juego. Comprendí entonces que sólo arrancando esta especie de hilo del azar de la trama de los acontecimientos es como puede hacerse posible lo imposible. Supe que poder hacer es hacer poder. En ese instante un bólido trazaba una raya luminosa en el firmamento. Quién sabe cuántos millones de años habría andado vagabundeando por el cosmos antes de apagarse en una fracción de segundo. En alguna parte había leído que las estrellas errantes, los meteoros, los aerolitos, son la representación del azar en el universo. La fuerza del poder consiste entonces, pensé, en cazar el azar; *re-tenerlo* atrapado. Descubrir sus leyes; es decir, las leyes del olvido. Existe el azar sólo porque existe el olvido. Someterlo a la ley del contra-olvido. Trazar el contra-azar. Sacar del caos de lo improbable la constelación proba. Un Estado girando en el eje de su soberanía. El poder soberano del pueblo, núcleo de energía en la organización de la República. En el universo político, los Estados se confederan o estallan. Lo mismo que las galaxias en el universo cósmico.

Objetivo primero: Armar en lo anárquico lo jerárquico. El Paraguay es el centro de la América Meridional. Núcleo geográfico, histórico, social, de la futura integración de los Estados independientes en esta parte de América. La suerte del Paraguay es la suerte del destino político americano. El moro relinchó un poco tensando las orejas a esa posibilidad que inclusive el fiel animal aceptaba por anticipado. Puede ocurrir que nos dominen, le dije, pero debemos tratar de impedirlo. Resopló hondo. No temas a tu sombra, mi tomás moro. Llegará el día en que podrás galopar de frente al sol sin sombra ni temor sobre esta tierra de profecías. Retomó el tranco, más tranquilo, moviendo la cabeza afirmativamente, sólo algo molesto por el freno cuyo metal rechinó entre sus muelas.

Levanté otra vez la cabeza hacia el cielo. Traté de leer el libro de las Constelaciones a la luz de sus propios fanales. En ese libro-esfera, que aterraba a Pascal, el mayor espanto es que a pesar de tanta luz exista el obscuro azar. En todo caso el más sabio de los juncos pensantes no pudo adivinarlo, ni siquiera con su ingenua fe en Dios, esa palabra tan corta y tan confusa que se interponía entre su pensamiento y el universo; entre lo que sabía y no sabía. Dime, compadre Blas, tú que fuiste el primero en desjesuitar la Orden sin provinciales temores, dime, contéstame a esto: Lo que te espantaba realmente en la esfera infinita cuyo centro está en todas partes y la circunferencia en ninguna ¿no fue acaso la infinita memoria de que está armada? Memoria cuyas leyes promulga el cosmos después de haber surgido de la nada.

Memoria sin grietas. Sin descuidos. Rigor puro. En el airecillo impregnado a yerbabuena y pacholí, la voz del compadre Blas dijo: Tal vez, tal vez. Así, el hombre vuelto a sí mismo, considera lo que es en relación a lo que existe fuera de él. Tú, mestizo de dos almas, te sientes como extraviado en este remoto cantón de la naturaleza. Embriagado por el aroma salvaje de una idea. Ahora cabalgas rumbo al cenobio de tu chacra trinitense. Te crees libre. Vas a caballo de una idea: Libertar a tu país. Mas también te miras encarcelado en un pequeño calabozo escribiendo a la luz de una vela junto al meteoro que capturaste y se halla preso contigo. No me hagas decir lo que no quiero decir y no dije, compadrito paraguayo. Aprende a estimar la tierra, tu tierra, las gentes, tu gente, a ti mismo. En su justo valor. ¿Qué es un hombre en lo infinito? Nada entre dos platos. ¿Qué es pues al fin el hombre en la naturaleza? Nada, comparado con el infinito; todo, comparado con la nada: Un término medio entre nada y todo. El principio y el fin de todas las cosas están ocultos para él en un secreto impenetrable. ¡Vamos, compadre Blas, no seas derrotista! El moro me lleva a la chacra. Tú me quieres llevar en la trampa de la palabra a Dios. ESO que, según tú mismo, desborda la esfera y por lo tanto no puede caber en el pensamiento. No seas menos inteligente que un caballo. No lo eras cuando hablabas de cosas concretas como los jesuitas, los animales, los insectos, el polvo, las piedras. Tú mismo te burlaste de Descartes como filósofo. Inútil e incierto Descartes, dijiste. ¿Hay algo más absurdo que afirmar que los cuerpos inanimados tienen humores, temores, horrores? ¿Que los cuerpos insensibles, sin vida e incapaces de ella, tienen pasiones, que presuponen un alma? ¿Que el objeto de sus horrores es el vacío? ¿Qué hay pues en el vacío que les pueda dar miedo? ¿Cabe algo más ridículo? Tú, compadre, cometiste esa ridiculez, pero no pudiste perdonar a Descartes que hubiese querido en su filosofía prescindir de Dios una vez que éste propinó al mundo el puntapié inicial. No le perdonas que después de esto, diera a Dios de baja para siempre. Inventado por el pavor de los hombres ante la nada, ¿pretendes que esa invención lo haga todo? No lo pases por alto, eh.

Por ahora Dios no me ocupa. Me preocupa dominar el azar. Poner el dedo en el dado, el dado en el dédalo. Sacar al país de su laberinto.

(Al margen. Letra desconocida: Excavaste otro. El de las prisiones subterráneas para esos pobres gatos del patriciado. Pero construiste sobre ese laberinto otro más profundo y complicado aún: el laberinto de tu soledad. Jugador a los dados de la palabra: Tu sola-edad. Tu antigüedad. Llenaste, viejo misántropo, ese laberinto de tu horror al vacío con el vacío de lo absoluto. Spongia solis... ¿Es éste el papirotazo que has dado al dado para poner la Revolución en movimiento? ¿Creíste que la Revolución es obra de uno-solo-en-lo-solo? Uno siempre se equivoca; la verdad comienza de dos en más...)

¡Ah corrector impostor! Raza no es igual a azar; no es una simple inversión de letras. Mi raza es la constelación que debo situar, medir, conocer en sus menores secretos, para poder conducirla. Formo parte de ella. Mas también debo permanecer afuera. Observarla a distancia. Pulsarla desde adentro. Aprieto el maldito dado en un puño.

Cuando al comienzo de la Dictadura Perpetua vi caer el aerolito a cien leguas de Asunción, lo mandé cautivar. Nadie comprendió entonces, nadie comprenderá jamás el sentido de esta captura del bólido migrante. Desertor-fugitivo del cosmos. Ordené que lo trajeran prisionero. Durante meses un pequeño ejército lo rastreó sobre la tierra plana del Chaco. Tuvieron que cavar más de cien varas hasta encontrarlo. Su campo magnético se extendía en torno. Barrera infranqueable en el único camino que ofrecía alguna probabilidad de salir subrepticiamente del país, el del Chaco Boreal. Por allí intentó fugar el comerciante francés Escoffier, preso en la cárcel desde hacía años con otros estafadores extranjeros. En compañía de unos negros libertos, cruzó el río y pasó al Gran Chaco. Una negra esclava que estaba encinta quiso seguirlos por no separarse de su concubino. Mordidos por víboras, flechados por los indios, enfermos por las fiebres, los negros fueron muriendo uno a uno hasta que no quedaron más que el fugitivo Escoffier y la esclava. El campo de atracción del meteoro los succionó hasta la zanja donde el centenar de zapadores se hallaba excavando. El francés no tuvo más remedio que ponerse a trabajar con los otros, mientras le dieron las fuerzas. Luego fuè fusilado y arrojado al foso. La esclava dio a luz a su hijo y continuó cocinando para los zapadores. Pude haber dejado al meteoro en ese lugar; buen vigía hubiera sido en aquellas soledades. Preferí tenerlo a buen recaudo. No fue tarea fácil. Más de cien hombres me costó transportarlo en lucha con las tribus feroces, los elementos, las alimañas, las enfermedades, contra el misterio terrible del azar que se resistía a ser reducido. Astucia y ferocidad inauditas. Únicamente cuando la esclava y su hijo tomaban la punta de la caravana, la piedra parecía ceder y se dejaba conducir por desiertos y esteros. Mordida por una víbora, la esclava murió. La piedra se empacó de nuevo, hasta que el hijo de la esclava, convertido en mascota de los hombres, empezó a gatear y andar por su cuenta, medio hermano de leche de la piedra. Lo aeropodaron Tito. Habría llegado a ser mi mejor rastreador, pero también desapareció una noche del campamento, tal vez robado por los payaguáes. El pasaje de la piedra por el río duró más que el viaje de Ulises por el mar homérico. Más de lo que tardó Perurimá en salir del estero cuando se metió a buscar el carlos cuarto que Pedro Urdemales le anotició que flotaba sobre el barro. Más que todas esas fábulas duró el pasaje. No hubo embarcación ni balsa que fuera capaz de soportar las diez mil arrobas de metal cósmico. Hundió flotillas enteras. Otros cien hombres se ahogaron durante la interminable travesía. Las travesuras y ardides del meteoro para no avanzar recrudecieron. Se enviaron centenares de esclavas negras con hijos pequeños, pero el olfato del perro del cosmos era muy fino; su laya, indescifrable; sus leyes, casi tan inflexibles como las mías, y yo no estaba dispuesto a que el piedrón se saliera con la suya, vencedor por sus caprichos. Al cabo, la mayor bajante del río Paraguay de cien años a esta parte, permitió a los efectivos de línea arrastrarlo sobre cureñas especialmente fabricadas, tiradas por mil yuntas de bueyes y por más de mil soldados elegidos entre los mejores nadadores del ejército. Está ahí. Meteoro-azar engrillado, amarrado a mi silla.

(*Letra desconocida*: ¿Creíste que de ese modo abolías el azar? Puedes tener prisioneros en las mazmorras a quinientos oligarcones traidores; hasta el último de los antipatriotas y contrarrevolucionarios. Casi podrías afirmar que la Revolución está a salvo de las conspiraciones. ¿Dirías lo mismo de esas infinitas miriadas de aerolitos que rayan el universo en todas direcciones? Con ellos el azar dicta sus leyes anulando la vértice-calidad de tu Poder Absoluto. Escribes las dos palabras con mayúsculas para mayor seguridad. Lo único que revelan es tu inseguridad. Pavor cavernario. Te has conformado con poco. Tu horror al vacío, tu agorafobia disfrazada de negro para confundirte con la obscuridad te ha marchitado el juicio. Te ha carcomido el espíritu. Ha herrumbrado tu voluntad. Tu poder omnímodo, menos que chatarra. Un solo aerolito no hace soberano. Está ahí; es cierto. Pero tú estás encerrado con él. Preso. Rata gotosa envenenada por su propio veneno. Te ahogas. La vejez, la enferma-edad, enfermedad de la que no se curan ni los dioses, te acogota.)

Quienquiera que seas, impertinente corregidor de mi pluma, ya estás comenzando a fastidiarme. No entiendes lo que escribo. No entiendes que la ley es simbólica. Los entendimientos torcidos no pueden captar esto. Interpretan los símbolos literalmente. Así te equivocas y llenas mis márgenes con tu burlona suficiencia. Al menos léeme bien. Hay símbolos claros/símbolos obscuros. Yo El Supremo mi pasión la juego a sangre fría. . .

eso de El Supremo deberías omitirlo al menos para ti mismo, tan siquiera cuando hablas no en la superficie sino en la subficie de tu menguada persona; sobre todo mientras juegas en pantuflas a los dados.

...no me interrumpas, repito. Yo El Supremo mi pasión la juego a sangre fría en todos los terrenos. El hombre-pueblo, la gente-muchedumbre entendió claramente, dentro de su alma una/múltiple, la epopeya de cinco años en la captura del meteoro. Los sediciosos, avaros, vanagloriosos, soberbios, ingratos, calumniadores, destemplados, crueles, arrebatados, hinchados, ignorantes, ¿dónde encuentra usted conspiradores inteligentes?, me atacaron furiosamente. Me tildaron de loco por haber mandado traer la piedra-demente caída del cielo. Algunos llegaron al extremo de afirmar que la llevaba sobre mis hombros en lugar de la cabeza. ¡Exceso de palabras atrevidas! Mas ellos también buscaban cazar al azar mi cabeza...

antes clamabas por la sedición, ahora clamas contra ella

...atacaban a El Supremo como a una sola persona sin tomarse el trabajo de distinguir entre Persona-corpórea/Figura-impersonal. La una puede envejecer, finar. La otra es incesante, sin término. Emanación, imanación de la soberanía del pueblo, maestro de cien edades...

inquietud de tu genio. ¡Demasiado recargado todo lo que dices!

Circuncidé el aerolito. El recorte metálico bastó para fabricar diez fusiles en las armerías del Estado. Con ellos fueron ejecutados los cabecillas de la conspiración de 1820. No falló un solo cartucho a bala. Desde entonces estos fusiles ponen punto final a las parrafadas eversoras. Fini-quitan de un solo tiro a los infames traidores a la Patria y al Gobierno. Por su precisión estos fusiles siguen siendo los mejores que tengo. No se desgastan ni recalientan. Pueden disparar cien tiros seguidos. La materia cósmica no se inmuta. Continúa tan fresca como antes, una vez apagada, después de haber sufrido las mayores temperaturas del universo. Si yo pudiese cosechar aerolitos de la misma forma que la doble cosecha anual del maíz o del trigo, ya habría resuelto el problema del armamento. No tendría que andar mendigando a mercaderes y contrabandistas que me cobran a peso de oro cada gránulo de pólvora. Ahora ya no se contentan con el canje de armas por maderas preciosas del país. Quieren monedas de oro. ¡Idiotas!

Los fusiles meteóricos, mi arma secreta. Algo pesados son. Tiradores alfeñiques no sirven para usarlos. Cada uno de estos rifles cargan no menos de diez arrobas de metal cósmico. Precisan tiradores hercúleos. Sólo que después de este meteoro no pude cazar ningún otro. Una de dos: O el cielo se está volviendo más avaro que los contrabandistas brasileros de armas. O el cautiverio de un solo meteoro ha abolido por medio de una representación a la vez real y simbólica la irrealidad del azar. Si esto último, ya no debo temer las emboscadas de la casualidad. Entonces tú, el que corrige a mis espaldas mis escritos, mano que te cuelas en los márgenes y entrelíneas de mis más secretos pensamientos destinados al fuego, no tienes razón. Estás equivocado de medio a medio y Yo he acertado de todo a todo: El dominio del azar va a permitir a mi raza ser verdaderamente inexpugnable hasta el fin de los tiempos.

Esto sucedió sin suceder. En aquel momento, cabalgando al tranco del moro, de cara al cielo nocturno, mi determinación ya estaba tomada. En aquel instante vi otra vez el tigre. Agazapado entre la maleza de la barranca se disponía a saltar como la primera vez sobre la sumaca detenida en la ensenada boscosa del río. A la sombra de las velas los hombres de la tripulación dormían pesadamente en el bochorno de la siesta. El moro galopaba ya a rienda suelta hacia el olor de la querencia. La chacra, la casa, avanzaron a nuestro encuentro.

Ya no iba a moverme de allí, mientras no empuñara las riendas del poder. Mangrullo-observatorio. Capilla-tebaida. Ermitaño ligado a la suerte del país, me acantoné en la choza a la espera de los acontecimientos. Allí vendrían a buscarme. La abrí a los campesinos, a la chusma, a la gente-muchedumbre, al pueblo-pueblo declarado en estado de asamblea semiclandestina. La chacra de Ybyray se convirtió en cabildo de los verdaderos cabildantes. Esto sí sucedió sucediendo.

*(Circular perpetua *)*

Por aquel tiempo vino Manuel Belgrano al frente de un ejército. Abogado, intelectual, pese a su profunda convicción independentista, vino a cumplir las órdenes de la Junta de Buenos Aires: Meter por la fuerza al Paraguay en el rodeo vacuno de las provincias pobres. Vino con esas intenciones que en un primer fermento debió de haber creído que eran justas. Vino Belgrano acalorado por ese vino de imposibles. Como en otras ocasiones, vino acompañado él también por esa legión de malvados migrantes; los eternos partidarios de la anexión, que sirvieron entonces, que sirvieron después como baqueanos en las invasiones a su Patria. Vino hecho vinagre.

Ya internado en territorio paraguayo, desde la cumbre del Cerro de la Fantasma, que algunos llaman de Los Porteños, escribe a los porteños-fantasmas de su Junta: He llegado a este punto con poco más de quinientos hombres, y me hallo al frente del enemigo fuerte de unos cinco mil hombres y según otros de nueve mil. Desde que atravesé el Tebicuary no se me ha presentado ni un paraguayo voluntario, ni menos los he hallado en sus casas, según nos habían asegurado los informes [del renegado comandante paraguayo José Espínola y Peña]; esto, unido al ningún movimiento hecho hasta ahora a nuestro favor, y antes por el contrario, presentarse en tanto número para oponérsenos, le obliga al ejército de mi mando a decir que su título no debe ser de auxiliador sino de conquistador del Paraguay.

Comunicación de puño y letra, registra el Tácito del Plata. Al anochecer, el auxiliador-conquistador se retira a su tienda, y estando a solas con su secretario, el español Roca, le confía sus propósitos: Los enemigos son como moscas, pero en la posición en que nos encontramos hallo que sería cometer un grande error emprender ninguna marcha retrógrada. Esos que hemos visto esta tarde, no son en su mayor parte sino bultos; los más no han oído en su vida el silbido de una bala, y así es que yo cuento mucho con la fuerza moral que está a nuestro favor. Tengo mi resolución tomada y sólo aguardo que

* "Lean muy atentamente las anteriores entregas de esta circular-perpetua de modo de hallar un sentido continuo a cada vuelta. No se pongan en los bordes de la rueda, que son los que reciben los barquinazos, sino en el eje de mi pensamiento que está siempre fijo girando sobre sí mismo." (*N. de El Supremo.*)

llegue la división que ha quedado a retaguardia, para emprender el ataque.

Al día siguiente se levantó un altar portátil en la cumbre de ese engañoso Horeb. El capellán de su ejército dijo la misa militar, y según el Tácito, tan cercanos estaban ya en cuerpo y en espíritu invasores e invadidos, que los milicianos paraguayos con sus sombreros adornados de cruces y velas, también la oyeron arrodillados desde la planicie. Creídos de que iban a combatir contra herejes, agrega el Tácito citando al Despertador Teo-Filantrópico, les asombró la grande maravilla de que iban a combatir contra hermanos en religión. Debió agregar, asimismo, que cuando comenzó el tole tole de las cargas de caballería los *bultos* se esfumaban en un soplo de sus montados. Éstos continuaban avanzando como una exhalación con las sillas vacías, hasta que los *bultos* reaparecían de golpe sobre ellas con las chuzas de takuara en medio de una grita salvaje rompiendo sus líneas y oídos, arramblando con todo.

Los bultos católicos pelean pues escurriendo el bulto infernal. Los tiros les salen a las tropas invasoras por la culata, como vulgarmente se dice. El jefe invasor comunica entonces a su des-gobierno: V.E. no puede formar una idea bastante clara de lo que ocurre, y que para mí mismo resulta obscuro entre el humo del desastre. Se nos ha asegurado que no encontraría a mi paso ninguna oposición según las miras de V.E.; que por el contrario la mayor parte de la población de esta provincia se iría plegando a nuestros efectivos. Me he encontrado, en cambio, con un pueblo que en un grado de entusiasmo delirante defiende la patria, la religión y lo que hay de más sagrado para ellos. Así es que han trabajado para venir a atacarme de un modo increíble venciendo imposibles, que sólo viéndolos pueden creerse. Pantanos formidables, ríos desbordados, bosques inmensos e impenetrables, los cañones de nuestra artillería: Todo ha sido nada para ellos, pues su entusiasmo, su fervor y su amor por su tierra todo lo ha allanado y vencido. ¡Qué mucho! Si hasta mujeres, niños, viejos y cuantos se dicen hijos del Paraguay, están dispuestos a soportar todos los males, a dar todos sus bienes, su propia vida por la patria.

Esto dicho después de dos sangrientas batallas en las que quedó completamente vencido. Los propios legionarios antiparaguayos que acompañan a Belgrano sirviéndole de baqueanos, los Machaín, los Cálcena, los Echevarría, la prole parásita del viejo Espínola y Peña, los Báez y otros calandracos anexionistas, no saben qué razones dar al engañado-desengañado Belgrano.

No he venido a talar los derechos de esta provincia, declaró mientras los jinetes paraguayos arrastraban a lazo los últimos cañones abandonados en el campo por los invasores. No he venido a invadirlos, conciudadanos míos; he venido a auxiliarlos, protestó bajo la bandera blanca de rendición, a orillas del Takuary. Se comprometió abandonar de inmediato el territorio de la provincia y juró por los Evangelios no volver a hacer armas contra ella, lo cual cumplió religiosamente. Hay que decirlo en su honor.

Los militones paraguayos se dejaron con-vencer. Las palabras consiguieron, después de Cerro Porteño y Takuary, lo que no pudieron los cañones. El jefe derrotado, en realidad triunfante, rumbeó de nuevo hacia sus pagos. El ejército vencedor lo escoltó hasta el paso del Paraná, luego de largos conciliábulos. La estolidez de los jefes criollos accedió generosamente a todo lo solicitado por el vencido sin exigirle ninguna reparación por los inmensos daños que causó al Paraguay la pretendida expedición libertadora. Cavañas, el jefe de Takuary, después infame conspirador, no tenía tinte en el cerebro de lo que estaba ocurriendo ni de lo que iba a ocurrir. Sí lo tenía, cómo se ha de decir que no, de lo que convenía a sus intereses. El principal tabaquero del país no esperaba ya regalías de los regalistas sino de los porteñistas unitarios.

Cierta razón tenían los estancieros uniformados en buscar el contubernio con los porteños. El poder real ya no era real. Los españoles brillaron por su ausencia en aquella primera patriada. La infantería chapetona se desbandó a poco de empezada la lucha. También huyó el gobernador Velazco del cuartel general de Paraguarí. Para evitar ser reconocido cambió con un labriego su uniforme de brigadier por los andrajos de éste. Le regaló además sus anteojos y boquilla de oro. Después se escondió en los altos de la Cordillera de los Naranjos. Dejó que los paraguayos se arreglaran como pudiesen.

Por algún tiempo vieron el brillante uniforme, expuesto impávidamente en los sitios de más riesgo del combate, desapareciendo por momentos y reapareciendo en otros como para infundir valor a las tropas. Un enigma, tanto para el enemigo como para los jefes paraguayos. Consiguieron al fin hacerlo refugiar detrás de las líneas. Se admiraron de la astucia, del coraje temerario, completamente insólito del gobernador, sin montura, tan bien disfrazado en ese hombre barbudo de tez obscura, manos callosas, pies descalzos. Los espejuelos y boquilla de oro brillaban bajo el galerón. Cavañas, Gracia y Gamarra en un primer momento le hicieron consultas; le pidieron órdenes por señas. La muda presencia les contestaba con movimientos de cabeza mostrándoles siempre los recovecos del triunfo. Sólo después de la victoria, cuando el gobernador reapareció para retomar el mando, disfrazado con las ropas del campesino, los jefes sospecharon los reales motivos de la impostura. ¿Quién es usted?, le pregunta Cavañas. Soy el gobernador-intendente, comandante en jefe de estas fuerzas, dice altivamente don Bernardo, quitándose el aludo sombrero de paja que le oculta el rostro. ¡El mismo que viste y calza!, se admira risueño Gracia. ¡Vaya la gracia del asunto! ¿Dónde ha estado S. Md. señor Gobernador?, le vuelve a preguntar Cavañas. En lo alto de los Naranjos observando las evoluciones de la batalla. ¿Y usted de dónde ha salido?, preguntan al campesino completamente desnudo, medio muerto de miedo. Yo... murmura el pobre hombre cubriéndose las vergüenzas con las manos. ¡Yo vino... yo vino a mironear un poco el bochinche nomás!

La cosa es que al jefe porteño no le ha resultado difícil alucinar al hato de milicastros-terratenientes-mercaderes. Mientras conciliabula, vagula, animula, blandula en territorio paraguayo antes de repasar el Paraná, les ofrece una negociación para probar que no ha venido a conquistar la provincia, ni a someterla como en otro tiempo Bruno Mauricio de Zabala en unión con los jesuitas. Protesta haber venido con el solo objeto de promover su felicidad. Engancha un bagre ya frito en el anzuelo; lanza la línea al arroyo Takuary; se queda a la espera con la caña en una mano, la llave de oro del librecambio titilando en la otra. La virtud de la llave es que sea aperitiva, la virtud del gancho es que enganche. Los jefes paraguayos, boquiabiertos, quedaron enganchados. El jefe tabaquero ve entre los reflejos la suerte nutritiva. ¡Esto es bueno, pero muy bueno!, comenta con sus secuaces. A qué más guerra si el Sur es nuestro Norte. Alucinación general. Meta parlotear con el triunfante derrotado. Pudo haber sido hecho prisionero hasta con el último de sus bultos. ¡Aquí no hubo vencedores ni vencidos!, clama Cavañas. Belgrano tiene agarrados de las agallas a los vencedores. Se muestra magnánimo: Ofrece unión, libertad, igualdad, fraternidad a los paraguayos; franco-liberal comercio de todos los productos de su provincia con las del Río de la Plata. No habrá más puertos precisos ni imprecisos. Se acabó el monopolio porteño. Ya está abolido el estanco del tabaco. Gamarra se guarda la luna bajo el sobaco. Todos comen el bagre convertido en dorado. Todos a una fuman la pipa de la paz. Los mílites paraguayos se relamen de gusto pasándose los dedos por la sisa y el arbitrio de la guerrera mili-tabaco-yerbatera. Sobre los fuegos de Takuary, Belgrano profetiza unión y libertad. La Junta de Buenos Aires lo desprofetizará muy pronto. Paraguayos y porteños fraternizan en los campos de Takuary aún enrojecidos de sangre, escribe nuestro Julio César. En Asunción cunde la alarma de los realistas: En un primer momento, los partes sobre el desbande de las tropas borbonarias; la huida del gobernador. Ahora las noticias del armisticio chasqueadas a matacaballo. ¿Qué pasa ahí? Sin esperar respuesta, los españoles huyen de sus casas, por la noche, disfrazados de negros, con sus caudales a cuesta. Llenan diecisiete buques prontos para escapar a Montevideo donde los realistas mantienen aún firmes sus reales a las órdenes del virrey Elío.

Bernardo de Velazco, al regreso de su huida en ropas menores, no pudo impedir el armisticio y menos el entendimiento de los jefes paraguayos con Belgrano, amartelados a orillas del Takuary.

La llegada del gobernador al campamento paraguayo, escribe Belgrano en sus Memorias, no ha sido con el objeto de concluir desavenencias, sino impedir que se propague el germen revolucionario. Desviar a Cavañas de sus sanas intenciones. Igualmente a los de su partido, que son los Yegros y la mejor porción de los paraguayos. Belgrano debió precisar: El partido de los tabaqueros, yerbateros y estancieros uniformados.

(En el cuaderno privado)

El firmar este armisticio, tan contrario a los objetivos de la invasión anexionista y a los intereses de Buenos Aires, eso fue poner el dedo en la llaga, dirá después el Tácito del Plata. En nuestra mismísima llaga, Tácito-Brigadier. También tú invadirás nuestra patria; luego te pondrás a traducir tranquilamente la Divina Comedia invadiendo los círculos avernales del Alighieri.

Tozudamente insistes, golpeando la contera del bastón-generalísimo sobre las baldosas flojas de la Historia; porfías en que Belgrano fue el verdadero autor de la Revolución del Paraguay, arrojada como una tea al campamento paraguayo. Son tus textuales palabras. ¡Habríamos podido incendiarnos todos, Tácito-Brigadier! Desde el 25 de mayo de 1810 en adelante, dices, época en que la imprenta toma un gran desarrollo, me ha sido más fácil seguir la marcha de los sucesos, consultando la prensa periódica y la multitud de papeles sueltos que entonces se publicaron, ilustrando estos testimonios con los manuscritos correlativos que he podido proporcionarme. Pero, a poco andar, los sucesos se complican; la prensa no basta a reflejar el movimiento cotidiano de la revolución, y el secreto empieza a hacerse por necesidad una regla de gobierno; pero como sucede siempre, a medida que se hace más indispensable el misterio, es forzoso escribirlo todo para comunicarse, y de este modo llega un día en que la posteridad se halla en posesión hasta de los más recónditos pensamientos de los hombres del pasado y puede estudiarlo mejor que teniéndolos a la vista. Tal me sucedió desde el momento en que, buscando un guía más seguro que el de la prensa periódica, penetré en los archivos de guerra y de gobierno, posteriores al año diez. El primer hecho que tenía que ilustrar era la expedición de Belgrano al Paraguay, sobre el cual poco digno de consultarse existía publicado, habiendo cometido los más groseros errores casi todos cuantos de ella habían hablado... ¡Ah Tácito-Brigadier! Consideras indispensable el misterio como regla de gobierno (El tratado secreto de la Triple Alianza contra el Paraguay lo cocinaste entre medios gallos y media noche). Depositas toda tu fe en los papeles sueltos. En la escritura. En la mala fe. Eres de los que creen, dirá después de ti un hombre honrado, que cuando encuentran una metáfora, una comparación por mala que sea, creen que han encontrado una idea, una verdad. Hablas, como te caracteriza acertadamente Idrebal, a base de comparaciones, ese recurso pueril de los que no tienen juicio propio y no saben definir lo indefinido sino por la comparación con lo que ya está definido. Tu arma es la frase, no la espada. Tus disertaciones históricas sobre la Revolución son titilimundis, no discursos. Esto te ha dado crédito, plata, títulos, poder, te juzga ese sabio hombre. Yo puedo ser todavía algo más benigno contigo, pues eres un muchacho mientras escribo esto. Mal pudiste haber presenciado el momento en que Belgrano arrojó la "tea de la Revolución Libertadora" al campamento paraguayo; hubieras dicho en todo caso "tea de la contrarrevolución liberticida" puesto que cayó en manos de los Cavañas, los Gracia, los Gamarra y los Yegros; entonces tu retórica de Archivero-jefe habría estado un poco más cerca de la realidad y naturaleza de aquellos hechos que pretendes narrar con el chambergo inglés echado sobre los ojos. Esto te permite afirmar con británica flema, repitiendo al bellaco de Somellera, que la única verdadera e inmediata causa de la revolución paraguaya fue la inoculación que los paraguayos recibieron en Takuary. Decididamente pareces, Tácito-Brigadier, un veterinario de la remonta, un furriel de maestranza. Si admites que el Cerrito Porteño y el Takuary fueron los sitios de la inoculación revolucionaria en el Paraguay, debes admitir también, a fuer de sincero embustero, que se trató de una inseminación artificial, y que los verdaderamente inseminados fueron los invasores. Desde los comuneros, los sementales paraguayos han donado generosamente sus espermas, y no para fabricar velas. Aquí, las velas las fabrican las mujeres. Lo otro lo dejamos para lo otro.

(Circular perpetua)

Antes de repasar el Paraná, Belgrano obsequió a Cavañas su reloj. Donó 60 onzas de oro, que en realidad fueron 58, para ser repartidas a las viudas, a los huérfanos de los que no fueron capaces de soportar los argumentos de plomo de la prédica porteña. Por supuesto, los animales muertos, las armas destruidas, los bagajes perdidos, no fueron indemnizados.

Mas tampoco el pobre Belgrano fue indemnizado a su regreso a Buenos Aires. No solamente no le reconocieron sus esfuerzos. Tampoco, al fin y al cabo, sus éxitos: ¿Les parecía poco a los cerebros sin materia gris de la Junta que el general expedicionario hubiese podido trocar una derrota militar en una victoria diplomática? Su premio, un juicio de guerra. Por la misma época en que fue fusilado el franchute Liniers, un tiempo después de haber reconquistado Buenos Aires de los invasores ingleses. Pero esto es harina de otro costal; no hará nuestro pan después de habernos costado nuestro afán.

Entre tanto las palpitaciones de Takuary, apunta de nuevo Julio César, han llegado hasta Asunción, amplificando la noticia del extraño armisticio en que se permite a un ejército invasor retirarse con los máximos honores.

Yo fui desde el principio el más apasionado crítico del acuerdo de Takuary, donde la complacencia de Atanasio Cavañas casi hace causa común con los derrotados invasores. A mis instancias, por aquel tiempo mi amigo Antonio Recalde lleva el ataque a Cavañas en el Cabildo contra su absurdo comportamiento. Por unanimidad los cabildantes le exigen una explicación sobre las verdaderas causas de la capitulación. No dio ni podía darla el comandante tabaquero sin autocondenarse. Ahí quedó la intimación en el aire. ¿Te acuerdas del texto, Patiño? Sí, Excelencia; es la del 28 de marzo de 1811. Cópiala íntegra; es bueno que se enteren de ella mis sátrapas de hoy. Los de ayer. Los de mañana.

El Cabildo era por esos días el bastión del españolismo, como ya les he referido; de modo que mis miras eran otras a más largo plazo. El huevo de la Revolución se incubaba lentamente al rescoldo de las cenizas de aquellos vivaques. Punto por hoy a la perpetua.

Alcánzame ese reloj de repetición. ¿Cuál de los siete, Señor? El que Belgrano obsequió a Cavañas en Takuary; ése que en este momento da doce campanadas.

(En el cuaderno privado)

Anoche me ha visitado de nuevo, mejor dicho ha vuelto a la carga el herbolario. Esta vez sin tisanas. La cabeza más gacha que de costumbre. Sobresaltándose al verme escribiendo. Creyó de seguro que echaba cuentas en el monumentoso libro de comercio. ¿Qué hace, Excelencia? Ya lo ve, Estigarribia. Cuando nada se puede hacer, se escribe. Intentó tomarme el pelo del pulso. La mano se le quedó en el aire. Debería reposar, Excelencia. Completo descanso, Señor. Dormir, dormir. Siguió moviendo las desdentadas encías tal si masticara polvo. Tras un largo silencio se animó a soplar: El Gobierno está muy enfermo. Creo de mi deber rogarle que se prepare o disponga lo que considere más conveniente puesto que su estado empeora día a día. Tal vez ha llegado el momento de elegir un sucesor, de nombrar un designatario.

Lo ha dicho todo de golpe. Tamaña insolencia en un hombre tan esmirriado, asustado. Pensamiento cuerpudo en un hilo de voz. ¿Ha hablado usted de mi enfermedad con alguien? Con nadie, Señor. Entonces punto en boca. El más absoluto secreto. Apoyó su sombra en el meteoro. Algunos, Señor, malician ya lo peor. Pero lo ven salir en su cabalgata de las tardes como de costumbre. Entonces los que mucho dudan, dudan menos y los que poco nada. A través de las rendijas la gente espía el paso del caballo, rodeado por la escolta, entre el ruido de los pífanos y el redoble del tambor. ¡Lo ven a Su Excelencia! Erguido como suele en la silla de terciopelo carmesí. ¿Cómo sabe usted si no soy Yo realmente el que va montado en el moro? Esta tarde me ha dicho su amigo Antonio Recalde que veía a Vuecencia de mejor semblante. ¡Bah ese viejo loro limpiándose siempre el pico! Pero usted, usted que es mi médico, me encuentra cada vez peor. Ha venido a poner en trance de muerte a mi semicadáver. ¿Cómo sé yo si no está connivenciado con los enemigos que rondan por todas partes esperando pescar en río revuelto? Señor, usted conoce mi lealtad, mi fidelidad a Vuecencia. ¡No sé yo tales zonceras! Vea, Estigarribia, usted es un ignorante o un bribonazo y ambas cosas a la vez. No sabe honrar la confianza que le he dispensado toda la vida. ¿También usted se burla? ¿También usted desea mi muerte? ¡No, por Dios, Excelencia! ¿Y no es mayor vileza que siendo usted mi médico la desee y me induzca a darle ese gusto? Pues sepa usted que no lo tendrá. Al contrario, Señor, no abandono la esperanza ni la seguridad de que su salud mejore con la gracia de Dios que hace milagros e imposibles. No doy un pito por esperanzas ni seguranzas de hombres como usted que se pasan pitorreando de la cruz al agua bendita. Sólo he pensado, Señor, que alguien debe aliviar a usted en sus abrumadores trabajos del Gobierno. No me moleste más con esas zarandajas. Después de mí vendrá el que pueda. Por ahora Yo puedo todavía. No sólo no me siento peor; me siento terriblemente mejor. Alcánceme la ropa. Le voy a demostrar que miente.

¿No lo está viendo? Me tengo en pie más firmemente que usted, que todos los que quieren verme salir de aquí a dos palmos del suelo. A barba muerta obligación cubierta eh. ¿Eso es lo que usted pretende? Retirarse. Jubilarse. ¡No, Excelencia! Usted sabe que no es así de ningún modo. ¡Qué más quisiéramos todos los paraguayos que usted viviera siempre para bien de la Patria! Vea, Estigarribia, no digo que algún día no he de morir. Mas el cuándo Yo me lo callo y el cómo Yo me lo como. La muerte no nos exige tener un día libre. Aquí la esperaré sentado trabajando. La haré esperar detrás de mi sillón todo el tiempo que sea necesario. La tendré de plantón hasta decir mi última palabra. No es con palos como removerán mi cadáver para ver si estoy muerto. No encanecerá mi pelo en la tumba.

Me he vestido despreciando su ayuda. El herbolario ha gesticulado, braceado, abrazado el aire queriendo sostener a un espectro. Ha estado él sí a punto de venirse al suelo. Pasamos al despacho. He escrito la nota para Bonpland. Hágasela llegar a San Borja, si todavía anda por ahí. Mande el chasque más rápido que ligero. Si posible fuera que ya esté de regreso antes de haber partido. Los remedios del francés cuando menos me calmaban años atrás. En cambio los hierbajos de usted contrabandean en favor de los achaques. ¿Qué han podido contra mi gota militar y mis almorranas civiles? Eh señor protomédico, qué y qué y qué. Tenerme el santo día la pierna, las nalgas al aire, buscando la postura ingrávida de las santas apariciones. Gracias a usted la eternidad me tragará de costado.

Sus beberajes no podrían ya empeorarme. No remediarán mis intestinos colgantes que se orean al aire a semejanza de los jardines de Babilonia. Mis pulmones hacen rechinar sus viejos fuelles traqueados por el peso de tanto aire como han debido inhalar/expeler. Desde su lugar entre las costillas, se han extendido sobre más de diez mil leguas cuadradas, sobre cientos de miles de días. Diluvios, tormentas, cálido aliento de los desiertos han desatado. En sus materias naturales respira un cuerpo político, el Estado. El país entero respira por los pulmones de ÉL/YO. Perdón, Excelencia, no entiendo bien eso de los pulmones de ÉL/YO. Usted, don Vicente, nunca entiende nada al igual que los otros. No ha podido evitar que nuestros pulmones se convirtieran en dos bolsas membranosas. ¡Lástima de hombre ignorante! Peor aún si se considera que usted vendrá a ser el antepasado de uno de los más grandes generales de nuestro país. Si usted defendiera mi salud con la estrategia de los corralitos copiada a la de ese descendiente suyo que defendió-recuperó el Chaco poco menos que a uña de los descendientes bolivarianos, ya me habría sanado usted. Habría hecho algún honor a su profesión. También el arte de curar es un arte de guerra. Mas en una familia hay dotados y antidotados.

Usted, prócer del protomedicato, no ha conseguido tapar una sola de mis goteras. Estoy tan lleno de grietas que me salgo por todas partes. Entra usted y me anuncia: ¡El Gobierno está muy enfermo! ¿Cree que no lo sé? Mi protomédico no sólo no me cura. Me mata, me hace perecer todos los días. Me trae presagios, aprehensiones de una protoenfermedad ya curada. Profetiza esos tormentos que causan la muerte antes de que ésta llegue, cuando ya ha pasado. Igual cosa hace con otros pacientes-murientes. Ese centinela que guarda mi puerta, enterró esta mañana a su madre, a su mujer, a dos de sus hijos. A todos ellos los trató usted. Sus recetas han matado más gente que las pestes. Igual que sus antecesores, los Rengger y Longchamp.

En cuanto a mí, sabio Esculapio, ¿no me ha recetado en sus cocimientos la pata izquierda de una tortuga, la orina del lagarto, el hígado de un armadillo, la sangre extraída del ala derecha de un pichón blanco? ¡Ridiculeces! ¡Curanderías! Para hacerme comer un caracol me prescribe misteriosamente: Mande apresar a ese hijo de la tierra que se arrastra por el suelo, desposeído de huesos, de sangre, llevando su casa a cuestas. Mándelo hervir. Beba el caldo en ayunas. Desayunado, coma la carne. Si mi salud hubiese dependido de esos pobres yatytases, ya me habría curado. El cólico sigue enamorado de mis entrañas. ¿Qué me receta usted en tales trances? Nada más que cagarrutas pulverizadas de ratones, de cuises de monte, tostadas sobre leños de palo-brasil. ¿Cree usted que voy a dejarme atosigar por tales mejunjes? Sospecho que su sola presencia me enferma, señor protomédico: Ver aparecer de pronto sus enrulados mechones, sus canosas patillas, el reflejo de sus anteojos en la penumbra, su enorme cráneo rodando sobre patitas de cucarachas, me hace saltar de la cama al común. Omito ese gesto de suficiente hurañería que rodea su inmensa cabeza de enano: Caronte remando en su fúnebre barca al ras del suelo alrededor de mi mesa, de mi lecho, a toda hora.

Igual cosa me sucedió con los Rengger y Longchamp.* Fui tratado

* Los doctores Juan Rengger y Marcelino Longchamp, oriundos de Suiza, llegaron en 1818 a Buenos Aires, donde trabaron amistad con el célebre naturalista Amadeo Bonpland. Sin presentir lo que le esperaba a él mismo en el Paraguay, en vista de la incierta situación política que reinaba en el Plata, el sabio francés aconsejó a sus jóvenes amigos suizos que tentaran fortuna en el Paraguay. Los viajeros encontraron que el "Reino del Terror", pintado por algunos, era en realidad un oasis de paz en su riguroso y selvático aislamiento. Fueron amablemente recibidos por *El Supremo* que les brindó toda clase de facilidades para sus estudios científicos y el ejercicio de su profesión, pese a la ruda experiencia que sufriera años atrás con otros dos europeos, los hermanos Robertson, como se verá. El Dictador Perpetuo designó a los suizos médicos militares de los cuarteles y prisiones, en las que también se desempeñaron como forenses. Juan Rengger, a quien *El Supremo* llamaba "Juan Rengo", por la fonética de su apellido y porque en realidad lo era, acabó siendo su médico privado. Bajo la sospecha de que los suizos mantenían ocultas relaciones con sus enemigos de las "doradas veinte familias", la amistad del Dictador hacia ellos se fue trocando en sorda y creciente animosidad. Tuvieron que abandonar el país en 1825. Dos años después, publicaron su *Ensayo histórico sobre la Revolución del Paraguay*, el primer libro escrito sobre la Dictadura Perpetua. Traducido a varios idiomas, alcanzó gran éxito en el exterior, pero fue prohibido en el país bajo penas severísimas por *El Supremo*, por considerarlo una insidiosa diatriba contra su gobierno y un "hato de patrañas". Escrita en francés la primera parte y en alemán la segunda, puede decirse que el libro de Reng-

por ellos con irremediable desidia. Observaban mis grietas tal las de una tapia. No sé para qué lo he nombrado a usted mi médico particular, don Juan Rengo, le increpé una vez. ¡Lástima no tener al lado, como Napoleón, a un Corvisart! Sus mágicas pócimas permitían al Gran Hombre conservar matinalmente frescos sus intestinos. No espero de usted que me ponga el colédoco corriente y las entrañas aterciopeladas, como quería Voltaire. Tampoco puedo beberme grandes cantidades de oro potable conforme lo hacían los reyes de la antigüedad para atrasar su momento de hora, según lo he leído en alguna parte. No puedo comerme la piedra filosofal. No espero de su alquimia herbolaria el secreto de la imperial tisana. Pero al menos debió usted haber ensayado una más modesta horchata dictatorial. ¿Le he pedido acaso que me devuelva la juventud? ¿Le he exigido, por ventura, que me tensara de nuevo los nervios de la verga, ponerla en su hora de otrora sobre el cuadrante bravío? No rogarían otra cosa a todas las deidades del universo los vejarracos decrépitos, pelados, sórdidos, encorvados, cínicos, desdentados, impotentes. Nada de eso espero de usted, mi estimado galeno. Mi virilidad, usted lo sabe, es de otra laya. No se agota en la gota. No declina. No envejece. Ahorro mi energía gastándola. El venado perseguido conoce una hierba; al comerla expulsa la flecha de su cuerpo. El perro que lo persigue también conoce una hierba que lo restablece de los zarpazos y dentelladas del tigre. Usted, don Juan Rengo, sabe menos que el venado, que el perro. Médico verdadero es quien ha pasado por todas las enfermedades. Si ha de curar el mal gálico, las sarnas rebeldes, la multiforme lepra, las almorranas colgantes, primero es menester que haya padecido estos males.

Usted y su compañero Longchamp me han convertido en una criba. Ustedes son los que han asesinado con sus mortales pócimas a la mitad de los soldados de mi ejército. ¿No lo han confesado ustedes mismos en el libelo que fabularon y publicaron dos años después que yo los expulsé de aquí? ¿Quisieron difamarme en pago

---

ger y Longchamp es el "clásico" por excelencia, acerca de este período histórico de la vida paraguaya: "llave y linterna" indispensables para penetrar en la misteriosa realidad de una época sin parangón en el mundo americano; también en la aún más enigmática personalidad de quien forjó la nación paraguaya con férrea voluntad en el ejercicio casi místico del Poder Absoluto. *(N. del C.)*

de la hospitalidad y todas las atenciones que ingenuamente les dispensé? Estamparon en ese libélulo que la temperatura tiene mucha influencia sobre mi humor. Cuando empieza a soplar el viento norte, leo, sus accesos se vuelven mucho más frecuentes. Este viento muy húmedo y de un calor sofocante afecta a los que tienen una excesiva sensibilidad o sufren de obstrucción del hígado o de los intestinos del bajo vientre. Cuando este viento sopla sin pausa, en ocasiones por muchos días consecutivos, a la hora de la siesta en los pueblos y en los campos reina un silencio más profundo aún que el de la medianoche. Los animales buscan la sombra de los árboles, la frescura de los manantiales. Los pájaros se esconden en el follaje; se los ve ahuecar las alas y erizar las plumas. Hasta los insectos buscan abrigo entre las hojas. El hombre se vuelve torpe. Pierde el apetito. Transpira aun estando quieto y la piel se le vuelve seca y apergaminada. Añádanse a esto dolores de cabeza y, en tratándose de personas nerviosas, sobrevienen afecciones hipocondríacas. Poseído por ellas, El Supremo se encierra por días enteros sin comunicación ni alimentación alguna, o desahoga su ira con los que le vienen a tiro, sean empleados civiles, oficiales o soldados. Entonces vomita injurias y amenazas contra sus enemigos reales o imaginarios. Ordena arrestos. Inflige crueles castigos. En momentos tan borrascosos sería para él una bagatela el pronunciar una sentencia de muerte. ¡Ah helvéticos bachilleres! ¡Cuánta maligna bufonería! Primero me atribuyen excesiva sensibilidad. Luego perversidad extrema que hace del viento norte mi instigador y cómplice. Por último, faltan a la ética de su profesión divulgando mis enfermedades. ¿Me vieron ustedes fulminar sentencias de muerte en tal estado, infligir crueles castigos, como dicen? Por mentirosos, falsarios y cínicos, ustedes debieron ser ajusticiados. Harto lo merecían. Recibieron en cambio trato amable y bondadoso, aun bajo los peores bochornos del viento norte. Lo mismo bajo el seco y agradable viento del sur que es cuando, según ustedes, canto, bailo, río solo y charlo sin parar con mis fantasmas particulares en un idioma que no es de este mundo.

¡Ah indignos compatriotas de Guillermo Tell! ¿No me aconsejaron que expusiese mi tricornio sobre una pica en la Plaza de la República para recibir el cotidiano saludo colectivo? De haberme prestado a tamaña bufonada, inconcebible en este país de ciudadanos dignos y altivos, ustedes habrían sido los primeros en someterse gustosos a semejante ceremonia de sumisión, cuya sola idea les reprobé airadamente. En el caso improbable de haberse negado ustedes, como Guillermo Tell, a tal humillación, jamás hubieran podido flechar la manzana puesta sobre mi cabeza. Mas las vuestras habrían caído ipso facto bajo el hacha del verdugo.

¡Ah hipócritas! Capaces, sí, de poner sus huevos en nido ajeno, Pájaros acuclillados no pueden salir a dar la hora sobre el cuadrante de mi bajo vientre. Dejo de lado el número impar de píldoras que debo ingerir en momentos pares; el señalamiento de ciertos días del año para punciones y sangrías con sanguijuelas y murciélagos amaestrados; las fases lunares para enemas y eméticos. ¡Como si la luna pudiera gobernar las mareas de mis intestinos!

No exageremos, ilustrados cuclillos. Yo diría más bien que un Pentágono de fuerzas gobierna mi cuerpo y el Estado que tiene en mí su cuerpo material: Cabeza. Corazón. Vientre. Voluntad. Memoria. Esta es la magistratura íntegra de mi organismo. Lo que sucede es que no siempre el Pentágono funciona en armonía con las alternativas estaciones de flujo-constipación, lluvia-sequía, que malogran o acrecientan las cosechas. Ni hipocondría ni misantropía, mis estimados meteorólogos. En todo caso, debieron decir accidia, bilis negra. Palabras medievales. Designan mejor mis medioevos males. No voy a perder el tiempo en discusiones estériles. Vamos a los hechos. ¿Saben ustedes por qué los pájaros y todas las especies animales no enferman y viven normalmente el curso de sus vidas? Los galenos suizos se lanzaron al mismo tiempo a una larga disquisición en francés y en alemán. No, mis estimados esculapios. No lo saben. Vean, escuchen. La primera razón es porque los animales viven en medio de la naturaleza, que no sabe de piedad ni de compasión, fuente de todos los males. Lo segundo, porque no hablan ni escriben al modo de los hombres; sobre todo, porque no escriben calumnias como ustedes. Lo tercero, porque los pájaros y todas las especies animales o animadas hacen sus necesidades en el momento de la necesidad. Un tordo que pasaba en esos instantes a baja altura aplastó sobre la coronilla de Juan Rengger un humeante solideo. Es lo que le digo, dije al helvético. Ha visto usted, ese tordo no ha postergado el momento ni ha elegido el mejor lugar para liberar sus despechos, pero ha obrado lo que tenía que obrar. El hombre, en cambio, debe esperar a que mil necias ocupaciones no perturben, como a mí en estos instantes, el regular funcionamiento de sus tripas. Ambos intentaron de nuevo a dúo en sus dos idiomas un balbuceante pedido de excusas. Me instaron con gestos a que no perdiera más tiempo si necesitaba ir al excusado. No, señores; no se preocupen. El Gobierno Supremo también ejerce poder sobre sus intestinos. YO/ÉL tenemos nuestro buen tiempo, nuestro mal tiempo adentro. No dependemos del cambio de los vientos, de las estaciones ni de las fases lunares. Por poco, ilustres mentecatos, no han convertido al Viento Norte en el verdadero Dictador Supremo de este país. Como esta y muchas otras, inventaron cuantas patrañas se les antojó sobre mi régimen de gobierno que ustedes calificaron de "el más generoso y magnánimo que existe sobre la tierra civilizada", mientras disfrutaron de mis favores. Cuando por fin los expulsé, el mismo régimen se convirtió para ustedes, lejos ya de esta tierra que los cobijó benignamente y más lejos aún de la decencia, en el sombrío Reino del Terror fraguado después por los Robertson en el molde que ustedes armaron con sus diatribas. De estas escorias se nutren las historias, las novelerías de toda especie, que escriben los tordos-escribas tardíamente. Papeles manchados de infamias mal digeridas.

Usted, Juan Rengo, fue el más mentiroso y ruin. Describió cárceles y tormentos indescriptibles. Latomías subterráneas que llegan con su laberinto de mazmorras hasta el pie de mi propia cámara, copiado del que mandó excavar en la roca viva Dionisio de Siracusa. Se condolió de los condenados a cadena perpetua cuyos suspiros me solazo escuchándolos en el tímpano del laberinto que da a la cabecera de mi lecho; de los condenados a soledad perpetua en el remoto penal del Tevegó, rodeado por el desierto, más infranqueable que los muros de las prisiones subterráneas.

"Las principales miras de su régimen despótico se dirigían sobre la clase acomodada, sin descuidar por esto las clases inferiores. Su espíritu suspicaz buscó víctimas hasta en el populacho. Para aislar mejor a los individuos de esta esfera que le infundían sospechas, fundó una colonia en la orilla izquierda del río Paraguay, a ciento veinte leguas al norte de Asunción, y la pobló en gran parte con mulatos y mujeres de mala vida. Esta colonia penitenciaria, a la que le puso el nombre de Tevegó, es la más septentrional del país. (*Rengger y Longchamp, op. cit.*)

"En la Asunción hay dos clases de prisiones: la cárcel pública y la prisión del Estado. La primera, aunque también contiene algunos presos políticos, sirve esencialmente de lugar de detención para los otros condenados y al mismo tiempo de casa de arresto. Es un edificio de cien pies de largo, de techo bajo y muros de casi dos varas de espesor. A imitación de las casas del Paraguay, no tiene más que un piso bajo, distribuido en ocho piezas y un patio de unos doce mil pies cuadrados. En cada pieza se hallan amontonados treinta o cuarenta presos, que no pudiendo acostarse en las tablas, suspenden hamacas en filas unas encima de otras. Hágase ahora una idea de unas cuarenta personas, encerradas en un cuarto pequeño sin ventanas ni lumbreras; esto en un país donde las tres cuartas partes del año el calor no baja de 40°, y bajo un techo que calienta el sol durante el día a más de 50°. Así sucede que corre el sudor de los presos de hamaca en hamaca hasta el suelo. Si a esto se agrega el mal alimento, la falta de limpieza y la inacción de estos desdichados, se concebirá que es precisa toda la salubridad del clima de que goza el Paraguay, para que no se declaren enfermedades mortales en aquellos calabozos. El patio de la cárcel está lleno de pequeñas chozas, que sirven de aposento para los individuos en estado de prevención, para los condenados por delitos correccionales y para los presos políticos. Se les ha permitido construir estas chozas, porque los cuartos no son bastante capaces. Allí siquiera respiran la frescura de la noche, a pesar de que la falta de limpieza es tan grande como en el interior de la casa. Los condenados a perpetuidad salen todos los días a trabajar en las obras públicas. A este efecto, van encadenados de dos en dos, o llevan solo el grillete, al paso que la mayor parte de los demás presos arrastra otra clase de hierros llamados grillos cuyo peso, a veces de veinticinco libras, apenas les permite andar. El estado suministra un poco de alimento y algunos vestidos a los presos que ocupa en los trabajos públicos; en cuanto a los demás, se mantienen tanto a su costa como por medio de las limosnas que dos o tres de ellos van todos los días a recoger a la ciudad, acompañados de un soldado, o que se les envían sea por caridad, sea para cumplir algún voto.

"Muchas veces hemos visitado estas prisiones horribles, tanto por casos de medicina legal, como por socorrer a algún enfermo. Allí se ven mezclados el indio y el mulato, el blanco y el negro, el amo y el esclavo; allí están confundidos todos los rangos, todas las edades, el delincuente y el inocente, el condenado y el acusado, el ladrón público y el deudor, en fin el asesino y el patriota. Muy a menudo están sujetos a una misma cadena. Pero lo que lleva al colmo este espantoso cuadro, es la desmoralización siempre en aumento de la mayor parte de los presos, y la feroz alegría que manifiestan cuando llega una nueva víctima.

"Las mujeres detenidas, que por fortuna son muy pocas, habitan una sala y una cerca de empalizadas; encerradas en el patio grande, donde pueden comunicarse más o menos con los presos. Algunas mujeres de cierto rango, que se han atraído el odio del Dictador, se ven mezcladas allí con las prostitutas y criminales, y expuestas a todos los insultos de los hombres. Llevan los grillos como éstos y ni aun la preñez alivia su condición.

"Los detenidos en la cárcel pública, como pueden comunicarse con sus familiares y recibir socorros, se creen aun muy dichosos cuando comparan su suerte a la de los desdichados que ocupan las prisiones del Estado. Éstas se hallan en los diferentes cuarteles, y consisten en pequeñas celdas sin ventanas y en subterráneos húmedos, en donde no se puede estar de pie, sino en medio de la bóveda. Allí los presos sufren una reclusión solitaria, particularmente los designados como objeto de la venganza del Dictador; los otros están encerrados de dos a cuatro por celda. Todos están sin comunicación y engrillados, con un centinela de vista. No se les permite tener luz encendida, ni ocuparse en nada. Habiendo conseguido un preso conocido mío domesticar los ratones que visitaban su prisión, los persiguió su centinela para matarlos. Les crece la barba, el pelo y las uñas, sin poder obtener nunca el permiso de cortárselas. No se permite a sus familias enviarles la comida, sino dos veces al día; y esta comida no debe componerse más que de alimentos reputados como los más viles del país, carne y raíces de mandioca. Los soldados, que los reciben a la entrada del cuartel, los registran con sus bayonetas para ver si hay dentro papeles o algunos instrumentos, y muchas veces los guardan para ellos, o los arrojan por tierra. Cuando cae enfermo algún prisionero, no se le concede ningún socorro, sino alguna que otra vez en sus últimos momentos, y no puede visitárseles como no sea de día. De noche se cierra la puerta. El moribundo queda abandonado a sus dolores. Aun en la agonía no se les quitan los grillos. He visto al doctor Zabala, a quien por un singular favor del Dictador pude visitar en los últimos días de su enfermedad, morir con los grillos en los pies y sin permitírsele recibir los sacramentos. Los comandantes de los cuarteles han hecho este tratamiento de los presos más inhumano todavía, buscando por este medio de complacer a su Jefe." *(Ibid.)*

Por las mismas razones de ruindad y malevolencia, nada han escrito sobre el castigo que mejor define la esencia justiciera del régimen penal en este país: La condena a remo perpetuo. Cobardía, robo, traición, crímenes capitales, son sometidos a ella. No se envía al culpable a la muerte. Simplemente se lo aparta de la vida. Cumple su objeto porque aísla al culpable de la sociedad contra la cual delinquió. Nada tiene de opuesto a la naturaleza; lo que hace es devolverlo a ella. La descripción del criminal es enviada a todos los pueblos, villorrios, a los lugares más remotos donde exista el menor rastro humano. Estricta prohibición de recibirlo. Se lo mete engrillado en una canoa en la que se ponen víveres para un mes. Se le indica los lugares donde podrá encontrar más bastimentos mientras pueda seguir bogando. Se le da la orden de alejarse, de no volver a pisar jamás tierra firme. A partir de ese momento, únicamente a él le incumbe su suerte. Libro a la sociedad de su presencia y no tengo que reprocharme su muerte. Todo lo que está por debajo de la línea de flotación de esa canoa, no vale la sangre de un ciudadano. Me guardo pues de derramarla. El culpable irá bogando de orilla a orilla, remontando o bajando el ancho río de la Patria, librado a su entera voluntad-libertad. Prefiero corregir y no imponer un castigo que no sea ejemplarizador. Lo primero conserva al hombre y, si él mismo se empeña, lo mejora. Lo segundo lo elimina, sin que el castigo le sirva de escarmiento a él ni a los demás. El amor propio es el sentimiento más vivo y activo en el hombre. Culpable o inocente.

Un autor de nuestros días ha tejido una leyenda sobre esta condena del destinado que va bogando sin término y encuentra al fin la tercera orilla del río. Yo mismo, para establecerla aquí, me inspiré en una historia narrada por un libertino en la Bastilla, que solía repetirme un prisionero francés en las siestas del tórrido verano paraguayo. Yo tomo lo bueno donde lo encuentro. A veces, los más depravados libertinos cumplen sin quererlo una función de higiene pública. Este noble degenerado, preso en la Bastilla, reflejó en su utopía de la imaginaria isla de Tamoraé la isla revolucionaria del Paraguay, ejemplar realidad que ustedes calumniaron.

Sin duda *El Supremo* alude a la narración sadiana *La isla de Tamoé*, conocida en el Paraguay, un siglo antes de ser publicada en la propia Francia y en el resto del mundo, mediante la versión oral del memorioso Charles Andreu-Legard, compañero del marqués en la Bastilla y en la Sección de Picas; después prisionero del Dictador Perpetuo, durante los primeros años de la Dictadura, según consta en los comienzos de estos *Apuntes*.

La alteración del nombre de la isla imaginaria Tamoé por el de Tamoraé, es un error de *El Supremo*, inconsciente, o quizás deliberado. El vocablo *tamoraé* significa, en guaraní, aproximadamente: *ojalá-así-sea*. En sentido figurado: Isla o Tierra de la Promesa. *(N. del C.)*

En los días de su época, poco antes de su expulsión, los cuclillos suizos se llamaron a total silencio y humildad. Mandé llamar a Rengger. Vea usted, don Juan Rengo, con sus hierbas ha hecho de mí un león hervíboro. ¿Qué debo hacer con usted? Debo premiarlo con la destitución. Desde hoy deja de ser mi médico de cámara. Limítese a no seguir envenenando a mis soldados y prisioneros. Ayer murieron treinta húsares más a causa de sus purgantes. A este paso me va a dejar usted sin ejército. Le he pedido que en las autopsias buscara usted en la región de la nuca algún hueso oculto en su anatomía. Quiero saber por qué mis compatriotas no pueden levantar la cabeza. ¿Qué hay de eso? No hay ningún hueso, me dice usted. Debe haber entonces algo peor; algún peso que les voltea la cabeza sobre el pecho. ¡Búsquelo, encuéntrelo, señor mío! Por lo menos con el mismo cuidado que pone en buscar las más extrañas especies de plantas e insectos.

En cuanto a la mariposa fúlgida que lo tiene a usted alucinado, la hija de Antonio Recalde, déjela donde está. Usted sabe muy bien que aquí a los extranjeros europeos, no solamente a los españoles, les está absolutamente prohibido casarse con mujer blanca del país. No se admiten demandas de esponsales ni aun alegando estupro. La ley es una para todos y no puede haber excepciones. Me dice que usted desea abandonar el país, lo mismo que su compañero Longchamp. Me pide usted autorización para la boda y luego para la partida. ¡Imposible, don Juan! Alega usted apuro. La prisa no es buena consejera. Lo sé por experiencia. Aun en el caso de que no rigiera esta prohibición, no sería bueno casar a la niña Retardación con el doctor Apuro. Alega usted que esta prohibición es absurda y significa la muerte civil de los europeos. No se suicide, pues, mi señor don Juan Rengo, que no resucitará usted civilmente por más médico que sea. Búsquese usted una de las tantas hermosas mulatas o indias que son el orgullo de este país. Despósela usted. Saldrá ganando dos veces, se lo asegura uno que bien conoce el paño que corta. Vea, seré indiscreto. Le pregunto: ¿Cuántas veces ha visitado usted a la hija de don Antonio Recalde? No me conteste. Lo sé. Muchas. Casi todas las noches desde hace tres años. Este prolongado noviazgo, romance, amartelamiento, o como quiera llamarlo, demuestra la firmeza de sus sentimientos. Prueba también que, si en verdad el caballero Juan Rengo tiene apuro, este apuro se ha tomado su tiempo no en vanos galanteos, supongo. Me he de permitir hacerle, no obstante, otra pregunta. ¿Ha llegado usted por ventura a conocer la más notoria particularidad de esa hermosa muchacha? No; claro que no. Salvo que su amor sea realmente tan grande que pase por alto el pequeño detalle. Y si es así, yo estaría inclinado a otorgar a usted la dispensa. Imagino sus encuentros. La encantadora hija de Antonio Recalde ha recibido siempre a usted, sentada mesa por medio, el espeso tapete cubriéndole las extremidades, ¿eh? ¿Ha llegado a saber usted, tal vez alguien se lo ha murmurado, cuál es el apodo de la bella Recalde? No, no lo sabe, me doy cuenta de ello. Yo se lo diré: La apodan la *Patona.* Inmensos pies. Casi una vara de longitud y media de ancho. Probablemente, los pies más grandes que doncella alguna gaste en el mundo de la realidad y de la fábula. Y lo mejor es que siguen creciendo. No paran de crecer. Si usted, don Juan, está dispuesto a llevarse en su colección esas plantas en cuarto creciente, firmaréle la dispensa. Váyase. Piénselo. Venga luego a comunicarme su decisión. No volvió. Pocos días después los dos suizos se embarcaban rumbo a Buenos Aires. La hija de Recalde malogró su boda; el país ganó dos maulas menos.

Mala persona no es el protomédico. Corazón irreprochable. No anda en perversidad de boca. Incapaz de decir una media mentira; mas tampoco la mitad de una verdad en momento oportuno. Incapaz de doblez se dobla de puro blando de modo que cualquiera puede blandir su ingenua voluntad sobornándolo por astucia aunque no con oro. Hombrecito-cacharro trasuda por todos los poros el agua de su inconmensurable simpleza. Lejos de calmar mi sed la agrava. Cuando me encuentro en tal estado ni a este viejo-niño soporto. Me encarnizo con mi propio mal. Abandono mi cuerpo a sus muchos sufrimientos. Pues si bien el dolor sufrido es igual al que se teme sufrir, cuanto más el hombre se deja dominar por el dolor, más éste lo atormenta. El sufrimiento físico no me atormenta. Puedo dominarlo, sacármelo de encima, más fácilmente que la camisa. Me atormenta lo que pasó en aquella tormenta. Dolor de otra especie. Partióme de un mandoblazo; me hizo doble empequeñeciéndome a menos de la mitad, la que va decreciendo rápidamente. Dentro de poco no quedará más que esta mano tiranosauria, que continuará escribiendo, escribiendo, escribiendo, aun fósil, una escritura fósil. Vuelan sus escamas. Se despelleja. Sigue escribiendo.

Estoy sudando hasta debajo de las uñas. La lengua seca entre los dientes. Un va-y-viene-errante, el ataque. Me espía, me acecha.

El herbolario me observa fijamente. La cabeza gacha por ese hueso clandestino de la nuca que impide a los paraguayos mantenerla erguida. Calcula que se está cumpliendo el avance de la demolición.

¡Completo reposo! ¡Dormir! ¡Dormir, Señor! Usted sabe que no duermo, Estigarribia. El sueño es la concentración del calor interior. El mío ya no produce evaporación. Mi pensamiento es el que sueña despierto una materia cabellosa, corpórea. Visiones más reales que la propia realidad. ¡Tal vez ha llegado el momento de elegir un sucesor, nombrar un designatario! ¿Es todo lo que se le ocurre? ¿Es éste el postrero homenaje que viene a rendir a su joven enfermo? Sólo tengo veintiséis años de enferma-edad.

No puedo elegir un designatario, como usted dice. No me he elegido yo. Me ha elegido la mayoría de nuestros conciudadanos. Yo mismo no podría elegirme. ¿Podría alguien reemplazarme en la muerte? Del mismo modo nadie podría reemplazarme en vida. Aunque tuviera un hijo no podría reemplazarme, heredarme. Mi dinastía comienza y acaba en mí, en YO-ÉL. La soberanía, el poder, de que nos hallamos investidos, volverán al pueblo al cual pertenecen de manera imperecedera. En cuanto a mis pocos bienes personales serán repartidos de la siguiente forma: La chacra de Ybyray a mis dos hijas naturales que viven en la Casa de Recogidas y Huérfanas; de mis haberes no cobrados que alcanzan la suma de 36.564 pesos fuertes con dos reales, se hará pagar un mes de sueldo a los soldados de los cuarteles, fuertes, fronteras y resguardos tanto del Chaco como de la Región Oriental. A mis dos viejas criadas 400 pesos, más el mate con la bombilla de plata a Santa; a Juana, que ya está más arqueada que un asa, mi vaso de noche, que le corresponde de hecho y de derecho por haberlo manipulado día y noche con más que sacrificada dedicación durante todo el tiempo que ha estado a mi servicio. A la señora Petrona Regalada, de quien dicen que es mi hermana, 400 pesos, además del vestuario, guardado en ese baúl. El resto de mis haberes no cobrados serán distribuidos asimismo a los maestros de escuela, a los maestros y aprendices músicos, a razón de un mes de sueldo a cada uno, sin hacer omisión de los indiecitos músicos que sirven en todas las bandas de los cuarteles tanto de la Capital como del interior. Quiero que se tengan bien vestidos y alimentados a esos indiecitos; los que por otra parte son los mejores y más disciplinados, por su instinto natural para la música. Quiero que sus instrumentos sean tan flamantes como los de las dotaciones de blancos y pardos. A los que formaron en mi escolta desde muchachuelos, debe dotárseles de tambores y pífanos nuevos, y si sobraran algunos reales, repartirlos a los que ya deben estar muy ancianos sin posibilidades de proveer sus necesidades por sus propios medios. Mi guitarra, al maestro Modesto Servín, organista y director del coro de Jaguarón, con la expresión de mi afecto.

Todos mis instrumentos ópticos, mecánicos y demás enseres de laboratorio, legados a la Escuela Politécnica del Estado, y la totalidad de mis libros a la Biblioteca Pública. El resto de mis papeles privados que hayan sobrevivido al incendio, serán rigurosamente destruidos.

Mas sepa, don Vicente, que a pesar de lo que murmuran por ahí, de lo que usted mismo predice y desea, no le he dado el gusto todavía. ¿Sabe por lo menos dónde iré a parar cuando muera? No. No lo sabe. Al lugar donde están las cosas por nacer.

El provisor Céspedes Xeria también me ha hecho ofrecer confesión y auxilios de bien morir. Le he mandado decir que me confieso solo. Quien guarda su boca guarda su alma. Guarde usted su boca y su alma. Guárdese de repetir lo que hemos hablado aquí. No deje que circulen rumores sobre mi enfermedad. Yo callo dice el callo y duro. Imítelo y durará como él. Acuérdese, don Vicente, que también usted en sus comienzos fue maíz comido de gorgojos, y que si se salvó fue porque lo traje a servir como boticario del Gobierno. No me puedo quejar, eso sí, de la rectitud de su vida desde entonces. Mas no haga conmigo lo que usted hizo con la suya: Ir contando a todo el mundo por las calles, en las casas, sus extravíos juveniles y sobre todo el tristísimo hecho de que se le muriera en sus brazos aquella muchacha alegre que le había sorbido los cascos de tan mala manera. Los excesos de su locura ninfomaníaca la hubieran finado de todos modos a su manera, y quizás antes aún en los brazos de cualquier otro mancebo más dotado. Usted afirma que ejercitó su pública confesión para servir de ejemplo a los demás. Nadie aprende en cabeza ajena. Las locuras de uno nunca son las de otro. No abra más la puerta a las visitaciones del arrepentimiento.

Ahora, sobre el asunto de mi enfermedad ¡chitón eh! Ni una palabra, que es cosa mía. Le va en ello su vida. Salga de aquí. No vuelva a comparecer hasta que lo mande llamar.

Al día siguiente de instalada la Junta Gubernativa, el perro del ex gobernador Velazco abandonó la casa de gobierno antes que su amo. Ese can realista comprendió lo que no entraba en la cabeza de los chapetones. Más inteligente que los facciosos de la nueva fuerza porteñista. Se mandó mudar con la dignidad de un chambelán del reino, exonerado por mi perro Sultán, una especie de sans-culotte jacobino de largos cabellos y genio muy corto. ¡Fuera! ladró apurando la retirada de Héroe. Gruesa voz de mando. Volveremos, farfulló el perro Héroe. ¡Montado a la turca en tu abuela! embistió Sultán. El sable entre los dientes, guardó la puerta del palacio. ¡Te haré colgar, perro chapetón! No hará falta, mi estimado y plebeyo par. Ya he hecho de mí un cadalso. Por tres veces la guillotina cercenó mi cabeza. Yo mismo no lo recuerdo con mucha claridad. Ojalá, ciudadano Sultán, no te pesque el mal-de-horror. Lo primero que se pierde es la facultad de la memoria. ¿Ves este pedazo de espada clavado en mis riñones? No sé desde cuándo está ahí. Tal vez me lo clavaron los ingleses cuando combatí junto a mi amo en la reconquista de Buenos Aires. O en el sitio de Montevideo. No sé dónde. ¡Fuera, charlatán! ¡Fuera! Héroe lo miró sin resentimiento. Tienes razón, Sultán. Quizás todo no es sino un sueño. Se arrancó de los huesos la herrumbrosa espada. Afirmó su sombra en el suelo después de empujarla dos veces. Salió rengueando. Afuera lo estaba esperando la inmensidad de lo desconocido. ¡Pobre Sultán! No sabes lo bien que uno se siente al encontrarse otro. Acabo de hallar por fin a alguien que se me parece, y ese alguien soy yo mismo. ¡Gracias, mil gracias, Dios mío y de los otros tío! Pudieron sucederme cosas peores. Morirme en forma no cristiana, sin el auxilio de la confesión, de los santos óleos. Lo que te ha sucedido es nada en comparación con lo que no te ha sucedido. Mas de poco te vale ser cristiano, Héroe, si no empleas algo de picardía. ¡Arre! Sigue tu camino sin hacer presagios.

Provecto, sarnoso, poseído de una extraña felicidad, se acomodó a la nueva vida igualitaria. Sin abatimientos ni aprovechamientos. Quien tiene dos tiene uno. Quien tiene uno tiene ninguno, se dijo. No fue a tumbarse sobre las tumbas de los realistas ahorcados en la conspiración fraguada para escarmentar a los realistas. Se largó a vagabundear por calles, mercados y plazas. Contaba historias fingidas por lo que le dieran. Sobras le sobraban. Ánimos no le faltaban. Lo que para un juglar callejero venía a resultar el alimento mismo de sus fábulas. Acabó en lazarillo de Paí Mbatú, un ex cura ex cuerdo, aunque algo pícaro, que también vivía en los mercados de la limosna pública.

Alucinados por las habilidades del ex can regalista, los hermanos Robertson * lo compraron en cinco onzas de oro. Por menos no quiso cerrar trato Paí Mbatú con los avaros ingleses. Fue el primer caso tal vez, en estas tierras de América, en que un criollo medio loco impuso sus condiciones a dos súbditos del imperio más grande de la tierra. Me pidieron autorización para traerlo a las clases de inglés. Perro más, perro menos, aquí no va a estorbar. Tráiganlo. Así fue como Héroe volvió a Casa de Gobierno cumpliendo su promesa. Lo que hizo pocas gracias a Sultán, que se sintió desplazado en las veladas por el intruso. Las historias de Las Mil y una Noches, los cuentos de Chaucer, las imaginerías de los deanes ingleses, lo llevaban a regiones de trasmundo. Cada vez que escuchaba palabras como rey, emperador o guillotina, Héroe emitía un gruñido sobresaltado. Analfabeto, chusma, Sultán volvíale las ancas despreciativamente. El hábito, más que la memoria, le hacía ladrar lejos de allí recorriendo uno por uno los cuarteles hasta el último puesto de guardia de la ciudad.

No todo es cuestión de memoria. Más sabe el instinto en lo indistinto.

* Juan Parish Robertson llegó al Río de la Plata en 1809, en el grupo de comerciantes británicos arribados a Buenos Aires poco después de las Invasiones que abrieron su puerto al libre comercio. Tenía por entonces diecisiete años. Se alojó en casa de una conocida familia. Madame O' Gorman fue una de sus principales protectoras. El emprendedor joven escocés frecuentó en seguida los círculos más prestigiosos, llegando a hacerse amigo del virrey Liniers. Asistió a la Revolución de Mayo "como a una pintoresca representación de las ansias de libertad de los patriotas porteños", manifiesta en una de sus *Cartas.* Tres años más tarde se le

Los dos hombres verdes de cabellos rojos llegan a la hora de costumbre. El perro Héroe los acompaña. Sultán sale a recibirlos. Pasen al estudio, señores. Marcada displicencia hacia el juglar callejero. Cierto temor lo encoge a la vista del cancerbero sans-culotte. Tomen asiento donde gusten, caballeros. Les indica los sillones. Por encima del hombro se dirige entre dientes a Héroe: Usté, al rincón. ¿Se ha bañado por casualidad? ¡Oh, sí, en agua de rosas, señor Sultán! ¿Trae pulgas? ¡Oh, no, Excelentísimo Señor Perro! Nunca salgo con ellas. Sufren de los bronquios, las pobrecitas. Temo que se me resfríen. Pueden pescar el moquillo, el mal de anginas. Qué sé yo. El clima de Asunción es insalubre. Está lleno de gérmenes. Las baño en la misma agua de mis abluciones. Las encierro en una cajita de laca china especial para esos animalitos, que me ha traído de Buenos Aires don Robertson, y ¡a dormir, pulguitas mías, mientras yo voy de tertulia a casa de El Supremo! Son muy obedientes. Han aprendido excelentes modales. ¿No es verdad, don Juan? Pienso hacer de ellas las pulgas ilusionistas mejor amaestradas de la ciudad. ¡Vaya al rincón, nadie le ha preguntado nada! Héroe se apelmazó contra el promontorio del aerolito. Anciano de los días, joven de un siglo, se pone a olfatear en la piedra el olor del cosmos, arrugando un poco la nariz.

En un caldero hierven sobre el fuego diez libras de aguardiente. El negro Pilar perfuma la sala con humo de incienso. Arroja polvos de barniz sobre el vapor. Sultán me abre la puerta del acueducto.

---

unió su hermano Roberto. Juntos acometieron la, para ellos, "gran aventura del Paraguay". Los Robertson reeditaron sus éxitos en Asunción, en todos los terrenos, con mayor fortuna aún que en Buenos Aires. Contaron aquí con la protección de *El Supremo* que los encumbró y acabó expulsándolos en 1815. Los Robertson se jactan en sus libros de haber sido los primeros súbditos británicos que conocieron el Paraguay, luego de atravesar la "muralla china" de su aislamiento, acerca del cual elaboraron una original interpretación. *(N. del C.)*

Entro con una placa de cobre calentada al rojo, y la habitación resplandece con destellos celestes. Chispas de todos colores. Los objetos se elevan un palmo, bordeados de un halo muy fino. Buenas noches, señores. No se levanten. Los dos hombres se vuelven rojos; sus cabellos, verdes. Descienden suavemente en los sillones hasta el piso. Se les mueve la anteboca en relieve. ¡Buenas noches, Excelencia! El tiempo se queda quieto un rato en la cola de los perros. Trae la cerveza Pilar. Ya está saliendo del sótano con la damajuana. Escancia el espumoso líquido en los vasos. Lo cierto es que, entre la conjugación de verbos ingleses y mis tanteos de tartamudas traducciones de Chaucer, de Swift o de Donne, los Robertson se bebieron durante cinco años mi fermentada cerveza. No iba a destapar una damajuana cada semana en homenaje a estos fementidos green-go-home. La carta de Alvear, director en los días de aquel tiempo del gobierno de Buenos Aires, fue la gota que hizo derramar el podrido líquido. Hasta ese momento lo bebieron. El mismo Juan Robertson trajo el cargamento de cerveza en uno de sus viajes. Mis buenos patacones me costó. Yo no recibo regalos de nadie. Se bebían la cerveza sin poder agotarla, pues su volumen crecía con la espuma de la fermentación. ¿No habrá manera de mantener tapados al menos los picheles hasta la próxima lección, Excelencia?, eructaba muerto de risa y escupiendo alguna que otra mosca viva, Guillermo, el menor y más cositero de los dos. No, Mister William, aquí son preciosos para nosotros hasta los restos más ínfimos. Somos muy pobres, de modo que no podemos renunciar ni siquiera a nuestro orgullo. But, sir, beber esto es to snatch up Hades itself and drink it to someone' health, se carcajeaba el menor de los Robertson. Pe kuarú haguä ara-kañymbapevé, peë pytaguá, me burlaba a mi turno. ¿Y eso, Excelencia? Vea qué nuestro guaraní todavía no es muy fuerte. Bien simple, señores: Orínense mi cerveza hasta el fin de los tiempos, por zonzos y codiciosos. ¡Ah, ah, ho, ho, houuu... your Excellency! ¡Ocurrente y chistoso siempre! Después de arrasar el infierno y bebérselo a la salud de alguien de su devoción, podían quedarse en efecto los dos mercaderes orinando mi cerveza hasta el Día del Juicio. Con el pichel en la mano, Juan Robertson canturreaba entre dientes su estribillo predilecto:

There a Divinity that shapes our ends,
Rough-hew them how we will! *

Entre sorbo y sorbo de las pestilentes burbujas, Juan Robertson dejaba escapar el gorgoteo de su cantinela. Ácidas burbujas de vaticinio. ¿Sueña la voz lo posible y efectivo? ¿Sueña sin que el cantante sueñe? Me han ocurrido cosas, mucho después de cantadas, sin que me diera cuenta de su aviso. El secreto esconde su sabiduría. Sin saberlo, Juan Robertson, tarareaba lo que iba a ocurrirle en la Bajada. Mas, algo de real en lo visible o audible, colijo yo siempre en un individuo sentado de estribor, media nalga al aire, como entonces por instantes se dejaba estar el inglés, igual que yo en este momento sin poder variar de posición. Ido, ausente, Juan Robertson berreaba para sí el preludio idiota, aparentemente sumergido en sus cálculos de ganancias y pérdidas. No era eso lo que hacía. Mas eso era exactamente. Cálculos de ganancias y pérdidas en el Libro de su Destino. Mejor así. Contracuentas en el Haber son más claras que las cuentas en el Debe.

¡Imaginación prodigiosa, Excellency! En la boca abierta del menor de los Robertson se formó un inmenso globo de espuma que dudaba entre remontar o caer. Reventólo con la uña del meñique. Descorchada la voz, continuó burbujeando su entusiasmo por el perro juglar. ¡La memoria de Héroe es asombrosa! Anoche dijo: Voy a componer una noveleta de treinta páginas. No hace falta más para describir episodios de una implacable utilidad puesto que nacen del alma de un renegado de su clase, mejor dicho de un converso... Debo reflexionar un poco sobre esta diferencia que me condena o exalta, según sea el cristal...

Héroe se bebió el resto del pichel, mirándome de reojo, el muy animal. Mandé al negro Pilar que volviera a llenar los vasos. Héroe estaba atacando de nuevo mi incredulidad con su gutural germanía. Como en un congreso de babélicos poliglotos, el anglómano iba traduciendo a remezones lo que gruñía Héroe. Los bigotes rojos llenos de espuma marcaban al pelo el compás de las cadencias: Habla de Nit... Madre de las Madres, que es a la vez macho y hembra. Esca-

* *Allí una Divinidad que modela nuestro destino / lo desbasta como nosotros queremos.*

rabajo, buitre, en su parte femenina. Mujer de la esfera negra, que tiene su doble en el hombre con cabeza de pelícano... Lo canturreado por el perro hispánico, traducido por el mercader escocés, me hizo pensar en el bestiario del Vinci: El pelícano ama a sus hijos. Si los encuentra en el nido mordidos por las serpientes, se abre el pecho a picotazos. Los baña con su sangre. Los vuelve a la vida. ¿No soy Yo en el Paraguay el Supremo Pelícano? Héroe se interrumpe, me mira con sorna a través de sus cataratas: Vuecencia ama tanto a sus hijos como la pelícano-madre; los acaricia con tanto fervor que los mata. Esperemos que su sangre de pelícano-padre los resucite al tercer día. Si así fuere, Ilustrísimo Señor, su imagen pelícana será celebrada por los anales patrioteros. Los capones la grabarán en los copones litúrgicos. Los Viejos la encerrarán en los espejos. No consideré adecuado el momento para responder al brulote del perro. Tuve la impresión de que los demás no lo habían oído. Juan Parish continuó traduciendo: ...Mujer de la esfera negra tiene su doble en el cielo, también un buitre de los corderos, que es a la vez macho y hembra... ¿De dónde has sacado eso? ¡No importa de dónde lo haya sacado! Tal vez de las Cantigas de Alfonso el Sabio, rey de Castilla y León quien, dicho sea de paso, tiene en sus Siete Partidas una bella definición de lo que es un tirano; o sea aquel que ama más hacer su pro magüer, tornando el señorío que era derecho en torticero. Tyrano, dijo el rey sabio, es aquel que con el pretexto del progreso, bienestar y prosperidad de sus gobernados, substituye el culto de su pueblo por el de su propia persona. Ansí se constituye en un falaz y peligroso pelícano. Su infernal artería, convierte en esclavos a los hombres que dice liberar. Los transforma en peces. Los va embuchando en la bolsa rojiza que le cuelga del insaciable pico. Sólo va escupiendo las espinas de las que brotan los cardos, las tunas, todas las especies espinosas. Mas lo peor que tienen los tiranos es que están cansados del pueblo, y ocultan su cinismo en la vergüenza de su nación. Ante la inocencia de sus vasallos se sienten culpables, y procuran que todos se corrompan de su lepra... Se ve que la calle te ha enseñado mucho, Héroe, pero no te pregunto ahora acerca de estas fabulillas tiranicidas. No te hagas aquí el Tupac Amaru. Acabarás descuartizado. Te pregunto por la fábula ésa del buitre de los corderos, que es a la vez macho y hembra. Te pregunto de dónde la has sacado. Qué más da. Pude sacarla de los libros de la Cábala, del Alcorán, de la Biblia, del Gentiloquio del marqués de Santillana, del aire que se cuela por los bordes de las puertas. El lenguaje es parecido en todas partes. Las fábulas también. No hay un punto fijo para juzgar. Se me hace que no salieron de las letras sino de las palabras de los hombres, anteriores a las letras. Qué más da si da menos saber el origen de las cosas que sus resultados. Todo está en símbolos. No se hace más que cambiar de fantasía. Ambos ojos engendran una sola vista. Un libro solo, todos los libros. Mas cada cosa lanza un cierto efluvio parecido y a la vez distinto de todos los otros. Exhalación, aliento propio. Los que más saben, los que más ven, siempre son los ciegos. Los de voz más dulce, los mudos. Los de oído más fino, los sordos. ¡Homero! ¡Oh mero repetidor de otros ciegos y sordomudos! La principal dolencia del hombre es su curiosidad insaciable por las cosas que no puede saber.

Está claro, dije a los hombres verdes. A este perro se le da el antojo de mi amanuense Patiño, por dorar metales, azogar espejos, empañarlos con el vapor de su aliento. Héroe quedó aplastado. ¡Vamos, gentlemen, absurdo estar pendiente de las mistificaciones de un perro! ¡Para peor, el ex can del último gobernador español! Sultán gruñó, pelando el descalabrado maxilar. ¿Saco de aquí a patadas, a sablazos, a ese perro atrevido, Excelencia? No, déjalo donde está sin estar, y tú quédate tranquilo donde debes estar y no estás, inconsulto inculto Sultán. Los Robertson y Héroe, aprovechando la interrupción, apuraron sus vasos con una sonrisita de burla.

Gentlemen, lo que este perro está relatando es una vieja historia. Desde los libros antiguos, incluido el Génesis, sabemos que el hombre primitivo ha sido en el origen varón/hembra. Ninguna progenie es enteramente pura. Cada cien años y un día, mejor dicho, cada largo día de cien años, lo varón y lo hembra se encarnan en un solo ser que hace surgir los seres, los hechos, las cosas.* Los hace surgir de un

* Jorge Luis Borges, en su *Historia de la eternidad*, citando a Leopoldo Lugones (*El Imperio Jesuítico*, 1904) anota que la cosmogonía de las tribus guaraníes consideraba macho a la luna y hembra al sol. En la misma nota dice: "Los idiomas germánicos que tienen género gramatical dicen *la sol* y *el luna*".

En otra de sus obras Borges nos informa: "Para Nietzsche, la luna es un gato (*Kater*) que anda sobre

pacto terrible y de un principio de mezcla. Los viejos de las tribus también saben aquí, sin haber leído el Symposio de Platón, que cada uno era originariamente dual. Tipos completos de hombres duales. Individuos de una sola pieza. Íntegros. Especies fijas. Muchas. Herencia indefinidamente asegurada por unión de lo mejor en lo mejor. Hasta que el pensamiento los desgajó de la naturaleza. Los separó. Los partió en dos. Continuaron creyendo que eran uno solo, sin saber que una mitad buscaba a la otra mitad. Enemigos irreconciliables en el impulso de lo que el Hombre-de-ahora llama amor. Los mellizos no nacieron de una madre; la llamada Madre-de-las-Madres, afirman los payés indígenas conocedores de sus cosmogonías, fue devorada por el Tigre-azul que duerme bajo la hamaca de Ñanderuvusú, el Gran-Padre-Primero. Los mellizos nacieron de sí y engendraron a su madre. Invirtieron la idea de la maternidad considerada erróneamente como don exclusivo de la mujer. Anularon la distinción de los sexos, tan cara e indispensable al pensamiento occidental, que únicamente sabe manejarse por pares. Concibieron o recobraron la posibilidad, no sólo de dos, sino de muchos, de innumerables sexos. Aunque el hombre es el sexo razonable. Sólo él puede ejercer la reflexión. Por ello también sólo él es el llamado, el destinado, el condenado a rendir cuenta de la sinrazón. ¿Cómo es posible que tengamos un solo progenitor y una sola madre? ¿No puede uno acaso nacer de uno mismo?

La única maternidad seria es la del hombre. La única maternidad real y posible. Yo he podido ser concebido sin mujer por la sola fuerza de mi pensamiento. ¿No me atribuyen dos madres, un padre falso, cuatro falsos hermanos, dos fechas de nacimiento, todo lo cual no prueba acaso ciertamente la falsedad del infundio? Yo no tengo familia; si de verdad he nacido, lo que está aún por probarse, puesto que no puede morir sino lo que ha nacido. Yo he nacido de mí y Yo solo me he hecho Doble. *(Nota de El Supremo.)*

---

alfombra de estrellas y, también, un monje". Una mente limitada y simétrica se preguntaría de inmediato: ¿Y el sol? ¿Cómo debió considerar Nietzsche al sol? ¿Una *sol-gata*? *¿Una sol-monja*? ¿Sobre qué clase de alfombras la debió hacer caminar? Los *Apuntes* de *El Supremo* dejan entrever que resolvió el acertijo propuesto por Nietzsche. Cortó por lo sano con otro acertijo en su invectiva sobre los historiadores, los escritores y la polilla: "Un insecto comió palabras. Creyó devorar el famoso canto del hombre y su fuerte fundamento. Nada aprendió el huésped ladrón con haber devorado palabras". *(N. del C.)*

Yes, certainly, Excellency, but... yo me arriesgaría a decir que está de por medio el principio del placer. ¡El sabio principio de la conservación de la especie! ¡Suprema felicidad! ¡Ah! ¡Oh! ¡Ouuu! Is it not so? Very very nice! Acordes, Mister Robertson. Mas una especie infinitamente asegurada no significa especies inmutables. All right, Excellency, but... Permítame, don Juan. No hay una *sola especie* de hombres. ¿Conoce usted, ha oído hablar de las otras especies posibles? Las que fueron. Las que son. Las que serán. Los seres provienen de raíces vivientes; no nacen sino cuando coinciden en la encrucijada del camino. Lo que no es casual. Sólo nuestro torpe entendimiento cree que el azar reina en todas partes. Natura nunca se cansa de repetir sus intentos. Nada sin embargo que se parezca a una lotería divina o panteísta. Si Uno crece y se acrece tanto y tanto de sí mismo, desaparecerán los Muchos. Quedará Uno solo. Luego ese Uno volverá a ser Muchos. ¿Usted sugiere, Excellency, arreglarse uno a solas... como pueda? Los hombres verdes de cabellos rojos me miraban socarrones. ¿Qué podían saber de mi doble nacimiento o desnacimiento? Les clavé la mirada hasta atravesarles la nuca: Sólo he dicho que por todas partes rige la necesidad de un parto terrible y de un principio de mezcla. El hombre es idiota. Nada sabe hacer sin copiar, sin imitar, sin plagiar, sin remedar. Podría ser incluso que el hombre hubiese inventado la generación por coito después de ver copular a la cigarra. ¡Ah, Excellency, admitamos entonces que la cigarra es un animal razonable! Sabe lo que es bueno y lo practica. Si yo fuese el primer hombre no sería el último en imitarla. Hasta aprendería a cantar como ella. Aproveche su verano, don Juan. Lo veía de nuevo en la quinta de doña Juana Esquivel, lindera a la mía, en Ybyray. Veía a Juan Parish, más que en victoria de cigarra, en víctima de la vieja ninfómana. Mujer de la esfera negra. Escarabajo, buitre en su parte femenina, que hacía en tierra su "doble" del verde cordero de Escocia.

Shsss Shsss I beg your pardon, Excellency! Héroe precisamente está contando algo de eso. Mientras yo hablaba, el maleducado ex can regalista no había parado de hablar, de modo que mis palabras salían fileteadas de sordos armónicos por los gruñidos del perro. Todo por llevarme la contraria, hasta en el terreno de lenguas y mitos desconocidos, desaparecidos. Me calcé los auriculares. Voz jeroglífica del perro. Voz medio borracha del intérprete inglés:

Héroe cuenta una leyenda céltica. Dos personajes forman uno solo. La old hag, la vieja hechicera, propone un enigma al joven héroe: Si éste lo descifra, es decir, si responde a los requerimientos de la repulsiva vieja, encontrará en su lecho, al despertar, a una mujer joven y radiante que le hará obtener la realeza... Dear Héroe, no te oímos bien. Un poco más alto. ¿No podrías ir un poco más despacio? El can hizo un desdeñoso movimiento de cabeza y continuó sin transición, ahora en castellano, rematando la burla: La vieja repugnante, o hermosa muchacha, ha sido abandonada por los suyos en el transcurso de una difícil migración mientras estaba dando a luz... Un poco más de cerveza, please. A partir de entonces la mujer vaga por el desierto. Es la Madre-de-los-Animales que rehúsa entregarlos a los cazadores. Quien la encuentra con sus vestimentas ensangrentadas tan aterrorizado se siente, que experimenta un impulso erótico irresistible. Infinitas ansias de cópula... Esconderse en un inmenso bosque fornicatorio. Hundirse en un mar seminario. Estado que la vieja aprovecha para violarlo, recompensándolo con una copiosa cacería. En este caso... Me reí con ganas interrumpiendo al fabulista. ¡Ah, por fin, lo vemos de buen humor otra vez, Excellency! La noche en verdad se ha puesto fresca y agradable con el viento del sur. Raro que empiece a soplar a medianoche. Quizás el viento del norte ha dejado de soplar a la hora de los fantasmas. ¡Ah capricho de los vientos! Y de los fantasmas, agregué, por disimular mis incontenibles carcajadas. ¿De qué se ríe con tanto entusiasmo, Sire? ¡Oh de una tontería, don Juan! Me acordé de pronto de nuestro primer encuentro, aquella tarde en Ybyray.

En sus *Cartas*, Juan Parish Robertson describe así el encuentro:

"Una de esas agradables tardes paraguayas, después que el viento del sudeste ha aclarado y refrescado el ambiente, salí a cazar por un valle apacible, no lejos de la casa de doña Juana. De pronto di con una cabaña limpia y sin pretensiones. Voló una perdiz. Hice fuego, y el ave cayó. ¡Buen tiro!, exclamó una voz a mis espaldas. Me volví y contemplé a un caballero de unos cincuenta años, vestido de negro.

"Me disculpé por haber disparado el arma tan cerca de su casa; pero con gran bondad y cortesía, conforme a la hospitalidad primitiva y simple del país, me invitó a tomar asiento en el corredor a fumar un cigarro y me hizo servir un mate con el negrillo.

"El propietario me aseguró que no había motivo para pedir la más mínima disculpa, y que sus terrenos estaban a mi disposición cuando quisiera divertirme con mi escopeta en aquellos parajes.

"A través del pequeño pórtico descubrí un globo celeste, un gran telescopio, un teodolito y otros varios instrumentos ópticos y mecánicos, por lo cual inferí inmediatamente que el personaje que tenía delante no era otro que la mismísima eminencia gris del Gobierno.

"Los instrumentos confirmaban lo que había oído de su reputación acerca de sus conocimientos sobre astronomía y ciencias ocultas. No me dejó vacilar mucho tiempo sobre este punto. Ahí tiene usted, me dijo con una sonrisa irónica, tendiendo la mano hacia el sombrío estudio-laboratorio, mi templo de Minerva, que ha dado pábulo a muchas leyendas.

"Presumo, continuó, que usted es el caballero inglés que reside en casa de doña Juana Esquivel, mi vecina. Respondí que así era. Agregó que había tenido ya intenciones de visitarme, pero que era tal la situación política del Paraguay, particularmente en lo tocante a su persona, que encontraba necesario vivir en gran reclusión. No podía de otro modo, añadió, evitar que se atribuyesen las más siniestras interpretaciones a sus actos más insignificantes.

"Me hizo entrar en su biblioteca, un cuarto cerrado con pequeñísima ventana, tan cubierta por el techo muy bajo del corredor, que apenas dejaba filtrar la luz decreciente del atardecer.

"La biblioteca estaba dispuesta en tres hileras de estantes extendidos a través del cuarto y podría contener unos trescientos volúmenes. Había varios voluminosos libros de Derecho. Otros tantos de matemáticas, ciencias experimentales y aplicadas, algunos en francés y en latín. Los *Elementos de Euclides* y algunos volúmenes de Física y Química, se destacaban entreabiertos sobre la mesa con marcas entre las páginas. Su colección de libros sobre Astronomía y Literatura general ocupaba una fila completa. El *Quijote* también abierto por la mitad en primoroso volumen con un señalador púrpura y galones dorados, descansaban sobre un atril. Voltaire, Rousseau, Montesquieu, Volney, Raynal, Rollin, Diderot, Julio César, Maquiavelo, hacían coro un poco más atrás en la penumbra que ya comenzaba a espesarse.

"Sobre una mesa grande, más parecida a un galeón de carga que a una mesa de estudio, se veían montones de expedientes, escritos y procesos forenses. Varios tomos encuadernados en pergamino se hallaban desparramados sobre la mesa.

"El Dictador se sacó la capa y encendió una vela que prestó débil ayuda para alumbrar la habitación, aunque más parecía allí para prender cigarros. Un mate y un tintero de plata adornaban otro extremo de la mesa. No había alfombras ni esteras sobre el piso de ladrillo. Las sillas eran de estilo tan antiguo, que parecían muebles prehistóricos extraídos de alguna excavación. Estaban cubiertos por viejas suelas o incrustaciones en un material desconocido, casi fosforescente, sobre el cual se hallaban estampados raros jeroglíficos, semejantes a inscripciones rupestres. Quise levantar una de estas sillas; pero a pesar de todo mi esfuerzo no logré moverlas un milímetro. Vino entonces en mi ayuda el Dictador y con su afable sonrisa hizo levitar la pesada curul con un leve gesto de la mano. Luego la hizo descender en el lugar preciso que mi pensamiento había elegido sin palabras.

"En el suelo de la habitación se hallaban desparramados sobres abiertos y cartas dobladas; mas no se podía decir en desorden sino de acuerdo con un cierto orden preestablecido que daba al ambiente, *desde abajo*, un aire levemente incomprensible y siniestro.

"Una tinaja para agua y un jarro se alzaban sobre un tosco trípode de madera en un rincón. En otro, las sillas de montar y los arneses del Dictador, que brillaban en la penumbra.

"Mientras conversábamos el negrillo se puso a recoger lentamente con estudiada parsimonia y como compenetrado de la importancia de su tarea, los botines, las chinelas, los zapatos desparramados por todas partes y que aun así, como ya he dicho, no alcanzaban a romper el orden más profundo e inalterable de un sistema preestablecido en el ambiente de la humilde vivienda tan prolijamente limpia y ubicada entre los árboles de modo tan idílico, que tenía toda la apariencia de estar habitada por un ser amante de la belleza y la paz.

"Desde el exterior, posiblemente desde los patios o corrales traseros, comenzó a llegar el creciente rumor de unos chillidos como de roedores hambrientos.

"Paré la atención, pues esos chillidos se me antojaban, por lo asordinados y atrozmente concertados, que venían de una cueva subterránea, por no decir de ultratumba.

"Sólo entonces también el Dictador, que no había dejado de pasearse todo el tiempo de un extremo a otro de la habitación mientras conversábamos, se detuvo.

"Llamó con una palmada a otra de las pesadas sillas, y se sentó ante mí. Al notar mi gesto de extrañeza por el cada vez más audible concierto de chillidos, me tranquilizó con su peculiar sonrisa: Es la hora de cenar en mi almáciga de ratas. Ordenó al negrillo que fuera a ocuparse de ellas."

¡Ah! ¡Usted se portó como un caballero en esta tierra hospitalaria! Pagó como pudo la interesada hospitalidad de la octogenaria doncella de Ybyray.* Cuando me retiré de la Junta, a causa de mi guerra

* "La situación de la casa de doña Juana Esquivel era absolutamente bella; no menos era el paisaje que la rodeaba. Se veían bosques magníficos de rico y variado verdor; aquí el llano despejado y allá el denso matorral; fuentes murmurantes y arroyos refrescando el suelo; naranjales, cañaverales y maizales rodeaban la blanca mansión.

"Doña Juana Esquivel era una de las mujeres más extraordinarias que haya conocido. En el Paraguay generalmente las mujeres envejecen a los cuarenta años. Sin embargo, doña Juana tenía ochenta y cuatro, y, aunque necesariamente arrugada y canosa, todavía conservaba vivacidad en la mirada, disposición a reír y actividad de cuerpo y espíritu para atestiguar la verdad del dicho de que no hay regla sin excepción.

"Me albergaba como príncipe. Hay en el carácter español, especial-

contra los militares, fui involuntario testigo de la otra guerra menos sorda aunque más íntima que tenía por escenario la Troya campestre de mi vecina Juana Esquivel. Oía a toda hora el fragor de su salacidad casi secular. La veía persiguiéndolo a usted por los corredores, entre el follaje, en el arroyo. La trompa de falopio resonaba aguerridamente a sol y sombra con energía suficiente como para aniquilar a un ejército. Los gritos de placer de la vieja rompían mis eustaquios.

---

mente como entonces estaba amplificado por la abundancia sudamericana, tan magnífica concepción de la palabra 'hospitalidad', que me permití, con demostraciones particulares de cortesía y favores recíprocos de mi parte, proceder en mucho a la manera de doña Juana. En primer lugar, todo lo de su casa, sirvientes, caballos, provisiones, los productos de su propiedad, estaban a mi disposición. Luego, si yo admiraba cualquier cosa que ella tuviera —el poney favorito, la rica filigrana, los ejemplares selectos de ñandutí, los dulces secos, o una yunta de hermosas mulas—, me los transfería de manera que hacía su aceptación inevitable. Una tabaquera de oro, porque dije que era muy bonita, me fue llevada una mañana a mi habitación por un esclavo, y un anillo de brillantes porque un día sucedió que lo miré, fue colocado sobre mi mesa con un billete que hacía su aceptación imperativa. Nada se cocinaba en la casa sino lo que se sabía que me gustaba, y aunque yo intentase, por todos los medios posibles, a la vez compensarla por su onerosa obsequiosidad y demostrarle lo que en mi sentir era más bien abrumador, no obstante encontraba que todos mis esfuerzos eran vanos.

"Estaba, por consiguiente, dispuesto a abandonar mi superhospitalaria morada, cuando ocurrió un incidente. Aunque increíble, es ciertísimo. Cambió y puso en mejor pie mi subsecuente trato con esta mujer singular.

"Me agradaban los aires plañideros cantados por los paraguayos acompañados con guitarra. Doña Juana lo sabía, y con gran sorpresa mía, al regresar de la ciudad una tarde, la encontré bajo la dirección de un guitarrero, intentando, con su voz cascada, modular un triste y con sus descarnados, morenos y arrugados dedos acompañarlo en la guitarra. ¿Cómo podría ser otra cosa? ¿Qué podía hacer ante tal espectáculo de chochera, desafiando aún más el natural sensible de la dama, que insinuar una sonrisa burlona? 'Por amor de Dios, dije, ¿cómo puede usted, catorce años después que, conforme a las leyes naturales, debiera estar en el sepulcro, convertirse en blanco para el ridículo de sus enemigos o en objeto de compasión para sus amigos'?

"La exclamación, lo confieso, aun dirigida a una dama de ochenta y cuatro años, no era galante, pues en lo concerniente a edad, ¿qué mujer puede soportar un reproche de esta naturaleza?

"Apareció bien pronto que doña Juana tenía a este respecto toda la debilidad de su sexo. Tiró al suelo la guitarra. Ordenó bruscamente al maestro de canto que saliera de la ca.

Hacían estremecer los árboles, hervir el arroyo cuando ambos se arrojaban desnudos a sus aguas. El ardor de doña Juana prolongaba el ardor de las siestas en las noches. Ponía el relente en estado de ebullición. Una neblina de ácido sabor se extendía bajo la luna. Penetraba en mi casa herméticamente cerrada. Impedía que me concentrara en mis pensamientos, en mis estudios. Perturbaba mi solitario recogimiento. Tuve que renunciar a mi afición favorita: Sacar el telescopio y observar las constelaciones. Veía a la esquelética cigarra de la old hag arrastrarse gimiendo sobre el pasto envuelta en una larga cola de humo. Usted, don Juan, el joven héroe de la leyenda céltica, era impotente para descifrar el enigma que la repulsiva hechicera le proponía compulsivamente variándolo una y otra vez. Una y otra vez se quedaba usted esperando la próxima violación, sabiendo de antemano que su recompensa nunca sería ver a la vieja transformada en radiante doncella. No se puede quejar sin embargo de que, a pesar de todo, no le haya recompensado otorgándole extremada suerte en la cacería de doblones, si no de pichones.

sa; a los sirvientes los echó de la habitación, y, en seguida, con un aspecto de fiereza de que no la creía capaz, me aturdió con las siguientes palabras: 'Señor don Juan, no esperaba insulto semejante del hombre a quien amo', y en la última palabra puso énfasis extraordinario. —'Sí —continuó— yo estaba pronta y todavía lo estoy, a ofrecerle mi mano y mi fortuna. Si aprendía a cantar y tocar la guitarra, ¿por qué causa era si no por darle gusto? ¿Para qué he estudiado, en qué he pensado, para quién he vivido en los tres últimos meses, sino para usted? ¿Y es esta la recompensa que encuentro'?

"Aquí la anciana señora mostró una combinación curiosa de apasionado patetismo y ridiculez cuando, deshaciéndose en lágrimas dio escape a sus sentimientos sollozando de indignación. El espectáculo era de sorprendente novedad y no exento de alarma para mí, a causa de la pobre vieja. En consecuencia, abandoné la habitación; le envié sus sirvientes diciéndoles que su ama estaba seriamente enferma; y después de oír que todo había pasado, me metí en cama, no sabiendo si compadecer o sonreír de la tierna pasión que un joven de veinte años había despertado en una dama de ochenta y cuatro. Espero que no se atribuya a vanidad el relato de esta aventura amorosa. Lo hago sencillamente como ejemplo de las bien conocidas aberraciones del más ardiente y caprichoso de todos los dioses, Cupido. No hay edad que limite el alcance de sus dardos. El octogenario lo mismo que el zagal son sus víctimas; y sus escarceos son generalmente más extravagantes cuando las circunstancias externas —la edad, los hábitos, la decrepitud— se han combinado para hacer increíble y absurda la idea de su acceso al corazón." *(Ibid.)*

Tengo mala memoria, don Juan. No sé en qué autor antiguo se habla de una Vieja-Demonio, armada de doble dentadura, una en la boca, otra en el bajo vientre. También aquí en el Paraguay, donde el demonio es hembra para los nativos, algunas tribus rinden culto a este súcubo. ¿Qué significa la vulva-con-dientes si no el principio devorador, no engendrador, de la hembra? Juan Robertson se contrajo en un ligero espasmo. ¿No caen esos dientes, Excelencia, a la vejez de la hembra? No, mi estimado don Juan. Se vuelven cada vez más filosos y duros. ¿Teme algo? ¿Le ha sucedido algo desagradable? Pienso que no, Excellency. De todos modos, don Juan, no está demás que usted se entere cómo conjuran estos riesgos los indios. Día y noche se ponen a bailar alrededor de la hembra-demonio. Bailan enloquecidamente, haciendo que ella también baile, salte, y se encabrite. A la salida del sol del tercer día, pueden ocurrir dos cosas: Los colmillos caen y blanquean el suelo en la Casa de las Ceremonias. Entonces los hombres corren tras esos dientes que saltan de un lado a otro, trémulos, colgados del cordón umbivaginal, hasta que se quedan quietos, convertidos en secas espinas de coco, de cardo, de tuna. Los cogen y los queman en un fogarón donde tardan otros tres días en consumirse llenando la maraña de un humo acre, espeso, viscoso, como corresponde a su origen y condición. Puede ocurrir también que no caigan los bajos-dientes de la mujer. Convulsos y enajenados, los danzantes-hombres se convierten para su mal en lo que aquí llamamos someticos o putos. A partir de su fracaso, son condenados a las tareas más humillantes. Es bueno precaverse contra tales contingencias. De pronto, sin preverlo, el más pintado puede estar hamacándose sentado en el cuerno de un toro. ¡Eh! ¡Eh! ¡Guarda Pablo de la hembra-diablo!

Juan Robertson puso las manos entre las piernas. Se arqueó en la contracción de la arcada. El hedor a cerveza llenó la habitación. Hasta los perros fruncieron las narices. Héroe lanzó en torno escrutadores visajes. Olfateó en todas direcciones. ¡Se diría que nos han invadido más de cien mil hembras-demonios a juzgar por el salaz hedor, Excelencia! Puede ser, puede ser, Héroe. Yo no huelo nada. Estoy resfriado. El can se arrimó al inglés que combatía su cólico hecho un arco de medio punto, la cabeza hundida en el pecho, los codos en las ingles. A modo de consuelo, Héroe farfulló sin convicción: Pronto se pondrá bueno, don Juan. No es más que un cólico moral, y como para que yo no lo entendiera agregó: Fucking awful business this, no yes, sir? Dreamt all night of that bloody old hag Quin again... Mandé al negro Pilar que echara gránulos de incienso y liquidámbar y una pinta más de aguardiente sobre la plancha de cobre al rojo. Los hermosos colores apagaron los malos olores. Vete, Pilar, a la cocina. Pídele a Santa que prepare una tisana de flores de eneldo, muérdago, malvablanca y yateí-ka'á. Entre el humo aromático y los destellos se entreveían azuladas las calaveras de los hermanos Robertson. Héroe y Sultán, amodorrados, dábanse despreciativamente el trasero. Únicamente se enfurecieron cuando Cándido y su criado el mulato tucumano Cacambo llegaron al Paraguay a guerrear en favor de los jesuitas. ¡Es un portento ese imperio!, exclamó exaltado Cacambo tratando de alucinar a su amo. Yo conozco el camino y llevaré a usted allá: Los padres son dueños de todo y los pueblos no tienen nada. Es la obra maestra de la razón y la justicia. Júbilo desbordante. Optimismo sideral. Sultán no entendía más nada. Creía estar en un Paraguay desjesuitado para siempre, y he aquí que dos sospechosos extranjeros cabalgaban rumbo al reino desaparecido con el que algunos osan comparar el mío. El ruido de los cascos de las cabalgaduras resonaban en la penumbra de la habitación. Todo el reino también. Redivivo, intacto, presente. Colmenero gigante, hormiguero de trescientas leguas de diámetro y ciento cincuenta mil indios. Las espuelas del padre provincial entraron haciendo chispear el piso. Reconoció en seguida a Cándido. Se abrazaron tiernamente. Sultán y Héroe, uno en un par, enloquecidos, rabiosos, embistieron a la búlgara paredes, puertas y ventanas, rugiendo más que cien dragones y víboras-perros. Impotentes contra esa inmensa, tornasolada pompa de jabón. Entre columnatas de mármol verde y color de oro, jaulas colmadas de papagayos, pájaros-moscas, cardenales, colibríes, toda la volatería del universo, Cándido y el padre provincial almorzaban plácidamente en vajilla de oro y plata. Cánticos suspendían los sentidos. Aves, cítaras, arpas, pífanos, suspendidos en el aire-música. Cacambo, resignado, comía granos de maíz en escudilla de palo con los paraguayos bajo el sol rajante, sentados sobre los talones, entre las vacas, los perros y los lirios del campo. Cándido, ¿qué es el optimismo?, gritó el mulato de Tucumán, lejos, a un tiro de fusil de la glorieta de mármol verde. Por lo que sé, le respondió Cándido, sostener lo bien que está todo cuando manifiestamente todo está muy mal. Entre los vapores del vino, la rozagante cara del padre no pareció enterarse de nada. Héroe y Sultán se lanzaron a la carga contra el tonsurado general de los teatinos. Acabemos con esta tracamundana, dije a los Robertson, empeñados en cazar al bureo un colibrí sobre la página del libro. Si han empezado a leer el cuento para matar el tiempo, imaginen que ya está muerto bajo el peso de tales fantasmagorías, o los perros nos matan a nosotros y también se devoran nuestras nalgas, dejándonos la mitad crédula del trasero, la mitad incrédula de la vida. El joven Robertson puso el plumón del colibrí entre las páginas y cerró el libro. Se levantaron los dos, palpándose presagiosos los glúteos, y buenas noches, Reverendo Padre Provincial, perdón, quiero decir Excelencia.

A propósito de la "almáciga de ratas" que *El Supremo* pudo en efecto tener con fines experimentales en su chacra de Ybyray, véase otro ejemplo del método usado por el doctor Días de Ventura y fray Bel-Asco para denostarlo y difamarlo, distorsionando los hechos. Los fragmentos que siguen se han extraído de la ya citada correspondencia privada entre estos dos acérrimos enemigos del Dictador Perpetuo:

"Rvdo. Padre y amigo:

"Me emocionan ya por anticipado "sus futuras *Proclamas de un Para-"guayo a sus Paysanos*, en las que con "su admirable arte de persuación los "convencerá de que deben rebelarse "y terminar con esta época de ver-"güenza y luto, antes de que sea de-"masiado tarde.

"Quizás pueda resultarle útil, en "este monstruario de hechos, la úl-"tima vesánica ocurrencia del Dicta-"dor, la que mantiene en el mayor "de los secretos. A imitación de los "prisioneros que domestican roedo-"res en los calabozos, me han infor-"mado confidencialmente que ha "instalado en su quinta de Trinidad "un inmenso vivero de ratones. Tiene "allí recogidas todas las especies de "roedores que se conocen en el país. "Ha puesto en la guarda del vivero "a dos o tres esclavos sordomudos. "El negrito José María Pilar, su ayu-"da de cámara, es quien vigila a los "cuidadores. La confianza que le tie-"ne y la inocencia del negrito son "acaso, a juicio del Dictador, sufi-"cientes prendas contra toda infiden-"cia. Pero por la boca de los niños, "aunque sean esclavos, es por donde "se filtran las verdades, las que a "veces toman formas de símbolos o "de parábolas.

"Desde lo alto de un mangrullo, "el negrito —según se me ha infor-"mado en fuentes fidedignas— tiene "la misión de observar y anotar pun-"tualmente todos los movimientos de "los millares de roedores. El Dictador "en persona acude a menudo a la "quinta para verificar los datos. Se-"gún las especies que corren, basadas "en los dichos del propio negrito, el "Gran Hombre ha convertido el vi-"vero en un extraño laboratorio. Se "dedica allí a experimentos de cruza "y, sobre todo, a observaciones sobre "el comportamiento gregario de esta "impresionante masa de colmilludos "mamíferos. Comidas a toque de cam- "pana; evoluciones, como si se trata- "ran de efectivos militares; ayunta- "mientos; incluso largos períodos de "hambruna durante los cuales la "campana suena a rebato hasta enlo- "quecer a esta multitud de ratas y "ratones; todo esto, digo Rvdo. Pa- "dre, lleva a sospechar que el diabó- "lico Dictador ensaya allí, en esta "suerte de borrador en vivo, sus mé- "todos de gobierno con los que está "bestializando a nuestros paysanos.

"La última experiencia supera to- "dos los límites que una persona hon- "rada y en sus cabales pueda imagi- "nar. Imagínese S. Md.: ¡Algo verda- "deramente demoníaco! El Dictador "ha mandado encerrar en la más "completa obscuridad al cachorro de "una gata, desde el momento mismo "de su nacimiento. Durante tres años, "el tiempo que ha pasado desde que "el Dictador asumió el poder abso- "luto, el cachorro ha sido mantenido "en total soledad y aislamiento, lejos "del contacto con cualquier otra es- "pecie viva. El gato ya adulto fue "sacado en una bolsa de cuero de su "hermético encierro y conducido al "vivero. Allí, bajo el sol a plomo, el "gato fue liberado y arrojado entre "los millares de roedores famélicos, "mientras el negrito rompió el aire "de la siesta con el repiqueteo de la "campana. Supóngase usted, mi ami- "go, el fogonazo del sol quemando "de golpe los ojos del gato acostum- "brado a la tiniebla más completa "desde su nacimiento. ¡La luz lo cie- "ga en el mismo momento en que la "conoce! Bien alimentado en su cue- "va nocturna, tampoco conoce a la "especie ancestralmente enemiga que "lo rodea y lo ataca ferozmente has- "ta convertirlo en contados segundos "en pequeñas astillas de hueso que "son llevados en todas direcciones, "en medio de ese espantoso aquela- "rre. ¿No es esto, Rvdo. Padre, algo verdaderamente satánico?

"La mayor fuerza de un gober- "nante reside en el perfecto conoci- "miento de sus gobernados, dijo el "Dictador en su discurso inaugural. "¿Estamos condenados los paragua- "yos, al menos nuestros paysanos que "no han podido escapar de la perre- "ra hidrófoba, a la suerte de ese "pobre gato nacido en una mazmo- "rra? Saque S. Md. en sus *Proclamas* "saludables advertencias. Su devoto "amigo q.b.s.m. *Buenaventura Días* "*de Ventura."* *(N. del C.)*

Encerrado en mi cuarto-menguante, pasaba por las noches el paño de bayeta sobre el cráneo. Sólo después, mucho después, empezó a brillar tenuemente. Soltó cierto sudor rosado bajo el calor de la frotación. Yo soy el que frota, le dije, pero tú eres el que sudas. No cesaba de fregar en plena oscuridad. Noche tras noche durante nueve lunas. Sólo entonces empezaron a saltar chispas muy diminutas. ¡Ya está empezando a pensar! Luz-calor. Todo sabido. Todo blanco. El corazón resoplando en la boca. Todo blanco/todo negro. ¡Enorme trémula alegría! Cosas de niño volando de lo solo a lo solo. O mejor: Cosas de niño aún nonato incubándose en el cubo de un cráneo. Cualquier recipiente puede servir, aun la cabeza muerta del que se ha deslizado al cubo del ataúd, víctima de imprevista enfermedad o esperada vejez. Mejor todavía el que ha quedado enterrado en tierra simplemente. Mas yo era un no-nacido, oculto voluntariamente entre las seis paredes de un cráneo. Los recuerdos del hombre adulto que yo había sido presionaban sobre el niño que no era todavía llenándolo de zo-sobras. ¡No temas!, le decía para animarlo. Los hombres cultos son los más ocultos. Ansían volver a la naturaleza que han traicionado. Volver, por miedo a la muerte, al estado que más se parece a la muerte. Algo semejante al encierro obligatorio en una cárcel, en un calabozo, en una comisaría, en una colonia penitenciaria, en un campo de concentración. Todo esto no lo pensé entonces, en la penumbra sin aire del altillo. Lo imaginé, lo imaginaré después.

Nacer es mi actual idea... *(quemado, ilegible el resto).*

¿Cuánto tiempo puede estar enterrado un hombre sin descomponerse? A según, si no está podrido antes de morir tirará a durar cuantimás ocho o nueve años. A fote que si es buen cristiano y muere cabal el día de su muerte, puede que tire hasta el día del Juicio, capaz que. Resucitar de entre los muertos a la sola voz de Dios. Todo sabido, niño Josué. Yo no me llamo Josué. Sí, niño. Desde el taitá Adán hasta Nuestro Señor Jesucristo, siempre ha sido así. Josué. O Adán. O Cristo. ¿Puede alargar su vida el hombre, machú Hermogena Encarnación? Si no es culpable de su muerte no acorta su vida. Se empieza a envejecer desde que se nace, niño Josué. La antigüedad del hombre siempre recula. Pero dónde ha visto usté a un vivo que no acorte su vida a voluntá. Nadie sabe desertar de su desgracia.

El aya volvióme la espalda mientras se untaba el pelo motoso, la nuca, los riñones, los senos, con grasa de tortuga. Déjese de tanto preguntar, amito Josué, y venga a frotarme la cintura. Ya estoy vieja y no me alcanza la mano ni la fuerza de la mano. Se tumbó en el piso. Empecé a friccionar distraídamente el fardo de arrugas pensando en el cráneo, mientras el aya canturreaba la boca pegada al suelo:

...Yo nunca moriré
sin saber por qué por qué
por qué
por qué
oé oé oé...

¿Cuánto tiempo le parece a usted que ha estado enterrada esta calavera? ¡Eá, che Dios! ¿Para qué guardá eso? Todas las calaveras son locas. ¿Por qué, machú Encarna? ¡Eá, porque han perdido su seso pues! Esta calavera, dijo dándole vueltas entre sus manos pardocenizas, ha estado enterrada hace nueve mil ciento veintisiete lunas. La luna que viene se irá y morirá otra vez. Ji. Mejor, por mi mal consejo, llevala usté al cementerio erio erio. Dígame, machú Encarna: ¿Cabeza de hombre o de mujer fue? De hombre, de hombre. Vea ahí la cresta de gallo. Señor muy principal fue. Por el olor se sabe la calidá. Cuanto más calidá tiene el dueño en vida, peor olor tiene después de muerto erto erto. En otro tiempo tenía lengua, podía cantar:

Cuando era joven
guitarreando
guitarreando

pasaba el tiempo
pasaba y pasaba
pasabá avá avá *
avá avatisoká **

La lengua del señor está ahora en poder del señor gusano. Ji ji ji. ¡Ah señor sin juicio no llegarás al Día del Juicio! Ji ji ji. Esa osamenta no le ha de servir, niño, más que para jugar a los bolos olos olos. Ni siquiera para eso le va a servir. Ahora que la miro bien, veo que cabeza de indio fue. El canto mismo lo dijo. No hay como cantar para saber las cosas. Fíjate usté aquí: La mancha de la argolla en el hueso, la zanja de la vincha. Tirala al río de los payaguá guá guá. ¡Tirala, mi amito, le puede traer una mano grande de desgracia! ¡Oé oé oé! La voz del aya rebotando entre las seis paredes: ¡Eso no es juguete para un niño!

Yo no era un niño. No lo era aún. No lo sería más. El aya riéndose: Cuando usté chupaba mi teta yo no sentía tu boca. A usté lo que le falta es estar en su ser natural.

Ay suerte qué mala suerte
cuando la burra quiere el burro no puede...

Risa. Lo blanco en lo negro. Tu mamá de usté te malcrió demasiado mal luego, niño Josué. Más peor cuando se tiene dos madres. ¡Cállese, Hermogena! ¡Yo no tuve madre!, dije, pero el aya había volado por la ventana dejando sólo el retumbo de su risa de pájaro de mal agüero.

Me veo explorando a la luz de un candil la carcaza de hueso. Primer mapamundi de un mundo que cayó en mis manos. Pequeño calabozo donde estuvo encarcelado el pensamiento de un hombre. No importa si indio o gran señor. Más grande que el globo terráqueo. Vacío ahora. Quién sabe. Bah buen asunto. Imaginación viva imaginando imaginación muerta. No hay vacío en ninguna parte.

* *Avá*: en guaraní, indio.
** *Avatisoká*: palo o mano de mortero.

En todo caso, qué hay en el vacío que pueda asustar. Los que se asustan de la imagen que ellos mismos han fabricado, esos son niños. Meto la vela en el interior del cráneo. La esponjosa transparencia deja adivinar el desvanecido laberinto de materia hoy ausente. Manchas. Solamente rastros en la blancura de la rotonda. Mido, marco, vigilo a compás. Radios, diámetros, cisuras, ángulos, celdillas, nebulosas orbitarias, circunvoluciones temporales, zonas occipitales, equinocciales, solsticiales, regiones parietales. Lugares de las grandes tormentas del pensamiento. Agujeros sin fondo. Cráteres. Globo lunario. Anciano cráneo. Cráneo de anciano o de joven. Sin edad. La sutura metópica lo divide en dos mitades. Niñez/Vejez. Ahora que yazgo en mi antigüedad sin haber salido de la infancia que no tuve, sé que debo tener un principio sin dejar de ser un término. Dadas tres o cuatro vidas o tal vez cien vidas en esta tierra ingrata, yo habría podido llegar a algo. Saber lo que hice con exceso o con defecto. Saber lo que hice mal. ¡Saber, saber, saber! Aunque ya sabemos, por las Escrituras, que sabiduría añade dolor.

En la cripta-enterratorio de la gótica pagoda de Monserrat los estudiantes leíamos en secreto los libros de los autores "libertinos", sentados sobre cráneos ya desautorizados hacía siglos. A la luz de las velas de sus sepulcros, entre el revolar de los murciélagos y los miasmas de la muerte, esos libros de los "anti-Christos" tenían para nosotros un extraño sabor a vida nueva.

Fray Mariano Bel-Asco confía a su amigo el doctor Ventura Días de Ventura, mucho tiempo después, el siguiente informe acerca del sobrino estudiante:

"El arriscado muchacho se convierte en seguida en uno de los primeros de la clase. Su contracción al estudio le permite avanzar más rápido que sus compañeros. En dos años realiza dos cursos para bachiller en artes, al final de los cuales ha dado examen de Lógica y tres cursos completos de Philosophia, graduándose de Licenciado y Maestro en Artes. Se metió en la cabeza un volumen de Estética, que lo tornó visionario. El latín es su fuerte. Lo habla a la perfección y en él escribe sus ensayos y estudios, sus cartas de amor, así como los pasquines clandestinos con los que bombardea el Convictorio y la Casa Rectoral.

"Cuando se llevó a cabo la recepción del nuevo alumno en el Internado, no presentíamos aún que aquel adolescente de quince años sería con el correr del tiempo el protagonista de uno de los dramas políticos más terribles de la América del Sur.

"El Rector le dio el espaldarazo en la Sala Secreta de la Comunidad. Los colegiales abrazaron al asunceño en señal de caridad y bienvenida. Todos besamos al obscuro y taciturno Judas en ambas mejillas costrosas de granos. Besamos sus manos que luego abofetearía a todos los que le ayudamos e hicimos algún bien en lo temporal y lo eterno.

"Temperamento nervioso e irascible. Reconcentrado. Nada comunicativo. Altanero, rebelde, con Profesores y condiscípulos. Nada hace por ganar su simpatía, pero se les impone por su inteligencia y tenacidad. En el aula y fuera de ella, su fuerte personalidad impresiona vivamente. El recuerdo de sus travesuras y hazañas perdura por mucho tiempo en las tradiciones del Claustro. Respecto de sus compañeros, gusta sobremanera dominarlos, y lo consigue porque es audaz, voluntarioso, intrépido en sus proyectos y ejecuciones. Frecuentemente riñe con ellos y los amenaza con un puñal del cual jamás se separa. Pero es su coraje el que impone respeto a sus condiscípulos. Algunas anécdotas lo prueban.

"En el interior de la iglesia de la Compañía (que él denominaba la 'Gótica Pagoda') existía un profundo subterráneo que atravesaba buena parte de la Ciudad y desembocaba en el edificio llamado Noviciado Viejo. Aquella cueva que guardaba numerosos sepulcros de santos e ilustres varones, tenía además calabozos para la aplicación de penas corporales. Los estudiantes solían hacer escapatorias a juergas y parrandas nocturnas a través de esa catacumba. El becario asunceño hacía de puntero en las correrías con una linterna. Una noche indujo a uno de sus compañeros a que lo acompañara. Muerto de miedo pero impelido por su amor propio, según confesó después, éste hizo la travesía del lúgubre pasaje. De entre los sepulcros, una calavera se les atravesó a mitad de camino cerrándoles el paso. El acompañante tropezó en ella y cayó medio muerto del susto. Entonces el impetuoso juerguista desenfundó el estoque y lo hundió varias veces en las cuencas de la calavera. Una queja de animal herido hizo vibrar el subterráneo. El arma salió goteando sangre ante el pavor del otro que presenciaba la macabra escena como desde una pesadilla, dijo. De un puntapié el cabecilla lanzó el cráneo contra el muro, a tiempo que una rata escapaba de entre los pedazos de hueso esparcidos sobre el suelo. Este episodio le ganó al alumno paraguayo una fama algo siniestra, y acrecentó su influencia sobre los demás.

"Durante uno de los paseos estudiantiles a las afueras de la ciudad, en la quinta de recreo de Caroyas, grabó su nombre en la piedra inaccesible de un cerro. Mucho más tarde, un rayo partió la piedra y destruyó la señal, pero su nombre quedó indeleble sobre el que fuera su pupitre, como que lo había hecho a punta de cuchillo con rasgos tan profundos que atravesaron de parte a parte el madero.

"En otra ocasión obligó a tragar los carozos de varios duraznos a un compañero que le hurtaba las frutas. Ya para entonces en el Colegio lo apodaban *El Dictador*, mote preanunciante que por desgracia se cumplió, trascendiendo los límites del Real Colegio en aquella etapa de su formación juvenil. En el *Libro Privado* sobre los Colegiales, los PP. Rectores Parras y Guittian corroboran que es muy adicto a las diabolicas doctrinas de esos anti-Christos que están surgiendo en legión en Francia, en los Países Bajos o del Norte. Lector infatigable de esos nuevos Libros de Cavallería, no ya de Romances solamente, ni de Historias Vanas o de Profanidad como son los Amadises y otros desta calidad, se inficionó profundamente de las macchiabelísticas ideas que pretenden erigir una sociedad atea sobre la abominación del hombre sin Dios.

"Se expulsó pues del Real Colegio al rebelde cabecilla, que tuvo que continuar sus estudios en la Universidad como manteísta o alumno libre (más bien *libertino* sería correcto decir en su caso) hasta terminarlos y recibir el bonete con la borla *in utroque juris* de Doctor en Sagrada Teología y Philosophia, de manos del propio San Alberto.

"Se ha consumado una nueva injusticia, en la que yo tengo doble parte de culpa como profesor y pariente. La expulsión del aberrante discípulo debió de ser completa; su castigo, ejemplar. ¡Cuántos tyranos, cuántos siniestros personajes que han desatado torrentes de sangre y llanto, se habrían podido evitar aplastándolos a tiempo, cuando el viborezno empieza apenas a levantar su ponzoñosa cabeza! Estos avernales ophidios traen su marca al nacer en sus testas triangulares. Incurrí en la debilidad de interceder por mi sobrino. No sólo abogué por él, constituyéndome en garante de su futuro moderado comportamiento. Pagué inclusive una deuda de dinero que tenía con el Colegio. Finalmente, para mayor irrisión y castigo de mis pecados, oficié de padrino en la ceremonia de colación de grados.

"Si algo faltara para modelar la imagen de su orrendo character, basta agregar un hecho más que rebela desde muy adentro los entresijos de su retorcido espíritu. Por los días de su expulsión, recibió la triste noticia de la muerte de su madre. Hecho luctuoso para todo hombre bien nacido y de buenos sentimientos. En él no hizo la menor mella. ¿Creéis, amigo Ventura, que el Dictador dio muestras en algún momento de sentirse afectado en lo más mínimo? ¡Muy lejos de ello! Seca su alma del amor filial, que hasta los animales demuestran, él no pareció enterado siquiera del congojoso acontecimiento. En lugar de tribulación y duelo manifestó, por el contrario, una insensibilidad total, arreciando en los desplantes sarcásticos de su comportamiento contra Profesores y condiscípulos. En fin, yo le podría relatar infinidad de casos similares, pero de este engendro, mi estimado amigo, sólo se puede hablar con rigidez en la punta de un tenedor, y temo se me fatigue usted de leerme como lo estoy yo de escarbar en materias tan duras y oprobiosas", concluye fray Mariano su larga carta a Días de Ventura. *(N. del C.)*

El rector me manda llamar. Me manda que me prosterne ante su silla, y poniéndome un brazo sobre el hombro me habla paternalmente al oído in confessione, acariciándome el lóbulo del otro con sus yemas sedosas: Lo que mucho nos acongoja y conturba es el veneno de sedición y ateísmo que están infiltrando en vuestros espíritus los libros y las ideas de estos libertinos impostores que leéis a escondidas. El demonio, hijo mío, sopla las páginas de esos libros deicidas y regicidas. Escupe sobre los Libros Santos su excecrable baba de doctrinas exóticas. Vea, su paternidad, también es exótico el Dios que habéis traído a nuestra América poniendo a su servicio a los dioses mitayos y yanaconas de los indios. ¡No seas hereje, hijo mío! No, reverendo padre. Simplemente queremos saber lo nuevo, no seguir repitiendo como loros las Patérnicas, la Summa, las sentencias de Pedro Lombardo. Todavía queréis destruir a Newton a fuerza de silogismos, y sólo podéis remendar vuestro bastión teológico en ruinas con otros viejos trozos de suela. Nosotros, en cambio, pensamos construir *todo nuevo* mediante albañiles como Rousseau, Montesquieu, Diderot, Voltaire, y otros tan buenos como ellos. Omnia mecum porto, reverendo padre, y si llevo todo lo mío conmigo, esas nuevas ideas forman parte de nuestra nueva naturaleza. No podréis confiscarlas, a menos que nos lavéis el cerebro con ácido muriático. ¡Cerdo rebelde! El redondo salivazo rectorial se me aplastó contra el ojo enjuagándolo. Noté que visionaba mejor aún. Paradojas de los lavados mal hechos. Cuando la lluvia es fuerte, los hombres se embarran y los cerdos van quedando limpios.

Tengo un viejo cráneo en las manos. Busco el secreto del pensamiento. En algún punto los más grandes secretos están en contacto con los más pequeños. Este es el punto que rastrea mi uña sobre el hueso. Lustravit lampade terras. Tras mucho buscar al tanteo creo haber ubicado ya la sede tronal de la voluntad. El sitio del lenguaje bajo este hongo de afasia. Aquí, la olvidada pantalla de la memoria. Inmóviles, las que fueron usinas del movimiento. Desaparecidos los sentidos; la razón que nos hace miserables; la conciencia que nos torna cobardes porque nos hace saber que somos cobardes y miserables.

Hago girar entre mis manos la bola calcárea. Valles, depresiones obscuras donde retoza Capricornio. Cuernos en llamas. Montañas. Una montaña. Sombra de una montaña. La cumbre fosforece aún vagamente. Se apaga. Retiro el cabo de vela humeante. Entro yo. No hay más horizonte que el hueso que piso. Voy arrastrándome hacia el punto exacto que no desvaría. Gran obscuridad. Silencio grande. Ni el eco responde a mis gritos en el cóncavo calabozo. Ruido de pasos. Salgo rápidamente.

Delación del aya. Emboscada. Zancajos del capitán de artillería de las milicias del rey. Rechinar de la puerta. El que dicen que es mi padre, el mameluco paulista, está ahí inmenso, imponente, amulatado. Voz alta, altísima, oída desde el suelo. Tarda en llegar hasta mí. Tronante disparo de cañón: ¡Miserable! ¡Jogar-se jôgo da bola com um cráneo humano! ¡Haverem vergonha malnacido! ¡Vai'mbora ahora mismo a enterrarlo en la contrasacristía de la Encarnación! Después confesarás esta profanación ao senhor cura! El aya, señor, dice que no es cabeza de cristiano sino de indio. ¡Arrójala entonces al río! Negro de rabia sale el capitán de milicias lanzando un portazo-papirotazo que casi me troncha la cabeza. El cráneo ha saltado al rincón más obscuro. Ha quedado allí cabeceando a diez pasos. Suplicando. Suplicando. Suplicando él también su vuelta a la tierra. Blanco, desnacido, inacabado. Todo blanco en la pequeña sombra lechosa que derrama en la obscuridad. Suplicante de memoria. Penitente olvidado de la costumbre de los vivos. Hecho tierra suplica volver a la tierra. Se arrastra hacia mí. ¡Llévame, entiérrame de nuevo! Se balancea borracho. ¡No soy más que la calavera de alguien que fue un calavera hideputa! Está llorando por las cuencas vacías. ¡Vamos truhán malagradecido! No llores ahora. Si viviste débilmente, debes estar muerto al menos con gran firmeza. No me engañes. Eres una cala-vera; no seas una cala-falsa. No eres un hideputa libertino, como lo es el que pretende ser mi progenitor. Ah tú, rapaz, nada sabes porque aún no has nacido. El aya me ha dicho que eres el cráneo de un indio. ¡No, rapazuelo, no! ¿Cómo hablaría entonces castellano antiguo de la propia Castilla la Vieja? Con acento manchego, si pides más. Claro, no estás ducho aún en el arte de los sonidos del lenguaje. De lo contrario sabríades la cosa verede de que soy un redomado hideputa. Crié fama de mentiroso para decir impunemente la verdad. Las ayas mienten más que las hayas cuyos frutos sólo sirven para engordar a los cerdos. ¡Por caridad entiérrame, arrójame al río! ¡Un lugar bien obscuro donde pueda ocultar mi vergüenza! De pie ante él, entre el retumbo que llena mi cabeza aporreada, entreoigo su silencio suplicándome, suplicándome, suplicándome. Recojo el tiesto gris. Todos los grises llegan al mismo nivel del principio. Ahí donde la caída comenzó. El gris azogado se sitúa entre lo blanco y lo negro; lo blanco reducido al estado de tiniebla. El zumbido llena mi cráneo saliendo por los oídos, por la boca, por las cuencas de esa obscura blancura que acuno en mis brazos. Todo sabido: Blanco. Todo pasado: Gris. Todo cumplido: Negro. El canturreo del aya me viene a la boca. Lo dejo chirriar entre los dientes apretados, apretada la boca contra el hueso del cráneo penitencial-pestilencial. ¿Qué pasa ahora? ¡Sufro mucho, rapaz! ¡El sentimiento de mi culpa me ha destrozado. Mi madre me dijo un día con los ojos vidriosos: Cuando estés en la cama y oigas ladrar a los perros en el campo, escóndete bajo el cobertor. No tomes a broma lo que hacen. Volvió a tiritar la bola blanca. ¡Vamos, cráneo, olvídate de esas menudencias! ¡Olvídate de tu madre! Piensa en algo serio; necesito que pienses en algo serio. Estás comenzando a fastidiarme con tu genio melancólico. Eras mucho más divertido cuando me proponías acertijos o te burlabas de los sepultureros. Lo encerré en una caja de fideos, que escondí luego en el desván entre la chatarra que allí guardaba el capitán de milicias.

Por algún tiempo el paulista hideputa iba a dejarme en paz. Partió al poco tiempo en uno de sus viajes de inspección por los puestos de Costa Abajo y Costa Arriba, hasta el remoto fuerte Borbón. Disponía yo ahora de un tiempo precioso y de la ausencia de tiempo. Senté mis reales en el desván. Llevé la caja a lo más obscuro del altillo. Sentado ante ella me ponía a vichear el bulto blancuzco a través del redondel de vidrio sin que pasaran las horas ni viera el declinar del día. Sentía que era noche cuando la obscuridad se adensaba dentro de mí. Entonces sacaba el cráneo y lo llevaba a mi cama. Cuando comenzaban a ladrar los perros lo metía bajo el cobertor; sus maxilares temblequeaban de miedo, los parietales húmedos de un sudor helado. Todo blanco bajo las cobijas, destilando en la obscuridad esa lividez y humedad que no eran de este mundo. Lo acosaba a preguntas. Dime, tú no eres el cráneo de un libertino hideputa ¿verdad? ¡Dime que eso no es verdad! ¡Tú eres el cráneo de un señor muy principal! ¡Responde! Él bostezaba. Cada vez menos memoria. Cada vez menos ganas de hablar. Cuando la calavera se ladeaba yo sabía que se había vuelto a morir-dormir. Mudo, sordo, blanco, ardiendo en lo blanco, el cráneo. Helado. Sudado. Soñándome. Soñándome de una manera tan fuerte que me hacía sentir dentro de su sueño. Junto a mi cuerpo se extendía su cuerpo lleno de miembros pensantes. Cansado de buscar con las manos, con los pies, ese cuerpo pegado al mío sin tocarme; cansado de sondear en vano esa profundidad, yo también acababa durmiéndome bajo el sudario de las sábanas. El esfuerzo por no dormir me dormía. Me vencía el sueño, pero sólo por un instante. En menos de un segundo tornaba a despertarme. Tal vez no he dormido nunca; en este tiempo ni en ningún otro. Igual que ahora, me hacía el dormidormido. Acechaba su sueño. Espiaba su despertar, el más mínimo movimiento sonámbulo, que no era abrir los ojos solamente, moverse, chasquear la lengua en lo amargo de la saliva fermentada por los miasmas de la protonoche. Pendiente de ese hilo trémulo, yo llegaba siempre tarde sin embargo. Era necesario recomenzar desde el principio, empezar desde el fin. Acordar entre los dos esa fracción infinitesimal de tiempo que nos separaba más que milenios. ¡Escúchame! Mi voz bajaba hasta emparejarse a su silencio. ¿No crees que poniendo una segunda agua a nuestros techos podríamos entendernos? Puede que con dos vertientes en contrapares nuestro pensamiento vuele más. ¿No podría ser que se encontraran, llovieran a dos aguas tu muerte y mi vida? Yo suplicaba ahora: ¡Quiero nacer en ti! ¿No entiendes? ¡Haz un pequeño esfuerzo! Total ¿qué te cuesta? Mis lágrimas de niño mezclándose a su silencio, el sudor que manaba de él tenuemente, heladamente. Pero aun cuando esto fuera posible, castañeteó al fin, nacerías tan viejo que antes de nacer ya estarías de nuevo en la muerte, sin poder en realidad salir nunca de ella. ¡No entiendes! ¡No entiendes tú, viejo cráneo! Tienes la cabeza de cascote de un castellano viejo. ¡Pobre España! ¡Cuándo podrá salir de la Edad Media con esta especie de zotes como tú! Lo único que te pido es que permitas incubarme en tu cubo íncubo. No quiero ser engendrado en vientre de mujer. Quiero nacer en pensamiento de hombre. Lo demás deja por mi cuenta. Bueno, chaval, si no es más que eso ¿a cuento de qué te pones tan pesado? ¡Pardiez! ¡Sal por el agujero que te plazca y deja de fregar la paciencia! No habrá gran diferencia; te lo asegura alguien que sabe de agujeros.

Desde entonces el cráneo fue mi casa-matriz. ¿Cuánto tiempo estuve ahí gestándome por mi sola voluntad? Desde antes del principio. Intenso calor. Superficies ardientes. Contracciones. Circunvoluciones de materia en combustión caen sobre mí sin quemarme. Inundan mi no-ser. Me sumergen en el aire-sin-aire. Fuego primigenio. ¿No es así como el alimento de los naturales es cocinado? ¿No es de este modo como las criaturas salvajes son engendradas, sin necesidad de una madre? ¿Menos aún de progenitor?

Silencio infinito. Más que en el cosmos. Entra, golpea sólido, suena en el hueso. En la imaginación resuena el hueso. Vibra entonces suelo, bóveda, cúpula. Vibra hasta la sombra. Gris-blanca, ahumada-negra. Entre los dos, según. No somos uno. No somos dos. Él ya fue. Yo no soy Yo todavía. Siento que el universo se comprime sobre mí envejeciéndome dentro del cráneo. ¡Vamos apúrate!, farfulla el presta-cráneo. ¿O es que vas a empollar ahí durante una eternidad y un pico de la otra? ¡Ya va, ya va, cálmate! Paso mis manos sobre la calota húmeda. La acaricio, pringado de sudor. Materia embrionaria. Tal vez le sienta crecer el cabello. Por lo menos eso; un signo, un indicio. Los cabellos crecen ¡por fin! Crecen, crecen hasta llenar todo el cuarto-creciente. Me envuelven. Me asfixian. Calor. Obscuridad. Materia viscosa. Un cordón ardiendo en la boca. Cosida la boca. Cosidos los ojos. Una voz de trueno: ¡Lázaro veni fora! ¿No te he ordenado que enterraras ese cráneo? Su mal olor tenerem la casa convertida en muladar. ¡Cabeza podrida de indio! ¡Arrójalo al río! ¡De lo contrario yo mesmo te arrojaré con la calavera!

Salgo otra vez. Retrocedo. La pequeña construcción desaparece. ¡Elévate, escapa! ¡Más rápido! Blanca en la blancura la cúpula asciende. La luz se debilita. Todo se obscurece a un tiempo. Suelo. Muro. Bóveda. La temperatura de la materia en estado de ignición-ebullición está bajando. Rápidamente desciende al mínimo. Alrededor del cero. Instante en que aparece de nuevo lo negro. El punto negro. Crece. Soy yo, gateando. Alucinación. La sombra del mulato paulista o marianense del Río del Janeiro, la obscura silueta del capitán de milicias a horcajadas sobre la calavera que palpita en el temblor blanco de sus últimas contracciones. ¡En qué lío me has metido rapazuelo del demonio! A horcajadas el capitán de milicias sobre un muchachuelo de doce años, que ha envejecido treinta años o trescientos años en el interior de un cráneo, sin haber podido nacer. Lo cual puede parecer extraño si pensamos que las cosas empiezan/acaban; si se piensa que la muerte es el único remedio para el anhelo de inmortalidad al que la puerta del sepulcro cierra el paso. Como la mía ya ha sido cerrada deberá ser reabierta ahora para que el sueño pueda ser explicado. ¿Por quién? Explicado sólo por mí para mí solo. Pero no; tal vez no es así. La vida de uno no acaba. No; tal vez sí. ¿Qué es el pensamiento de un hombre hidalgo o hideputa? Hijo-de-algo tiene que ser. ¿Nace algo de la nada? Nada. ¿Qué es vida/muerte? Qué es este misterio desdoblado en otros infinitos misterios, me estoy preguntando. Colgada de una rama el aya-ramera no puede ya aleccionarme/delatarme. La razón del misterio es el misterio mismo. Sé que nada hay semejante en cualquier otro sitio a lo que me ha pasado. Nó hay que soñar con encontrar nuevamente ese punto blanco perdido en la blancura, en lo más profundo de lo negro. La Gran Blancura es inmutable/mutable. No acaba. Vuelve a engendrarse de lo negro.

Metí el cráneo en la caja de fideos. La llevé a ese lugar del futuro para mí ya pasado, adonde otros llevarán la caja con mi cráneo. La casa, la calle, la ciudad entera estaban colmadas de un hedor a tumba. Con paso lento me encaminé hacia las barrancas. Descansé un instante en cuclillas bajo el naranjo recostando la caja contra el tronco. El redondel de vidrio llameaba herido por el sol. No dejaba ver nada en su interior. Continué bajando; mejor dicho, continué andando sin saber si subía o bajaba.

Completo reposo. Dormir. Dormir. Dormir. La voz del protomédico llega hasta mí desde lejos, desde una distancia imprecisable. Por esta vez le hago caso. Aparento dormir. Siento que alguien me espía. Me hago el muerto. Entreabro la puerta de mi sepulcro. Corro el túmulo que se aparta con ruido de granito. Abro los ojos. Ejercito el simulacro de mi resurrección alzándome. Ante mí, El-sin-sueño. El-sin-vejez. El-sin-muerte. Vigiliando. Vigilando.

(Circular perpetua)

Me acantoné en mi observatorio de Ybyray. Vi como los políticamente ineptos jefes de Takuary, apandillados ahora en la propia Casa de Gobierno de Asunción por el porteño Somellera, estaban por completar la capitulación entregando todo el Paraguay atado de pies y manos a la Junta de Buenos Aires. Entonces decidí salirles al paso. Don Pedro Alcántara, buen bombero de los porteños, rebosante de felicidad actuaba febrilmente. Engañados con la idea extravagante de que yo los ayudaría, todos a una me hicieron llamar. Súplicas de extrema urgencia. Cuando para su mal me apersoné en el cuartel esa mañana del 15 de mayo, Pedro Juan Cavallero me recibió en la puerta: Ya sabrá, amigo doctor, que le hemos echado la capa al toro y que nos resultó muy manso. S. Md. es el único que puede dirigirnos en esta emergencia de aquí en adelante. Mientras cruzábamos el patio le pregunté: ¿Qué se ha dispuesto, qué se hace? Se ha determinado enviar de expreso al naviero José de María en una canoa dando parte a la Junta de Buenos Aires de lo que ha sucedido, contestó el capitán.

En el puesto de guardia estaba Somellera dando los últimos toques al oficio. Se lo arranqué de las manos. Este parte no parte, dije. Si tal se hace sería dar el mayor alegrón a los orgullosos porteños. Nada de eso. Acabamos de salir de un despotismo y debemos andar con cuidado para no caer en otro. No vamos a enviar nuestro tácito reconocimiento a la Junta de Buenos Aires, en el tono de un subordinado a un superior. El Paraguay no necesita mendigar auxilio de nadie. Se basta a sí mismo para rechazar cualquier agresión. Volvíme luego a Somellera que me acechaba, irritado camaleón. Con mucha suavidad le sugerí: Usted ya no hace falta aquí. Más bien le diría que estorba. Es menester que cada uno sirva a su país en su país. La misma canoa que iba a conducir el parte lo transportará a usted sin pérdida de tiempo. Señor, debo llevar a mi familia, y el río enjuto no permite la navegación. Parta usted primero. Su familia partirá después luego que el río esté franco. Profunda desilusión y malestar en el grupo de anexionistas. Cayóseles la cara al suelo quedándoles tan sólo las caretas. Era lo que yo buscaba.

Sólo por ver qué hacía, el capitulador Cavañas fue convocado a presentarse desde su estancia de la Cordillera. Venga, se le mandó decir, a adherirse a la causa de la Patria. Venga a reunírsenos a los patriotas congregados con las tropas en el cuartel. Tuvo la insolencia de responder que vendría sólo si lo llamase el gobernador Velazco. Pero Velazco ya no era gobernador ni tenía velas en su entierro. Poco después irá a parar a la cárcel junto con el obispo Panés y los más conspicuos españoles, que no cesan de conspirar. Los otros jefes de la capitulación de Takuary también se hacen humo: Gracia huye al norte en busca del apoyo portugués, ¡qué Gracia! Gamarra responde que sólo adherirá a la causa con la condición de no ir nunca contra el Soberano. Lo escribe incluso con mayúscula el desfachatado. ¡Soberano idiota! Quería hacer la Revolución sin levantarse contra el soberano: Torta de maíz sin maíz.

El resto de la milicada, aparentemente fiel, tampoco estaba en el fiel de la balanza. Desde el establecimiento de la Primera Junta Gubernativa buscaron a cada instante hacer temblar al Gobierno para obtener con amenazas no el bien del país sino las pretensiones de su arbitrio. En vez de ocuparse de los negocios públicos pasaban su tiempo jugando, haciendo paradas, fiestas, dedicándose al mero parranderío. Los pompeyos y bayardos de la Junta se enredaban en sus espuelas, en su ineptitud. Currutacos. Bolas sin manija los caballeros de lazo y bola. Fanfarrones, eso sí. Cabromachíos escarapelados, encorsetados en brillantes uniformes. Proto-próceres lustrosos de sudor se contemplaban ya ilustres en lo que ellos creían era el espejo de la Historia. Se distribuían grados militares cuyas insignias tomaban, viéndoseles disfrazarse a imitación del ex gobernador, ora de brigadieres, ora de coroneles de dragones españoles. Ya en tiempos de la Colonia se distinguían por estas virtudes castrenses. El procurador Marco de Balde-Vino, inveterado porteñista, dijo de ellos en su Informe a Lázaro de Ribera: Los hechos nos han dejado para eterno monumento las intolerables palizas de los Patriotas que a su peculio sirven las milicias convertidas en la mayor destrucción de la Provincia.

Traficaban en todo para hacer frente a los gastos que les demandaba su pasión desmedida de ostentación, ahora que además de milicos eran gobierno. Así pues, para satisfacer esta ridícula manía, daban libertad a presos del Estado haciéndose pagar gruesas sumas por estas prevaricaciones. Como ellos apenas sabían qué cosa era Independencia nacional, Libertad civil o política, permitían que sus subalternos cometiesen en todas partes mil actos arbitrarios. Particularmente en el campo, principal teatro de sus violencias.

En Ykuamandijú, un capitán de milicias que se había señalado por su celo revolucionario, quiso explicar a los campesinos qué cosa era la Libertad. Les enjaretó un discurso de seis horas hablando de todo sin decir nada. El cura concluyó la arenga diciendo que la Libertad no era más que la Fe, la Esperanza y la Caridad. Bajaron luego los dos y tomados del brazo fueron a emborracharse en la comandancia, de donde salieron órdenes de apresamientos, vejámenes, vandalajes los más inicuos, en nombre de las virtudes sobrenaturales que acababan de proclamar.

Administrar era apresar, secuestrar anónimamente a veces haciendo recaer en otros la sospecha del atropello; condenar o liberar según lo exigía, tasado a precio vil, el odio o el interés. Se hablaba de patriotismo; bajo este escudo todo era permitido; podía satisfacer todas las pasiones, los crímenes, todas las salvajadas.

En aquel tiempo de los comienzos la cosa era así. Las tropas casi en su totalidad estaban compuestas por la gente más ignorante, más mala del país. Asesinos, delincuentes reconocidos sacados de las prisiones. Impunes, omnipotentes bajo el uniforme; se creían autorizados a insultar, a humillar de mil maneras a los ciudadanos más pacíficos. Si un paisano se olvidaba de sacarse el sombrero al pasar delante de un soldado, lo tundían a sablazos. Luego se me ha achacado a mí esta indigna costumbre de la salutación por destocación, que en sí misma no es tanto una señal del respeto al superior como una mutilación. Decapitación simbólica del salutante. En esta tierra de veinticuatro soles el sombrero-pirí forma parte del organismo de la persona. No ha habido modo de extirpar este hábito humillante de nuestros conciudadanos empajolados en sus inmensos sombreros.

Peor que el comportamiento de las tropas, el de los oficiales. Sin el menor respeto por sus funciones, por su grado, se mezclaban en las discusiones de los paisanos acabándolas a balazos cuando se terminaban sus argumentos o su paciencia. Como casi todos los oficiales y suboficiales eran parientes de los jefes de la Junta o de los cuarteles principales, éstos les toleraban las más escandalosas iniquidades.

En vano intenté desde la Junta poner candado a estos desmanes. Dos veces más me retiré de su seno desanimado de los esfuerzos inútiles que hacía por imponer a mis compañeros de Gobierno moderación en su comportamiento. Me mandé mudar vigilándolos a distancia. Los negocios del Estado quedaron enteramente paralizados. Los palafreneros se sentaban en las curules en ausencia de sus amos borrachos. Tacha curules. Tacha palafreneros. Pon: Sentados en las sillas de la Junta, los caballerizos de los proto-próceres no manejaban peor que ellos los asuntos del Estado. Peor ya no podían estar. Los partes no partían. Las partes de los ladronicidios co-hechos se repartían honradamente. Igual que ahora ustedes. Tacha esta última frase. No quiero que claramente se sientan ya sentados en el banquillo.

Las veces que abandoné a los fatuos de la Junta, ellos mismos me rogaron que volviese. Mi primo, el Pompeyo-Fulgencio que fulgía como presidente, el vocal Cavallero-bayardo, el fariseo-escriba Fernando-en-Mora me escribieron. ¿Nota de qué fecha, Patiño? Del 6 de agosto de 1811, Señor: Bien satisfechos de la grandeza de su corazón, no tememos caer en la nota de temerarios con la presente súplica, y siendo nuestros conocimientos muy inferiores a nuestro celo, no hemos encontrado otro medio que implorar a S. Md. vuelva a echarle el timón al vagel, que la presente ignorante borrasca arrebató. De lo contrario se perdió la Patria y todo. Sus siempre afectuosísimos compañeros.

Apeándose por un momento de sus torneos fiesteros, el presidente de la Junta me propone con letra analfabeta y una palmadita: Veamos querido compatriota y pariente de componernos para que usted conduzca de nuevo la nave del Estado en medio de estos malignos vientos que amenazan hacer zozobrar nuestros empeños.

Mi otro pariente Antonio Thomas Yegros, comandante de las fuerzas, como si yo fuera un pre-lado me trata de Venerado Señor: El capellán portador de ésta, se ha comprometido a llegarse a su casa para hacerle presente lo que se acordó hoy sobre su retorno entre todos los oficiales y la Junta. Rompa usted esa media dificultad que se opone a su posibilidad y deber de volver a la Junta para dirigirnos. Si realmente ama a su patria, ilustre pariente, ha de amanecer mañana en esta ciudad y todos nosotros lo recibiremos triunfalmente en aras de un general regocijo. Después tendrá tiempo de mandar componer el techo de su casa, causal de su ausencia, bajo el techo del Gobierno. Su más apasionado pariente q.s.m.b.

Ni siquiera les contesté.

El Cavallero-bayardo insiste en esquela del... Cuatro días después, Señor, fechada el 10 de agosto: Su retirada a esa chacra por el motivo de tener que componer su vivienda, me ha llenado de sentimiento así por el afecto particular que le profeso, como porque las grandes obras que se han empezado a establecer con su particular influjo y dirección, tal vez no se podrán llevar a término y perfeccionamientos.

¡Vamos bribones! ¡Todo esto después de tan severas amenazas, conminaciones, fulminaciones!

Ruego del Cabildo: El Cuartel General y el Pueblo claman porque usted vuelva a incorporarse a la Junta Superior Gubernativa. Este cuerpo se lo suplica con las mayores veras del afecto, admiración y respeto a las altas varas de su talento de Conductor. Porque cree firmentemente que en la presente angustia y tempestad que amenaza, apareciéndose usted aquí en el lugar que le toca, será el Iris que todo lo serene y aplaque.

Para esta gentuza que se debatía entre sus intereses, sus temores, sus ineptitudes y mutuos recelos, mi retorno a la Junta se había convertido en un problema de meteorología y navegación. Lo que se comprobó el lunes 16 de noviembre cuando me reincorporé a la Junta, en medio de un terrible temporal y una lluvia a cántaros. El Cabildo en pleno acudió a felicitarme aclamándome por unanimidad con el sobrenombre de Piloto-de-Tormentas, que la multitud coreó con júbilo inconsolable, pues también la mayor felicidad es a menudo des-dicha.

Mi primer retiro de la Junta, un mes y diez días después de su constitución, tuvo su causa en el incidente que me promovieron los militares; mejor dicho, en el amago de extorsión de unos prevalidos de las armas que se creían con derecho conforme no a la causa que debían defender sino a su arbitrio y voluntad. Sentados los milicastros, como hasta ahora se dice, sobre sus bayonetas; y no solamente los milicastros sino también sus paniaguados sí-viles. En los trajines palaciegos, las patas de las sotas mostraban cínicamente sus medias escarlatas.

Me acusaron de reo de la sociedad. Promotor subversivo de novedades, de divisiones, de enfrentamientos. A ver, señores militares y aristócratas, no basta dar cualquier nombre a las cosas. La autoridad, la fuerza no deben emplearse en calumniosas imputaciones, enrostré a los mandarines-comodines de la Junta por intermedio del Cabildo, que se metió a terciar en el pleito.

¿Por qué se han de avanzar en llamar autor de divisiones, de novedades, al que propone que esa Junta provisoria e inservible sea reemplazada por un verdadero Gobierno surgido de un Congreso General en el que estén representados todos los ciudadanos? ¿Por qué han de tachar de subversivo a quien propone que las autoridades sean elegidas por asambleas ampliamente populares?

Por el contrario, señores cabildantes, como ustedes mismos lo han proclamado, es constante y bien notorio que el peso del despacho únicamente lo han soportado mis hombros como vocal-decano y asesor-secretario, no sólo desde la institución de la Junta sino desde la misma Revolución. Yo siempre miraré con indiferencia semejante nombramiento, pues mi solo propósito fue el de cooperar en lo que pudiese al servicio de la Patria consintiendo en cargar yo solo con estos cargos y cargas. Bien les consta que los otros miembros de la Junta no han cargado siquiera con el peso de una pluma.

No es preciso traer a la memoria los medios violentos, reprobados y artificiosos que pusieron en obra para ocasionar mi retiro, removiendo luego de su empleo al otro vocal, el presbítero Xavier Bogarín. La Junta sólo con tres miembros ya no era legítima ni competente. Ni juzgando sanamente, nadie que conozca a las personas y circunstancias, podrá imaginarse que la mente del Congreso hubiese sido autorizar aun para tal caso a tres individuos absolutamente inexpertos, destituidos de todo conocimiento; en una palabra totalmente ignorantes e ineptos. Si acaso obtuvieron aquella colocación fue por la mediación de este vocal-decano, cuyo retiro provocaron, puesto que sus miras e intereses no eran precisamente los de la Revolución e Independencia del país.

Únicamente las autoridades dudosas e inciertas pueden causar división y no terminar con las que ocurran. Sólo los que temen ser juzgados temen los Congresos. Las novedades por tales nada tienen que no puedan ser canalizadas por los ciudadanos honrados en bien del país. Pues si de ellas hay malas, también las hay buenas y hasta muy buenas. ¿Acaso nuestra Revolución misma no fue una grande y aun la mayor de las novedades? También la más brillante. La más justa. La más necesaria de todas las novedades.

La libertad ni cosa alguna puede subsistir sin orden, sin reglas, sin una unidad, concertados en el núcleo del supremo interés del Estado, de la Nación, de la República, pues aun las criaturas inanimadas nos predican la exactitud. De otra suerte, la libertad por la cual hemos hecho, estamos haciendo y seguiremos haciendo los mayores sacrificios, vendrá a parar en una desenfrenada licencia, que todo lo reduciría a confusión en un campo de discordias, de alborotos. Teatro de estragos, de llantos, de los más horrendos crímenes, como hasta ahora están ocurriendo, de modo tal que pareciera ser la violencia de los de arriba contra los de abajo el único norte de los poderosos. No podemos obligar a nuestros conciudadanos a dormir sobre un río. Ustedes solos, como oficiales del Cuartel, nombrados por la Junta de Gobierno, a sueldo de ella con dineros del país, no son el pueblo. Son más vale el contrapueblo al obrar así. Por su misma profesión de militares deben ser los primeros en dar ejemplo de fidelidad al cumplimiento de sus deberes; de respeto a la dignidad de la Junta; de decoro a los ciudadanos; a la protección de aquellos más inermes, ignorantes y humildes, a quienes se les ha enseñado a recibir los atropellos como una bendición de Dios.

A los estantiguos del Cabildo respondí muy claramente: No se puede pasar por alto el tono amenazante, decretorio, de los oficiales, que se constituyen arbitrariamente en el contrapoder de la Junta. ¿Pueden ustedes asegurarme que en adelante no levantarán la mano, ni cometerán sus fechorías? ¿Que sólo tendrán de adorno las armas en la mano, las cabezas sobre el hombro?

Yo estoy enteramente en disposición de servir al Gobierno, al país, a la causa de su soberanía y de su independencia, siempre que las fuerzas armadas se reduzcan a una exacta disciplina cual lo exigen la tranquilidad, la unidad, el buen régimen y la defensa de nuestra Nación.

Soy partidario de proceder sin contemplaciones ni dilaciones. Sostener el principio de autoridad imponiendo a los militares una exacta obediencia a la voluntad expresada en los Congresos. Cualquier debilidad del Gobierno pone en peligro la Independencia de la Patria no bien cimentada aún.

La Revolución no puede esperar ningún apoyo de un ejército contrarrevolucionario. No hay entendimiento ni pacto posible con este ejército de ganaderos-granaderos, de mercenarios uniformados, siempre dispuestos a imponer sus solos intereses. No podemos exigir ni mendigar a tales milicias que se pongan al servicio de la Revolución. Tarde o temprano acabarán por destruirla. Toda verdadera Revolución crea su ejército, puesto que ella misma es el pueblo en armas. Sin sus propios espolones los mejores gallos acaban capones. Y ya se sabe, del gallo más pintado podemos sacar un capón, pero de un capón no podemos sacar ningún gallo, salvo un falsete.

Fue lo último que dije, no lo último que hice.

Los cartones pintados de la Junta se desfielaban cada vez más. En casa de los parientes Yegros, noche tras noche, banda, orquesta, sarao a todo lujo, parrandas, festejos.*

Ciudadanos honrados de la ciudad y del campo se llegan hasta mi casa a traerme sus quejas. Vean y aprendan, les digo. ¿Quién es don Fulgencio Yegros? Un gaucho ignorante. ¿Qué tiene de mejor don Pedro Juan Cavallero? Nada. Y con todo, los dos son jefes investidos de autoridad suprema, que al igual que los otros militostes les insultan con el despliegue de una vana ostentación, que sería risible si no fuese despreciable. ¿Qué hemos de hacer, Señor, en semejante situación? Yo les diré en el momento oportuno lo que se haya de hacer para conjurar estos males. Se iban confiados.

* Sigue la pantomima ya con disgusto del pueblo que murmura", escribe el coronel Zavala y Delgadillo en su *Diario de Sucesos Memorables*. (*Cit. por Julio César.*)

Anoche, luego de la reunión de la Junta, nos visitaron algunos extranjeros. Juan Robertson contó que había recibido cartas de su hermano desde Inglaterra. Según sus noticias, el emperador Alejandro de Rusia ha entrado en alianza contra Napoleón. El imperio británico ha enviado muchos barcos de armas y municiones a su aliado el imperio moscovita. ¡Amalaya!, clamó Fulgencio Yegros con el mismo entusiasmo de Arquímedes cuando salió desnudo del baño gritando ¡Eureka!, tras haber descubierto el modo de determinar el peso específico de los cuerpos. ¡Amalaya!, barbotó el archidiota presidente de la Junta, ¡sople un viento sur largo y recio y traiga todos estos buques aguas arriba por el río Paraguay hasta el puerto de Asunción! ¿Puede semejante animal gobernar la República?

El Cavallero-bayardo manda apresar al alcalde por no habérsele puesto alfombra roja a su asiento en la catedral el día de todos los sanes, y una segunda vez el día de los dos sanes, sus patronos.

Como en los Proverbios, la escoria uniformada continúa echando plata a la basura. Meta alborotar. Atropellar. Enardecidos en la fiesta de violencia, de sensualidad de mando, en la borrachera de poder que trastorna a los débiles de carácter. Tambalean y hacen tambalear al Gobierno con sus barrumbadas. No he de complicarme con estos señores que en tan poco aprecio tienen la causa de la Patria. He agotado los medios y mi paciencia, sin embargo, tratando de instruirlos y rescatar a los menos malos para el mejor servicio de nuestra causa. Les he hablado en todos los tonos; he tratado de que leyeran por lo menos alguno que otro párrafo del Espíritu de las Leyes. Lea esto, estimado don Pedro Juan. No soy leyente, dijo el jefe del cuartel. Se lo voy a leer yo. Oiga, escuche esta idea de Montesquieu sobre el concepto de una república federativa: Si se debiese dar un modelo de una bella república pondría el ejemplo de Ligia. No sé dónde queda ese lugar, se desentiende el bayardo patán. No importa dónde se halle este país, don Pedro Juan. Lo importante es su régimen de gobierno basado en una asociación de ciudades o de estados en igualdad de soberanía y de derechos. Aquí tenemos una sola ciudad, se emperra. Sí, le digo, pero hay otras ciudades que nos quieren someter y esclavizar. No, señor, eso no, replica. Morir antes, que esclavos vivir. Bien, don Pedro Juan, me agrada oírle decir eso. Pero lo muy sabroso es que, como también lo dice Montesquieu, se puede vivir libres con poner orden en nuestra República. Tal vez mejor que en Ligia. Vea, doctor usted entiende de libros y de gente sabia. Por qué no se ocupa usted mismo de esas güevadas. Si cree conveniente, escríbale a ese señor Montesquién. Le podemos dar aquí un empleíto de secretario rentado de la Junta, para que nos ponga en orden los papeles. Imposible entendernos. Era pedir muelas al gallo. Pegué un nuevo portazo a la Junta y volví a la chacra.*

No tardaron en llover por segunda vez a mi retiro en Ybyray las súplicas por mi retorno. Desde Buenos Aires, el propio general Belgrano me escribe con la sinceridad que les falta a mis consocios de la Junta. De querido amigo me trata: No puedo menos de significar a Ud. que me es sobremanera sensible que Ud. piense en la vida privada en unas circunstancias tan apuradas como estamos. Vuelva Ud. a su ocupación; la vida es nada si la libertad se pierde. Mire usted que está muy expuesta y que necesita toda clase de sacrificios para no perecer.

He aquí la palabra de un hombre honrado.

No diré que siguiendo el consejo de Belgrano sino el de mi propia conciencia, cuyos dictados son los únicos que acato, fue como aquella mañana del 16 de noviembre, a casi un año de mi retiro de la Junta, retorné a Asunción, bajo el temporal que se desencadenó desde la noche.

La víspera, después de levantarme de la siesta, sucedió algo que me decidió. Despierto *vi* esta visión de sueño: Mi almáciga de ratones se había convertido en una caravana de hombres. Yo caminaba delante de esa muchedumbre pululante. Arribamos a una columna de piedra negra, en la que un hombre estaba enterrado hasta las axilas. A la imagen del hombre se superpuso la del fusil enterrado hasta la mitad del cañón en el naranjo de los fusilamientos. Reapareció en seguida el hombre enterrado hasta los sobacos en la piedra. Negro también y del tamaño del tronco de una vieja palmera. Tenía dos enormes alas y cuatro brazos. Dos de los brazos eran como los brazos de un hombre. Los otros, parecidos a las patas de los jaguares.

* Se retiró dos veces de la Junta, confirma Julio César. La primera desde agosto de 1811 hasta los primeros días de octubre del mismo año. La segunda desde diciembre a noviembre. *(N. del C.)*

Una erizada cabellera de crines semejantes a la cola de los caballos revolaba salvajemente sobre su cráneo. Tenía yo presente la visión de Ezequiel de los cuatro animales o ángeles; las figuras con rostros de león la parte derecha, de buey la parte izquierda y los cuatro rostros de hombre pero también de águila, creciendo y caminando cada uno en derecho de su rostro. El hombre enterrado en la piedra, sin embargo, a nada de esto era parecido. Clavado ahí, parecía que clamaba porque lo despetrificaran. La caravana empujaba y chillaba detrás.

Ahora yo estaba cruzando en el moro a nado las torrenteras de los raudales, repechando la lluvia y el viento. Purpurado de barro de la cabeza a los pies, entré en la sala capitular. Chorreante aparecido, avancé ante la estupefacción de unos pocos cabildantes y escribientes. Previo a retomar mi puesto en la Junta, dije a los boquiabiertos, he venido a dejar constancia en el Cabildo que lo hago únicamente en defensa de la integridad del Gobierno.

Con pasitos de aire, a pesar de su rechoncho vientre cruzado de cadenas de oro, se adelantó la Cerda, intrigante el más pícaro de toda Asunción. Durante mi ausencia aprovechó para usurpar mi cargo de asesor-secretario. Me tendió la mano. La dejé colgada en el aire. ¡Dichosos los ojos, señor vocal decano, de verlo nuevamente por aquí después de tanto tiempo! Clavé los ojos en ese pillastre; no sólo había tratado de soplarme el puesto sino que procuraba imitar los detalles de mi indumentaria. Inclinó el tricornio y dejó caer los pliegues de su capa granate. Se sintió obligado a una de sus habituales chuscadas: ¡Bien se nota, señor vocal decano, que el Mar Rojo de nuestros raudales no se ha abierto a su paso! No se preocupe, le repliqué tajante, que ha de cerrarse muy pronto sobre el suyo. Le acompaño, doctor, al solio de la Junta, insistió impertérrito, entreabriendo la capa y haciendo brillar las hebillas de oro de sus calzones y zapatos. No, Cerda, prefiero ir solo. Vaya usted a despedirse de sus comadres y a preparar sus equipajes pues ha de marcharse cuanto antes, que aquí no queremos extranjeros entrometidos y ladrones.* Rodó el tricornio al suelo. La Cerda se

* *Comentarios de Julio César*: La Cerda en ningún momento actuó como secretario de la Junta. Al parecer era hombre de confianza de Fernando de la Mora [otro de los vocales de la Junta]; como ni éste ni Yegros

agachó a recogerlo. Volvíle la espalda y me encaminé hacia la Casa de Gobierno. Mis ropas humeaban rojo vapor bajo el repentino sol que apareció a contracielo haciendo cesar mágicamente lluvia y vendaval. Crucé la Plaza de Armas, seguido por un creciente gentío que vitoreaba mi nombre. Volví hecho otro hombre. En mi chacra-mangrullo de Ybyray había aprendido mucho. El retiro me había acercado a lo que buscaba. En adelante no transigiría con nada ni con nadie que se opusiese a la santa causa de la Patria. Todas mis condiciones fueron aceptadas y establecidas en acta sujeta a estricto cumplimiento: Autonomía, soberanía absoluta de mis decisiones. Formación, bajo mi jefatura, de las fuerzas necesarias para hacerlas cumplir. Exigí que se pusiera a mis órdenes la mitad del armamento y de las municiones existentes en los parques. De la gente-muchedumbre saqué los hombres que formaron el primer plantel del ejército del pueblo. Apoyo aún más incontrastable que el de los cañones y fusiles en la defensa de la República y la Revolución.

---

ni Caballero mostraban mayor apego a su labor de gobierno se convirtió [Cerda] en factótum. Era un cordobés pintoresco, famoso por ser compadre de medio mundo. Lo que otorga gran respetabilidad en el Paraguay. Alguna vez habrá que marcar la influencia del compadrazgo en el desenvolvimiento de nuestra política.

Profesaba [*El Supremo*] a su colega de la Mora una profunda antipatía por considerarle responsable de algunas gestiones llevadas a cabo durante su ausencia para unir el Paraguay a Buenos Aires, y particularmente por la pérdida del artículo adicional del tratado del 12 de octubre, circunstancia de la cual se valió el Triunvirato [de Buenos Aires] para gravar en forma indebida el tabaco paraguayo. Mora fue finalmente expulsado de la Junta por los cargos concretos de los que el vocal decano lo declaró responsable; en particular por "la substracción y pérdida de dicho importantísimo documento, durante el tiempo en que yo me hallaba retirado de la Junta, en connivencia con el individuo Cerda, sujeto que no es ciudadano ni natural de este país, antiguo e íntimo amigo y confidente del susodicho Mora. Por disposición de éste, Cerda llevó a su casa varios legajos extensos de la Secretaría, entre los que debió hallarse el citado artículo adicional. Mozo ebrio, las más de las veces en total estado de beodez en las reuniones de la Junta misma, se halla incurso también en el delito de ser espía e informante del Triunvirato de Buenos Aires, en la persona del doctor Chiclana, manteniéndolo al tanto de las actividades y resoluciones de nuestro Gobierno". Mora y Cerda fueron pues devorados en una verdadera comida de fieras.

(En el cuaderno privado)

La parodia de las exequias decretadas por el provisor, el lúgubre vaticinio del herbolario, han llevado al paroxismo la insurrección pasquinera. Ya sabía yo que esos hablantines no iban a quedarse callados. Más diatribas, caricaturas y amenazas ensucian las fachadas. Debí haberlas mandado pintar con alquitrán, no con la cal patria que estos alcahuetes de la subversión empuercan cobardemente. Hemos vuelto al tiempo de las bufonías.

Antier, la obscena figura en cera de lechiguana, amanecida ante las ventanas de la Casa de Gobierno, remedando mi imagen decapitada. La cabeza descansando sobre el vientre. Inmenso cigarro a guisa de falo, encajado en la boca. Alcancé a ver el vejatorio simulacro antes de que se derritiera en la fogata encendida por mis descuidados guardianes. Tan aterrados estaban, que uno de ellos cayó al fuego. Abrazado a la figura en llamas que lo abrasaba, convertido en tizón humeante. El fuego hizo estallar el cartucho del fusil que portaba en bandolera; el proyectil se incrustó en el marco de la ventana desde la cual yo me hallaba presenciando la parodia de mi inhumación. Pretenden intimidar con artimañas que se usan en otras partes. Se avanzan a querer alucinar por la violencia al pueblo ignorante. Provocar el terror. Pero el terror no surge de estas cábalas idiotas. En otros países donde la anarquía, la oligarquía, las sinarquías de los apátridas han entronizado a los déspotas, estos métodos acaso fueran eficaces. Aquí la generalidad del pueblo se encarna en el Estado. Aquí puedo afirmar yo sí con entera razón: El Estado-soy-Yo, puesto que el pueblo me ha hecho su potestatario supremo. Identificado con él, qué miedo podemos sentir, quién puede hacernos perder el juicio ni el seso con estas bufo-nadas.

Yo disculpo ciertos errores. No aquellos que pueden tornarse peligrosos para el orden en que viven los que quieren vivir dignamente.

No tolero a aquellos que atentan contra el intocable, el inatacable sistema en que están asentados el orden de la sociedad, la tranquilidad pública, la seguridad del Gobierno. No puedo tener contemplaciones contra los que me hacen la guerrilla de zapa. Malvados los más peligrosos. El odio les eriza los cabellos. Les apaga la voz. Les deja apenas el cobarde, el triste valor de arremeter contra mí entre las sombras, pluma en ristre, carbonilla en mano. El perverso vive en perversidad de boca. No puede mirar el sol de frente. Anda siempre detrás de su sombra. No merece el orgullo de pertenecer al país más próspero, independiente y soberano de la tierra americana. Orgullo que siente hasta el último, el más ignorante de los campesinos libres de esta Nación. El último mulato. El último liberto.

Pese a todo alguna vez intenté socorrerlos. Tirarles el cabo de una cuerda. Sacarlos a flote. Volverlos a la orilla de lo humano. No lo quisieron. Están llenos de miedo. El miedo se horroriza de todo, hasta de aquello que podría socorrerlo.

Cosa de loco es no tener juicio. A estos hijos de la Gran Sigilaria, el delirio de su odio, la impotencia de su ambición les han secado hasta el último átomo de materia gris. Me amenazan con ensartar mi cabeza junto al mástil de la República. El Scrutinium Chymicum de mi cremación es lo menos que piden. Cuando mucho poco. Ya que no pueden quemarme en persona me queman en efigie haciéndome fumar mi propio falo. Ensayo general otra vez. Uf. Ah. Ya me aburren sus payasadas. No pienso responderles. Nada enaltece tanto la autoridad como el silencio. Mi paciencia tiene ruedo muy amplio. También debo cobijarlos a ustedes, alborotadores de a medio real. Castrados de almas-huevos. Incubos/súcubos de la guerrilla pasquinera. Promiscua legión de eunucos sietemesinos. Tascan el freno del Gobierno y dejan pegados al fierro sus cariados dientecitos de leche. Mujeriles fantasmas. Se depilan las partes secretas para armar sus pinceles. Corruptores de la tranquilidad pública, de la paz social. No me tomaré el trabajo de mandarlos arrojar al río en una bolsa, a la romana, junto con un mono, un gallo y una víbora. Agentes secretos de los que bloquean la navegación, ustedes no necesitan salvoconducto para buscar aguas abajo mejores horizontes. Hijos de mala cepa los plantaré en el cepo, buen consejero para aquietar cabezas que quieren alborotar las ajenas. Cuanto más me execran más autorizan mi causa. Más justifican mi mando. Son mis mejores propagandistas. A los de la serenata pasquinera romperles la guitarra en la crisma. La música no es sino para quien la entiende. No voy a tratarlos con los escrúpulos que suelen decir de fray Gargajo. ¿Qué es lo que ustedes se creen, malandrines? ¿Creen que la realidad de esta Nación que parí y me ha parido, se acomoda a sus fantasmagorías y alucinaciones? ¡Ajustarse a la ley, vagos y malentretenidos! Tal el mundo que debiera ser. La ley: El primer polo. Su contrapolo: la anarquía, la ruina, el desierto que es la no-casa, la no-historia. Elijan si pueden. Más allá no hay un tercer mundo. No hay un tercer polo. No hay tierras-prometidas. Menos aún, mucho menos las hay para ustedes, virtuosos del rumor, defecantes del zumbido. ¡Sépanlo de una vez, ustedes que nada saben, que no pueden nada, sépalos de la mierda en flor!

No se dan tregua. No me dan tregua. La enfermedad me acosa por dentro y por fuera. Se extiende por la ciudad. Contamina. Infecta. El no dormir suelta al aire el virus salamandrino del no-sueño. Peor que la mancha del ganado. Peste de lo general. De día, ni el vuelo de una mosca. Silencio al revés. Los que están al acecho aguantan la respiración desde el alba a la noche. Sólo entonces comienza el zumbido del cárabo. Arañar de patas de escarabajos. Aletear de murciélagos. Susurros de escamas. La noche se puebla de sonidos-fantasmas. Encañono el catalejo, el telescopio, a través de las ventanas. Nada. Ni una sombra. Las casas manchan de blanco la obscuridad. Vía láctea levantada por mí entre los árboles. Más blanca que la nube de nuestra galaxia entre las nubes. Los gritos de los centinelas llegan desde otro mundo. De repente un tiro. Aullidos. Se propagan. Llenan la noche. Todos los perros del Paraguay ladran a la pesadilla de la obscuridad. Después el silencio fondea de nuevo. Surgen las siluetas emponchadas de negro. Los pies lanudos envueltos en pieles de oveja. Rondan, se deslizan ante las casas de los enemigos. Buscan en los corredores de los templos, en las plazoletas, en los callejones, en las callejuelas tortuosas, en los zanjones. Sé que no verán ni encontrarán nada, pese a su instinto y olfato de perdigueros. Nada escucharán a través de las rendijas de puertas y ventanas. La noche es más grande, más monótona que el día. Los hace estar en otra vida. Creen ver algo. Una exhalación sulfurosa zigzaguea a flor de tierra. Pegan la vuelta. Ya es tarde. Más lejos, música de serenata en una acera. Corren hacia allá. Postigos cerrados. No hay sino la memoria del sonido bajo los aleros. Los pies-peludos no oyen, no ven nada. Escupen insultos soeces. Se chupan las muelas careadas. Escupen. Se quedan parpadeando en el plasto de sus escupidas. No sirven más que para eso.

Aquí en mi cuarto, el apagado tic tac de los relojes; entre ellos el que regaló Belgrano a Cavañas en Takuary. El ruidito de las polillas en los libros. El minutero taimado de la carcoma en el maderamen. De tanto en tanto caen los cascados sonidos de la campana de la catedral marcando no horas sino siglos. ¡Cuánto hace que no duermo! Todo se repite a imagen de lo que ha sido y será. Lo sumo y lo mínimo. Tan cierto es que no hay nada nuevo bajo el sol, y este mismo sol es la repetición de innumerables soles que han existido y existirán. Los antiguos sabían que el sol se hallaba a dos mil leguas y se asombraban de que se pudiera verlo a doscientos pasos. Sabían que el ojo no podría ver el sol, si el ojo no fuese en cierto modo un sol. Más que necesario saber no estar enfermo, hacerse invulnerable a todo. El cacique Avaporú, según el jesuita Montoya, mascaba la yerba mágica del Yayeupá-Guasú; estornudaba tres veces y se volvía invisible. De modo que yo, aunque estuviese muerto no lo estaría, pues sería mi repetición. Únicamente la cáscara de mi primer alma estaría rota o muerta después de haber empollado las otras.

Háblame sobre esto, ordeno al jefe nivaklé. Cuéntame todo lo que sepas acerca de esto. El rostro del hechicero indígena se torna más sombrío aún. Los carbones de sus ojos reflotan un instante entre las embijadas arrugas. Habla pues. Gato Salvaje se apoya en la vara-insignia y a través de la boca cerrada comienza el murmullo que a través de su cuerpo parece venir de muy lejos. Chasejk, el lenguaraz, traduce: Todos los seres tienen dobles. Las ropas, los utensilios, las armas. Las plantas, los animales, los hombres. Este doble se presenta a los ojos de los hombres como sombra, reflejo o imagen. La sombra que cualquier cuerpo proyecta, el reflejo de las cosas en el agua, la imagen vista en un espejo. Podemos llamarla sombra, aunque está constituida de una materia más sutil. Tal es así que la sombra del sol cubre los objetos, pero no los oculta. El reflejo del agua no permite que los peces se escondan totalmente. Las sombras son idénticas a los seres que duplican. Son tan delgadas, más-que-transparentes. No se las puede tocar. Solamente se las puede ver. Pero no siempre con los ojos de la cara, nada más con el ojo interior que piensa. Por lo que la sombra es la imagen de cada ser. Todos los seres tienen dobles. Pero el doble del humano es uno y triple al mismo tiempo. A veces más. Cada una de estas almas es distinta a las demás, pero a pesar de sus diferencias forman una sola. Digo al lenguaraz que pregunte al nivaklé si es como en el misterio del cristianismo: Un solo Dios en tres Personas distintas. El hechicero se ríe con una risa seca sin despegar los labios fruncidos por los tatuajes. ¡No, no! ¡Eso no es con nosotros, los hombres-del-bosque! El alma primera se llama huevo. Luego está el alma-chica, situada en el centro. Rodeando totalmente el huevo está la cáscara o cuero: el *vatjeche*. Dura corteza que protege el alma-blanda o médula. Así como el huevo es el alma del cuerpo, la cáscara es el alma del huevo. Ambas no pueden verse ni tocarse. Están formadas por algo que es menos que el viento, puesto que el viento se siente; mientras que esas dos almas no tienen nada que pueda tocarse ni verse. Atraviesan las cosas más duras. Nunca chocan contra nada. Cuando una persona echa el aliento sobre la cara de otra, ésta lo siente. El huevo y la cáscara son más tenues que el aliento. La tercer alma es *vatajpikl*: la sombra. Alma de la cáscara que "tiene algo". Son muchos los que ven la sombra de una persona recientemente muerta en los alrededores de su tumba. Su semejanza es tan perfecta con el cuerpo "que ya no está", con sus movimientos que fueron, con su manera de ser que ya no es, que parece que el cuerpo sigue estando. Pero esa alma errante está completamente vacía, no tiene nada adentro. Para nosotros el cuerpo tiene más importancia que las almas, porque éstas se originan en aquél. Sin cuerpo no existen almas, aunque éstas sobreviven después de su destrucción. Este es el pensamiento de los Viejos. No hay palabras para explicar esto, pero ellos, los Viejos, *saben* que hay varias almas en una sola: El alma-huevo, hijo-del-alma, o alma-chica; la sombra producida por el sol; el reflejo en el agua, la imagen en el espejo; la sombra producida por el sol a media mañana o a media tarde; la sombra del sol cuando cae a la espalda del cuerpo que va hacia adelante; la sombra del cuerpo cuando el sol está en el punto más alto del cielo; la sombra proyectada por la luz del sol filtrada por las nubes; la sombra que produce la luz de la luna; la misma luna a través de las nubes. Pero de todas ellas, las principales son las tres almas que son el sostén de la salud y la vida del hombre. Su trabajo es mantenerlo sano, sin dolores ni molestias, con ánimo y energía. Ese es su oficio; el oficio sagrado que únicamente las tres juntas pueden cumplir. Si faltara alguna de las tres, por ejemplo, el alma-huevo, el hombre incompleto seguiría caminando, cumpliendo con sus obligaciones, pero con permanentes dolores de cabeza y de cuerpo. Señal de que alma-chica ya no está. Se ha ido. El enfermo puede seguir viviendo. Si no se hace curar a tiempo, la parte del ser que le falta, hace más fácil el robo de las otras dos por los espíritus malignos. Son los *chivosis* o seres enanos que viven bajo tierra; almas deformes de los recién nacidos y criaturas muertas. Allí abajo éstos torturan a las sombras robadas. Toman chicha de maíz y se divierten torturándolas, iguales a esos indios desnaturalizados que torturan en los sótanos del Gran-Señor-Blanco. Entre varios *chivosis* retuercen y doblan cruelmente las almas robadas. Entonces el cuerpo sufre los temblores del muerto-ser-continuamente. Pregúntale, Chasejk, si puede curarme. Dice que no, Excelencia. Dice que ve enteramente vacío el interior de Su Señoría. No hay más que huesos, dice. Las tres almas se han ido ya. Queda únicamente una cuarta alma, pero él no la ve. Dile que mire, que vea. La sombra es más difícil que el huevo. Dice que no tiene poder sobre ella; que no la puede ver. Dice, Excelencia, que aunque soplara hasta quedarse sin resuello, los espíritus auxiliares de la curación no podrán penetrar ya en el vacío-sin-alma del cuerpo. Soplará y escupirá hasta que se le seque y se le caiga la boca. La piedra grande de la muerte ha caído adentro y ya no hay forma de sacarla. Esto dice el nivaklé, Excelencia.

Así que también, según el diagnóstico de este agnóstico salvaje, estoy con los huevos del alma todos rotos. No ve más que vacío entre los huesos. Pero el vacío es todavía algo; todo depende del modo y del acomodo. ¿No? Sí. Los fetos panfletarios de los chivosis retuercen el trapo mojado de mi cuerpo bajo tierra. Toman chicha de maíz. Siguen retorciéndome, sus bolsillos rebosantes de calumnias. Toman más chicha. Me ponen al fuego. Mi cuerpo humea en los temblores del muerto-ser-continuamente. Mas no acabarán conmigo. Soy agua de hervir fuera de la olla, dirá de mí una niña escuelera. Estar muerto y seguir de pie es mi fuerte, y aunque para mí todo es viaje de regreso, voy siempre de adiós hacia adelante, nunca volviendo ¿eh? ¡Eh! ¿Crecen los árboles hacia abajo? ¿Vuelan los pájaros hacia atrás? ¿Se moja la palabra pronunciada? ¿Pueden oír lo que no digo, ver claro en lo obscuro? Lo dicho, dicho está. Si sólo escucharan la mitad, entenderían el doble. Yo me siento un huevo acabadito de poner.

¿Qué más tienes entre esa papelada? La viuda del centinela José Custodio Arroyo, que se quemó ayer, ha elevado solicitud a Vuecencia. ¿Qué quiere la viuda? ¿Que le resucitemos al marido en premio de la grave falta que cometió descuidando su puesto?

Con todo respeto y veneración al Supremo Gobierno digo, dice la viuda: que tengo encajonado al muerto en mi casa sin poderlo enterrar, y que con la calor reinante la jedentina ya ha invadido todo el barrio de la Merced. Razón por la cual los vecinos están metiendo gran bulla y alboroto. Que lo entierre de una vez. El señor cura párroco de la Encarnación, Supremo Señor, se niega temático a rezar responso y a dar permiso para que mi finado, su servidor que fue, reciba cristiana sepultura, no digo ya bajo el piso de la Iglesia, como le corresponde, pero aunque más no sea en la contrasacristía donde se entierra a todos los cristianos. Que diga el cura por qué se niega a entonar el entierro. El señor cura Párroco alega que mi finado José Custodio era un ateo rematado y masón. A más alega que por ello mismo no es un casual que lo hayan visto en medio de la tropa de demonios bailando con infernal salvajería alrededor del fogarón que se tragó al Supremo, digo mal y me desdigo diciendo bien: Alrededor del fogarón que mi finado José Custodio encendió para quemar la sacrilegia figura de nuestro Supremo Karaí Guazú, abrazado al cual, quiero decir no al Supremo en persona sino solamente a su figura de cera, se achicharró luego en el fuego al caer sobre él.

Es lo que alega el señor cura párroco, cuando yo bien más que bien sé que mi finado José Custodio lo hizo únicamente y con toda su alma queriendo salvar esa figura que para nosotros es santa, por apersonar a nuestro Karaí, hecha con malaintención por los que quieren burlarse del Jefe Supremo del Gobierno y recibirán eterna maldición, si Dios quiere y María Santísima.

De todo lo cual resulta que por liga del Paí el vecindario me acusa de ser bruja. Continuamente sacan en procesión al Santísimo, que está prohibido, en medio de lamentaciones y rezos. También sacan la imagen de Nuestra Señora de la Asunción que está en poder de Dña. Petronita Zavala de Machaín como celadora perpetua de la Virgen, la que también está prohibida.

Han traído de todas partes lloronas y oracioneras elegidas que suman más de mil. Frente a mi casa y en muchas calles han prendido fogatas de palma-bendita y laurel-macho, dicen que para ahuyentar a los malos espíritus que según ellos salen del cuerpo de mi José Custodio. Me gritan y maltratan de palabra a toda hora y en la hora.

Anoche varios sujetos y mujeres de mi conocimiento, de que doy fe, trajeados con los hábitos de la Orden Terciaria, atropellaron mi casa. Me ataron y tapujaron con rosarios de Quince Misterios. Me arrastraron hasta la orilla de uno de los arroyos de fuego que se derraman por la calle y por las zanjas tal igual a los raudales de las tormentas con sus llamaradas de agua. Arrastraron también el cajón con el finado adentro y me ataron con sogas sobre la tapa. Nos hubieran tirado a la zanja de donde salía el fuego, quemándose ¡Dios nos guarde! mi José Custodio por segunda vez después de muerto, y yo por la primera antes de morirme. El suceso hubiera sucedido, si no hubieran llegado los guardias justo a tiempo para salvarnos con sus fusiladas.

Por mi finado, que ya está muerto, por mí que todavía estoy viva, no me importa, ni hubiera reclamado nada a nuestro Supremo Dictador. Pero tengo doce hijos, y el mayorcito sólo cerró los quince. Toca el tambor en la banda del Cuartel del Hospital. Yo soy lavandera, pero lo que gano con los trapos sucios de la gente de arriba no nos va a alcanzar más para vivir con mis hijuelitos.

Pero esto tampoco me importa demasiado, Supremo Señor. Lo que mucho me importa, y más que nada me importa, es que por culpa de la calumnia y malicia de la gente mala no pueda enterrar cristianamente a mi llorado finado, que nadie sabe lo bueno, lo servicial, lo alma de Dios que era el pobre José Custodio. No es lo mismo enterrarlo en el patio de nuestro rancho o tirarlo al río, por más Arroyo que sea el hombre que sirvió a nuestro Supremo con toda su lealtad y murió por y en el servicio de la Patria y del Gobierno.

Levántese, señora. ¿Cómo es su nombre? Gaspara Cantuaria de Arroyo, para servir a usted, Exmo. Señor. Levántese. No puedo permitir que ningún paraguayo, hombre o mujer, se arrodille ante nadie, ni siquiera ante mí. Váyase, llevándose mi pésame. Su deseo será cumplido.

¿Se ha ido, Patiño? ¿Quién, Señor? La viuda, patán. Excelencia, ella no ha estado aquí. Su Merced ha prohibido toda audiencia. He estado leyendo la solicitud de la viuda nomás, Señor. Por idiota no sabes que las personas, las cosas, no son de verdad. Despierta ya de una vez de esa especie de borrachera-encantamiento que te hace estar siempre fuera de lo que pasa. ¿No sientes tanta pobreza de lo general? Gente en las duras de sus dificultades, en las maduras del desánimo. Los pobres, los únicos que tienen un triste amor a la honestidad. Árboles que recogen polvo. Si no pudieran por lo menos suspirar se ahogarían. He averiguado, Excelencia, que hay de por medio una antigua enemistad entre el cura y los Arroyos por no haberle querido pagar éstos los aranceles de bautismo de los doce hijos.

Escribe la providencia al párroco de la Encarnación:

Que manifieste adónde ha ido a parar el alma del difunto José Custodio Arroyo. Si lo encuentra en el infierno, déjelo allí. Si no le fuera posible averiguarlo, procederá de inmediato a enterrar el cadáver en sagrado, luego de un funeral de cuerpo presente. Sin costas. Pasa vista del expediente al provisor. Se le ordena, además, el traslado del cura de la Encarnación al penal del Tevegó.

Auto Supremo:

Pagar 30 onzas de plata a la viuda Gaspara Cantuaria de Arroyo en reparación de daños morales y perjuicios materiales. Más una pensión de seis pesos con dos reales por cada hijo hasta que el mayor alcance mayoría de edad. Cumplida, entrará a revistar en el cuerpo de Banda del Cuartel del Hospital con el grado de cabo músico.

A propósito, y a fin de que las bandas de todo el país vuelvan a atronar el aire con sus marciales sonoridades tal como tengo ordenado, toma nota del siguiente pedido a los comerciantes brasileros del Itapúa: 300 clarines de metal latón y otros tantos bañados en bronce; 200 cornetas de llaves; 100 oboes; 100 trompas; 100 violines; 200 clarinetes; 50 triángulos; 100 pífanos; 100 panderetas; 50 timbales; 50 trombones; dos gruesas de papeles de música; 1000 docenas de cuerdas y bordonas de guitarra, para reponer la anterior partida que cayó al agua en el cruce del Paraná por descuido y desidia de los transportadores.

De este instrumental se proveerá una dotación completa a los indios músicos que componen la banda del Batallón de Infantería Nº 2, a cargo del maestro Felipe Santiago González, la cual, será rehabilitada y ampliada a un efectivo de cien plazas. Los solistas de oboe Gregorio Aguaí, de trompa Jacinto Tupaverá, de violín Crisanto Aravevé, de clarinete Lucas Araká, de pífano Olegario Yesá, de pandereta José Gaspar Kuaratá, de triángulo José Gaspar Jahari, componentes de la orquesta que rindió honores en las exequias, serán dados de baja con la pensión correspondiente.

¿Qué has sabido del robo de las 161 flautas hurtadas del órgano que se hallaba en el coro del templo de la Merced? He aquí Excelencia, el parteado del Ilmo. Provisor y Vicario General D. Roque Antonio Céspedes Xeria: En vista de la gravedad del sacrílego robo, resolví amenazar a los presuntos ladrones y cómplices con todo el aparato del Estado, lo que hasta el momento no ha dado ningún resultado de que dar parte a Vuestra Excelencia. Pese a tales amenazas y a la de excomunión que he decidido fulminar *post mortem*, todo lo más que se ha podido averiguar es que presumiblemente el músico Félix Seisdedos (llamado así porque efectivamente los llevaba en cada mano y en cada pie, organista del suprimido convento de la Merced, criado y esclavo del finado presbítero O'Higgins) es el que anduvo vendiendo las flautas al platero Agustín Pokoví como chatarra de plomo. Tampoco esto ha sido posible confirmar, Excelencia, pues el platero Pokoví murió poco después del hurto, de un ataque de apoplejía, y el citado esclavo y organista Seisdedos, ahogado en un raudal, el mismo día del temporal en que su Excelencia sufrió el accidente. *Pede paena claudo!* Nuestras pesquisas se encaminan ahora hacia las escuelas públicas, pues he recibido informes de que se han formado bandas secretas de flautistas entre los alumnos de dichos establecimientos. Elevo a Vuestra Excelencia estas noticias sin detenerme a adquirir otras creyendo convenir su prontitud a los efectos que Vuecencia se sirviera tener a bien para contener el mal.

Ordena, Patiño, que se deje sin efecto la investigación del robo. Agrega a la lista de instrumentos músicos que ya te he dictado la cantidad de 5000 flautas pequeñas para su distribución a cada uno de los alumnos de las escuelas públicas. Ordeno, además, que en cada una de ellas se formen bandas de flautines con los discípulos mejor dotados. Desde la fecha se incorpora la materia de teoría y solfeo al programa escolar de instrucción.

¿Qué más? El cabo músico Efigenio Cristaldo eleva a Su Excelencia solicitud de retiro del cargo que ha venido desempeñando durante treinta años como tambor mayor. Alega que su edad y mala salud no le permiten ya cumplir sus obligaciones con la capacidad que exige el servicio. Pide en cambio autorización para reintegrarse a sus trabajos de chacrero, especialmente como plantador del maíz-del-agua en el lago Ypoá. ¿Ves, Patiño, cómo la enfermedad trastorna más que la muerte las actividades de los hombres? En el momento en que estoy echando las semillas para que surjan millares de músicos en este país de la música y la profecía, el tamborero decano, el mejor de mis tambores, el que hacía del instrumento la caja misma de resonancia de mis órdenes, quiere llamarse a silencio. ¿Por qué? ¡Para cultivar victorias-regias en el agua barrosa del lago! ¿Qué victorias hay sin tambores? Cítalo. Este es un problema que hemos de resolverlo entre él y yo.

¿Qué más? Solicitud de Josefa Hurtado de Mendoza, que reclama la restitución del solar que le corresponde por partición de la herencia del marido. ¡Tarde de viudas, de músicos, de flautistas, de tambores, de cuanto diablo a cuatro viene a mover la cola en momento tan poco oportuno! ¿Has averiguado los antecedentes del pleito? Sí, Excelencia. La viuda tiene casación del Juez de Alzada. ¿No te gotea sebo de esta vela-viuda, Patiño? ¡Por Dios, Señor! El pedido de la viuda Hurtado de Mendoza es de justicia. Providencia entonces: Si el Mendoza no es hurtado, concédase.

¿Qué más? La viuda de Noseda solicita a Vuecencia permiso para hacer llegar su carga de yerba hasta el Itapúa. ¡Más viudas! ¿Dónde están los certificados de pago de alcabala, de contribución fractuaria, ramo de guerra, estanco, todos los impuestos de ley? No se adjuntan, Excelencia. Están todavía en trámite. Dime, inconmensurable bribón, ¡Levanta los ojos! No estornudes. Esta viuda de Noseda, que tiene la cara más dura que el cuero y la piedra, está en trámites de viejo compadrazgo contigo. Vieja compinche. ¡No, le juro que no, Excelencia! Acorde. Demos pues a la seda el tratamiento de la seda. Escribe: A la comerciante viuda de Noseda se da lo que pide: Cargue si no tiene carga, y si tiene carga, no cargue. Por esta letraduría contrabandística se le carga a la solicitante tres mil pesos de multa, que serán ingresados por Tesorería en metálico.

No se podrá quejar tu paniaguada, Patiño. Hace algunos años impuse una multa de 9539 pesos fuertes al mulato José Fortunato Roa, encubierto porteñista, por una pellejería semejante que me quiso hacer pasar, como tú ahora, en connivencia con su ladroni-socio Parga. Yo, Excelentísimo Señor... Tú por ahora despacha los expedientes mientras yo apunto otros apuntes. Ningún camino hay malo como se acabe.

¿Qué hay de esas argollas para las canoas? Ah sí, Excelencia. El conductor del carro que las llevaba se ahogó salido de madre el Pirapó al querer cruzar el arroyo, con las últimas lluvias hinchado en creciente. Las argollas de fierro, te pregunto. Ya llegaron a destino, Señor. El comandante del pueblo de Yuty, cercano al lugar del hundimiento del carro con el ahogamiento de su conductor y la pérdida de su carga, reunió en consejo a todos los vecinos y resolvieron cambiar el curso del arroyo convertido en río galopante. Trabajaron hasta los leprosos del leprosario. En tres días con sus noches, las argollas quedaron en seco. Cien jinetes a matacaballo llevaron a entregar las argollas al Delegado de Itapúa.

Enviar un oficio a ese inservible.

Al delegado de Itapúa Casimiro Roxas:

Al recibo del presente, se dará inmediato cumplimiento a las siguientes órdenes:

1) Es absolutamente preciso apresurar la construcción de las chalanas. La flotilla debe estar lista antes de un mes. Mando a Trujillo para dirigir los trabajos. Él sabe dónde se coloca el cañón, en qué sitio preciso del plan; dónde se amarra el braguero del cañón, como se lo he enseñado yo, para que el contragolpe del disparo no haga naufragar la embarcación.

2) También mando cureñas marinas en cantidad de cien. Otras cien terrestres. Luego se verá de enviar lo que falta. Sobre todo esto irán más detalles en el Pliego de Instrucciones Reservadas que se enviará a todos los comandantes militares. La idea es que esa flotilla de guerra contribuya, cuando llegue el momento, a romper el bloqueo del río y franquear la navegación. En poco tiempo más estaré ahí para organizar los aprestos de defensa. Yo mismo me pondré al frente de las tropas y mandaré las operaciones de acuerdo con un plan que tengo trazado. Voy a controlar lo que hay y lo que se gasta; y en cuanto a los equipos no voy a pagar a esos insaciables traficantes brasileros los exorbitantes precios que ustedes hacen figurar en las listas. Ni un gránulo de pólvora se va a pagar más de lo que vale.

3) Decir al comandante de guarnición que para no acabar de arruinar los caballos dándoles tiempo de encarnecer este verano, es menester poner más bastos a los lomillos en las faenas del campamento. Decirle también que puede continuar el corte de maderas hasta cuarto creciente, que será viernes. Separar el corte en dos porciones; en una las que sirvan para la construcción de las embarcaciones; en otra, las que han de ser canjeadas por armas con los contrabandistas brasileros y orientales. En tus partes y oficios deja el *don*, que ya no se usa.

4) ¿Qué es de la señora Pureza? ¿Ha llegado ya allí? ¿Le has dado asilo, la debida atención que te he ordenado en mi anterior? Trátala con el debido respeto que se merece señora tan principal, a quien el país debe muchos servicios que yo me sé. No necesitas fingir con ella altanería, furias de palabras con las cuales en tu idiotez crees realzar afirmando tu poder de mando. Poder que no tienes sino en delegación del Supremo Poder.

5) He recibido muchas quejas contra ti de los comerciantes brasileros. La misma rabia, por justificada que sea, no se debe tolerar tener. Porque cuando se cría rabia contra alguien es lo mismo que autorizar a que esa persona pase todo el tiempo gobernando la idea, el sentir nuestros. Los menores momentos. Eso es falta de soberanía en una persona. Harta bobada de hecho lo es. Planta este consejo bajo la mata de tus pelos motosos. Que crezca allí en pensamientos, en acciones útiles. Mi estimado Roxas, obra según tu deber.

6) Enviar Gacetas porteñas. La última que me enviaste tiene ya seis meses de antigüedad. Pagar sobreprecio aunque sea por números

atrasados. Folletos, cualquier clase de publicación que salga allá. He leído que Rosas comienza a ocuparse favorablemente de mí, lo que podría significar algo si no son más que astutos requiebros del Restaurador para ganar tiempo y ganarme a mí, ahora que Lavalle empuja sus huestes contra él. El calandrajo Ferré es nuevamente gobernador de los correntinos. Se lo tienen merecido. Averiguar si es cierto que ha ofrecido al falsario Rivera el mando del ejército contra Rosas y puesto al manco Paz como jefe militar de sus fuerzas.

7) Reclamar al inglés Spalding, en la otra banda, el envío del prometido libro de los hermanos Robertson sobre mi Reino del Terror, junto con sus Cartas sobre el Paraguay. Quiero ver con qué nuevas felonías salen estos bribones, luego de un cuarto de siglo. Puedes pagar por esas patrañas encuadernadas hasta un tercio de yerba. Uno más si son dos los tomos. Regatea. No creo que esas miserias impresas valgan más que un par de alpargatas. De todos modos no te pases de los dos tercios de yerba en total. De lo contrario, váyanse al infierno el inglés Spalding, los dos escoceses Robertson, el Imperio Británico con todos sus miserables súbditos adentro.

8) Al receptor León decir que encargue con tiempo un nuevo cargamento de juguetes para ser repartidos a los niños el Día de Reyes. Los juguetes esta vez serán pagados en metálico por Tesorería a cuenta de mis sueldos no cobrados. La caravana de carretas que llevan las cureñas y los cañones pueden traer al regreso los fardos y cajones de juguetes, según detalle al pie.

9) Ve de componerte para mejorar nuestro servicio secreto en el área del exterior que te corresponde. Hacerlo más rápido, más eficaz, más reservado. Así como hoy funciona, soy el último en enterarme de lo que pasa. Especialmente ahora que estoy embarcado en un proyecto de vastas proporciones. Sobre este particular recibirás más instrucciones en el Pliego reservado.

10) Sondea a la señora Pureza acerca de sus relaciones en Río Grande, la Banda Oriental, el Entre Ríos. No decirle tú nada todavía. Embarrarás como siempre las cosas. Mejor invítala en mi nombre a hacer un viaje hasta Asunción para hablar conmigo. No le avances los motivos. Si es de su gusto este viaje, proporciónale los medios junto con la escolta adecuada. Anda por allí, creo, el antiguo carruaje de los gobernadores desde que lo abandonaron en su viaje a Misiones los pícaros Robertson. Ponerlo en condiciones al servicio de

la señora Pureza. En este caso, avisarme con tiempo de su llegada.

11) Aumenta a tres el número de postas en el servicio de chasques Asunción-Itapúa. Una en el pueblo de Acahay; otra sobre el río Tebikuary-mi; la tercera en la confluencia de los ríos Tebikuary-Pirapó. Fabricar balsas para el cruce de carga pesada en los dos ríos más grandes. Destacar en estos puntos los remeros-balseros más capaces que puedas reclutar allí. Enviar gente del leprosario de Yuty para el cuidado de los enseres, de las instalaciones. Destinarás una res diaria más el bastimento, el uniforme de tropa, tanto a los balseros como a las patrullas de canotaje. Lo mismo a los equipos de conservación, reparación y mantenimiento del material.

12) No entiendo, mi estimado Roxas, eso de que salgas repentinamente diciendo en un parte que precisas ropaje para el batallón. Aquí estoy sin poder concluir el vestuario de más de mil reclutas. Las únicas tres sastrerías que hay con tres sastres y veinte obreras, trabajando en tres turnos, no dan abasto. Por lo que tales reclutas no han podido pasar aún revista, estando ya regularmente enseñados, dispuestos a incorporarse a los efectivos de línea. Que esos otros aguarden para cuando haya lugar; y si tanto precisan, que hagan lo que quieran, porque en este momento estoy ocupado en muy graves asuntos que no son únicamente los de proveer trapos a las tropas. ¿Qué es esto de andar mezclando los trajes? Tú sabes muy bien o deberías saberlo ya luego de veinte años, que el uniforme general es una chaqueta azul con vueltas cuyo color varía según el arma. Pantalones blancos. Cordoncillos amarillos en las costuras de la espalda distinguen la Caballería de la Infantería. Sombrero redondo de cuero con la escarapela tricolor y la inscripción *Independencia o Muerte* en la cúspide. Otra más grande sobre el corazón de la guerrera. Si no se cuidan estos detalles, al primer entrevero de un combate de verdad, las unidades no sabrán mantener el orden. Se entremezclarán los batallones, escuadrones, compañías. Atacará, disparará cada uno por su lado. Como le ocurrió a Rolón en su escaramuza con los correntinos.

En las carretas que llevan las cureñas irá lo que se pueda aprontar por ahora de los artículos de vestuario. Tal vez todo, fuera de corbatas, que se irán haciendo después.

Lista del pedido de juguetes:

2 figuras de generales uniformados a caballo, cada uno sobre una zorra de 4 rueditas, de a 10 pulgadas de alto las figuras.

6 oficiales uniformados también a caballo e igualmente sobre una zorra de 4 rueditas cada una, de a 7 pulgadas de alto.

770 figuras de granaderos uniformados de a 6 pulgadas de alto, 10 de ellos con corneta.

10 figuras de tambores uniformados con sus cajas, y resortes para tocar, diferentes tamaños desde 5 y ½ pulgadas de alto, cada uno sobre un cajón en que está el resorte.

1000 figuras de un centinela en su garita, de la cual sale y entra por medio de un resorte, de 3 pulgadas de alto la figura.

600 cañoncitos de a 3 y ½ pulgadas de largo sobre cureñas.

12000 fusiles de a 12 ½ pulgadas de largo el cañón, empavonados de colores diferentes.

100 cornetas pintadas de diferentes colores de a 13 pulgadas de largo.

20 figuritas de mujeres de a 6 y ½ pulgadas de alto, vestidas de blanco tocando guitarra y paradas cada una sobre un cajón en que tiene el resorte.

20 cómicos con sus cómicas valseando sobre una rueda puesta sobre un cajón donde está el resorte, de a 5 pulgadas de alto.

20 figuras de mujeres sentadas en sillas, tocando piano, de a 9 pulgadas de alto, y puestos sobre cajones donde está el resorte.

40 muchachas sentadas en cuclillas sobre cajones de a 3 pulgadas de alto, dando cada una de comer a dos pajaritos.

30 muchachas de a 3 pulgadas de alto sobre cajones de resorte enseñando a sus perritos.

30 muchachas de a 3 pulgadas sobre cajones con resorte, dando de comer a un pajarito cada una.

50 muchachas de a 2 pulgadas de alto sentadas sobre fuelles con un pajarito en las faldas.

400 figuras de mujer de a 4 pulgadas de alto, vestidas de colores con sus hijitos en los brazos, paradas sobre cajones donde está el resorte para caminar.

50 muchachas sentadas sobre fuelles, con sus pajaritos en las faldas de a 2 y ½ pulgadas de alto.

120 mujeres de a 6 pulgadas de alto con sus hijitos en las manos con resorte.
200 mujeres como labradoras de a 9 y ½ pulgadas de alto.
7 frailes de a 3 y ½ pulgadas de alto, parados sobre fuelles (descalzos).
4 ancianos de 3 y ½ pulgadas cada uno con una mula por delante cargada de fruta sobre cajones con resorte.
80 niños sentados en hamaca.
77 guaikurúes a caballo cada uno con sus lanzas de a 3 y ½ pulgadas de alto.
20 tigres colorados de a 3 y ½ pulgadas de alto y 7 y ½ de largo, colocados sobre fuelles.
20 gatos de 2 y ½ pulgadas de alto sobre fuelles.
20 conejitos sobre fuelles.
20 zorros con un gallo encima de cada uno, colocados sobre cajones de resortes de a 9 pulgadas de largo.
60 matracas de a 3 pulgadas de largo, y 1 y ½ de ancho.

(En el cuaderno privado)

Cojo otra vez de entre los papeles la flor-momia de amaranto. La froto contra el pecho. De nuevo vuelve a surgir de sus profundidades el hedor débil; un olor, rumor más que olor. Irradiación magnética que comunica directamente sus ondas al cerebro. Tenue corriente que está allí desde ANTES. Sólo en apariencia aroma-fósil. Nebulosa fuera del tiempo, del espacio, propagándose a una fantástica velocidad a la vez en varios tiempos y espacios simultáneos, paralelos. Convergentes-divergentes. Los objetos no tienen los aspectos que encontramos en ellos. Oigo con todo el cuerpo lo que las ondas están susurrando eléctricamente. Radiaciones acumuladas vibran en el tímpano-amaranto. La tela de la memoria vuelve hacia atrás proyectando al revés infinitos instantes. Escenas, cosas, hechos, que se superponen sin mezclarse. Nítidamente. Momentum. Onda luminosa. Continua. Constante. Basta pues que uno se resguarde detrás de un espejo para contemplar sin ser destruido. Aunque el choque de ese rayo infinitesimal de energía, más tremenda que la de diez mil soles, podría hacer añicos el mundo del espejo. El espejo del mundo.

Los rayos del sol caen a plomo sobre la sumaca de dos palos en que vamos navegando rumbo a Córdoba. Remonta sus aguas el río. No hay una brizna de aire. La vela cangreja cae lacia a botavara. El agua hiede a limo de playones recalentados. Brilla en los reverberos. Puedo distinguir cada uno de esos reverberos. *Veo* lo que va a pasar en el instante siguiente o un siglo después. La embarcación va atravesando un campo flotante de victorias-regias. Los redondos pimpollos de seda negra chupan la luz humeando un olor a coronas fúnebres. Cojo uno de esos pimpollos. Abro la cálida bola. En el interior de la esfera pulida, marfilina, descubro lo que busco. Redondo espejo de puntos fríos de un gris azulado, parpadeando en las pestañas sedosas más negras que las alas del cuervo. Al anochecer los pimpollos se sumergen a dormir bajo el agua. Reflotan al alba pero aun bajo la luz del mediodía, como en este momento, su plumaje permanece nocturno. Absoluta inocencia. Puedo sujetar al tiempo, volver a empezar. Elijo uno cualquiera de esos instantes de mi niñez que se despliegan ante mis ojos cerrados. Estoy muy dentro aún de la naturaleza. Después de borrar la última palabra del pizarrón, mi mano no ha llegado aún a la escritura. Mi mente de niño toma la forma de las cosas. Busco mis oráculos en los signos del humo, del fuego, del agua, del viento. Los remolinos de tierra me echan a los ojos su polvo matemático. El báculo camina solo, muy despacio. El yáculo viene por el aire más rápido que una flecha. Voy bogando en mi canoa. Consulto aquí y allá esos nidos naturales donde empolla lo-que-no-es. Pronósticos. Vaticinios. Hago aguas sobre el agua barrosa. El temblor de las olitas es una nueva fuente de presagios que ya se han cumplido. Cuando los acontecimientos, el más mínimo hecho, no sucede como uno ya ha visto que sucederá, no es que las cosas-profetas hayan errado. La lectura que uno hace de esas profecías es la que se equivoca. Es preciso releer, corregir hasta el último pelo de error. Únicamente así, a las cansadas, cuando ya uno ni siquiera lo espera, surge el filo sobre el cual resbala, tras la última gota de sudor, una primera gota de verdad. El único que podría decir esto sin mentir sería el último hombre. Pero quién puede saber que es el último hombre si la humanidad misma carece de un fin. Y si esto es así, ¿no será que todavía no hay humanidad? ¿La habrá alguna vez? ¿No la habrá nunca más? ¡Qué humanidad más inhumana nuestra triste humanidad si no ha comenzado todavía!

¿Por qué quieres ahorcar el tambor, Efigenio Cristaldo? Ya estoy viejo, Su Excelencia. Ya no me dan más las fuerzas para sacar del cuero el sonido que conviene al redoble de un Bando, de un Decreto, de una Orden, de un Edicto. Especialmente en la escolta de su Excelencia. Sabes que ya no salgo a paseo. Será también por eso entonces, Supremo Señor, que no me sale el son. Yo estoy más viejo que tú y seguiré batiendo el parche del Gobierno, salga o no salga el son. Lo más oíble no es lo más oído, Efigenio. Yo continuaré redoblando mientras me reste un hilo de vida. Su vida será larga sin segundo, Excelentísimo Señor. A Vuecencia nadie lo puede reemplazar; a mí, cualquiera de esos jóvenes tamboreros a quienes yo mismo enseñé. Me permito recomendar muy especialmente al trompa Sixto Brítez oriundo del cerro Ñanduá de Jaguarón. Es el mejor trompa del batallón Escolta, pero su *ele* es el tambor. Nació luego nomás para tamborero, Supremo Señor, y en eso sí nadie le gana. Sabe llenar de viento la barriga, el pecho, y a golpe de puño sacar cualquier redoble, que se escucha hasta una legua y más, cuando no hay viento. Sobre todo después de la rancheada en que se llena de poroto-jupiká y se come él solo una cabeza entera de vaca. No me vengas con recomendaciones, Efigenio, y menos a favor de ese insigne comilón que tiene además el vicio de meterse la mano en las bragas en plena marcha para ir regalándose con la hedencia recogida en los dedos. ¿Qué es esto de ir oliéndose sigiladamente los efluvios prepuciales? ¿Qué es esto de ir tocándose el pito mientras toca la trompa? Ya recibió varios palos por esta fea costumbre. Se le mandó hacer un pantalón especial, sin bragueta. Ahora lleva descosidas por dentro las faltriqueras. Menos mal que será un buen alférez en la guerra contra la Triple Alianza. A un héroe futuro pueden dispensársele algunos vicios presentes.

Policarpo Patiño trabajó aquí entre estos papeles hasta su último día copiando su propia sentencia de muerte. Tu padre, maestro de cantería, labró piedras hasta el último día de su vejez. Era su oficio, Excelencia, como el suyo es ser Gobernante Supremo. Cada uno nace para un oficio distinto, Señor. ¿Cómo dices? ¿El tuyo no es tocar el tambor? Uno nunca sabe, Excelencia. ¿De modo que ahora quieres abandonar el servicio? Acaso tú también piensas que soy el Finado. ¡Nunca jamás he pensado ni pensaré eso, Excelencia! Únicamente me he permitido pedir a Su Merced me releve del puesto para el cual ya no sirvo, por viejo y porque el tambor está cada vez más lejos de mí. En nuestras cortas relaciones con la existencia todo consiste en que hayamos entretenido un poco el ritmo, Efigenio. Vea esto, Supremo Señor. ¿Qué es eso? El callo que me ha formado el tambor de apoyarlo en el pecho. Tan grande como una joroba de cebú, tan duro como una piedra. Necesito palos muy largos, Señor, y el son me sale sin fuerza. En ese callo debe estar enterrado todo el sonido que no te salió afuera. Te has jorobado, Efigenio. Tú también cargas tu piedra, eh. ¿Y qué oficio es el que te gustaría desempeñar ahora? Yo, Señor, lo que desde muy chico quise mucho ser es maestro de escuela. ¿Y has esperado treinta años para decírmelo? Hubiera esperado más también, Excelencia, de haber podido seguir sirviendo como tamborero sin la disconveniencia de esta joroba que me ha salido en el pecho, además de la que también cargo en el lomo. En la solicitud que has presentado dices que quieres reintegrarte a tu trabajo de chacrero como plantador de maíz-del-agua en el lago Ypoá. También es cierto eso, Señor. Pero el oficio para el que he nacido es el de maestro de escuela. No has dicho eso en tu oficio. No me animaba, Excelentísimo Señor, proponerme yo mismo para un oficio tan alto como el de maestro, aunque las dos cosas sean para mí la misma y única razón que me ha traído al mundo. Esto sin demeritar en lo más mínimo el honor de haber servido a las órdenes directas de su Excelencia. Aquí he enseñado a los indiecitos músicos; pero ellos lo único que necesitan aprender son los palotes de las primeras letras. Todo lo demás, que es lo más, ya vienen sabiendo de los montes donde nacieron. ¡Basta! Quedas relevado de tu puesto en el que has estado lastando provisoriamente con el tambor durante treinta años. A cada día le basta su pena, a cada año su daño. Vete a tus flores acuáticas. Dales un cariñoso saludo a esos pimpollos que reflotan a la primera luz del alba con un sonido muy dulce que no está entre las siete notas de la escala. Mira esas flores con mis ojos, si es que puedes. Tócalas con mis manos, si es que puedes. Verás que el cedazo de esas aterciopeladas ruedas flotantes recogen muchas nubes. Moisés hubiera querido nacer en una de esas canastillas. Llévate ese tricornio colgado en el perchero. Póntelo en la cabeza. Vamos ¡Póntelo! Coge esa flor petrificada que está sobre la mesa, allí junto al cráneo. Póntela bajo el tricornio. Más arriba. Bien pegada al cuero cabelludo. Ahí, ahí. Apriétala más. Antena igual a la de los insectos ciegos. En ella escucharás la voz que continúa. Brasita de todo es el carbón de uno mismo. Uuu, Ah. ¡Cuánto tiempo ha pasado o ninguno! ¿Dónde estás, Efigenio? ¿Me escuchas? ¡No muy bien, Excelencia! ¡Lo escucho como si su voz estuviera bajo tierra! ¡No bajo tierra sino en una lata de fideos! ¿Dóóónde estááás túúú? ¡Aquí en el lago, entre los cedazos verdes con sus pimpollos de seda negra! Tú tampoco estás bueno de salud, Efigenio. ¿No lo has pasado bien últimamente? ¡Viviendo mi suerte con luchas y guerras, Señor! ¡No me puedo quejar! ¡Los niños envejecen muy pronto! ¡Las flores también! ¡No hay tiempo de darse cuenta de nada! ¡Doy fe y sigo!

La transmisión con el ex tamborero se interrumpe. El latón no es buen conductor. Tú eres viejo. Yo soy Viejo. Los Viejos fueron. Los Viejos son. Los sones no son. Los Viejos serán. No en los espacios ni en el tiempo que conocemos sino en el tiempo, en los espacios desconocidos que circulan entre los conocidos. Sus manos están sobre las gargantas de los vivos. Mas no los ven. No pueden verlos. No pueden verlos *aún*. *(Letra desconocida)*: Tú sólo puedes espiarlos a oscuras. . . *(roto, quemado)*

. . .esperan pacientes porque reinarán de nuevo aquí. Son Viejos porque son sabios. No debes preguntar, te dice la Voz-de-Antes. No debes preguntar porque no hay respuesta. No busques el fondo de las cosas. No encontrarás la verdad que traicionaste. Te has perdido tú mismo luego de haber hecho fracasar la misma Revolución que quisiste hacer. No intentes purgarte el alma de mentiras. Inútil tanto palabrerío. Muchas otras cosas en las que no has pensado se irán en humo. Tu poder nada puede sobre ellas. Tú no eres tú sino los otros. . . *(falta el folio siguiente)*.

(Circular perpetua)

Una balandra cargada de tercios de yerba, de las tantas que se estaban pudriendo al sol de (desde) la Revolución, fue autorizada a partir. La condición era llevar al expulso Pedro de Somellera. Embarcóse con toda su familia, sus muebles europeos,* enormes baú-

* En 1538, en lucha con las borrascas de Magallanes el piloto genovés León Pancaldo tuvo que volverse del estrecho de las Oncemil Vírgenes. Su nao Santa María traía las bodegas repletas de un fabuloso cargamento de mercaderías destinadas a los enriquecidos conquistadores del Perú. La mala suerte lo venía persiguiendo. Llegó a Buenos Aires cuando soplaban muy malos aires. La hambruna se abatía sobre los expedicionarios del Primer Adelantado, que acabaron comiéndose los unos a los otros. Bajo el gobierno de Domingo Martínez de Irala en el Paraguay, los restos de la despoblada Buenos Aires fueron concentrados en Asunción; convirtiéronla en "amparo y reparo de la Conquista". Los opulentos tesoros de Pancaldo también fueron transportados a esta ciudad. Lo que permitió a los conquistadores amoblar y alhajar sus rústicos serrallos con exquisiteces de verdaderos califas. Desde 1541 hasta la Revolución (y aun mucho después) las mercaderías de León Pancaldo fueron materia de compraventa en Asunción; así, españoles que apenas tenían cuerdas de ballesta, poseían en cambio dagas de artística empuñadura, ricas chamarras, jubones y calzas de terciopelo. No era raro encontrar en los ranchos de pajas, dice un cronista, mezclados con los *aó-poí* indígenas (tejidos de algodón muy primitivos) preciosas telas, cortinas de raso, almohadones de granada, cofres y bargueños de taracea, tocadores de lunas encristaladas, lechos de baldaquinos y doseles recamados con hebras de oro; reclinatorios, escabeles y otomanas de finísima tapicería, alternando con los toscos escaños y banquetas labrados por los naturales para sus amos. Esta situación perduró para criollos y mestizos, los *mancebos de la tierra.*

El cargamento de muebles y enseres que llevó de Asunción Pedro de Somellera tuvo su origen, sin duda, en el tráfico de los tesoros de Pancaldo, a que alude la *circular-perpetua.* Uno de esos folletinistas de la historia que proliferan en el Paraguay, donde la historia misma es objeto de archivo y museo, se encar-

les. Jaulones colmados de centenares de monos, animales de toda especie, aves y bichos raros. Otros más, algunos cabecillas porteños que no habían cesado de conspirar para atraer una nueva intervención de Buenos Aires contra el Paraguay, también fueron metidos con barras de grillos entre los quintales de yerbas y las jaulas. Lo mismo el cordobés Gregorio de la Cerda.

La balandra partió semihundida a socolladas. Zoológico, jardín de plantas, sobornal de animales. En las barrancas del puerto se apiñaba una multitud de damas patricias y de mezclilla. Habían acudido a despedir al *omni compadre* llevando la tracalada de ahijados. Capelinas, sombrillas de todos colores se agitaban en la ribera. Al soltar amarras la balandra, soltaron el llanto las comadres. Escenas de desesperación. Rasgaronse las túnicas de seda, levantábanse las polleras para secarse los mocos y las lágrimas, rivalizando con las monas y guacamayas viajeras en lamentaciones y chillidos.

A la Cerda lo expulsé un tiempo después, cuando retorné por segunda vez a la Junta. Para el caso da lo mismo que lo enviemos ahora provisoriamente en la balandra junto con Somellera y sus demás socios anexionistas.

No cesaron por ello los trabajos clandestinos para recuperar el poder mediante una contrarrevolución. En la mañana del 29 de septiembre de 1811 una compañía del cuartel al mando del teniente Mariano Mallada salió arrastrando dos cañones, tocando cajas y alborotando las calles a los gritos de ¡Viva el rey! ¡Viva nuestro gobernador Velazco! ¡Mueran los traidores revolucionarios! Era la trampa fraguada por los idiotas de la Junta. Simulacro de un motín restaurador. Muchos españoles picaron el cebo; algunos mordieron el anzuelo. En ese momento salieron del cuartel los efectivos de reserva, y apresaron a los alborotadores.

Por la estúpida manera en que fue ideada y ejecutada la tramoya

gó de reconstruir el inventario de lo llevado del Paraguay por don Pedro. Es un repositorio impresionante. El cargamento sólo pudo caber en una flota, no en una pequeña balandra que zarpó con la línea de flotación bajo agua por aquellos días en que la gran bajante casi había dejado el río sin agua. El inventario afirma por su cuenta que don Pedro, antes de partir, hizo tragar además a sus monos, perros, cerdos y demás animales, monedas de oro y plata cuya evasión ya estaba por entonces en el Paraguay severamente prohibida y penada. *(N. del C.)*

de la insurrección, quedó la asonada en nada. Avisado de urgencia dejé la chacra y bajé a la ciudad. En la plaza comenzaba la representación. Llegué cuando fusilaban y colgaban de la horca a un criado de Velazco, Díaz de Bivar, y a un pulpero catalán de apellido Martiní Lexía. ¡Bajen esos cadáveres y basta de sangre!, grité a trueno pelado. La soldadesca, excitada ya por el husmo a sangre, amainó. En medio de la plaza, erguido en mi caballo empapado de sudor, mi presencia impuso respeto.* Cesó en el acto la inepta farsa, cuya maquinación ciertos folicularios se avanzaron después a querer atribuírmela. Yo la hubiera hecho en grande. La hice en grande después. No esa ridícula mojiganga de un ejército entero lanzado para asesinar a un pulpero y a un caballerizo del ex gobernador.

Descolgaron a los ahorcados ante el horror general. De pronto la turbamulta de españoles, armados de palos y viejos arcabuces, reventó en una nueva batahola, esta vez de entusiasmo. Exaltada alegría. Todos se deshacían en alabarme y reconocerme como a su libertador. Las mujeres y ancianos lloraban, me bendecían. Algunos de ellos se arrodillaron y quisieron besarme las botas. ¡Bonito triunfo de los a-céfalos de la Junta! ¡Montar esa grotesca martingala en la que yo aparecía como salvador y aliado de los españoles! ¿No era esto lo que desde un principio persiguieron?

La parodia de la Restauración favoreció finalmente a la causa de la Revolución, ocultándola en sus comienzos en una nube de humo. Por el momento convenía que Yo, su director y jefe civil, apareciera como el árbitro de la conciliación frente a las fuerzas en pugna para la institucionalización del país. He de hacerlo, proclamé, sobre la base de coincidencias mínimas, de modo tal que ninguno de los partidos o facciones pierdan su identidad e individualidad. *(Al margen*: esto sí era una media verdad; en cuanto a "coincidencias mínimas", no había ninguna; la entera verdad habría sido decir "connivencias mínimas".) Yo las iba a usar sobre el tablero de acuerdo con la estrategia pausada e inflexible que me había impuesto. El

* "Su aspecto era imponente. Envuelto en su capa negra de forro escarlata, echando fuego por los ojos y recortada su silueta contra las nubes, su figura era la de un Arcángel vengador; su voz resonó más poderosa que el sonido de la trompeta", escribe un testigo de la época, el coronel españolista José Antonio Zavala y Delgadillo, en su *Diario de Sucesos Memorables.*

azar comenzaba a colaborar conmigo. Ya había sacado de en medio al alfil de Somellera, al caballo de la Cerda y a otros peones porteños, que de paso habían dejado peladas las arcas del Estado. Ya no me detendría hasta el jaquemate con o sin bombilla. Claro, ustedes no conocen el regio juego del ajedrez, pero conocen a la perfección el plebeyo juego del truco. Hagan de cuenta que dije: Hasta no tener en la mano el As de Espadas y hacer saltar la banca.

La mayor parte de los españoles ricos fueron a parar con sus huesos en la cárcel. Hombre de orden, no era Yo el que había dado esta orden de desorden. El rescate de los prisioneros debía contribuir al menos con una buena suma de doblones para el fisco; amén de otras confiscaciones, expropiaciones y multas que las circunstancias lo exigieran en justa restitución.

Mientras los frailes increpaban a los oficiales de la Junta y del cuartel, según reconoció el plumífero Pedro de Peña en sus apuntes al otro felón-escriba Molas, a mí me colmaban de bendiciones. Yo era el magnánimo Doctor que los frailes habían alumbrado y amamantado en la Pía Universidad de Córdoba.

En la ciudad primero, luego en toda la provincia, se comentaba públicamente que Yo me había opuesto al designio de los miembros de la Junta de que los presos tomados en rehenes fueran fusilados en masa, inclusive el obispo y el ex gobernador. Las familias de los prisioneros acudían a mí en demanda de justicia y protección.*

* "Obra en esos días de manera conciliadora. Quiere imponer confianza general, ser el hombre del orden, atraer la voluntad del españolismo. Hasta cambia de maneras. Se vuelve amable gentil. Le visitan en su despacho, entre muchas otras damas de la aristocracia, las señoras Clara Machaín de Iturburu y Petrona Zavala de Machaín, cuyos esposos también se hallaban presos, para pedirle que se active el proceso. Las atiende con amabilidad, accede al pedido y las despide 'con mucho consuelo', según cuenta en su *Diario de Sucesos Memorables* el padre de Petronita. Se ha vuelto muy gentil el huraño abogado. ¡Cambia tanto el poder a los hombres! No se ha fijado siquiera que la más joven de las damas visitantes es su antiguo amor. ¿Ha olvidado? ¿Ha perdonado?" *(Comentario de Julio César.)*

"Luego de un amor desafortunado con Clara Petrona, hija del coronel Zavala y Delgadillo que desahució sus pretensiones, no se le conocieron otros amores ni noviazgos. Las afecciones ocupaban poco espacio en el alma frígida de este hombre, absorbida por un propósito fundamental. Para penetrar en ella hacen

Se fueron Somellera y Cerda. Vinieron Belgrano y Echevarría. Vinieron viniendo de a poco. No ya como invasores sino en misión de paz. Esta misión estaba bien calculada, relata el Tácito porteño, para tratar con un pueblo inocente y suspicaz como el paraguayo, tan propenso a la desconfianza como fácil de alucinar. Belgrano representaba en ella el candor, la buena fe, la altura de carácter. Vicente Anastasio Echevarría la habilidad, el conocimiento de los hombres y las cosas, la verba fluida y convincente. Yo no vi en este mequetrefe más que una lengua varicosa, viperina; no oí en él más que el barullo de sus estrafalarias ideas asomando a sus ojos de reptil. Belgrano sí era mucho mejor que la descripción del Tácito Brigadier. Alma transparente la de este hombre ignorante de la maldad, asomando a sus claras pupilas. Hombre de paz condenado a ser distinto de lo que él era en la profundidad de su ser.

Los dos emisarios no sólo no se completaban ni complementaban, según afirma el Bigardiero, sino que se estorbaban y anulaban. La situación de su país les imponía un supuesto restablecimiento de la concordia con el nuestro, manzana de la discordia del extinto virreinato. No era paz y leal entendimiento, sin embargo, lo que seguían persiguiendo los gobiernos de Buenos Aires. La verdad era que los pobres porteños estaban pasándola muy mal. Un gobierno sucedía a otro gobierno en el remolino de la anarquía. El de la mañana no

---

falta escala y farol." *(Comentario de Justo Pastor Benítez.)*

"Extraño universo el de tal hombre de quien se murmura que poseía un corazón endurecido, semejante al de Quinto Fixlein, a prueba de fuego, puesto que las únicas seducciones a las que cedía eran sus ocupaciones. Otros aseguran, sin embargo, que no dejaba de inflamarse y era sensible a esos ojos andaluces que todavía brillan en la décima o duodécima generación. Se nos ocurre que, en tales casos, ha de haber ardido como la antracita, según dicen fulguraban sus ojos en su cara de urubú. Hay rumores flotantes al respecto.

"¡Pobre Supremo! Lástima que no haya habido un par de estos ojos con la suficiente inteligencia, profundidad y alma para haberlo aprisionado de una manera permanente convirtiéndolo en un virtuoso padre de familia. ¿Hay, por otra parte, alguna certidumbre de que fuera hija de El Supremo aquella joven atolondrada, morena, vivaracha, de vida desordenada, que veinte años después vendía flores por las calles de Asunción? Nada más que sombras, sombras, sombras. ¡Palabras, palabras, palabras!, dijo Hamlet, el melancólico príncipe de Dinamarca por boca de nuestro Shakespeare." *(Comentario de Thomas Carlyle.)*

sabía si iba a durar hasta la noche. En las dudas tenían sus maletas a la puerta. En el exterior no lo estaban pasando mejor. Tras el desastre de Huaqui, los maturrangos se habían vuelto a apoderar del Alto Perú. Los portugueses-brasileros ocupaban militarmente la Banda Oriental. La escuadra realista dominaba los ríos. Buenos Aires disfrutó, antes que Asunción, las delicias del bloqueo y del aislamiento.

En este momento no me acuerdo si fue al babia de Rivadavia o al cara de piedra de Saavedra a quien se le ocurrió enviar al general Belgrano y al rábula Echevarría con instrucciones de insistir en la sujeción del Paraguay a Buenos Aires. Si esto no era posible, lograr al menos la unión de ambos gobiernos por un sistema de alianza. ¡Siempre la "unión" bajo cualquier pretexto! ¡A cualquier precio la anexión! La Revolución en el Paraguay no había nacido para zurcidos ni remiendos. Yo era el que cortaba el flamante paño a su medida.

Belgrano y Echevarría tuvieron que sufrir en el purgatorio de Corrientes un largo plantón. Antes de su visita, la Junta había enviado al gobierno de turno de Buenos Aires, el 20 de julio de 1811, una nota que expresaba con firmeza los fines y objetivos de nuestra Revolución. Yo dije que ningún porteño pondría más los pies en el Paraguay antes de que Buenos Aires reconociera plena y expresamente su independencia y soberanía. Fines de agosto. La respuesta remoloneaba adrede. Adrede prolongué el plantón de los emisarios en la Puerta del Sud. Repetí a los de Buenos Aires la partitura de la nota: Abolida la dominación colonial, les cantaba el tenor, la representación del poder supremo vuelve a la Nación en su plenitud. Cada pueblo se considera entonces libre y tiene el derecho de gobernarse por sí mismo libremente. De ello se infiere que, reasumiendo los pueblos sus derechos primitivos, se hallan todos en igualdad de condiciones y corresponde a cada uno velar por su propia conservación. Hueso duro de tragar para los orgullosos porteños. Había otros alfilerazos en la nota: Se engañaría cualquiera que llegase a imaginar que la intención del Paraguay es entregarse al arbitrio ajeno y hacer dependiente su suerte de otra voluntad. En tal caso nada más le habría adelantado ni reportado otro fruto su sacrificio que el cambiar unas cadenas por otras y mudar de amo. Por el mismo hecho de que el Paraguay reconoce su derecho, no pretende perjudicar ni aun levemente los de ningún pueblo, y tampoco se niega a todo lo que es regular y justo. Su voluntad decidida es unirse con esa ciudad y demás confederadas, no sólo para conservar una recíproca amistad, buena armonía, libre comercio y correspondencia, sino también para fundar una sociedad basada en principios de justicia, de equidad y de igualdad, como una verdadera Confederación de Estados autónomos y soberanos.

La espina ensartada en el garguero, el Tácito Brigadier no tuvo más remedio que reconocer: Esta fue la primera vez que resonó en la historia americana la palabra *Federación*, tan famosa después en las guerras civiles, en sus congresos constituyentes y en sus destinos futuros. Esta célebre nota puede considerarse como la primer acta de Confederación levantada en el Río de la Plata.

El Paraguay regalaba pues a los porteños esta idea que podía resolver de golpe todos sus problemas. Proyectaba para América toda, antes que ningún otro pueblo, la forma de su destino futuro.

La Junta expidió un oficio a Belgrano, varado en San Juan de Vera de las Siete Corrientes: Protestamos al señor comisionado que sólo el deber de una entera y feliz terminación de las pasadas diferencias es la que la impele a proceder con esta detención hasta que su gobierno comprenda y adhiera a nuestras leales proposiciones y a nuestros sagrados empeños, que son y deben ser los mismos. Protestamos también una amistad sincera, deferencia y lealtad con los pueblos hermanos; valor generoso contra los enemigos armados; desprecio y castigo para los traidores. Éstos son los sentimientos del pueblo paraguayo y de su Gobierno, y los mismos que reclaman y esperan también de parte de Buenos Aires. Bajo este concepto puede el señor comisionado estar seguro de que, en el instante mismo en que recibamos favorable respuesta de su gobierno, tendremos un motivo de particular satisfacción en facilitar el tránsito y arribo de esa misión a esta ciudad.

[*(Al margen)*: El bagre de Takuary se volvió espina. El pez nace de una espina. El mono de un coco. El hombre del mono. La sombra del huevo de Cristóbal Colón gira sobre la Tierra del Fuego. La sombra no es más difícil que el huevo. La sombra huye delante de sí misma. Todo llega. El solo estar viniendo ya es estar llegando.]

A reculones llegó la respuesta de Buenos Aires. Cumplidamente aceptaba todo lo que se le exigía comprometiendo inclusive más de lo que se le había reclamado. Llegaron los emisarios plenipotenciarios. Erguidos en la proa del barco, el sol encendía sus vestimentas de gala en la mañana primaveral. Magnífico recibimiento. Las veinte familias principales, en lo más alto de las barrancas. Millares de curiosos del chusmaje atronando el aire con cajas y bombos, igual que en las fiestas del toril en los campamentos de negros y mulatos. La Junta en pleno les dio la bienvenida en medio de las salvas de los cañones y la fusilería. El general Belgrano se adelantó hacia los oficiales. Luego del saludo militar, los ex adversarios de Takuary se abrazaron largamente cuitándose en las orejas furtivos mensajes. Entre el clamoreo de la muchedumbre nos dirigimos a la Casa de Gobierno en el ex carruaje de los gobernadores. Una llanta rota nos obligaba a saludarnos a cada voltejeo de la rueda. Rigodón de cabeceos y sonrisas. Al pasar por la Plaza de Armas los recién llegados vieron las horcas. Canes canijos lamían las manchas de sangre del pulpero y del caballerizo de Velazco. Echevarría se volvió y con un guiño pícaro en los ojos me preguntó: ¿Esos artefactos forman parte de la recepción? No me gustó de entrada la cara de ese hombre. Mezcla de dómine y ave negra de tribunales. En guiso de fantasía, pollo. Pollo de monóculo; cualquier bicho, menos un hombre en el que se pudiese confiar. No, doctor, ese decorado sirvió para otra representación. Lo que ocurre es que en el Paraguay el tiempo es muy lento de tan apurado que anda, barajando hechos, traspapelando cosas. La suerte nace aquí cada mañana y ya está vieja al mediodía dice un viejo dicho, nuevo cada día. La única manera de impedirlo es sujetar el tiempo y volver a empezar. Usted ve aquello. No. Ya no existe. Se ha vuelto aparición. Ya veo, ya veo, dijo el pollo-plenipotenciario entrecerrando su único ojo. Agotado por un terrible esfuerzo mental se enjugaba la cresta con un pañuelo de todos colores. El general muy parco, muy serio, cabeceaba a cada golpe de rueda.

Surge del portapluma-recuerdo otra recepción que daré al enviado de Brasil, quince años más tarde. Puedo permitirme el lujo de mezclar los hechos sin confundirlos. Ahorro tiempo, papel, tinta, fastidio de andar consultando almanaques, calendarios, polvorientos anaquelarios. Yo no escribo la historia. La hago. Puedo rehacerla según mi voluntad, ajustando, reforzando, enriqueciendo su sentido y verdad. En la historia escrita por publicanos y fariseos, éstos invierten sus embustes a interés compuesto. Las fechas para ellos son sagradas. Sobre todo cuando son erróneas. Para estos roedores, el error es precisamente roer lo cierto del documento. Se convierten en rivales de las polillas y los ratones. En cuanto a esta circular-perpetua, el orden de las fechas no altera el producto de los fechos.

El 26 de agosto de 1825, Antonio Manoel Correia da Cámara,* comisionado del imperio del Brasil, es conducido en el mismo carruaje en que voy con Belgrano, a la Casa de Gobierno. No lo acompaño yo, desde luego. El jefe de plaza basta para cumplir tal menester. Un batallón del regimiento de pardos y mulatos lo escolta. Máximo honor que puedo dispensar a este botarate emplumado que ha tenido el atrevimiento de omitir en su solicitud de entrada el título de *República*, que corresponde legítimamente a nuestro país. Lo estoy observando desde la ventana de mi gabinete. Racimos de cabezas se alborotan en los huecos de la calle principal. El populacho se agolpa en las esquinas al paso del visitante galoneado, tintineante de condecoraciones. Desde la carroza el amigo del sultán Bayaceto agita ceremoniosamente su sombrero de plumas. Bandera de parlamento. El gentío se atropella para ver de cerca al comisionado imperial. No hay bulla de vítores ni aclamaciones. Curiosidad espesada de instintiva malquerencia. Sé lo que es eso. Sombras rojas. Es que el pueblerío no puede dejar de ver en el Hombre-que-viene-de-lejos al kambá brasilero: Descendiente de los bandeirantes merodeadores, incendiarios, ladrones, negreros, violadores, degolladores. La llanta rota lo decapita a cada bandazo. Los saludos caen al polvo.

* "Paralela a la misión porteña [se refiere no a la misión de Belgrano y Echevarría sino a la de Juan García de Cossio] es la brasileña de Antonio Manuel Correa da Cámara. Personaje de tintes extraordinarios. Ninguno llamado como él por su vida novelesca, por su carácter aventurero, a escribir el capítulo dramático de una entrada al aislado Paraguay; su viaje, su estada en Asunción y en Itapúa, su negociación en la capital, forman una novela plena de apasionante interés. Guerrero en la India, combatiente en Portugal, prisionero de Napoleón, viajero en Turquía, revolucionario en Río de Janeiro, amigo íntimo de José Bonifacio, devoto de las musas, golpeando las puertas del Paraguay enclaustrado para revelar la Esfinge. Tal hombre para tal misión." *(Comentario de Julio César.)*

Cuando calla la trompa de la escolta se escuchan gritos de zumba. Sorda rechifla: ¡Kambá! ¡Kambá! ¡Kambá-tepotí! ¡Cuánta diferencia con la bienvenida a Belgrano!

He dispuesto no recibir todavía a Correia. Que espere un poco más. No tiendo mi mano a los apuros. Quiero saber a fondo qué es lo que quiere el imperio, qué es lo que se trae entre manos su atolontado testaferro. Que lo lleven a su alojamiento. De la carroza negra aparece la mano blanca cuajada de destellos agitando el empenachado sombrero, saludando a diestro y siniestro. La chusma observa el espectáculo, formando parte sin participar de él. El hombre-que-viene-de-lejos avanza en el fondo de la calesa negra rodeado por la atmósfera de su carnaval carioca. Teatro inútil. Decorado dorado, escorado en lo no-visible. Lo precede un batuque de danzantes negras vestidas de collares. Saltimbanquis, capoeiras, agitan sus cachiporras manchadas de rojo. Insuficiente. Insuficientemente rojo. No alcanza el tinte de la sangre. Acaso baste a simularla bajo el sol marginal del Brasil, al ocaso del Âfrica. Otra cosa. Otra cosa es el pasionario sol de Asunción. Siempre a plomo rajando las piedras. La resolana muestra, delata, despinta los tesoros de este carnaval de cartón. Esfuma a las danzantes, a los capoeiras. La mano blanca contra la laca negra del carruaje empuñando el ibis del sombrero. Garza-real. Ave-del-Paraíso. Botones de alquimia. Lentejuelas de colores. Pónganle más si quieren. Todo lo que quieran. Para mí no será más que teatro. Para mí, el mensajero imperial no es más que un chasque cualquiera. Viene atolondrado a buscar mi mano. Pero no doy a nadie a guardar mi mano.

Por momentos el carruaje en que acompaño a Belgrano y el carruaje en que va Correia se aparean. Avanzan a contramarcha, ruedan juntos un tramo. Se juntan. Forman un solo carruaje. Vamos todos juntos saludándonos ceremoniosamente en los barquinazos. La fallanta nos pone de acuerdo en el forzado cabeceo. Cada uno afirma su no con el gesto de decir sí a cada segundo y fracciones.

Buenos Aires ha enviado a Belgrano a pactar unión o alianza con el Paraguay. El Imperio del Brasil ha enviado a Correia a pactar alianza, mas no la unión con el Paraguay.*

Antonio Manoel Correia da Cámara se apea del carruaje ante la posada que se le ha destinado. Contra el blancor de la tapia se destaca la figura del típico macaco brasileiro. Desde mi ventana lo estudio. Animal desconocido: León por delante, hormiga por detrás, las partes pudendas al revés. Leopardo, más pardo que leo. Forma humana ilusoria. Sin embargo, su más asombrosa particularidad consiste en que cuando le da el sol, en vez de proyectar la sombra de su figura bestial, proyecta la de un ser humano. Por el catalejo observo a ese engendro que el Imperio me envía como mensajero. Pegada a la boca, una fija sonrisa de esmalte. Fosforilea un diente de oro. Peluca platinada hasta el hombro. Ojos entrecerrados, escrutan su alrededor con la cautelosa duplicidad del mulato.** Es de los que primero ven el grano de arena. Luego la casa. El portugués-brasilero, este maula, viene queriendo construir una casa en la arena, aunque todavía no vino. O tal vez ya llegó y se fue de regreso. No. Está ahí, puesto que lo veo. Reanímase el pasado en el portaobjeto del lente-recuerdo. ¡Qué hermoso sombrero de plumas!, oigo murmurar a mi lado al secretario de Hacienda. ¡Vaya a trabajar, Benítez, y déjese de pavadas!

(En el cuaderno privado)

Yo soy el árbitro. Puedo decidir la cosa. Fraguar los hechos. Inventar los acontecimientos. Podría evitar guerras, invasiones, pillajes, devastaciones. Descifrar esos jeroglíficos sangrientos que

* "El mismo Correa ha pedido, ha clamado por esta misión, ansioso de pactar una alianza brasilero-paraguaya para aplastar al Plata en la inevitable guerra que ha de sostener con el Imperio en la Banda Oriental." *(Ibid.)*

** "Alto, claros cabellos rubios, ojos penetrantes y castaños, cabeza elevada e inteligente, nariz levemente aguileña con trazos fuertes de energía y voluntad; en suma, un bello tipo de hombre. Grave, circunspecto. Actitudes medidas, protocolares. Viste a la moda con la elegancia diplomática que ha adquirido durante su convivencia en las viejas cortes europeas." *(Porto Aurelio, Os Correa da Cámara,* Anais, t. II. Introd.)

nadie puede descifrar. Consultar a la Esfinge es exponerse a ser devorado por ella sin que se pueda develar su secreto. Adivina y te devoro. Ellos vienen. Nadie anda solamente porque quiere y tiene dos patas. Nos vamos deslizando en un tiempo que rueda también sobre una llanta rota. Los dos carruajes ruedan juntos a la inversa. La mitad hacia adelante, la mitad hacia atrás. Se separan. Se rozan. Rechinan los ejes. Se alejan. El tiempo está lleno de grietas. Hace agua por todas partes. Escena sin pausa. Por momentos tengo la sensación de estar viendo todo esto desde siempre. O de haber vuelto después de una larga ausencia. Retomar la visión de lo que ya ha sucedido. Puede también que nada haya sucedido realmente salvo en esta escritura-imagen que va tejiendo sus alucinaciones sobre el papel. Lo que es enteramente visible nunca es visto enteramente. Siempre ofrece alguna otra cosa que exige aún ser mirada. Nunca se llega al fin. En todo caso la cachiporra me pertenece... digo esta pluma con el lente-recuerdo incrustado en el pomo.

Se trata de una pluma cilíndrica de las que fabricaban los presos a perpetuidad para el pago de su comida. Se nota que este objeto no salió de la simple inventiva del preso, sino que fue hecha con instrucciones precisas. Es de marfil blanco, material del que no disponían los prisioneros. El extremo superior termina en una paleta; lleva una inscripción borrada por huellas de años de mordiscos. "¡Qué gana un diente dando en otro diente", era una de las expresiones preferidas de *El Supremo*. "Borrar inscripciones con la superposición de otras más visibles, pero más secretas", se habría respondido Él mismo. La parte inferior de la pluma termina en una chapa de metal manchada de tinta, de forma alveolada, acaparazonada. Engastado en el hueco del tubo cilíndrico, apenas más extenso que un punto brillante, está el lente-recuerdo que lo convierte en un insólito utensilio con dos diferentes aunque coordinadas funciones: Escribir al mismo tiempo que visualizar las formas de otro lenguaje compuesto exclusivamente con imágenes, por decirlo así, de *metáforas ópticas*. Esta proyección se produce a través de orificios a lo largo del fuste de la pluma, que vierte el chorro de imágenes como una microscópica cámara oscura. Un dispositivo interior, probablemente una combinación de espejos, hace que las imágenes se proyecten no invertidas sino en su posición normal en las entrelíneas ampliándolas y dotándolas de movimiento, al modo de lo que hoy conocemos como proyección cinematográfica. Pienso que en otro tiempo la pluma debió también estar dotada de una tercera función: reproducir el espacio fónico de la escritura, el texto sonoro de las imágenes visuales; lo que podría haber sido el *tiempo hablado* de esas palabras sin formas, de esas formas sin palabras, que permitió a *El Supremo* conjugar los tres textos en una cuarta dimensión intemporal girando en torno al eje de un punto indiferenciado entre el origen y la abolición de la escritura; esa delgada sombra entre el mañana y la muerte. Trazo de tinta invisible que triunfa sin embargo sobre la palabra, sobre el tiempo, sobre la misma muerte. *El Supremo* era muy aficionado a construir (él mismo habla de la *bizquera de su antojo)* estos artilugios como la cachiporrita de nácar, los fusiles-meteóricos, los tiestos-escucha, los ábacos de cálculo infinitesimal hechos con semillas de coco, los chasques-voladores, telares capaces de tejer tramas hasta con vedijas de humo ("la lana más barata del mundo") y muchos inventos más de los que se habla en otra parte.

Por desgracia, parcialmente descompuesto en su sensible mecanismo, el portapluma-recuerdo hoy sólo escribe con trazos muy gruesos que rasgan el papel borrando las palabras al tiempo de escribirlas, proyectando sin cesar las mismas imágenes mudas, despojadas de su espacio sonoro. Aparecen sobre el papel rotas por el medio, a la manera de varillas sumergidas en un líquido; la mitad superior enteramente negra, de suerte que si se trata de figuras de personas dan la impresión de encapuchados. Bultos sin rostro, sin ojos. La otra mitad se diluye bajo la línea del líquido en la gama de un gris aguachento. Manchas de colores que fueron vivos en todos sus tonos, de una visibilidad centelleante en cada uno de sus puntos, se deslíen desmadejándose en todas direcciones, igualmente inmóviles todas. Fenómeno óptico que únicamente podría definirse como un movimiento fijado en absoluta quietud. Estoy seguro de que bajo el agua lactescente, caolinosa, las imágenes mantienen sus colores originarios. Lo que las debe de tornar gris hasta hacerlas invisibles, es el cegador deslumbramiento que todavía ha de persistir en ellas. Ningún ácido, ningún agua puede quemarlas, apagarlas. La otra posibilidad es que se hayan vuelto del revés mostrando el reverso necesariamente oscuro de la luz. También estoy seguro de que las imágenes retienen bajo el agua, o lo que sea ese plasma gris, sus voces, sus sonidos, su espacio hablado. Estoy seguro. Pero no puedo probarlo.

Por obra del azar, la pluma-recuerdo (prefiero llamarla pluma-memoria) vino a parar a mis manos. La "cachiporrita de nácar" está en mi poder. ¡El maravilloso instrumento me pertenece! Comprendo que decir esto es mucho decir. Para mí incluso resulta increíble, y muchos no lo creerán. Pero es la pura verdad aunque parezca mentira. El que quiera salir de dudas no tiene más que venir a mi casa y pedirme que se la muestre. Está ahí sobre mi mesa mirándome todo el tiempo con el diente mordisqueado del extremo superior, mordiéndome con el ojo-recuerdo empotrado en la pluma. Me la dio Raimundo, apodado Loco-Solo, chozno de uno de los amanuenses de *El Supremo*. Prácticamente, se la arrebaté a mi antiguo condiscípulo de la escuela primaria, a quien visitaba con cierta asiduidad en el sucucho que habitaba sobre el arroyo Jaén en las cercanías del Hospital Militar, el antiguo Cuartel del Hospital. En sus últimos tiempos, Raimundo no abandonaba su misérrima vivienda sino para ir en busca del escaso sustento que necesitaba para sobrevivir, pero especialmente del aguardiente y las yerbas estupefacientes que consumía en gran cantidad. De tanto en tanto yo caía con algunas botellas de caña *Aristócrata* y latas de carne conservada. Nos quedábamos horas en silencio, sin mirarnos, sin movernos, hasta que la noche emparejaba nuestras sombras. Raimundo conocía mi ávido, mi secreto deseo de posesión de su tesoro. Hacía como que no lo sabía, pero sabía que yo lo sabía, de modo que entre los dos no existía francamente ningún secreto. Esto se vino arrastrando así desde el año 1932 en que nos conocimos en la Escuela República de Francia. Compañeros de banco en el 6º grado. Primera sección varones. Me acuerdo bien porque ese año la ciudad se llenó de músicas de bandas y cantos patrióticos. La guerra con Bolivia reventó en el Chaco. Comenzó la movilización que se llevó al frente hasta a los enanos. Para nosotros la guerra era un festejo continuado. Que durara toda la vida. Hacíamos la rabona y nos íbamos al puerto a despedir a los reclutas. ¡Adiós los futuros te'ongués (cadáveres)! ¡Váyanse y no vuelvan más, pelotudos! les gritaba Raimundo. ¡Guarda, que también nos va tocar a nosotros! le hacía callar encajándole un codazo. ¡Ya nos tocó y nos jodió! dijo. ¡Cuántas guerras ya nos tocaron y nos jodieron! ¡Y nosotros todavía en la escuela con los putos libros! ¡Pero a mí no me van a llevar al Chaco, ni aunque vengan a pedirme de rodillas! ¡Voy a irme al África! ¿Por qué al África, Loco-Solo? Porque quiero impresiones fuertes, no esta mierda de guerrita con los bolís. ¡Qué se jodan!

En los exámenes de ese año lo ayudé en las pruebas escritas. Rendí por él los orales, los anales. Todo. Desde la primera hasta la última materia. La escuela ya era un quilombo. Las maestras todas excitadas por el furor patriótico, meta escribir cartas a sus ahijados de guerra, y nosotros metiendo la mula en el examen. Raimundo, sin moverse de su asiento, sacó un diez y yo que saqué la cara por los dos un tres. En compensación, como premio consuelo, me mostró por primera y única vez la fabulosa pluma que el cuarto nieto de Policarpo Patiño había "heredado" a través de una enmarañada madeja de pequeños azares, más allá de los derechos de una dinastía amanuéntica: —Aquí está la cosa —dijo—. Yo apenas alcancé a tocarla. Me la arrancó en seguida de las manos. ¡Te la compro, Raimundo! —grité casi. ¡Ni loco! —dijo Loco-Solo—. Te vendo si querés lo que soñé anoche, pero esto no. ¡Ni muerto! Me quedó en la yema de los dedos el picor de la cachiporrita de nácar.

En vísperas del Éxodo que comenzó en marzo de 1947, fui a visitar por penúltima vez a Raimundo. No le quedaban ya sino la piel y los huesos. —Dentro de poco se va a poder hacer botones de vos —le dije por hacerle un chiste. Me miró con sus ojos de degollado que parpadeaban sanguinolentos en las bolsas de los párpados. —Hée. Eso mismo luego es lo que me espera —dijo, y tras un largo silencio: —Mirá, Carpincho, yo te conozco demasiado bien y sé que sos un desalmado-desarmado. Un des-almado-amansado. Desde hace mucho tiempo, yo más bien te diría que desde la eternidad y un poquito más, no sólo desde el banco de la Escuela República de Francia y nuestras puterías por los quilombos de la calle General Díaz, sino antes mismo luego de nacer. Lo único que querés es la Pluma de *El Supremo*. La boca se te hace agua. Las ideas se te mojan de pensar en ella. Se te derrite el seso y tus manos tiemblan más que mis manos de borracho, de epiléptico, de bebedor de polvos de güembé y de cocaína que me dan las enfermeras, que me traés vos mismo. Me has rondado, me has sitiado, me has ayudado a morir con una paciencia más porfiada que el amor. Pero el amor no es más que amor. Tu deseo es otra cosa. Ese deseo, no de lo que soy sino de lo que tengo, te ha encadenado a mí. Ha hecho de vos un esclavo, un perro que viene a lamer mi mano, mis pies, el piso de mi rancho. Pero no hay amistad, amor, ni afecto entre los dos. Nada más que ese deseo que no te deja dormir, ni vivir, ni soñar más que en *eso*. Día y noche. No te envidio. Estás mucho peor que yo. Pensá un poco, Carpincho. Yo he nacido lentamente y también he venido muriendo de a poco. Lo hecho, hecho. Por mi voluntad. Algunos buscan la muerte y no la encuentran. Quieren morir y la muerte se les escapa. Tienen dientes de león pero son como mujeres. Mujeres que no saben que son putas. Vos sos uno de ellos. Peor tal vez, mucho peor. Te esperan muy malos tiempos, Carpincho. Te vas a convertir en migrante, en traidor, en desertor. Te van a declarar infame traidor a la patria. El único remedio que te queda es llegar hasta el fin. No quedarte en el medio. Andá ya haciéndole punta al palito. —Se calló jadeando, tal vez más que por el esfuerzo de las palabras por el esfuerzo del largo silencio que había reventado al fin. Sus pulmones comidos por la tisis hacían más ruido que un carro lleno de piedras. Escarró un cuajarón de sangre contra la tapia. Con voz de enano continuó: —Va llover por lo menos otro siglo de mala suerte sobre este país. Eso ya se huele luego. Va a morir mucha gente. Mucha gente se va a ir para no volver más, lo que es peor que morirse. Lo que no importa tanto porque las gentes como las plantas vuelven a crecer en esta tierra donde vos pegás una patada y por uno que falta salen quinientos. Lo que importa es otra cosa... pero en este momento ya no me acuerdo, se me fue lo que te iba a decir—. Quise interrumpirle. Levantó la mano: —No, Carpincho, por mí no te preocupés más. Los milicos van a internarme en el asilo porque dicen que además del mal ejemplo que doy aquí cerca de su hospital, yo apesto el lugar. ¿Y entonces las putas de los burdeles que se apilan en toda la cuadra? Yo aquí soy el único Ángel del Abismo. El Lázaro Exterminador. Las familias de los oficiales internados han puesto el grito en el cielo. Han mandado cartas al presidente, al arzobispo, al jefe de policía. Pero yo no voy a ir al asilo. Al asilo no me van a llevar ni muerto. ¡Ni muerto! Soy Loco-Solo. Seré Loco-Solo hasta el final. ¡No me encerrarán en el asilo! Prefiero enterrarme en el arroyo que arrastra los algodones sucios, las inmundicias y porquerías del Hospital Militar, los trapos sucios de las prostitutas, los fetos de sus abortos... —Un nuevo gargajo humeó al estrellarse en los adobes. —No sé si voy a pasar esta noche. Sé que no voy a pasar. Allí, en el solero del rancho, dentro de un tubo de lata, está la

Pluma. Agarrá y llevala y andate con ella al mismísimo carajo. No es un regalo. Es un castigo. Esperaste mucho tiempo el tiempo de tu perdición. Yo voy a ser libre esta noche. Vos nunca más vas a ser libre. Y ahora andate, Carpincho. Agarrá la Pluma y andate rapidito. No quiero volverte a ver. Ah, esperá un tranco. Si llegás a escribir con la Pluma, no leas lo que escribas. Mirá las figuras blancas, grises o negras que caen a los costados, entre los renglones y las palabras. Verás amontonadas en racimos cosas terribles en lo sombrío que harán sudar y gritar hasta a los árboles podridos por el sol... Mirá esas cosas mientras los perros del campo aúllan en medio de la noche. Y si sos hombre borrá con tu sangre la última palabra del pizarrón...

—¿Qué palabra, Raimundo?

No habló más. Me volvió la espalda costrosa de llagas secas por el frote del piso de tierra en las convulsiones de los ataques, en los revolcones de los espasmos alucinatorios provocados por la contrayerba y las drogas. La silueta de espectro de Raimundo se fue reduciendo a esa espalda encorvada que me miraba. Pero era yo quien contemplaba mi propia espalda. Bajo la raída piel semejante a una corteza cruzada de inscripciones y tachaduras, las vértebras derruidas por la artrosis, me apuntaban con sus picos de loro. ¿Iba a ponerse a sudar y a gritar esa espina cada vez mas blanca en la penumbra, que era mi espina y se me clavaba en los ojos? Me oí respirar a media rienda. Del otro lado, el estertor iba creciendo con ese ruido de hojas secas que la amenaza de tormenta arranca a la calma chicha del verano.

Sólo mucho después he venido a enterarme de que Raimundo murió aquella noche, tal como lo había previsto. Durante toda su vida, por lo menos desde que lo conocí, cultivó el gusto de su muerte con su temor a la muerte. Lo encontraron muerto de varios días. Su cuerpo atrancaba la puerta, que en vida nunca había cerrado puesto que no usaba cerrojo ni llave. Tan liviano era ese cuerpo de hombre semejante al cadáver de un pájaro, que el viento mismo entornó la hoja. Por el hueco salió el olor de Loco-Solo, ya que otra cosa no podía salir de él; largó el aviso de que ya se había internado en su propio Asilo. Instalado en la comidilla del barrio hospitalero. Curado en ausencia. Transformado en ese doble apodo que nombraba para siempre la leyenda fatalmente engañosa de un hombre.

Unos dicen que lo enterraron en el cementerio del Hospital Militar, lo que resulta improbable teniendo en cuenta las rígidas normas castrenses. Otros dicen que el cadáver fue arrojado al arroyo. Lo que resulta al menos más natural, según lo deseó el propio Loco-Solo. Por otra parte, no hubiera habido gran diferencia entre ambas ceremonias. *(N. del C.)*

Mientras escribo pone la mirada entre paréntesis. La lleva a otra escala. Intervención de todos los ángulos del universo. Interverción de todas las perspectivas concentradas en un solo foco. Escribo y el tejido de las palabras ya está cruzado por la cadena de lo visible. ¡Carajo no estoy hablando del Verbo ni del Espíritu Santo transverberado! ¡No es eso! ¡No es eso! Escribir dentro del lenguaje hace imposible todo objeto, presente, ausente o futuro. Estos apuntes, estas anotaciones espasmódicas, este discurso que no discurre, este parlante-visible fijado por artificio en la pluma; más precisamente, este cristal de acqua micans empotrado en mi portapluma-recuerdo ofrece la redondez de un paisaje visible desde todos los puntos de la esfera. Máquina incrustada en un insrumento escriturario permite ver las cosas fuera del lenguaje. Por mí. Sólo por mí. Puesto que lo parlante-visible se destruirá con lo escrito. El zumo del secreto se esfumará en humo. No importa que la cachiporrita de nácar transmigrante vaya reflejando las playas soleadas de las carpinterías de ribera donde se construye el Arca del Paraguay. Recoge los gritos, los ruidos, las voces de los armadores, de los artesanos, el brillo aceitoso del sudor de los operarios negros. Sus dichos intraducibles, sus interjecciones, sus exclamaciones soeces. De repente el silencio. Ruido inaudible que late. ¿Qué sentido pueden tener ante esto los juegos de palabras? Decir por ejemplo: El Paraíso es un alto bien habitado lugar florecido que vuelve coristas a los justos. O el gallo del invierno patalea cuando tarda la aurora. O como lo afirma el indiólogo Bertoni, la creencia de que el hijo descendía exclusivamente del padre y no hacía más que pasar por el cuerpo de la madre, transformaba al mestizo en un terrible enemigo. O al pueblo se le embrutece mediante su propia memoria.

Decir, escribir, algo no tiene ningún sentido. Obrar sí lo tiene. La más innoble pedorreta del último mulato que trabaja en el astillero, en las canteras de granito, en las minas de cal, en la fábrica de pólvora, tiene más significado que el lenguaje escriturario, literario. Ahí, eso, un gesto, el movimiento de un ojo, una escupida entre las manos antes de volver a empuñar la azuela ¡eso, significa algo muy concreto, muy real! ¿Qué significación puede tener en cambio la escritura cuando por definición no tiene el mismo sentido que el habla cotidiana hablada por la gente común?

En la sala de sesiones el presidente de la Junta, no sabe qué hacer con los poderes y credenciales de los enviados porteños. Finalmente los mete en su bolsillo, y torciéndose los mostachos dice a Belgrano: Señor General, puede usted comenzar su perorata.

Buenos Aires no pretende subyugar a los pueblos del virreinato, comienza diciendo Belgrano, y ofrece desde luego la más amplia satisfacción al Paraguay por el envío de la expedición auxiliadora. Se siente desde ya recompensada de su sacrificio con la revolución del 14 de mayo y el establecimiento del nuevo gobierno. Es necesario ahora que el Paraguay se integre y acate al gobierno central pues hay que formar un centro de unidad sin el cual será imposible concertar y ejecutar planes. La amenaza portuguesa es seria y no sólo está dirigida contra Buenos Aires sino también contra el Paraguay. El medio de contener en sus límites al príncipe del Brasil no puede ser otro que el Paraguay conforme su opinión, conducta y movimiento con el gobierno de Buenos Aires. Las provincias deben aunar sus esfuerzos frente al enemigo común, y la separación paraguaya sería un ejemplo funesto para todas ellas. En el gobierno de Buenos Aires está representado en la actualidad todo el interior; es decir las provincias que formaban el antiguo virreinato. Sólo faltan los diputados paraguayos y urge su incorporación. (Aplausos de la recua de la Junta. Yo me mantengo callado. Imperturbable silencio.)

Don Fulgencio se avanzó a querer contestar. Trataba de agarrar las palabras apoyándose en el retiñir de sus espuelas mientras trasteaba el piso. Agarré al vuelo su balbuceo. Dije: Para empezar, señores comisionados, la tal expedición no fue auxiliadora sino invasora, como consta en el acta de capitulación firmada en Takuary. Es cierto, asintió en ese momento Belgrano. Lo reconoció después en sus Memorias: Este error sólo pudo caber en unas cabezas acaloradas que sólo veían su objeto, y a quienes nada era difícil porque no reflexionaban ni tenían conocimiento. Bien, señor General, dejemos entre paréntesis este triste episodio. Pasemos a otro punto, primero y principal: El Paraguay ya no es una provincia. Es una República independiente y soberana a la que vuestra Junta ha dado pleno reconocimiento. El virreinato es una fea palabra, señores. Inmenso cadáver. No vamos a perder el tiempo en la restauración de ese fósil. Estamos haciendo nacer nuestras patrias de las provincias rebajadas en los Reinos de Indias a simples colonias de un poder opresor. Al amparo del orden debe surgir la hermandad de las nuevas sociedades. Ni opresores ni siervos alientan/donde reinan unión e igualdad, cantan aquí hasta los niños de las escuelas. El Paraguay ha ofrecido a Buenos Aires el proyecto de una Confederación, la única forma que hará viable esta confraternidad de Estados libres, sin que la unión signifique anexión. El leguleyo Echevarría metió su cuchara ad-hiriendo a la idea de que muy bien podría celebrarse un tratado ad-referendum sobre la incorporación del Paraguay y el envío de sus diputados, para someterlo luego a la aprobación de un congreso. Puedo adelantarle, señor comisionado, que el congreso no celebrará ni aprobará este tratado ad referendum. Nada podemos hacer a espaldas de la voluntad soberana del pueblo. Menos aún someterle una idea que nos someterá de nuevo a un poder extranjero. ¿Tiene usted presentes las instrucciones de puño y letra de Mariano Moreno? Claras y terminantes. No se anduvo con vueltas. La unión suponía para él poner al Paraguay en *completo arreglo*, remover el Cabildo y a las autoridades, colocar en su reemplazo a hombres de entera confianza, y expulsar del país a los vecinos sospechosos. El fogoso tribuno de vuestro Mayo, señores, dictaminó: Si hubiese resistencia de armas morirán el obispo, el gobernador y todos los principales causantes de la resistencia. No, señores; no se deben resucitar estas ideas de muerte y destrucción. Nosotros estamos tratando de poner en completo arreglo al Paraguay sin tanto aparato ni gasto de sangre; de acuerdo con nuestras propias ideas y necesidades; independientemente y no al compás de instrucciones ni mandatos de extraños.

Echevarría picotea con lengua bífida la deliberación. Diálogos de sordos. De muertos. De semimuertos. Discursos. Contradiscursos. Belgrano está ahora callado; cierra sus ojos sobre el presente. Recuerda de seguro punto por punto las exaltadas instrucciones de Moreno. Con aquel hombre sí, no con el pedante impostor de Echevarría, me habría gustado discutir en este momento los principios del Contrato

Social aplicados a nuestros países. Mas la espectral corona monárquica ambicionada por los "re-publicanos" porteños ya lo ha sepultado bajo su peso en el légamo del mar. Por ahora no me queda más remedio que sufrir las boberías, los jugueteos chinos de forma, las absurdidades, las extravagancias del rábula porteño.

Por ahora el Paraguay, cierro yo, se encuentra exclusivamente concentrado en la organización de su administración pública y de sus fuerzas armadas. No puede emplearlas en otro objetivo que no sea su propia defensa. Amenazado en lo interno por el españolismo y en lo externo por el ejército portugués, debe enfrentar estos riesgos con la totalidad de sus medios y recursos. Bastarse a sí mismo. No contar con la desayuda ajena. Las engorrosas negociaciones entraron a un cuarto intermedio con bonete de espera; para mí entraban ya al desván de los trastos viejos. Si vienen a golpear a tu puerta con malas intenciones, me dije, contéstales con la llave. Era preciso sin embargo aguardar todavía; llevar esa inconsecuencia hasta sus últimas consecuencias. Quedó fijado el 12 de octubre, Día de la Raza, para la discusión final y firma del tratado.

Los huéspedes son objeto de delicadas atenciones por parte de las principales familias. Muchas fiestas en su honor. Saraos, paseos mareos, envites, convites. Con el presidente de la Junta a la cabeza los porteñistas están que bailan en una pata. Preparan una gran parada militar que se llevará a efecto el mismo día de la firma del tratado. Los más conspicuos faccionarios de la "unión" visitan asiduamente a Belgrano y Echevarría. Nada bueno puede salir de estos conciliábulos, pese a la discreta vigilancia que mando establecer Los tiestos-escuchas colocados subrepticiamente en los lugares de reunión registran alarmantes cháchara. Decido pues acompañar a los huéspedes personalmente a todas partes, a toda hora. Sobre todo a Belgrano. Me convierto en su sombra, y no diré que lo sigo hasta la puerta del común (todo lugar se ha vuelto sospechoso), ni que me convierto en ángel guardián de su sueño, porque también debo preparar la minuta del tratado. Palabra por palabra. Detalle por detalle El tratado es mi hermoso gorro de piojos; no deja a la almohada el cuidado de despertarme. Velo todo el tiempo en desvelo. Más flaco que una parra, a la sombra de mi única hoja puedo colarme en todas partes. Exprimir las uvas que me importan. Las más verdes ya están para mí maduras.

El proyecto de Buenos Aires de establecer la unidad de sus intereses, bajo la presión de los nuevos tutores británicos o franceses, no quedará sino en un rodeo de estancias manejado por los porteños. Hablo a la puerta. Tras ella el general hace sus abluciones. No me responde. Oigo el ruido del agua en la jofaina. El ganado mansito de las provincias comiendo la sal puesta en la batea por los ingleses. digo. No me oye. El chapoteo del agua crece. El general debe creer que está cruzando todavía el Paraná en el bote de cuero, luego el Takuary desbordado por la creciente, en su expedición al Paraguay. ¡También, mi querido general, haber venido a invadirnos montado en una vaca muerta!, tiento una salida jocosa. ¿Qué vaca muerta?, dice saliendo del cuartucho. Jeque sonriente bajo el turbante de la toalla. ¿Hablaba usted de una vaca muerta, señor vocal decano? Humorada, mi estimado don Manuel; nada más que humo-nada. Tómela usted a chacota. Me estaba acordando de su bote. ¿Bote? el bote hecho con un cuero de vaca en el que cruzó usted los ríos. ¡Muy divertido el relato que me hizo anoche en la tertulia! ¡Bien que esa vaca muerta me salvó la vida!, me sigue el juego el general. Chacotona familiaridad. No sé nadar ni siquiera en la arena. Ese bote era espléndido. ¡Fíjese general! ¡Y no era más que el cuero de una vaca paraguaya! Belgrano se echó a reír bonachonamente. Si Pascal hubiese venido con usted en el bote de cuero no habría dicho lo que dijo: Los ríos son caminos que andan y llevan adonde se quiere ir. El turbante se le cayó de la cabeza. No vino Pascal sino en forma de barco. ¿Qué cuento es ése, señor vocal decano? Recordará usted, general, que a mediados del siglo pasado Voltaire metido a comerciante fletó a Sudamérica un barco bajo el nombre de *Pascal* con el pretexto de hacer la guerra a los jesuitas. El *Pascal* fue luego alquilado al gobierno español que lo empleó como transporte de guerra en la lucha contra los patriotas. Genio algo cínico el de Voltaire; extremadamente ambicioso de dinero. Esta avidez hizo de él un filósofo-armador. Se alucinó con la fábula de El Dorado. Envió al Paraguay a Cándido, cuyo mucamo, el mulato tucumano

Cacambo, tomé después a mi servicio, liberándolo de la letra escrita. No entiendo, movió la cabeza. Vamos, que lo saqué del libro. Cacambo tuvo a mi lado un buen pasar. Le brindé confianza. Por supuesto la traicionó, pues en la sangre de los mulatos está el que sean traidores. El general seguía riéndose, estimulado por mi seriedad, creyendo seguramente que le estaba relatando otra fábula.

El patizambo Echevarría viene y se entromete en la conversación: Vea usted, señor vocal decano, la negativa del Paraguay a integrarse a las Provincias Unidas del Río de la Plata significa precisamente la continuación de la política de aislamiento que han implantado aquí. En absoluto, señor jurisconsulto. El Paraguay no se aisló por su propia voluntad. Tanto valdría que usted se avanzara a sostener que si lo tapiáramos en este cuarto de baño se encuentra su merced ahí por puro gusto y en el mejor de los mundos. ¡Vamos, doctor Echevarría! ¿Se dejaría usted aislar de ese modo? ¿Diría, sin mentir, que lo ha hecho por su propia voluntad? Fueron los gobiernos del ex virreinato los que se han apropiado el dominio del río atrancando la puerta desde la Revolución que libró a nuestros países del poder opresor. Buenos Aires viene ahora a ofrecernos paz, unión y libre comercio. ¿Se fraterniza este ofrecimiento con las actitudes y la conducta de un Estado que se arroga autoridad de gendarme con relación a los otros, y sobre todo con un Estado libre, independiente y soberano como es el Paraguay? ¡No que no y no, señor jurisconsulto! ¿No envió la Junta de Buenos Aires al general Belgrano, aquí presente, con una expedición para someter a este país? Ya hemos discutido y aclarado bastante este equívoco, que no es tal. Preferiríamos, señor vocal decano, no enredarnos en consideraciones laterales. Usted es uno de los intelectuales más alumbrados de nuestra América. ¿A qué perder el tiempo con el pasado? Vea, doctor, aquí en el Paraguay el hombre más alumbrado que tenemos es el farolero de la ciudad. Enciende y apaga quinientas mil velas al año. Hasta él sabe que el porvenir es nuestro pasado. Despabilemos las velas nosotros también. Hablemos del porvenir. Cómo no. Con mucho gusto. Con tantísimo gusto. Es mi materia. Pienso, señor vocal decano, que usted es muy afecto a los juegos de palabras, y aquí nos hallamos deliberando sobre cosas muy serias que exigen de nosotros la mayor seriedad. Acordes, ilustrísimo doctor. Tal es la maldición de las palabras: Maldito juego que obscurece lo que busca expresar.

Sobre todo, señor vocal decano, si no guardamos las formas de una elemental urbanidad. ¿Le parece que aquí, a la puerta de un baño, podemos enjuagar estos asuntos? Consonantes, doctor. Pasemos al salón de los a-cuerdos.

¿Qué ventajas estaba pretendiendo sacar el leguleyo porteño de sus petulantes escarceos? Quería hablar del porvenir. Grandes, solemnes palabras. Claro, al indecente muñidor le interesaba concluir cuanto antes los turbios negocios de la misión para meterse en otros más turbios todavía: Estaba apurado en proponer a los ignorantes a-céfalos de la Junta la venta de la Imprenta de los Niños Expósitos. Tráfico de contrabandistas entre bribones.

En cuanto a lo que a nosotros concierne, señores comisionados, el Norte de la Revolución Paraguaya es labrar la felicidad del suelo natal, o sepultarnos entre sus escombros. Decisión irrevocable. No hay poder sobre la tierra que nos vaya a hacer mudar de convicción ni derrotero. Si ponen puertas al río caminaremos sobre el agua. Ustedes, señores comisionados, pueden evitar esto. Podemos entre todos evitar lo peor y lograr lo bueno. Hacer que la palabra *Confederación* sea una realidad útil. Ya le han sacado al Paraguay mucha tierra y mucha agua. No le sacarán su fuego ni su aire. La quijada verdosa de Echevarría buscó el apoyo del puño. La silueta blanca de Belgrano se arrebujó en la penumbra.

Hablemos claro, señores. Si se ha de formar un centro de unidad, ese centro no puede ser otro que el Paraguay. Núcleo de la futura confederación de Estados libres e independientes. ¿Por qué Buenos Aires no ha de venir a incorporarse al Paraguay? Centro-modelo de los Estados que han de confederarse. Lo fue desde el comienzo de la colonización. Con más razón debe serlo desde el comienzo de la descolonización. Su motor impulsor. No sólo porque es *ya* la Primera República del Sur; también porque sus títulos la habilitan desde siempre para ello. En el Paraguay se produjo el primer levantamiento contra el absolutismo feudal. Las jerarquías que producen los acontecimientos de la historia ponen por encima de Buenos Aires a Asunción: Madre de Pueblos y nodriza de ciudades, reza por ahí alguna cédula idiota de la corona, que no por idiota ha dejado de expresar a su modo una verdad. Cuando Buenos Aires se convirtió en flamantes ruinas, Asunción la refundó. Buenos Aires se avanza ahora a querer refundirnos. ¡Vean lo que puede significar el mal uso de una letra cuando la realidad de los hechos está viciada de errores! Buenos Aires, mis amigos, es en sí misma un gran error. Gran estómago rumiante colgado de un puerto. Con Buenos Aires a la cabeza corremos el riesgo de ser tragados vivos. Fatal predestinación. Fray Cayetano Rodríguez, mi antiguo profesor en la Universidad de Córdoba, me escribe: ¡No sabes, hijo, que el nombre porteño está odiado en todas las provincias desunidas del Río de la Plata!

Esto no es casual. Ya desde los tiempos en que a la luz de las nuevas ideas reflexionábamos sobre la suerte de esta parte del Continente en los subterráneos de la gótica pagoda de Monserrat, veíamos con meridiana claridad lo que iba a pasar. Algunos de mis condiscípulos que ahora son miembros de la Junta, lo saben tan bien como yo. Mientras la ciudad domina sobre el campo, la pretendida Revolución se convierte en un teatro de discordias y alborotos. Es lo que pasó aquí con el descalabro de la Revolución comunera. El patriciado capitalino la traicionó. Cuando el Común, el pueblo en su conjunto, retoma el poder la Revolución se impone. Luego, comete el error de entregarlo a los intelectuales "alumbrados", a los jerarcas del patriciado. Entonces el pueblo es vencido. Sus jefes naturales son decapitados; el movimiento de liberación, destrozado.

Aquí en el Paraguay las fuerzas de la Revolución radican en los campesinos libres, en la incipiente burguesía rural. Especie de "tercer Estado", incapaz sin embargo de gobernar todavía directamente bajo la forma de un parlamento revolucionario. Incapaz de llevar aún la lucha de la independencia hasta sus últimas consecuencias.

En Buenos Aires la Revolución la están haciendo los girondinos de la burguesía comercial portuaria. Sus mayores y mejores esfuerzos no pasan de conservar el sistema del virreinato con algunas reformas que tenderán a cristalizar de nuevo en una corona monárquica. Esta vez criolla. Sus más "alumbrados" intelectuales están desvinculados de las masas populares, como aquí asimismo lo están los empingorotados jefes militares que señorean la Junta.

El general se puso de pie. Empezó a tranquear otra vez de una pared a otra. Movió la cabeza. No estoy de acuerdo con lo que usted dice, Señor. Yo no soy mercader. Usted tampoco lo es. Usted ama a su pueblo. Yo también al mío. Desdichadamente estamos en minoría, señor general. De nosotros depende que la mayoría del pueblo esté con nosotros. ¿No tildó acaso Cornelio Saavedra a Mariano Moreno de malvado Robespierre que propugnaba exagerados principios de libertad, impracticables teorías de igualdad? Luego segregó esta secta de falsos jacobinos-jabonarios que pretendían instaurar, según don Cornelio, una furiosa democracia destinada a subvertir la religión, la moral y nuestro tradicional estilo de vida. Moreno fue mandado poner en remojo en las profundidades del mar.

Vicente Anastasio Echevarría tomaba notas muy serio. En lugar de sorber soplaba la bombilla del mate que le estaba sirviendo el mulatillo Pilar. Así no, doctor. Difícil sorber/soplar al mismo tiempo ¿no? Se le ensortijaron los ojos. No supo qué responder. Vean, señores, yo a veces gusto ser ingenuo, aunque no tanto como parece. Estoy absolutamente seguro de que ustedes han venido a pedirme que dé a Buenos Aires el resto de lo que ya se le dio. El que da y da queda-sin-quedar. En tal situación, no me queda otro recurso que meter el cerrojo por dentro. Guardarme las llaves. Levantar una cadena de fortalezas desde el Salto hasta el Olimpo. Mantener abiertas únicamente las troneras que convengan al país. Esto es lo que haré. Ya está hecho. Cumplido.

Tengo entendido sin embargo, señor vocal decano, insiste insidiosamente el rábula, que S.E. es sólo un miembro de la Junta Gubernativa del Paraguay. Aquí, señor jurisconsulto, más que una Junta de parada, tenemos una Revolución en marcha. El Director de la Revolución soy yo. Los traicioneros golpes thermidorianos nos acechan a cada paso. Hace falta una mano de hierro para conjurarlos. De modo que no se preocupe usted de los figurones. Si mis palabras no le bastan para darle razón de los hechos, los hechos me darán la razón. Victorioso en el campo de batalla, mis estimados amigos, el Paraguay no se niega a un acuerdo. Se resiste a ser vencido por un tratado. La Junta, el Cabildo en pleno aplaude mis palabras. Al ofrecerles las bases de una Confederación les estoy abriendo las puertas para una solución nacionalista a la vez que americanista. Ecuánime. Fraternal. En el interés de la generalidad. Esto es hablar del porvenir en los términos más concretos posibles. No echemos a suertes la suerte. Repartámosla equitativamente, pero no en pruebas de equitación. No aceptemos la iniquidad de la inequidad. Tengamos todos una bolsa común sin meternos en ella como en una bolsa de gatos. Busquemos juntos el camino más justo. Ya es bien triste que nos veamos reducidos a envasar en palabras, notas, documentos, contradocumentos, nuestros acuerdos-desacuerdos. Encerrar hechos de naturaleza en signos de contranatura. Los papeles pueden ser rotos. Leídos con segundas, hasta con terceras y cuartas intenciones. Millones de sentidos. Pueden ser olvidados. Falsificados. Robados. Pisoteados. Los hechos no. Están ahí. Son más fuertes que la palabra. Tienen vida propia. Atengámonos a los hechos. Tendamos con todas nuestras fuerzas a conformar la Confederación. Mas yo no veo posible su establecimiento sino por medio de un proceso verdaderamente popular y revolucionario.

En nuestro paseo a caballo por el Camino Real y los barrios bajos de la ciudad, acuden en tropel los pobladores vitoreando. El general Belgrano sonríe y saluda desde la aureola que envuelve su imagen. Santo vivo con uniforme de general. Vamos por las calles de Asunción, no entre una multitud hostil de judeznos, sino de un pueblo de fervorosos adeptos; los hijos de esta roja Jerusalén sudamericana: nuestra Jerusalén Terrenal de Asunción. Echevarría, inquieto, picándole el alma leguleya en las várices de la lengua: Sin el eje de un centro ordenador como es Buenos Aires, y sin la órbita del derecho, esa constelación de Estados libres e independientes que usted propone, señor vocal decano, nacerá muerta e informe. Vea, ilustre doctor, ni usted ni yo debemos oponernos a lo que está inscripto en la naturaleza de las cosas. Vea usted, contemple a este pueblo sencillo que ansía como todos la libertad, la felicidad, ¡cómo rebulle en el horno de su fervor! Esos seres reales, esos seres posibles nos interrogan, nos aclaman, nos reclaman, nos imponen su mandato inocente a nosotros que somos seres probables ya sin padres ni madres, montados orgullosamente en nuestras ideas que son ideas muertas si no las llevamos a vías de hecho. Ellos están vivos. Nos aplauden pero nos juzgan. Esperan su turno. Cierran el círculo por la vuelta. ¡Vea usted, doctor, contemple esas manos callosas, negras! ¡Se agitan quemadas por el sol completamente blancas! Quieren hacer de nosotros sus candiles. Procuran encendernos con su fervor. En medio de la luz no echamos más que sombra, no echamos más que humo. No entiendo muy bien, señor vocal decano, qué quiere usted significar. No me entienda a mí, doctor Echevarría. Entiéndalos a ellos. El general Belgrano ya los ha entendido.

Hablamos a gritos en medio del tumulto sin escuchar nuestras palabras, sólo viéndolas formar su hueco en nuestras bocas. Ya estoy acostumbrado a que no me entiendan los doctores, doctor Echevarría. Vuestro Tácito dirá que esta doctrina de la Confederación será explotada siniestramente en los bosques del Paraguay por el más bárbaro de los tiranos. Me calumnia. Los calumnia a ustedes hablando de vuestra total ceguera, de vuestra sordera total. Esa palabra consignada en un tratado, dice vuestro Tácito, tomando una forma visible no debía tardar en poner en conmoción a todos los pueblos del Río de la Plata dando un punto de apoyo a la anarquía y una bandera a la disolución política y social que comprometerá el éxito de la revolución y aniquilará las fuerzas sociales aun cuando después se convierta en la forma constitucional sintetizando los elementos de vida orgánica de nuestros pueblos. Vuestro Tácito con defectuosa sintaxis lo reconoce y lo niega al mismo tiempo, amparado en la tutela colonial inglesa. No es esa la tela que debemos cortar para hacer el sayo que a todos nos venga bien. Si tal ocurre, el tal sayo, pese a lo que dice el Tácito Brigante, pasará de mano en mano, convertido en una bolsa-engañabobos hasta no ser más que una piltrafa ensangrentada, pestilente. Su imagen del sayo, señor vocal decano, es muy gráfica. Pero como toda imagen, ilusoria, mendaz. Nosotros no manejamos imágenes ni sayos, sino realidades políticas. No somos sastres. Somos hombres de ideas. Hemos de gobernar y establecer las leyes, según ya lo sabían los sabios legisladores de la antigüedad. Discúlpeme, doctor, pero el congreso de Buenos Aires o de Tucumán no pensará reunirse en la antigüedad. No querrá usted que la Confederación envejezca dos mil años antes de haber nacido. Hoy día, señor jurisconsulto, en esta bolsa de gatos de nuestras provincias colonizadas, nosotros los intelectuales "alumbrados", según lo proclama usted, hemos de establecer primero las instituciones a fin de que a su vez ellas hagan las leyes, eduquen a los hombres a ser hombres, no chacales agarradores de lo ajeno. Aplique usted su carácter insinuante, su espíritu sagaz, su conocimiento de los hombres, de las cosas, no para malbaratar nuestros designios sino para desbaratar las intrigas en que quieren enredarnos los enemigos de nuestra independencia. No es tener honor de buena opinión de nuestros pueblos el considerarlos nacidos para el sometimiento y la esclavitud sin fin. Contemple a este pueblo que nos ovaciona, que *todavía* cree en nosotros. ¿Cree usted que nos están rogando clamorosamente que los convirtamos otra vez en esclavos de una minoría de privilegiados para explotarlos en su particular beneficio como hasta aquí lo vinieron haciendo los amos extranjeros?

Me acerqué al galope al general Belgrano que iba bordeando peligrosamente los taludes de la Chacarita donde antiguamente se encaramaban las rancherías de la parroquia de San Blas. ¡Apártese, General, de esas barrancas! ¡Son peligrosas por los desmoronamientos! ¡No tenga cuidado!, respondióme a los saltos sobre el precipicio. ¡Conozco bien las tierras que ceden y las que no ceden! Cierto. El general tiene razón. Cuando vino al Paraguay la primera vez tuvo que formar su ejército con efectivos sacados de la gente-muchedumbre. Seres vivos. Poderosos. Profunda sabiduría natural. Iguales en todas partes a iguales condiciones e iguales destinos. De entre esta gente se hizo la leva de hombres que fueron a Buenos Aires para ayudarles a combatir las invasiones inglesas, un poco antes de que usted viniera a invadirnos, general. Así es, señor vocal decano. Los paraguayos arrimaron sus hombres, sus hombros, sus brazos, su denuedo, sus vidas en aquella primera patriada contra los extranjeros. Luego mis tropas vinieron también al Paraguay en misión de auxilio. Cuando comprendieron que los paraguayos no comprendían que la cosa no era contra ellos sino contra el poder español que seguía rigiendo en estas alturas, mis soldados prefirieron ser derrotados con honor a la falsa gloria de seguir derramando sangre de hermanos.

La conversación se estaba volviendo espesa. Liberados de la pesantez, los jinetes deben ser parcos. Las sillas de montar no permiten disquisiciones de alto vuelo. Salvo en corceles como los míos, alimentados con el piensotrébol y la alfalfa aeromóvil que cultivo en mis chacras experimentales. Sobre todo, el moro y el cebruno, los más comilones, en que íbamos montados Belgrano y yo. Una noche de pastar este forraje los provee, durante la digestión, de gas volátil suficiente para un vuelo de varias horas. Aristóteles logró animales de aire. El Vinci fabricó artefactos voladores, robando a las aves el secreto de propulsión y planeamiento de sus alas. Julio César daba de comer a sus caballos algas marinas infundiéndoles neptúnico vigor. Yo, basado en el principio de que el calor no es otra cosa que una substancia levitante más sutil que el humo, fuente de energía de la materia, hice algo mejor que el estagirita y el florentino: En lugar de fabricar aparatos mecánicos y aerodinámicos, logré cultivar pasturas térmicas. Pienso mágicamente útil. Usinas de fuerzas naturales de incalculables posibilidades en el perfeccionamiento de los animales y el progreso de la genética humana. Construcción de la super raza por medio de la nutrición. Alfa y omega de los seres vivos. He aquí Eldorado de nuestra pobre condición real. ¿No cree usted, general, que el plankton almacenado en los océanos podría solucionarnos la cosa? ¡Viveros inagotables de energía! Yo no conozco el mar, pero sé que es posible. Ustedes se hallan a sus bordes y deberían iniciar los experimentos. En secreto, pues de no hacerlo así podrían desencadenar la guerra de los ganaderos y matarifes, la avisordidez todavía más inagotable de los mercaderes portuarios.

Íbamos ya cabalgando entre las nubes en nuestros caballos mongolfieros. El mapa bermellón de la ciudad parecía aún más bermejo desde lo alto. El verde de los bosques más verdes. Las palmeras más empenachadas y esbeltas, enanas, enanísimas. Las sombras de las hondonadas, más obscuras. Fuego líquido derramaba la caída del sol sobre la bahía, sobre el caserío apiñado en las lomadas. ¡Oh qué bello paisaje!, exclamó Belgrano aspirando aire a todo pulmón. Remontó un poco sobre su silla. ¿Dónde anda Echevarría? No pude disimular mi sonrisa de satisfacción. Veía al entrometido secretario cabalgando entre las zanjas excavadas por los raudales y las inundaciones. ¡Véalo allá, general! ¡En lo más bajo del Bajo! ¡Qué mala suerte la de don Vicente Anastasio!, se condolió. ¡Perderse este espectáculo! Mala suerte en verdad, general. Su secretario va montado en el rocín de Fulgencio Yegros, apto únicamente para los juegos de sortija y las cuadreras.

Hagamos descender ya, dijo Belgrano, a nuestros bucéfalos aerostáticos. ¿Cómo se hace? ¿Se los pincha en alguna parte? ¿Tienen alguna válvula de escape? No, general. Todo sucede naturalmente. No se aterre usted. Son seres térmicos. Cuando se les acaba el gas, los caballos atierran. Todo sucede muy naturalmente. Las luces del ocaso son incomparables en esta estación del año. Contémplelas usted, general.

Libre por esta vez al menos de la presencia del rábula secretario, insistí en mi tema: Al virreinato le aconteció, por dos veces consecutivas, lo que al Paraguay hubo de ocurrirle una sola. Por lo menos mientras yo viva. Belgrano parpadeó sin entender. Los ingleses, mi estimado general, invadieron el Plata en una típica operación pirata para apoderarse de los caudales que la recaudación alcabalera de Chile y Perú había acumulado en el puerto de Buenos Aires. ¿No es así? Así fue, señor vocal decano. Unos cinco millones de patacones plata más o menos ¿no? Más o menos, sí. El virrey mandó trasladar y ocultar el tesoro. Los piratas ingleses se apoderaron del dinero. Se repartieron equitativamente las porciones que correspondían a comodoros, generales, brigadieres. El resto fue enviado a su majestad británica. Anglófila pulcritud. Jefes y oficiales invasores son hospedados en casonas de las clases respetables. Se abre la libertad de culto y de comercio con el país pirata. El patriciado se entusiasma con los jabones de olor que vienen de Londres. Magra compensación para los porteños. Naturalmente la perfumada espuma no llega a la chusma de los arrabales. Pardos, mulatos y gauchos no huelen más que la creciente fermentación de su descontento.

La operación de pillaje se convirtió en una empresa política. Vista la facilidad con la que un puñado de hombres decididos, sin exagerados escrúpulos, se apoderó del rico botín, los ingleses debieron pensar que podían reemplazar a los españoles en el gobierno de la Colonia, aunque fuera bajo el signo de la "independencia protegida".

Mientras tanto los arcones con los patacones del situado desfilan por las calles de Londres. Pompa triunfal. Delirante multitud, muy distinta de la que lo vitorea a usted allá abajo. Los carros que transportan el producto de la rapiña son tirados por caballos pintorescamente adornados. Llevan banderas e inscripciones en letras doradas: ¡¡TREASURE!! ¡¡BUENOS AYRES!! ¡¡¡VICTORY!!! ¿Los ve usted? ¡Allá van entre una fanfarria de gaitas y tambores! *

* Estos fragmentos sobre la primera invasión de Buenos Aires en 1806, por las tropas británicas al mando de Beresford y bajo la dirección de Popham y Baird, están entresacados de los apuntes que bosquejó *El Supremo* en los primeros años de su gobierno. Aunque no cita ni men-

Si nos acercamos a los sudamericanos como comerciantes y no como enemigos, daremos energía a sus impulsos localistas; de este modo acabaremos por meterlos a todos en nuestra bolsa, pensaron/obraron los gobernantes del Imperio británico dando un brillante ejemplo a sus descendientes de la Nueva Inglaterra. Pese a todo esto, pese a la Revolución de Mayo, pese a todos los pesares, la Nueva Junta de Gobierno se comprometió no sólo a dar protección a los ingleses. Haría mucho más. De tal suerte la "dominación indirecta" del Río de la Plata o "independencia protegida" quedó florecientemente asegurada en manos de los nuevos amos. ¿No es verdad, general? A Belgrano se le metió en la boca un trozo de nube de grano grueso que le hizo toser. Ya sé, mi estimado general, que usted no apañó sino que resistió todos estos hechos. Sé incluso que pasó a la Banda Oriental en repudio de los invasores. Su pundonor rechazó este deshonor. Por un amigo que tengo allá, en la Capilla de Mercedes sobre el río Uruguay, sé lo que usted sufrió en esos días. Sé también que durante las salvajadas británicas usted no se mantuvo ocioso, como correspondía a su patriotismo. Después lo obligaron a venir para acá.

---

ciona a los hermanos Robertson —ni éstos tampoco lo hacen en sus escritos—, es evidente que el joven Juan Parish Robertson, "testigo presencial" de los hechos, tanto de la llegada de los caudales porteños a Londres como del comienzo de la dominación británica de Buenos Aires, fue el informante oficioso de *El Supremo,* durante su estada en Asunción. Hay en estos apuntes referencias muy precisas —verdaderas o no— sobre hechos significativos o nimios, hasta de las sumas que tocó a Baird, a Popham y a Beresford en la repartija del botín pirata capturado en Luján, tras la huida del virrey español. *El Supremo* anota, por ejemplo: "La conquista de la colonia holandesa del Cabo parece haberles abierto el apetito a los ingleses". Luego, "a Baird le tocaron 24 mil libras (exactamente 23 mil libras, cinco chelines, nueve peniques), a Beresford más de once mil, a Popham siete mil, y cada uno pudo comprarse una finca con su parte". Pero no deja de anotar tampoco que, por la misma época, al otro extremo del continente, Miranda intentaba con dinero británico [que le permitió contratar mercenarios y comprar armas] la "independencia" de Venezuela. "¿Qué es esta mierda?, exclama indignado *El Supremo.* "En agosto de 1806 Miranda desembarca en La Vela. No encuentra a nadie. Los patriotas escapan de los libertadores, creyéndolos piratas. ¡En setiembre, los ingleses desembarcan en Buenos Aires, y aquí los piratas la saquean con aire de libertadores!" *(N. del C.)*

A mi turno me tocó ser testigo de los hechos contrahechos que provocaron su expedición. Desde el retiro de mi chacra de Ybyray los observé atentamente, como usted desde su establecimiento en Mercedes. Sin embargo, tuve más suerte. Tres veces más suerte: La de que su invasión terminara en evasión; la que tengo ahora de ser su amigo; la de ir cabalgando con usted por este azul del cielo paraguayo. Jefe honorable de una misión de paz usted, general, viene a proponer al Paraguay no la aberración de una "independencia protegida" sino un tratado igualitario y fraterno. Lector adicto de Montesquieu, de Rousseau, como lo soy yo, podemos coincidir con las ideas de estos maestros en el proyecto de realizar la libertad de nuestros pueblos. Usted, general, es uno de los poquísimos católicos a quienes el papa concedió licencia en la forma más amplia para leer todo género de libros condenados aunque fuesen heréticos, a excepción de los de astrología judiciaria, obras obscenas, literatura libertina. No diré que el Contrato y los otros libros de avanzada encierren toda la sabiduría que nos hace falta para proceder con infalible tino y acierto. Ya es bastante que coincidamos en las principales ideas. Puntos de partida en la lucha por la independencia, libertad y prosperidad de nuestras patrias. Es con este espíritu con el que estoy redactando el borrador del tratado que hemos de firmar mañana.

Junto a la pila de agua bendita va desplazándose la larga caravana de los que traen en brazos a sus críos para la ceremonia del bautismo en la que el general Belgrano hace de padrino general. Se lo han suplicado colectivamente. Él ha aceptado la imposición con su natural bondad, y ahora la procesión de padres legítimos y naturales está allí. Van depositando en sus brazos millares de párvulos que por virtud de las aguas los convierte en ahijados y a sus padres y/o madres en compadres y comadres del general. Hace horas que está de pie junto a la pila, en el atrio. La catedral, reclinada como una nueva torre de Pisa, amenaza a cada momento desplomarse. Cruje, rechina amenazadoramente la iglesia matriz por las contrabocas de sus grietas. Impávido Belgrano, va alzando a las criaturas sobre el redondo Jordán. La primera ha sido María de los

Angeles, recien nacida. José Tomás Isasi y su esposa derraman lágrimas sobre el bultito de su hija pataleando entre las puntillas.

En el teatro armado en los bajos del Cabildo se representa Fedra.* Petrona Zabala está admirable en el papel de la hija del rey de Creta y de Pasifae. Se hubiera dicho que es la esposa de Teseo en persona, enamorada incestuosamente de su hijastro Hipólito Sánchez. En la escena en que, acosada por los remordimientos se ahorca en el Monte de Venus con su propio cíngulo de reina virgen, la verosimilitud de lo real raya en lo alucinante. Desde lo alto de las barrancas, sentados bajo el naranjo, contemplamos este cuerpo delgado, interminable. Espectral blancura oscilando sobre el espejo negro del agua entre el resplandor de las teas. Los cabellos removidos por el viento cubriéndole el rostro.

* No es *Fedra* sino *Tancredo* lo que se pone en escena esa noche, la única obra conocida por entonces en el Paraguay. *(N. del C.)*

Cuarto intermedio de la decimotercera sesión, levantada a pedido de Echevarría, sudoroso, malhumorado, con cara de oler mal el mate que va corriendo de boca en boca. El presidente de la Junta ha hecho traer una canastada de chipá mestizo. Todos chupan y comen ávidamente. Nada más que el ruido de las bocas, los sorbeteos de la bombilla en la espuma. Por decir algo, insisto en la refundación de Buenos Aires que quiere refundir a los paraguayos. Siempre es un buen tema. Por lo menos evito las bobadas de mi pariente Fulgencio, que desde hace rato está amagando por ensartar uno de sus pésimos chascarrillos. En 1580 hacía casi cuarenta años que la ciudad-puerto había desaparecido. Incendiados los últimos ranchos, avanzó el pasto y, cubriendo las cenizas, la borró del mapa. ¡Cuánto habríamos ganado todos, señores, de haber dejado el borrón! Pero Asunción, la madre prolífica de pueblos y ciudades, había nacido para amamantar lechones. De Asunción salieron los fundadores de la segunda Buenos Aires. El gobernador Juan de Garay decidió establecer en el Río de la Plata un puerto para unir España a Asunción y al Perú. Se levantó, pues, el estandarte de las levas. Al toque de trompeta y tambor salió el pregonero a llamar a todos los habitantes que quisiesen tomar parte en la jornada. Se alistaron 10 españoles y 56 nacidos en la tierra. Partieron de Asunción acompañados de sus familias, sus ganados, sus semillas, sus instrumentos de labranzas, su esperanza. Garay y sus compañeros bajan el río en bajel. Algunos salen por tierra arreando 500 vacas. Buen tropel, ¿no? Buen plantel. El 11 de junio de 1580 se produce el segundo parto de la ciudad-puerto. Todo se efectúa tranquilamente. Armoniosamente. Se acabó la epopeya. Uno es el que mata la fiera, otro el que adereza la piel y aforra el capisayo. No hay que omitir la liturgia de la fundación. El gobernador corta hierbas y tira cuchilladas, como lo prescribe la antigua costumbre. El escribano Garrido ahueca la voz. El buen vizcaíno Garay sonríe para sus adentros. Su sonrisa se le refleja en la hoja de la espada. Vean cómo inventan los cronicógrafos. Buenos Aires queda fundada definitivamente. Cabildo. Rollo. Cruz. Su plano, en pergamino de cuero. Suelo llano, no había por qué meterse en gambetas, dijo Larreta. Se trazan de norte a sur, "leste/ueste", calles perpendiculares. Damero honrado, franco. Dieciséis cuadras de frente sobre el río, nueve de fondo. Seis manzanas al Fuerte, entre ellas la que mordisqueó Adán. Tres conventos. Plaza Mayor. Un hospital. Predios para las chácaras de los pobladores. En fin, ya gatea la ciudad, ya comienza la cháchara. El cuento de nunca acabar. Entre la cincuentena de mancebos de la tierra paraguayos hay una manceba paraguaya, Ana Díaz. El rábula da un chupetazo a la bombilla y suelta una risita. ¿De qué se ríe usted, señor jurisconsulto? Por nada, señor vocal decano. Su relación de aquel segundo parto, como usted dice, hace más de dos siglos, me ha hecho recordar de pronto el homenaje rendido hace poco a esa mujer Ana Díaz por las damas paraguayas residentes en Buenos Aires. ¡Hermoso colofón de la fundación! A ver, doctor Echevarría, cómo fue eso, dice Fulgencio Yegros. El otro se toma su tiempo. Sorbe largamente la bombilla, hasta que la panza del mate empieza a quejarse en seco. Bueno, dice el rábula, el homenaje de las damas paraguayas a Ana Díaz tuvo un final inesperado. ¡No, no!, claman los miembros de la Junta. ¡Empiece usted por el principio! Nada, que las damas residentes se pusieron a buscar desde por la mañana muy temprano, antes aún de la salida del sol, el solar que Juan de Garay adjudicó a Ana Díaz como participante en la fundación. Querían rendirle el homenaje a la misma hora en que se supone que la espada de Garay dio el papirotazo fundador. Entre quintas, saladeros, pulperías y baldíos neblinosos, el centenar de damas patricias peregrinó toda la mañana y toda la tarde en busca del solar fantasma de la paraguaya, sin acobardarse ante la fría ventisca que soplaba desde el estuario. Al anochecer llegaron al sitio que, según los borrosos planos, correspondían al buscado solar. Allí se levanta un caserón mezquino, mezcla de convento, saladero y pulpería. Una de las damas, amiga mía, razón por la cual reservo su nombre, subió a un montículo de basuras y comenzó el discurso de circunstancias. La interrumpían a cada instante hombres de toda calaña que entraban al local cruzándose con otros que salían borrachos y jacareros. Cuando mi amiga, la dama del discurso, clamó solemnemente por tres veces el nombre de Ana Díaz, apareció en la puerta una mujer en paños bastante menores. Aquí estoy, ¿qué buscan misias?, dijo que la mujer inquirió destempladamente. La casa de Ana Díaz, replicó la dama. Hemos venido a hacerle un homenaje. Ana Díaz soy. Esta es mi casa y hoy es justamente el día de mi cumpleaños, de modo que si gustan pasar. Las damas se horrorizaron. Entonces aguarden un momentico, que voy a llamar a mis compañeros y a mis parroquianos, para que también ellos se diviertan un poco. Ya habrán adivinado ustedes de qué local se trata: Un vulgar Templo de Eros, se creyó obligado a clarificar el rábula lo que ya estaba más claro que el agua. Aparecieron en vocinglero tropel un centenar de mujeres y hombres, inclusive los músicos con sus instrumentos. Consultaron las damas el plano, nuevamente. No había dudas. El solar era ése; juguetón, el destino había puesto allí a otra Ana Díaz. Lo cierto es que el discurso continuó con nuevo y distinto ímpetu. Tan elocuente y emocionada o confusa estuvo mi amiga, que al poco rato damas matricias y mancebas meretricias lloraban abrazadas a lágrima viva, mientras los músicos ponían un fondo de acordes marciales a esa ceremonia de imprevista e irrepetible confraternidad femenil. Mintió el rábula porteño como siempre. Grosera patraña. Inventada insidia. Todo por llevarme la contraria y demorar el jaque del Tratado que venía cabalgando en el humo del mate. Mis averiguaciones sobre el hecho ni remotamente lograron confirmarlo. En el solar adjudicado por Garay a Ana Díaz, no existe tal Templo de Eros sino una vulgar talabartería.

Por la noche vino el presidente de la Junta a consultarme si debido a la repentina parálisis de las dos manos que ha atacado a Echevarría debía postergarse el día de la firma. Vea, pariente, que si el tratado no lo firman los dos comisionados, puede la Junta de Buenos Aires trastearnos después con la jugada de que es írrito y sin valor, secretea Fulgencio Yegros. Vea, par-y-ente, le digo, hemos fijado mañana 12 de octubre, Día de la Raza, como Día de la Firma. El tratado se firmará mañana. Confírmelo a los demás miembros del Gobierno. ¿Ya tiene redactado el tratado, pariente? Con todas sus letras. Pasado en limpio. Texto definitivo. No será corregido. ¿Podemos leerlo? Lo escuchará mañana; menos trabajo. Deje eso por mi cuenta. Ocúpese usted de su parada. Compóngase para realizarla, luego del toque de diana, de modo que la ceremonia de la firma cierre las negociaciones y podamos despedir a nuestros huéspedes con todos los honores. Hágame el favor de mandar traer de inmediato a La'ó-Ximó, el curandero de Lambaré. Envíelo apenas llegue.

A regañadientes Echevarría ha accedido a tender los dos brazos sobre la estera, la cara vuelta a la pared. Los puños crispados se destacan contra las manchas de sangre envejecida en el esparto. La'o-Ximó, desmirriado, esquelético, pero con la fuerza de un toro, está luchando desde hace rato por aflojar esas manos crispadas en un puño de muerto. Fricciones, masajes, golpes fulmíneos capaces de partir un trozo de mármol. Todo inútil. La monda cabeza de La'ó-Ximó empapada de sudor brilla entre las velas; de la coleta cae un chorrito sobre el manojo de nervios de la nuca. Se vuelve hacia mí: Señor, es nomás el apava, o sea el parálisis. Pero el kuruchí o sea el nudo de la arruga, no está en las manos. Está en un punto del celebro. Hay la marca de un punto del que ya no se puede volver para atrás. Éste puede todavía; el estorbo es que no quiere. Tú también con los puntos, La'ó-Ximó. Sí, Señor, un punto es. Voy a ver dónde está. Lo voy a quemar un poco y las manos van a abrir otra vez sus hojas. Inspeccionó, olió los puños poro por poro. Se detuvo de golpe en el punto de la parrafada, del artículo, del inciso. Sobre la llama de una vela ablandó una mixtura de artemisa, benjuí y liquidámbar. Formó dos bolitas. Las aplastó una en la juntura que hay entre el pulgar y el índice de la mano derecha; otra en el centro del metacarpo de la izquierda. Encendió una ramita de incienso y la acercó a los emplastos. Bajo la combustión acabaron por derretirse y volatilizarse en humo, en vapor, en olor. Las manos se abrieron lentamente. Suerte de lenta resurrección. Los dedos recobraron poco a poco sus movimientos. Ya está, Señor, dice La'ó-Ximó. Echevarría se mira torvamente las manos; sospecha que le han colocado otras que no son suyas. Las mueve a contravoluntad. Mientras recoge su estera, sus mejunjes, sus agujas y palillos La'ó-Ximó, dice por lo bajo en dialecto payaguá: Queriendo seguir enfermo el enfermo se ha sanado sin querer, por el poder opilativo de Santa Librada y el Gran Abuelo La'ó-Xe que ata-y-desata-lo-que-mata. En la puerta le arrojé una moneda. Quedó suspendida en el aire. La'ó-Ximó agarró con las uñas el colibrí de plata del carlos-cuarto y lo metió en su guayaka: ¡Tenga cuidado, Señor! ¡Las manos de ese extranjero están llenas de lenguas! No te preocupes. Vete. Su figura se esfumó al contracanto de una ochava.

Nueva reunión solemne de la Junta y del Cabildo. Pausadamente voceo el Tratado. Regulo los decibeles del volumen acústico subrayando las partes más importantes: Artículo primero: Hallándose el Paraguay en urgente necesidad de auxilios para mantener una fuerza efectiva y respetable para su seguridad y para hacer frente a las maquinaciones de los enemigos del interior y exterior, el tabaco de la Real Hacienda existente en la provincia se venderá a cuenta del Paraguay y su producto se invertirá en el objeto indicado u otro análogo. Artículo segundo: Se establece que el peso de sisa y arbitrio que anteriormente se pagaba en Buenos Aires por cada tercio de yerba que se extraía del Paraguay, se cobre en adelante en Asunción con aplicación precisa al objeto señalado en el artículo anterior. El tercero: Se dispone que el derecho de alcabala se satisfaga en el lugar de la venta. Artículo cuarto: Se declara incluido en los límites del Paraguay el departamento de Candelaria, situado en la margen izquierda del Paraná. Artículo quinto: Por consecuencia de la independencia en que queda el Paraguay, la Junta de Buenos Aires no pondrá reparos al cumplimiento y ejecución de las demás deliberaciones tomadas por la Junta de Gobierno del Paraguay, conforme a las declaraciones del presente Tratado, deseando ambas partes contratantes estrechar más y más los vínculos y empeños que unen y deben unirlas en una Federación. Se obliga cada una por la suya, no sólo a cultivar una sincera, sólida y perpetua amistad, sino también a auxiliar y cooperar mutua y eficazmente con todo género de auxilios, según permitan las circunstancias de cada una, toda vez que lo demande el sagrado fin de aniquilar y destruir cualquier enemigo que intente oponerse a los progresos de nuestra justa causa y común libertad.

Cerrados aplausos cierran la lectura. No hay más discusión. Nos arrimamos todos a firmar el papiro de doble tenor al que no se le escapará ningún gallo. Cada uno quiere ser el primero. Un momento antes he tenido que arrastrar desde su alojamiento a Echevarría. Sigue protestando que sus manos no son sus manos. ¡Vamos! ¡Apúrese! ¡Son sus manos, sus mismísimas manos! ¡Déjese de...! Tiro de él. Lo empujo. Lo remolco a remo, toa y sirga, pesado lanchón de malafé. Lo hago cruzar a la disparada la Plaza llena de caballos. Ve a Belgrano estampar su firma muy satisfecho; no tiene más remedio que firmar él también. Todos muy satisfechos: Los comisionados por haber obtenido, a falta de la anhelada unión, una estrecha alianza. Los militares de la Junta, por haberse llegado a un acuerdo con los porteños. Yo por haber evitado el dominio porteño. El Tácito del Plata reprochará después severamente, en su crónica, a los comisionados el haber cedido a las exigencias del Paraguay pactando una liga federal sin obtener a cambio la más mínima ventaja. Cada uno habla según la locura que lo alucina. ¡Al demonio el Tácito platino! ¡Allá él! ¡Aquí, nosotros hechos unas pascuas! Nuevos gritos de ¡Viva la Santa Federación! Ovaciones. Aplausos. Hasta el propio Echevarría con sus manos usureras rompe a aplaudir. El ruido de los aplausos se agranda en el trueno de la caballería.

Desde el podio levantado en la Plaza de Armas asistimos a la parada. Los dos mil quinientos jinetes de Paraguary y Takuary desfilan en formación de combate, sueltas las riendas de los corceles. Las armas bajas en honor a Belgrano que sonríe complacido ante el honor antepóstumo. Fulgencio Yegros y Pedro Juan Cavallero, es decir media Junta, a la cabeza del desfile. Son de fanfarria. La cerrada formación rompe luego en mil fanfarronadas. Simulacros de cargas, de ataques, de entreveros. Caballos y jinetes se parten en dos para volver a juntarse un poco más allá la mitad de un jinete con la mitad de un corcel, centaureando en figura. Las pruebas individuales menudean sin perder el carácter de su coreorganización colectiva. Dos soldados montan un mismo redomón, de pronto uno echa pie a tierra de un lado, el otro del otro, pasan del pie a la mano, se cruzan, hacen tijera sobre la montura al galope. Diez jinetes cabalgan en pie sobre una fila de corceles ensillados y en pelo alternativamente. Desmontan, corren a pie al costado de las cabalgaduras. Las van desensillando sin aminorar la marcha. Se arrojan por el aire los aperos. En un abrir y cerrar de ojos las vuelven a ensillar, pero ahora los que cabalgan en pelo son los que van sobre las monturas. Echan un pie a tierra, enganchados con el otro del estribo, recogen del suelo las lanzas que han arrojado cien varas delante de sí. Vea usted, general, no creo que ningún país tenga jinetes que aventajen a los paraguayos en el arte de la equitación. En efecto señor vocal decano, ¡estas pruebas son asombrosas! Son buenas sí, farfulla Echevarría, pero en la provincia de Buenos Aires yo he visto jineteadas que lo hubieran asombrado a usted, señor vocal decano. Hay gauchos en los Tercios de Migueletes que con sólo los dientes saben enjaezar sus frisones. Otros que colocados entre dos caballos y un pie en cada silla, pican espuela a toda brida en los toques de retirada cargando un hombre en sus brazos; se supone que un compañero herido en el combate. Otro gaucho puesto de pie sobre el primero va disparando su arcabuz o su ballesta para cubrir la retirada de los tres. Conocí a un jinete de Bragado que manejaba su parejero en toda suerte de ejercicios, bailes y contradanzas. Entre los bastos y sus rodillas, lo mismo entre el estribo y los pulgares de sus pies, colocaba moneditas de plata. Jamás se le caían cual si hubieran estado claveteadas en esas junturas con más firmeza que las monedas, cosidas al cuero de su rastra. Ya las manos engurruñidas del secretario despabilan sus lenguas por los prados de una erudición a la violeta. ¡Quién puede pararlo! Me acordé de la prevención de La'ó-Ximó. En medio del fragor gritaba cada vez más fuerte: En las Indias Orientales el honor principal era cabalgar sobre un elefante, no sobre el plebeyo caballo. El segundo ir en coche tirado por cuatro bueyes de monumental cornamenta. El tercero montar un camello. La última categoría, por no decir el honor último o casi deshonor, consistía en montar un caballo o ser conducido en una carreta tirada por un solo jamelgo. Un escritor de nuestro tiempo dice haber visto en esas regiones de antiquísima cultura que las personas de pro montan en bueyes con albardas, estribos y bridas, y añade que se los ve muy orondos en semejantes cabalgaduras. Ah si vamos a eso, mi estimado Echevarría, usted sabrá que Quinto Fabio Máximo Rutilio, en la guerra contra los samnites, viendo que su gente de a caballo a la tercera o cuarta carga había casi deshecho al adversario, ordenó a sus soldados que soltaran las bridas de sus corceles y cargaran a toda fuerza de espuela, de suerte que no pudiéndolos detener ningún obstáculo a través de las líneas enemigas, cuyos efectivos estaban tendidos en tierra, abrieran paso a la infantería, que completó la sangrienta derrota. Igual conducta siguió Quinto Fulvio Flaco contra los celtíberos: Ib cum majore vi equorum facietis, si effraenatos in hostes equos immittitis; quod saepe romanos equites cum laude fecisse sua, memoriae proditum est... Detractisque fraenis, bis ultro citroque cum magna strage hostium, infractis omnibus hastis, transcurrerunt * según describe Tito Livio. Más o menos, estimado doctor, lo que ocurrió en Cerro Porteño y Takuary. Echevarría, escurridizo, muda de tema: El duque de Moscovia cumplía en lo antiguo la siguiente ceremonia con los tártaros, cuando éstos les enviaban sus embajadores: Salíales al encuentro a pie y les presentaba un vaso de leche de yegua. Si al beberla caía alguna gota en las crines de los caballos, el duque tenía la obligación de pasar la lengua por ella. Vea, estimado Echevarría, usted no ha pasado todavía su lengua por las crines de estos caballos vencedores. Es que tampoco usted, señor vocal decano, nos ha dado a beber el vaso de leche de yegua que el duque de Moscovia ofrecía a los embajadores extranjeros. Oh, sí señor secretario, se ha bebido usted la mitad, derramando la otra mitad sobre las crines de los caballos de la Junta. Lo que ha ocurrido es lo que sucedió a Creso al atravesar la ciudad de Sardes. Encontró un prado en que había una gran cantidad de serpientes. Sus caballos comiéronlas con apetito excelente, lo cual fue de mal augurio para sus empresas. Casi todos ellos quedaron mancos de pies y manos, según refiere Heródoto de Halicarnaso. Llamamos caballo entero al que tiene las demás partes tan

* Para que el choque sea más impetuoso soltad las bridas de vuestros corceles. Es una maniobra cuyo éxito honró muchas veces a la caballería romana... Apenas la orden es oída desenfrenan sus caballos, hienden las tropas enemigas, rompen todas las lanzas, vuelven sobre sus pasos y llevan a cabo una terrible carnicería.

Este fragmento de Tito Livio se encuentra copiado asimismo en el *Manual de Combate de las Fuerzas de Caballería*, entre las numerosas obras de táctica y estrategia debidas también al puño y letra de *El Supremo. (N. del C.)*

cabales como la crin y las orejas, sin contar las partes testicularias iguales y cabales en todo y por todo. Los otros caballos no son sino medios caballos, y los capones ninguno. ¡Vea, mira, observe eso!, exclamó Belgrano desmontando a Echevarría de otra inminente bobería. Espectáculo en verdad fantasmagórico. Esa especie de resplandeciente obscuridad que extiende el fuego del sol cayendo a plomo al filo del mediodía se raja: Un solo trueno hace retemblar la tierra: Dos mil quinientos caballos avanzan a todo galope entre remolinos de polvo. Caballos solos. Ensillados o en pelo. No se ven los jinetes. Masa compacta. Geométrica exhalación de corceles. Pasan zumbando frente al podio, embarrados de sudor, portando las chuzas entre los dientes. Completamente desenfrenados. Cuando por fin los ojos se acostumbran a esa carga irreal, distinguen poco a poco la cruz de los corceles en pelo o sobre las monturas vacías diminutos jinetes no más grandes que los pies de un hombre: Son en realidad los pies de cada jinete enganchados en cruz. ¡Vea usted, Echevarría! ¡Este era el misterio de Takuary! Cómo iba uno a poder disparar sobre esas pobres bestias sin sol-dados que parecían lanzadas en su propia desesperación! ¡Cómo iba uno a disparar sobre esos pequeños bultos en forma de cruz! ¡Cómo iba uno a imaginar que esos bultos en cruz eran los jinetes paraguayos vueltos del revés! ¡Cuando nos dábamos cuenta ya estaban del derecho dándonos duro a lanza y machete! ¡No haberlo sabido, general!, tartajeó Echevarría mordiéndose los puños.

Silencio de tres sombras. Tres veces silencio en la penumbría del gabinete. Están sentadas allí hace mucho rato. No se puede decir que tengan buen semblante. Pero para poner buen semblante no hay más remedio que acordarse de todas las contrariedades. Disculpen, nobles señores. De seguro estarán fatigadas sus mercedes con tantas bufonerías. Olvídenlas, se lo ruego. Lo que es necesario recordar es el bien de nuestras patrias. Debemos reflexionar sobre lo que hemos convenido. Sopesar hasta el último grano la justicia de nuestro pacto. Hacerlo cumplir. Sobre todo eso. Hacer cumplir lo hablado, lo escrito, lo pactado, lo firmado. Ustedes dos en su país, por medio de su gobierno, con el respaldo de la soberanía del pueblo en sus honorables asambleas legislativas. Yo a mi vez aquí haré lo mismo.

Mejor dicho, denlo ya por hecho, puesto que mi voluntad representa y obra por delegación la incontrastable voluntad de un pueblo libre, independiente y soberano.

Las dos sombras no contestan. El volido de un moscón las atraviesa. ¿Están allí esos señores o no están? Sí, señor vocal decano, aquí estamos, dice Vicente Anastasio Echevarría, retrepándose en su asiento. Me levanto del sillón. Descuelgo a Benjamín Franklin de la pared, grabado en acero. El rábula porteño observa torvamente al inventor del pararrayos. Manuel Belgrano abre los ojos. He aquí, amigos míos, el primer demócrata de estos nuevos mundos. El modelo que debemos imitar. Dentro de cuarenta años puede ser que nuestros países tengan hombres que se le parezcan. Esto, desde luego, si en el gran país del norte continúan surgiendo hombres como Franklin. Si es así, podremos gozar en el futuro la libertad para la cual no estamos preparados hoy. Puede ocurrir, por desdicha, que en América del Norte no surjan más hombres del temple del inventor del pararrayos y que en nuestros países el rayo de la anarquía aniquile a nuestros mejores hombres. Puede ocurrir que allá inventen el Gran Garrote y aquí muramos todos del garrotillo, la mancha y la garrapata, como el ganado de nuestros campos. Debemos cuidarnos de caer en manos de tales amos matarifes. Echevarría levantó la mano llena de dedos agarradores: No es muy optimista usted, señor vocal decano. Al contrario, doctor, repuse. Soy sumamente optimista, pero no amnésico. Un mínimo de memoria es indispensable para subsistir. La anulación de esta facultad comporta la idiotez, y nosotros aquí, en el Paraguay, no bebemos el negro café de cardamomo de los olvidadizos bereberes, sino la infusión de yerbamate o el té de porotillo, que ayudan a conservar la memoria, y dentro de ella los buenos y malos recuerdos. Hemos visto muchas veces la cara de la desdicha. Ahora queremos ver, y para siempre, la cara de la dicha por cara que nos cueste dicha cara. Y así, vea usted, que soy claramente optimista. El verdadero optimismo nace del centro del sacrificio. Libre de todo cálculo egoísta ¿eh? ¡Ah! El que se sacrifica se entrega sin vueltas y el sacrificador es el que perece. Recuérdelo usted, doctor Echevarría. Franklin lo sabía. Espíritu ahorrativo hasta el último centavo de su energía visionaria, de su rigurosa autodisciplina. Fe, confianza, caridad, esperanza, libertad. Par suyo, entre sus pares, general, ¿eh, eh? No me escuchó bien, abstraído en la delicada soledad central de sus pensamientos. El compadre Benjamín era optimista hasta con respecto a la muerte, dije. A la edad de veintitrés años ya tenía compuesto su epitafio con palabras del Oficio. Lo tengo copiado al reverso. Léalo usted, doctor. La voz leguleya balbuceó:

Aquí yace pasto de los gusanos
el cuerpo de Benjamín Franklin
como el forro de un libro viejo,
descosido, ajado. Mas la obra no
se perderá pues ha de reaparecer,
como él lo espera, en una nueva
edición revisada, corregida por
el Autor.

Ojalá podamos cada uno de nosotros redactar nuestros epitafios con palabras tan sencillas y tan sabias ¿no? Aunque si yo hubiera de escribir el mío no gastaría más de dos palabras:

Estoy bien.

El general Belgrano sonrió. Le entregué el retrato, que recibió con emoción. El alambre de cobre pierde-fluido del minúsculo pararrayos puesto en la cima del grabado, se enganchó a los pies del rábula. Lo pialó y volteó. Se levantó semicarbonizado por la ira. Interjectando. Puse entre sus arañudos dedos una historia manuscrita del Paraguay. Llévela como recuerdo. Mándela imprimir si lo desea, sin comprimirla ¿eh? La realidad de este país es más rica que la que está encuadernada en esos in-folios. El futuro lo es más aún. Guardémoslo del rayo.

El melenudo don Benjamín, sobre el pecho del general, me guiñó un ojo. Alcé la vista hasta el rostro de Belgrano. Vi reflejado en él a través de imágenes sombrías el fragor de los desastres futuros. Lo oí sudando sangre. Elefantiásica agonía de su Huerto de los Olvidos: *¡Ay Patria mía!* Trueno apagado por la infernal cabalgata que estremece la tierra americana. Murmullos de lenguas que atormentan al que es vencido. Bocas que fabrican resbaladeros de falsos testimonios. Me veía a mí mismo. Aunque los años de tu vida fueren tres mil o diez veces tres mil, ninguno vive otra vida que la que pierde. El término más largo y el más breve son iguales. El presente es de todos. Nadie pierde el pasado ni el porvenir, pues a nadie pueden quitarle lo que no tiene. Razón por la cual, compadre Marco Aurelio, estaríamos todos, según eso, abrochándonos siempre los botones en casa ajena y en tiempo equivocado. Apuesto mi última muela contra la pala del sepulturero a que la eternidad no existe. ¿Eh? ¿No basta aún? Apuesto entonces la falsa mitad de mi cráneo, ¡qué embromar! Vamos, cálmate. Me exalto fácilmente en los casos límite, cuya gracia principal consiste en que no tienen límite.

El general Manuel Belgrano me mira con sus ojos muy claros. Mueve la cabeza. Algo contristado. Se adelanta unos pasos. Nos estrechamos en silencio las manos.

Apenas llegado de regreso a Buenos Aires, el rábula Vicente Anastasio Echevarría, negoció bajo cuerda con los miembros de la Junta la venta de la imprenta de los Niños Expósitos, única por aquel entonces en la esclusa porteña. La primera edición americana del Contrato Social, fue impresa en ella, en traducción de Mariano Moreno. Una reliquia. El rábula manotorcida de Echevarría no se limitó a querer venderla; ofreció también poco menos que en almoneda la biblioteca del propio Moreno. Confirmé entonces mis sospechas acerca de cuál era el rábano que el rábula y los miembros de la Junta mordían en sus conciliábulos; cuáles los verdaderos motivos del apuro por regresar a su país.

Mi ex cuñado Larios Galván, secretario de la Junta, le escribe: Aceptamos desde luego la imprenta en la suma convenida de 1.800 pesos. A fin de librar a Vmd. el dinero, sírvase decirnos si hay algún otro más que pagar, y si la máquina ha de venir con todos los útiles necesarios. Sírvase también Vmd. tomarse la molestia de mandarnos una nota de la biblioteca del finado Doctor don Mariano Moreno informándonos sobre el precio a fin de finiquitar su compra. Tomaremos a cualquier precio todos los que traten de materias de derecho público, política, bellas letras y obras curiosas, joyas para bibliómanos; sobre todo, aquellas de mucho valor material por sus encuadernaciones de orfebrería en metales y materiales preciosos. No haremos reparos en los costos.

Cuando me enteré del complot puse el pie sobre las negociaciones. Mi obligación de síndico procurador general era impedir el negociado imprenteril. Lo impedí. Corté además la cuerda del otro, referente a los libros de don Mariano, quien de todos modos ya no los leería más. Dicté al bribón de Larios Galván la cancelación del cohecho: Por ahora nos excusamos el mandar traer la imprenta y los libros, pues con las luces que tenemos aquí, no hemos menester de más ni mejor.

Los caballeros de lazo y bola de la Junta, los areopagitas de las Veinte clamaron que esto era una gran pérdida para la cultura del país. ¡Lo es para vuestros bolsillos y bellacas intenciones!, les enrostré. Mientras yo pueda y puedo, no permitiré latrocinios clandestinos. Les barrí el piso. Sobre suelo barrido no picotean gallinas. Hicieron algo peor: Privados de la Imprenta de los Niños Expósitos, fundaron el Garito de los Tahúres Expósitos. Con los restos de la imprenta de palo de las reducciones jesuíticas, los patriciales tahúres se amañaron para fabricar una impresora de barajas. Del pueblo de Loreto, donde estaban sepultadas, los ruines trajeron las ruinas tipográficas que arruinaron la civilización de los indios. De Buenos Aires hicieron venir al maestro impresor Apuleyo Perrofé. Muy pronto y también muy clandestinamente comenzaron a salir y circular los primores estampados. Fueron inundando el país, que se quedó sin libros, sin almanaques, sin devocionarios. Apuleyo metió en la máquina hasta los legajos del archivo de la Junta.

Las impresiones de Perrofé eran casi perfectas. Los más afamados tahúres de la época no sabían distinguir los anversos y reversos de los naipes, como no se distingue un huevo de otro huevo. La disimilitud se mete por sí misma en las obras del hombre. Ningún arte puede llegar a la semejanza perfecta. La semejanza es siempre menos perfecta que la diferencia. Diríase que la naturaleza se impuso no repetir sus obras, haciéndolas siempre distintas. Perrofé, en cambio, las hacía al mismo tiempo iguales y diferentes. Sabía pulimentar, blanquear y pintar tan cuidadosamente el envés y hasta las figuras de sus cartas, que el más consumado jugador se engañaba siempre al verlas deslizarse y escurrirse en las manos de sus antagonistas en el ruedo. Hasta a mí me engañaron las barajas de Apuleyo Perrofé. Con la misma perfección compuso y minió también el Breviario del obispo Panés; libro que a su muerte pasó a poder del Estado; allí está entre mis libros más raros. Tan raro es, Señor, que la última vez que lo vi ya estaba completamente blanco. No es raro que los libros también encanezcan, Patiño, y más si son Libros de Horas. Las letras se cansan, se borran, desaparecen. Les pasa lo mismo que al azogue, eh. Eso lo sabes, eh ¿eh? Cuanto más lo amasan, lo comprimen, lo dividen, tanto más huye y se desparrama. Lo mismo les ocurre a todas las cosas. Subdividiéndolas en sutilezas, lo único que se consigue es multiplicar las dificultades. Es hacer cundir las incertidumbres y las querellas. Todo lo que se divide indefinidamente se vuelve confuso hasta quedar reducido a polvo. Es lo que hacía el maldito Apuleyo Perrofé. Sólo después de años de pesquisas y rastreos pudo el Gobierno echar la uña a la imprenta clandestina. Estoy viendo aún, Señor, el momento en que el verdugo empujó al aire de una patada en el traste con la soga al cuello a Perrofé. Hombre retacón, más redondo que una pelota de miel, el cuerpo del maestro impresor se hamacaba a punto de reventar dentro de su ropa llena de remiendos de colorinches. En medio del ventarrón que barría la plaza se fue deshinchando el ahorcado. De entre sus ropas de colores salían al viento bandadas de naipes que pronto llenaron toda la ciudad. Al pronto se pensó en la suelta de cien mil mariposas, que se suele hacer todos los años en homenaje a su Excelencia, el fausto día de su natalicio. Pero en el silencio que siguió, como no se oyeron las salvas de los cañones, ni el resonar de las cien bandas de músicos de los cuarteles, ni el griterío de las murgas de negros, pardos y mulatos, el gentío cayó por fin en la cuenta de que no era el día de los Reyes Magos. El ajusticiamiento del mago criminal hacedor de barajas terminó. Descolgaron el cadáver. No encontraron más que la bolsa desfondada de sus ropas, que había descargado el diluvio de barajas, estampas de santos, figuras de mujeres desnudas, estampitas de primera comunión. Pesia este escarmiento, pesia que las fuerzas de seguridad se han propasado en sobremedidas de vigilancia, Excelentísimo Señor, desde entonces se ha venido jugando más que nunca en Asunción, en todas las villas, pueblos, villorrios, guarniciones, puestos fronterizos; hasta en el último retén y la más infeliz ranchería del país, hasta en las tolderías de los indios se juega, Señor. Es inútil que los efectivos de urbanos se larguen al barrer contra los malandrines jugadores. Al rato están meta a la baraja, como si nada hubiera pasado, y hasta los mismos urbanos se ponen a jugar en los garitos. Cierta vez, conversando con el ministro Benítez antes de que él también cayera en desgracia, me dijo que si él hubiera sido Primer Magistrado, no hubiera prohibido el juego ni mandado ahorcar a Perrofé. Lo que hubiera hecho de ser yo El Supremo, me dijo, habría sido legalizar el juego y nombrar a Apuleyo Perrofé administrador general de la Productora de Juegos del Estado. Una especie de gran garito-patria que cubra todo el país a través de las agencias y sucursales de Impuestos Internos, instaladas en las receptorías de rentas y hasta en las barberías, dijo Benítez. Así como hay chacras y estancias de la patria, el impuesto al juego hubiera producido mucho más riqueza que todas ellas juntas; recaudado más que la alcabala, el diezmo, el estanco, la contribución fructuaria; más que el papel sellado, los aranceles de exportación e importación, los derechos de vendaje y el ramo de guerra. Un impuesto fructuario al juego, dijo el ex Benítez, hubiera formado el caudal de mayores ingresos en pro de las arcas del Estado, en pro del bienestar y prosperidad del pueblo. Hubiera trocado un vicio colectivo en una superior virtud cívica, devolviendo en multitud de servicios públicos la secreta plaga de la timba, haciendo de ella la fuente más limpia del Ahorro Nacional. La pasión del juego, se fue entusiasmando el ex ministro, es la única que no muere en el corazón del hombre, dijo, Señor. El juego no es como el fuego, dijo. No es hijo de dos pedazos de madera que apenas nacido devora al padre y a la madre, como entre las tribus; o como entre los cristianos, el fuego nacido de la yesca y del eslabón, de una triste cabeza de fósforo; el fuego que sirve para hacer el puchero, para quemar y fertilizar los campos, los sembríos, para quemar el rozado en el monte... También, Patiño, para cremar nuestros cadáveres, conforme nos ha amenazado el pasquín. ¡Vea usted, Excelencia, eso se le escapó a Benítez! Nosotros no escaparemos del fuego, Patiño. No es estornudando a más y mejor ahora como vas a apagar después la hoguera que ha de consumirnos. Perdón, Excelentísimo Señor. No puedo atajar los estornudos. Debe ser mi manera de llover. Más, en agosto que es mes de lluvias y romadizos. Lo que Benítez agregó, Señor, es que ni el fuego ni el juego deberían ser prohibidos. En sí mismos llevan su utilidad y su prohibición. Lo primero que se sabe del fuego es que no debe ser tocado, dijo. Lo último, que sirve para cocer los alimentos. Muy bien, dijo el ex ministro Benítez, pero el juego puede y debe ser tocado, y es más útil que el fuego porque da dinero al pobre. No se lo puede prohibir entonces. Sería una crueldad...

(Anotado al margen)

En algo tiene razón este idiota. Nuestro primer *conocimiento* del fuego origina una prohibición social. He aquí pues la verdadera base del respeto ante la llama. Si el niño aproxima su mano al fuego, su padre le pega un capirotazo en los dedos. El fuego hace esto sin necesidad de golpear. Su lenguaje de castigo es decir *yo quemo*. El problema a resolver es la desobediencia adrede... (*quemado el resto del folio*).

El juego no debería ser prohibido, dijo Benítez, Excelencia. La pasión del juego es la única que no muere en el corazón del hombre, repitió. Cuanto más lo ataca el viento de la necesidad, más crecen sus llamas, más ilumina el alma del necesitado. Aparte la última frase que habrás saqueado de alguna parte como siempre, este discursito sobre el pro magüer del juego, habida cuenta de que también a ti te gusta orejear los naipes, ¿no es cosecha tuya? ¡Por Dios, Excelencia! ¡Mándeme cortar la lengua, coser la boca, si miento!

Idea de tahur la del ex ministro Benítez sobre el impuesto fructuario al juego. Otros gobernantes han hecho de sus países verdaderos garitos donde se roba, se hacen trampas, se asesinan, como tahúres.

Aquí en el Paraguay no vencieron ellos. Los vencí yo. Destruí sus ventajas de tahúres clandestinos por la contraventaja de saber que son miserables tahúres. Conozco la marca de cada naipe que juegan. Sé de qué libros han sido arrancados. Oigo el galope del caballo de copas. Tengo en mis manos los cuatro ases: El de bastos en mis manos, garrote de mi poder. El de oro en las arcas del Estado. El de copas en que darles de beber la hiel y el vinagre a los traidores. El de espadas para podarles la cabeza. Éste es mi juego de truco. En él yo banco el triunfo a sangre fría, sin trucos de ninguna especie. Al cabo, de las negras intenciones del fábula Echevarría salieron cosas claras y muy claras.

Retomo a Correia da Cámara. En este mismo lugar, quince años más tarde estoy con el Manoel asistiendo a la representación, no de Tancredo, sino de Gasparina. Su autor, mi oficial de enlace Cantero, edecán del comisionado imperial que yo he puesto a su servicio, no tanto para que le sirva como para que me sirva, se ha ocupado de escribir la pieza y ponerla en escena. Ya no estamos ante el teatro de la tancredulidad sino de la incredulidad. Gasparina es una mujer con gorro frigio que, según el autor, me representa a mí y a la República. No la encarna Petrona Zavala, sino una escultural muchacha payaguá que aparece en escena cubierta nada más que por las pestañas, los tatuajes y embijes de todos colores que hacen de su cara una máscara. Correia da Cámara se deshace en alabanzas a la obra. Sé que las hace a la actriz indígena. Alucinado por ella, no le saca los ojos de encima. La devora con una mirada obscurecida por el brillo del deseo. La República avanza hacia el centro del tablado para ser coronada por el Gran Hechicero ataviado de tricornio y levita. La Balanza en una mano, la Espada en la otra, la República se detiene bajo el solio de palmas contra el cual está erguido en dos patas un imponente león de utilería. La República gira lentamente con gran majestad hacia el gentío. Se afirma sobre la tijera de sus piernas. Las dos hojas ligeramente separadas. El pubis totalmente rapado. Cubierto de reflejos rotos, de claridades. Rayos fosforescentes de achiote, urukú, tapaculo y orellana, lo convierten en un sol negro. Lo mismo la boca. Dos faros de intermitente luz. Una mitad necesariamente negra, la otra necesariamente gris. Correia se pasa la lengua por los labios. Pedante en todas sus expresiones, exclama: Esa Mujer-que-viene-de-los-bosques parece envuelta en una visibilidad deslumbrante, originaria. En ella lo visible y lo invisible son exactamente lo mismo. Nocturna a la vez que solar en cada uno de sus movimientos; hasta cuando finge la inmovilidad absoluta. Profundo secreto. Secreto inviolable. Sólo he visto algo parecido en algún serrallo de Berbería, Excelencia. ¡Esa mujer, Excelencia, es un meteorito desprendido de la protonoche! ¡Vea usted! ¡Vea usted! ¡Se parte en dos! ¡Está inmóvil pero raya la noche, noche! ¡Se parte en dos! ¡Son dos cuerpos y dos rostros en un solo cuerpo, en un solo rostro! El rústico autor, señor cónsul, ha pretendido representar en Gasparina a la Mujer-natural y también a la República. ¡Pues lo ha conseguido, Excelencia, y en este mismo momento yo lo declaro más grande que el propio Racine! El diálogo es idiota. Hay que aguantarlo. El comisionado ha comprometido en nombre del Imperio enviar fusiles y cañones. ¡El cargamento mais grande do mundo! Esto es lo que importa. No me importa gastar saliva con el emplumado cónsul carioca-riograndense. Nuestra saliva limpia y seca nuestras llagas mais mata a la serpiente, digo al macaco, remedándolo. Mientras Correia devora con los ojos a la Mujer-que-viene-de-los-bosques, cimbrando desnuda bajo el gorro frigio; mientras el devoto de las musas gargantea frases atoradas, observo el extremo izquierdo de su boca; es esa comisura la que está en movimiento y pronuncia las palabras conocidas, mitad en español mitad en portugués. El resto de la boca se mantiene inmóvil y cerrado. Recurso de embusteros palaciegos, de enviados imperiales. Merced a largos años de ejercicio logran desdoblar sus labios y su lengua en porciones independientes. Articular al mismo tiempo frases entremezcladas con voces y entonaciones diversas. Ahora la mitad izquierda se arremanga en belfo de caballo descubriendo los dientes sin arrastrar en sus ondulaciones a la región derecha cerrada e impasible en las contrafrases. Conozco el truco. Yo mismo he aprendido a bifurcar la lengua. Fugar la voz. Superponer las voces de ventriloquía a través de los labios completamente cerrados. Juego de niños para mí. Arte que este mamarracho imperial no domina. Pretende convencerme de que el imperio ofrece su alianza al Paraguay sólo para protegerlo de las acechanzas de Buenos Aires. Conoce mis mataduras; yo, las del imperio. Lo que éste busca es justamente lo contrario: Apoderarse de la Banda Oriental, aplastar al Plata. Tragarse por fin a su "aliado". Poca cosa. Nada de nada. Dejo que el comisionado boquee a su gusto. El que tiene el anzuelo soy yo. Aflojo el hilo al dorado pez del imperio. Entretanto me hago entregar copia de toda su correspondencia secreta con los espías ingleses y franceses. Entonces pego el tirón. Traigo a las riberas de mis exigencias al emisario, y no lo suelto hasta que me asegura que mis reclamaciones serán satisfechas: Reconocimiento pleno, irrevocable, de la Independencia del Paraguay. Devolución de territorios y ciudades usurpados. Indemnización por las invasiones de las bandeiras. Nuevo tratado de límites que borre las cruciferarias fronteras impuestas por la bula del papa Borgia y por el Tratado de Tordesillas. Trueque de armas y municiones por madera y yerba.

Vea, señor cónsul, usted va a ponerme por escrito todo lo que ha prometido. Tomo sus palabras como salidas de la misma boca de su emperador. Va en ellas el honor del imperio. Eh eh ah. ¡Mais claro, absolutamente verdade, Excelencia! ¡Vocé va a tener el cargamento de armas mais grande do mundo! Que venga pronto el armamento, le digo, y remedándolo: Que sabe faz a hora nao espera acontecer. Os amores na mente as flores no chao/A certeza na frente/A historia na mao. ¿Eh? ¿Eh? ¡Certissimamente Excelencia! Certissimamente! ¿Cuándo vendrá el cargamento, seor consuleiro! Embora embora, que esperar nao é saber, le zumbo en la oreja. ¡Certissimamente!, fugó la voz del cónsul de izquierda a derecha. Movimiento de succión con el doble émbolo de la linguageral. Está además la cuestión de esos límites a la bailanta que tenemos que ajustar, eh seor cónsul. Los saltos de agua. Las presas. ¡Sobre todo las presas que quieren convertirnos en una presa ao gosto do Imperio mais grande do mundo! Eh. Eh. Eh. ¡Ah! ¡Ah! ¡Ah! ¡Certissimamente!, seguía mascullando el incierto embustero por una y otra juntura. Ah y ah y ah, no vuelva a omitir el tratamiento adecuado a la República y al Gobierno Supremo. Vea que esto no es teatro. Lo que convengamos con el imperio no será materia de aplausos sino de firmas muy firmes. Francas y honradas. De una cordillera a la otra. ¡Certissimamente Excelencia! Cuando vi que la comisura-comisionaria iba a deslizarme algo al oído, levanté la mano: Vocé va a pedirme que después de la función le envíe a su alojamiento a la Mujer-que-viene-de-los-bosques, ¿no? Usted pretende que le repita en privado la escena de la tijera ¿no es eso, seor conselheiro? ¡Usted es un genio, Señor Dictador Perpetuo de la República do Paraguay! ¡Tiene dotes de taumaturgo adivinador! ¡El más zahorí de los adivinadores! ¡Telepatía pura! Vea, mi estimado telépato Correia, usted comprenderá que no puedo prostituir a la República arrimándola a su cámara. No, da Cámara, esta correia no es para su cuero. ¿Puedo yo pedirle a usted que traiga al imperio y lo meta en mi cama? Francamente no. Lo menos que se puede decir sobre eso, seor consuleiro, es que no está bien ¿no? ¡Nada beim! Os amores na mente/ As flores no chao ¿eh, no? ¡Certissimamente tein razón, Excelencia! Bien entonces mañana seguimos conversando en la Casa de Gobierno, que agora la función se ha terminado. Veo entrar al ministro Benítez con el sombrero de plumas del enviado imperial. ¿No sabe usted, bribón, que no debe aceptar regalos de nadie? ¡Devuelva inmediatamente ese adefesio con el que se le ha pretendido sobornar! Por este despropósito le impongo un mes de arresto.

En el mismo sitio, donde está sentado Echevarría el 12 de octubre de 1811, presenciando la parada y comiéndose las uñas, hago sentar al tercer enviado porteño Nicolás de Herrera, dos años después. Un congreso de más de mil diputados ha establecido por aclamación el Consulado. Yo ocupo la silla de César; Fulgencio Yegros, la silla de Pompeyo. El primo, ex presidente de la ex Primera Junta Gubernativa, sitia ahora segundo a mis espaldas.

En Buenos Aires, a la caída del Triunvirato, un presunto Poder Supremo en Formación envía al gato malhumorado de Herrera. Ha llegado a Asunción en mayo. Mal mes para los porteños. Desde entonces aguarda a que se le reciba. Lo he mandado guardar en el depósito de la Aduana. Decoroso alojamiento, el galpón de las mercaderías suspectas de olor a contrabando. El gato emisario trae los dedos llenos de antojos, los ojos llenos de dedos. Se desahoga, entretanto, enviando a su gobierno notas confidenciales plagadas de antojadizas inconfidencias.*

* "Me entretienen con procedimientos dilatorios. Se me tiene prácticamente secuestrado en el almacén de la Aduana. Se me dice que sólo después del congreso y el cambio de gobierno seré recibido, pero nadie sabe cuándo ha de reunirse ese famoso congreso. Lo único cierto es que aquí los porteños son más odiados que los sarracenos. Si el congreso se niega a enviar diputados y se les declara la guerra, media provincia se levanta... La eminencia gris de este Gov^{no}, cada vez más tirano, con el Pueblo cada vez más esclavo, no tiene más objeto que ganar tiempo y gozar sin pesadumbre las ventajas de la independencia. Este hombre imbuido de las máximas de la República de Roma intenta ridículamente organizar su Gov^{no} por aquel modelo. Me ha dado pruevas de su ignorancia, de su odio a Buenos Ayres, y de la inconsecuencia de sus principios. Él ha persuadido a los paraguayos que la provincia sola es un Imperio sin igual, que Buenos Aires la adula y lisonjea porque la necesita: que con el pretexto de la unión trata de esclavizar al continente. Que los pueblos han sido violentados para el embío de sus representantes: Que todas nuestras ventajas son supuestas: Y hasta en su contestación trans-

Ahora está sentado en el mismo escaño que ocupó Echevarría. Formando con él la segunda persona de una sola traicionera no-persona. Antes, le he permitido asistir al Congreso a presentar sus pretensiones. Se le ha dicno que no y no y no a todo. Le he dicho que el Paraguay no necesita de tratados para defender su libertad y conservar la fraternidad con los otros Estados. Son leyes y sentimientos naturales de su constitución. Dos meses después se irá con las manos vacías. Sin unión, sin alianza, sin tratado, con sólo el par de zapatones nuevos y el poncho de sesenta listas que se le ha regalado a costa del erario para reponer su vestimenta y zapatos completamente arruinados en los vanos trajines. A duras penas ha conseguido salvarse del ataque de los ciudadanos por su petulante comportamiento en el congreso.

Está ahí, con fuerte custodia, presenciando enfurruñado, engurruñado, la parada que él supone he mandado dar en su honor y desagravio, sin darse cuenta de los verdaderos fines que ella persigue.

En plan de sumar individuos afines, pongo junto al porteño Herrera al brasileño Correia da Cámara, nuestro conocido enviado imperial. En los días de aquella época aún no lo conocíamos, pues vendrá al Paraguay sólo diez años y pico después. Mi diversión favorita es meter dos alacranes en una botella. No hay dos sin tres. Metamos pues a otro alacrán porteño en el frasco. El último, el Coso éste, al igual que el cascarrabias de Herrera y el tunante de Echevarría, es afecto a escribir cartas. El Coso García * se queja contra mí a sus

pira su rivalidad pues jamás se me ha reconocido como embiado del Supremo Poder Executivo de las Provincias del Río de la Plata, sino como a un Diputado de Buenos Aires; ni a V.E. se le atribuye otra autoridad." (*Memorial de Nicolás de Herrera al Poder Executivo*, noviembre de 1813.)

"Los diputados vinieron tan irritados que han creído injuriosa la proposición. El Gov^no aprovechándose de esta disposición les hizo resolver y que lo negasen en firme. Habiendo recibido el congreso mi oficio hubo un tumulto y los DD. juraron matarme si yo me acercase, y si un sacerdote no sube al púlpito a aplacar a la multitud, hubiera muerto sin remedio, ignominiosamente." (*Ibid.*)

* Se refiere aquí a Juan García de Cossio enviado en diciembre de 1823 por Bernardino Rivadavia, jefe del gobierno porteño. No tendrá más éxito que los comisionados anteriores. Cossio se queja de que *El Supre-*

comitentes de Buenos Aires. Me adula al mismo tiempo con porteña desfachatez. No sé por qué todos estos bribones creen que van a poder arruinar al Paraguay con epistolarios. Allá ellos.

Aquí los pongo en la botella. Tres alacranes. Cuatro escorpiones. Los que sean. A voluntad. Entrelazan sus colas, sus pinzas. Secretan sus jugos venéficos. Agitar bien el frasco. Ponerlo al sereno, hasta que los bichos se serenen del todo. El veneno se vuelve entonces

mo se porta con él de la manera más irreductible e incivil. Éste por su parte, comenta Julio César, nunca explicó el por qué de su actitud; en su copiosa correspondencia con sus delegados en la que trataba todas las cuestiones internas y externas, jamás se refirió a García Cossio, ni a su misión ni a sus notas. Según Juan Francisco Seguí —secretario de Vicente Fidel López— el objetivo fundamental de la misión Cossio era el de concertar una alianza con el Paraguay ante la inminencia de la lucha con el Imperio en la Banda Oriental. *(Anais,* t. IV, p. 125.)

Las comunicaciones de Cossio a *El Supremo,* como la de los otros enviados porteños y brasileros sometidos al purgatorio de los largos plantones, fueron numerosas. En este "suplicio por la esperanza", los "cargosos y pedigüeños maulas" se desahogaban en implorantes, resentidas o melancólicas misivas.

Por cada nota de las 37 enviadas desde Corrientes a Asunción, Cossio debió oblar a los chasques 6 onzas de oro, un traje completo y un equipo de montar, que incluía desde las bridas del caballo hasta las espuelas del jinete, más un chifle con 10 litros de caña. En febrero de 1824 Cossio informa a su gobierno desde Corrientes que *El Supremo Dictador* no contesta aún y que los mensajeros no han regresado. Nada. Ni un indicio siquiera. La tierra parece habérselos tragado. Cossio emite esta triste reflexión: "Y este silencio, tan ajeno al Derecho de Gentes como a la Civilización, manifiesta desde luego que no se trata de variar en parte la menor, aquella misma conducta en que ha fijado toda su atención dentro del singular aislamiento en que se halla. Todo esto, pese a recordarle los esfuerzos realizados por los dos países en la Guerra de la Independencia y la amenaza que actualmente representan para América las miras ambiciosas de la Santa Alianza y la posibilidad de una expedición reconquistadora". El 19 de marzo de 1824 Cossio escribe nuevamente a *El Supremo.* Su oficio concluye: "El Paraguay se está perjudicando pues ha dejado de vender su yerba, su tabaco y sus maderas; su comercio se debilita por el cierre de los ríos y por la falta de mercados exteriores. Por otra parte, al gobierno de Buenos Aires le alarma la apertura de un puerto al Brasil y pide se le otorgue idéntica facilidad, aunque sea circunscripto a un Punto, como se ha otorgado al Portugués". Al pie de esta comunicación hay una nota de *El Supremo,* escrita al sesgo en tinta roja: "¡Por fin vamos a oír buena música!" *(N. del C.)*

bebedizo benéfico. Tomarlo en ayunas, bien de madrugada. Dosis homeopáticas. Por tiempos seguidos. La continuidad-simultaneidad es lo que hay de mejor en la cura de las obstrucciones de todo tipo.

Nicolás de Herrera, Juan García Coso, Manoel Correia da Cámara, alacranes diplomados, me sirven de corrial. Me han querido usar. Yo los he usado a ellos.

Correia se muestra aún engurruñado y temeroso. Siempre anda de costado. Sólo muestra un ojo, una mejilla, una mano, una pierna, medio corazón, ninguna cabeza. Figura de cangrejo. No se sabe si camina hacia atrás o hacia adelante. Talones dobles. Sólo le han crecido las plumas del sombrero y pelos por todo el cuerpo. Sobre su capa de armiño, en pleno verano, se le ensancha en el lomo la negra mancha de sus intenciones con la forma del mapa del imperio, doblado también por el medio. Sólo se ve la mitad que crece hacia el oeste. Por ahora, media mancha de tinta en el rastro de las bandeiras. Después veremos.

A Cámara le obsesiona la posible interferencia porteña. Cosa que me conviene a mí. Sospecha que Coso impedirá a costa de intrigas mis negociaciones con el imperio. Teme, además, un atentado contra su vida por parte de los porteños y de los porteñistas de Asunción. Anoche, durante la cena, me ha referido lo que se ha tramado contra él. Acusa directamente al gobierno de Buenos Aires de querer hacerlo asesinar. Vea, Excelencia, la carta que el doctor Juan Francisco Seguí envió a Bonifacio Isaz Calderón, y que mis agentes han logrado interceptar: El Emperador ha destinado como agente suyo ante el gobierno paraguayo a un atolondrado que está en Montevideo próximo a partir rumbo a Asunción. Conviene que se le sorprenda en el tránsito y se lo traiga a Buenos Aires donde será bien recibido como se merece, o que sea asesinado en el mismo Campo, si posible fuese por algún Paysano que quiera aprovecharse de Seis Mil pesos. O si no, que se emplee una buena carga de arsénico en la sopa. ¿Es auténtica esta carta, Correia? ¡Certíssimamente, Excelentísimo! ¿No es fabulada? ¡Não é! ¡Es carta muy verdadera! No se preocupe, mi sentenciado Correia! Usted está ahora comiendo conmigo tranquilamente, y yo le aseguro que esa sopa de carne pisada, que nosotros llamamos so'yo, es la más sana y nutritiva del mundo. Tómela sin cuidado. En el Paraguay usted está a cubierto de todo peligro.

¡Certíssimamente, Excelencia! ¡Mais me he salvado so por un pelinho!

He resuelto, pues, juntar estos festejos en uno solo. Y ya que estamos de parrandas, arranquemos de la que se celebrara en Asunción, inaugurando estos desmanes fiesteros, antes aún de la Independencia. Retrocedamos un poco. Mi trato con cangrejos ha contagiado a mis apuntes de vicios tornatrases.

Lo malo de los festejos populares es que siempre huelen a circo, a trampa. Leoneras preparadas. El pobre pueblo acude queriendo divertirse, olvidar sus penurias, desahogar a gritos su humillada existencia. ¿Cómo? Con el espectáculo de los señores de campanillas en los tablados. Cualquier cosa sirve de pretexto. La más baladí. La caída de una uña encarnada en el dedo del pie de un monarca. La fecha del natalicio de una delfina menarca. La caída de un imperio. El surgimiento de otro en su reemplazo. El cumpleaños de un favorito. La firma de un tratado. Cualquier cosa. El pueblo acude a estas costosas y miserables quimeras. Lo engañan, lo enardecen al cohete con fuegos artificiales. Le roban horas de su trabajo. Dilapidan los dineros del Estado. Se diría que sólo atizando el fanatismo colectivo pueden esconderse las miserias que lo entrampan. Qué se va a hacer, qué se va a hacer. Es la costumbre más antigua, desde los romanos. Algún día volveremos a vivir austeramente en catacumbas como los primeros cristianos. Enjaulados los tigres, los emperadores, los cónsules, los señorones. Entretanto, dejar vivir al pueblo. Matar de a poco las malas costumbres.

Decididamente, lo peor de lo malo en cuanto a pretextos, las fechas. Esta del 12 de octubre, Día de la Raza, una de ellas. En la tabla de los calendarios parecen inmortales. Rigen la ilusión de realidad. Menos mal que, por lo menos en el papel, el tiempo puede ser comprimido, ahorrado, anulado.

1804

El favorito de la reina, Manuel Godoy, Príncipe de la Paz, ha aceptado el cargo honorario de Regidor Perpetuo de la ciudad.

Asunción es la primera Capital en el reino de Indias que merece semejante distinción. El recibo simbólico del Príncipe de la Paz en el Ayuntamiento da lugar a los antedichos festejos. Los de más pompa que se recuerdan. Comienzan con un gran banquete de setenta y cuatro cubiertos ofrecido por el odiado gobernador Lázaro de Ribera y Espinoza de los Monteros,* en vajilla de plata. A la cabecera de la mesa, recostado contra un copón de oro, el valido Manuel Godoy; es decir, su retrato lleno de guirnaldas. Bajo inmenso sello de lacre la cédula real que lo ha consagrado Gran Ayuntador. Desde el retrato nos saluda con lentos ademanes, los dedos cuajados de sortijas. Luego del banquete, que dura seis horas, el Príncipe de la Paz es llevado en una carroza tirada por ocho caballos negros y ocho yeguas blancas, al son de la banda de músicos. Un cuerpo de miñones custodia la galera. Atrás marchan el gobernador y el obispo en otro galeón. A pie, las planas mayores de los regimientos, de los diarios, los titulares de los corregimientos, la aristocracia principal. Numerosísima banda de clérigos regulares e irregulares. ¡Qué dignidad la de aquellos tiempos!

En el Campo de Marte se han levantado cuatro arcos triunfales. En uno de ellos, el de la Inmortalidad, es colocado solemnemente el retrato ornado de flores, coronas de palmas y laureles. Toda la plaza y el caserío erizados de estandartes y gallardetes. Los balcones de los edificios adyacentes, ocupados por damas de primera distin-

* "A comienzos de 1795, Lázaro de Ribera fue nombrado Gobernador militar y político e Intendente de la real Hacienda del Paraguay. Antes de viajar a la sede de su gobierno contrajo enlace con la linajuda dama María Francisca de Savatea, ligándose así a la aristocracia porteña. Una de sus cuñadas era esposa de Santiago de Liniers [futuro virrey]. Ribera no le cede la derecha a sus grandes antecesores [en la sede de la gobernación]: Pinedo, Melo, Alós, y quizás en muchos aspectos los supere. Caló muy hondo en la tierra guaraní, supo de sus dolores y sus miserias, y tendió la mano al desvalido y al pobre. Proféticamente señaló que el gran puerto para el Paraguay era Montevideo, y anticipó la grandeza del Plata, escribiendo: 'Las Provincias del Virreinato de Buenos Aires llegarán a un grado tal de opulencia en tanto se facilite la extracción de las primeras materias que deben pasar el Océano para avivar y dar energía a las Manufacturas de la Península'. Creyó en el porvenir del Paraguay por su tierra fértil, su producción abundante, sus ríos que la riegan y ponen en contacto con el mundo." *(N. de Julio César.)*

ción y caballeros de segunda y tercera. Pelafustanes engallados en sus capas y jubones de fustanes.

Por la noche iluminan las calles, los edificios públicos, las casas de los vecinos principales. Ramos de fuegos artificiales se encienden en lo alto. El cielo, un jardín de fugaces andrómedas y aldebaranes.

Desde el triclinio que ocupa en el podio de la Plaza, Lázaro de Ribera agita la vara insignia y dirige todos los movimientos, pasándose la mano a cada paso por los rizos de la empolvada peluca, tal un director de orquesta molesto por la desafinación de los cuernos. En todo caso, al Príncipe de la Paz se lo ve muy orondo en el retrato afinando, acariciando al desgaire, la cornamenta de un ciervo real.

De la mansión del regidor Juan Bautista de Hachar sale un birlocho con acompañamiento de violines, panderetas y chirimías. Al llegar frente al retrato, los ocupantes ataviados para la escena descienden y representan Tancredo. María Gregoria Castelví y Juan José Loizaga [abuelo del triunviro traidor que guardará mi cráneo en el desván de su casa], se lucen en los papeles del Cruzado y la Clorinda. Diez mil personas asisten a la representación.

El novenario de festejos prosigue sin interrupción. Corridas de toros. Máscaras de gala a caballo con coros de música rejonean en danzas y contradanzas, como en los torneos de la antigüedad. Cincuenta caballeros, disfrazados de sarracenos e indios en corceles ricamente enjaezados, rivalizan en el juego de sortija. Ensartada por el vencedor de turno en la púa de plata, la sortija es llevada y entregada con viriles zalemas a su novia, a su pretendida doncella o a la aseñorada esposa. Éstas la recogen del lazo de cinta y las dejan caer por el hueco del escote. Miman sin darse cuenta, con un gesto pueril, la ceremonia de la Restauración. No de la monarquía, no, si estamos en plena monarquía, ¡vamos! Restauración de aquello-que-únicamente-se-pierde-una-vez. Realeza. Virginidad. Nobleza. Dignidad. Aunque haya algunos que perdiéndolas una vez, las recuperan dos veces.

Lázaro de Ribera con orgullosa displicencia dice al obispo: La

---

"Aunque de carácter ardiente e impetuoso, impaciente ante toda traba, vanidoso de sí mismo y de aristocrático abolengo, fue Lázaro de Ribera uno de los mandatarios hispanos más iluminados que hubo en esta parte de América, en las postrimerías del siglo XVIII." *(Coment. del P. Furlong, cit. por J. C.)*

resurrección es una idea completamente natural, ¿no lo cree Su Señoría? El obispo asiente con una sonrisa complacida. Así es, señor Gobernador. No es más extraordinario resucitar una sola vez que crear dos veces la misma cosa.

La bellísima hija de Lázaro de Ribera se inclina hacia él, sin dejar de contemplar el torneo: ¿Qué ha dicho S. Md., si es que se puede saber? Nada, hija. Nada que pueda interesarte a ti en este momento de tan hermosa fiesta que suspende los sentidos. ¡Fíjate en ese rejoneador indígena que viene hacia acá, a todo galope! En efecto, de pie sobre un alazán reluciente de sudor y completamente en pelo, el jinete emplumado y tatuado a la manera de los ka'aiguá o gente del monte, avanza hacia el sitial del gobernador. Esbelta y gigantesca talla, completamente empapada de sudor. Cola de cometa arrastra la cabalgadura en la vertiginosa carrera. Al jinete indígena no lo cubre más que una especie de baticola o taparrabo de un tejido que despide opacos reflejos. Con el brazo tendido porta ensartada en una larguísima espina de coco la sortija que va dejando en el aire el trazo de la roja cenefa. El alazán sin brida ni bocado modera el ímpetu de su marcha. Avanza ahora a pasos de baile. Sus cascos no redoblan al compás de la banda, sino al son de otros sones únicamente audibles para el caballo y su jinete. Sus ollares van resollando un aliento rosado que se expande a enorme presión. Los dos chorros golpean con su masa compacta los ijares. Levitan, proyectan hacia atrás la cola-cometa dándole presencia de animal fabuloso. Cabeza de caballo y jaguar. Los funales o dextrarios de los romanos, delira el obispo erudito, habrían parecido insectos en comparación a este indiano hipocentauro. Los antiguos llamaban desultorios equos a semejantes corceles; de sus jinetes fundidos con ellos, decían... Pero ya Lázaro de Ribera se yergue rojo de cólera, llamando a gritos a los guardias y chaireando el aire con su bastón-estoque: ¡Por Belcebú! ¡Quién es este atrevido infiel que osa tamaña osadía! ¡A mí, guardias! ¡A mí, sayones! ¡A mí, arcabuceros! El hipocentauro con doble cabeza de hombre y jaguar frena de golpe ante el podio. Encabritado. Arañando el aire, los cascos recortados en forma de garras. La parte humana del fabuloso animal se inclina desde lo alto y deja caer la sortija en la falda de la hija del gobernador. ¡Disparen, disparen, jayanes!, ordena su voz descompuesta por la ira y el terror. ¡Disparen, malparidos abortos escopeteros!, clama la voz del gobernador, perdido ya todo dominio de sí en el repentino silencio. Las descargas restallaron al fin. Se pudo oír el fino silbido de las balas. Los dientes del natural relucen entre el humo y la pólvora. Sus tatuajes fosforescen en la penumbra que comienza a caer. Con la misma espina de coco se rasga la piel cobriza desde la garganta a la horcajadura. Se arranca el casquete de cera de la cabeza dejando al descubierto la cabellera tonsurada en corona-espiral. En medio del revuelo de plumas, de adornos, de escamas, de insignias, semeja una especie de Cristo-Adán silvestre. Casi albino de puro blanco. Alba la tez. Albos los ojos. Barba nazarena la del Cristo-tigre. ¡El misterioso jefe de las tribus monteses más guerreras y feroces del Alto Paraná está allí! Cacique-hechicero-profeta de los kaaiguá-gualachí. Ni los conquistadores ni los misioneros los habían logrado dominar. Bajo él también su cabalgadura se ha acabado de transformar en un tigre completamente azul. Lengua, fauces rojas y húmedas, colmillos de marfil. Las manchas de la piel centellean metálicamente al sol. Esa crecida leyenda está ahí en medio de la plaza, ante el podio del gobernador. Su hija contempla en éxtasis lo que para ella es algo poco menos que un Arcángel. Aparición real y verdadera.

El obispo se ha hincado de rodillas apuntando la cruz pectoral hacia la deslumbrante aparición. ¡Vade retro Satanás! El gobernador aúlla órdenes, gritos que parecen chillidos de ratón entre los rugidos del tigre. A una nueva descarga, el legendario aborigen castañetea los dedos. El tigre se eleva de un salto por encima de la aterrada concurrencia. Convertido ahora sí en meteoro, en cometa. Transpone el río y se pierde en el cielo hacia las cordilleras del Naciente.

La sortija en forma de una serpiente que se muerde la cola creció en la falda de la hija del gobernador *. Pronto envolvió en su círculo

* "A poco de la llegada de Lázaro de Ribera a la Provincia, sucedió un hecho terrible. En el distrito de la Villa Real, ciento cincuenta hombres se armaron con el pretexto de reconvenir a los indios por la infracción de la paz, sorprendieron una toldería y mataron 75 indios rendidos y sin defensa. Fueron atados por las cinturas y unidos a caballos que llaman 'cincheros', siendo todos muertos a golpes de macanas, sables y lanzas. Todo consta en los cinco autos que se elevan. El principal responsable fue el comandante José del Casal. El bárbaro acto tuvo lugar el 15 de mayo de 1786. Ribera se había recibido del gobierno el 8 de abril.

a la muchacha, al enloquecido padre, al obispo, a los cabildantes, regidores, corregidores y miembros del clero. La víbora-virgo seguía creciendo. Cubrió la plaza, los edificios con sus balcones cuajados de mujeres de la aristocracia. Al mismo tiempo el metal de la sortija parecido al iterbio, el duro metal de las tierras vírgenes, fuése ablandando, transformando en materia viscosa-escamosa. Las escamas volaban y quedaban suspendidas en el aire, más livianas que el vellón-de-la-virgen. De pronto el inmenso viborón estalló en irisadas partículas. En el palco oficial hubo una barahúnda. La hija del gobernador yacía sobre las alfombras que recubrían el tabladillo, desangrándose. Las albas polleras habían tomado el color de la cenefa carmesí de la sortija. La multitud prorrumpió en un clamoreo de supersticioso pavor: ¡Castigo de Dios! ¡Castigo de Dios! En medio de la batahola, el gobernador y el obispo discutían acaloradamente sobre si se debía mandar traer al médico o el viático.

El Príncipe de la Paz y Gran Ayuntador salió del Retrato, atravesó el arco de la Inmortalidad y abrazó al consternado Lázaro de Ribera. ¡Muy bien, muy bien, mi querido gobernador! ¡Un verdadero cuento de hadas! Permitidme congratular a vuestra hija por su maravilloso trabajo en el papel de cisne. ¡Es algo en que se ahoga uno! ¡El matador de cisnes es algo que siempre me ha hecho delirar! ¡Ese extraño

---

Ha nombrado como juez de la causa al comandante José Antonio Zabala y Delgadillo.

"La carnicería con resabios de la muerte de Tupac Amaru en el Cuzco, con la nota sobresaliente del descuartizamiento por caballos conmovió a toda la Provincia. Casal, mediante influencias y sus riquezas, escapó al castigo." *(Julio César, op. cit.)*

Sin embargo, algún tiempo después, el etnocida Casal cayó en desgracia. Por todos los medios, según consta en las instancias del juicio, José del Casal y Sanabria trató de obtener la defensa de *El Supremo* quien, por entonces, ejercía su profesión de abogado sin detentar aún ningún cargo público ni influencia oficial alguna. "Entre todos los papelistas que defienden pleitos —escribe el matador de indígenas al juez— es el único que puede sacarme a flote. Le he ofrecido la mitad de mi fortuna, y más también, por tan señalado servicio. Mas todo ha sido en vano. No sólo el orgulloso abogado se ha negado tenazmente a patrocinar mi causa y por lo mismo me hallo inerme e indefenso; también se ha atrevido a calificar injuriosamente mi proceder contra esos salvajes de los montes afirmando, como es público y notorio, que ni por todo el oro del mundo movería un dedo a mi favor, cuando por el contrario, como Dios y nuestro Exmo. Sr. Gob^{dor} lo saben, mi susodicho proceder sólo ha sido en bien de toda la sociedad." *(N. del C.)*

asesino que mata a los cisnes para oír su último canto! ¡Ah ah ah! ¡Indecible, inconmensurable, imponderable maravilla! El valido de la reina se inclinó sobre la cabeza de la serpiente. ¡Ved, ved esto! ¡Los animales conservan en sus ojos la imagen de quien los ha matado y dura hasta la descomposición! Y ahora, mi querido Lázaro, vuelvo al retrato, dijo el Gran Ayuntador. Proseguid la función.

Los festejos continuaron hasta el décimo día y uno más.

El relatorio del Cabildo acerca de estos festejos expresa: "Jamás podrá citar esta provincia una época más brillante que la presente. Su poder era hasta hace poco tiempo ilusorio y precario; su comercio lleno de trabas y embarazos, estaba sin movimiento; su erario sin consistencia; sus fronteras indefensas eran insultadas; sus recursos aunque fecundos, sólo existían en el nombre; y las fiestas que se celebraron en homenaje al Príncipe de la Paz, cuando concedió a este Cabildo el insigne honor de aceptar su nombramiento como Regidor y Ayuntador Perpetuo de Mayor Preeminencia y Autoridad, su Celador y Sublime Príncipe del Real Secreto, constituyen cabal prueba de este brillante presente de poderío, prosperidad y grandeza".

Los anales y fastos de la Provincia del Paraguay que registran hasta las últimas minucias de una época monótona y monotonal —bodas, bautizos, óbitos, extremaunciones, primeras comuniones, exequias, funerales, novenarios, enfermedades, recetas de cocina y hasta fórmulas herbolarias para aumentar o neutralizar el vigor genésico de las parejas— refieren asimismo con lujo de detalles las festividades ya mencionadas. Nada dicen sin embargo acerca del extraño episodio protagonizado por la hija del gobernador y del alado caballero axé-guayakí, que es como ahora denominan los etnólogos a la tribu de los antiguamente llamados ceratos, kaaiguás, barbudos, gualachíes, y otros diversos nombres.

Tampoco el *Diario de Sucesos Memorables*, maniáticamente minucioso, contiene la más ligera alusión al hecho relatado por *El Supremo*. Hay que remontarse a las más añejas crónicas de la Colonia para hallar alguna que otra pista sugeridora. Du Toict, 1651, habla de los *gualachíes*: "Gente salvaje cuya ferocidad sobrepuja a la de los bárbaros del Guayrá. Probablemente antropófagos, se alimentan de la caza, comen de todas las sabandijas, pero lo principal de su alimentación es la miel de abejas de los montes por la que sienten verdadera pasión. Nunca fueron sometidos por los conquistadores y menos reducidos por los Misioneros a las ventajas de nuestra santa religión, para ser inseminados de cristiana humanidad. Ni creo que lo serán jamás. Una característica común de esta tribu es el color claro de su piel, lo que ha dado pie al absurdo mito de su descendencia europea. Por el contrario, son los salvajes más salvajes que pueblan esas salvajes regiones. Están regidos desde tiempo inmemorial por un famoso cacique, brujo y terrible tirano al que sus súbditos atribuyen el don de la inmortalidad. Han difundido la no menos absurda leyenda de que no solamente es inmune a las armas de los europeos, sino de que puede también cambiar de aspecto a voluntad en las más extrañas metamorfosis y hasta volverse invisible. Dicen que recorre sus dominios por tierra o por aire montado en un tigre azul, uno de los mitos zoomorfos de su cosmogonía". *(Relación sobre la Gente Caaiguá, passim.)*

He cotejado hasta el cansancio no sólo la correspondencia de Lázaro de Ribera (el gobernador que mandó quemar el único ejemplar del *Contrato Social* que existía en el Paraguay); también sus referencias genealógicas y biográficas. Estos documentos coinciden en afirmar que el incendiario gobernador tuvo dos hijas: una con su esposa legítima y otra con alguna de sus mancebas indias. Una de estas hijas murió de muy corta edad; la otra alcanzó la pubertad y, si el Preste Juan no miente, parece que incluso llegó a la vejez. No he podido precisar sin embargo cuál de ellas. Por otra parte, en la tradición oral existe el mito del jinete alado que se robó a la hija de un *Karaí-Ruvichá-Guasú, Gran-Jefe-Blanco. (N. del C.)*

El día undécimo, alentado por las visibles muestras de confianza y apoyo del Príncipe de la Paz, Lázaro de Ribera firmó los decretos que mantenían la encomienda de indios y abolía la dispensa del servicio militar a los tabaqueros: Sus dos obsedentes aspiraciones. Al fin había podido concretarlas, eludiendo el cumplimiento de la real voluntad.

1840

Congresos. Paradas militares. Procesiones. Representaciones. Torneos caballerescos. Desfiles. Mojigangas de negros e indios. Funciones patronales. Exequias dobles. Triples. funerales. Conspiraciones, muchas. Ejecuciones, muy pocas. Apoteosis. Resurrecciones. Lapidaciones. Júbilos multitudinarios. Congoja colectiva (sólo después de mi desaparición). Festividades de todo orden. Eso sí, con todo orden. ¡Y todavía hay pasquinarios que se atreven a presentar la Dictadura Perpetua como una época tenebrosa, despótica, agobiante! Para ellos sí. Para el pueblo no. ¡La Primera República del Sur convertida en Reino del Terror! ¡Archifalsarios felones! ¿No les consta acaso que ha sido, por el contrario, la más justa, la más pacífica, la más noble, la de más completo bienestar y felicidad, la época de máximo esplendor disfrutada por el pueblo paraguayo en su conjunto y totalidad, a lo largo de su desdichada historia? ¿No lo merecía por ventura después de tantos sufrimientos, padecimientos e infortunios? ¿Esto es lo que entenebrece y entristece a mis antiguos enemigos y detractores? ¿Es esto lo que los colma de odio y perfidia? ¿De esto me acusan? ¿Esto es lo que no me perdonan ni me perdonarán nunca? ¡Bien frito estaría si necesitara de su absolución! Por de pronto, la memoria de la gente-muchedumbre, los cinco o seis sentidos más comunes abogan, testimonian a mi favor. ¿No tienen ustedes, consignatarios de calumnias y necedades, ojos para ver, oídos para oír?

Por de pronto, el primer testimonio. ¿No escuchan los sones marciales que aturden los tímpanos de los más sordos? Me enorgullezco de haber hecho de Asunción la capital con más bandas de músicos en el mundo entero. Son exactamente cien las que atruenan en la ciudad en este momento, casi al unísono. Sólo con una infinitesimal diferencia de tono, de ritmo, de afinación, regulados con matemática precisión. Infinitos ensayos. Paciencia infinita de maestros y ejecutantes hasta la producción de sonidos, síncopas y silencios en relieve. Volúmenes estereofónicos (no estercóreos como el zumbido pasquinario), hacen de la comba del cielo su caja de resonancia y de la tierra y del aire sus medios naturales de propagación. Tal si los elementos mismos fueran las bandas de músicos. Callan los instrumentos y las secciones cónicas del silencio continúan vibrando llenas de música marcial. Parábola del sonido que se sobrevive circularmente, al igual que la luz, en el punto en que el círculo se abre y se cierra al mismo tiempo. Escuchen. Aún está sonando la charanga del mismo, solo y único desfile que brindé a la turbamulta de enviados imperiales, directoriales, provinciales, urdemales. En desagravio del país. Años 1811, 1813, 1823.

Superpuestos los enviados plenipotenciarios de Buenos Aires, Herrera y Coso, y del Imperio del Brasil, Correia. Transpuestos a la dimensión que les obligo mirar. Sentados unos encima de las rodillas de los otros. En el mismo lugar aunque no en el mismo tiempo. Miren, observen: Les ofrezco el despliegue de la parada que cubre dos primeras décadas de la República, incluida la última década de la Colonia. Distingan lo ilegítimo de lo legítimo. Lo puro de lo impuro. Feo es lo bello y lo bello feo. ¡Pásmense zonzos! Vean los límites.

Las líneas divisorias de las aguas. El lado de aquí y el lado de allá de lo real. Realeza de la realidad emitiendo destellos en la neblina del papel entre los renglones de tinta. Pluma-espina, éntrales por los ojos y por los oídos. Y vosotros, distinguidos huéspedes, fijad en vuestras retinas, en vuestras almas, si es que las tenéis, estas visiones feas/bellas. La tierra tiene burbujas como las tiene el agua, murmura el jacarero Echevarría. Pero ellas se han esfumado. No, mi estimado doctor. Las burbujas continúan allí. Si no las ve, aspírelas. La respiración invisible también es corpórea. Si usted deja de respirar se muere ¿no? ¡Nunca he visto una manhá mais hermosa!, exclama Correia. ¿Existen de veras esos seres que vemos?, pregunta el brasilero. Herrera, que ha dado alguna vez la mano a Napoleón, le replica humillado, rencoroso: ¿No ve que son fantasmas? Nos habrán dado de comer alguna raíz dañina, de esas que encarcelan la razón. Correia se estremece. No se preocupen, mis estimados huéspedes. Un temor real es menos temible que uno imaginario. Pensar en un crimen, cosa todavía fantástica es. Cometerlo ya es cosa muy natural. ¿No sabían, señores, que sólo existe lo que aún no existe? Los ojos bisojos de Echevarría parpadean en los présbites de Correia. Los bigotes de gato del Coso, en la cara de sapo de Herrera, que se ha comido su vieja piel. Perdonen, nobles señores. Sus actuaciones figuran en un registro cuyas páginas leeré todos los días hasta el fin de mi vida. Suceda lo que suceda, el tiempo y la ocasión ayudarán a sortear los escollos. Ahora no nos perdamos la parada.

Desfilan los dos mil quinientos jinetes de Takuary. Mi ilustre primo Yegros, muy pálido al frente de los escuadrones de caballería. Ya está amarrado al tronco del naranjo. Ha confesado su traición. Le ha costado hacerlo, y únicamente lo ha hecho cuando la dosis de azotes ha llegado a la cuenta de ciento veinticinco. El Aposento de la Verdad hace milagros. Se ha mostrado muy arrepentido. No he tenido más remedio que mandarlo fusilar hace veinte años. Lo mejor de su vida fue la forma en que la dejó. Murió en la actitud de quien de repente se da cuenta que debe arrojar su más precioso tesoro cual insignificante chuchería. ¡Pensar que era alguien en cuya ingenuidad y estupidez yo tenía depositada alguna confianza! ¡Ah ah ah! No existe arte alguno para leer en un rostro la malignidad del alma oculta bajo esa máscara. Va cabalgando entre los mejores jinetes de la revista. En su pecho lucen las heridas de la ejecución tanto o más que las condecoraciones de Takuary. Éstas hablan de honor; aquéllas de deshonor. Lo mismo el Cavallero-bayardo. Los siete hermanos Montiel. Varios más. Casi todos los caballeros-conspiradores, entre los sesenta y ocho reos ejecutados al pie del naranjo el 17 de julio del año 21.* Se destacan gallardos y pálidos al frente de los pelotones en el simulacro de la carga. Livianos. Descarnados. Libres ya del pecado de ingratitud. Limpios del desamor a la Patria. Tan rápidos van en lo ligero del lente, tan halados por la fuerza centrífuga del tiempo, que la alígera acción de memorarlos resulta lenta para darles alcance.

Tengo a mis visitantes-plenipotenciarios-espías-negociadores, sentados en el atrio de la catedral. Ni una gota de agua que llevar a los labios resecos. Ni una gota de aire que llevar a los pulmones. El sol de fuego derrite los cerebros merodeadores-negociadores. El desfile de las tropas es incesante. Las piezas de artillería pasan arrastradas por mulas. Tumulto infernal. Correia da Cámara se va hinchando cada vez más. Su lujoso atuendo ha estallado dejando ver, a través de los jirones, retazos de ampollada piel en que las moscas liban junto con el sudor el licor de las postemillas. Nicolás de Herrera no lo pasa mejor.** Lo veo luchando dentro de la piel contra el tormento

* "¡Día de terror, día de luto, día de llanto! ¡Tú serás siempre el aniversario de nuestras desgracias! ¡Oh día aciago! ¡Si pudiera borrarte del lugar que ocupas en el armonioso círculo de los meses!" (Nota del publicista argentino Carranza a *Clamor de un Paraguayo*, dirigido a Dorrego y atribuido a Mariano Antonio Molas en su *Descripción Histórica de la Antigua Provincia del Paraguay.)*

En este *Clamor* se imploraba nuevamente al jefe porteño la invasión del Paraguay. *(N. del C.)*

** "Como en una pesadilla yo veía pasar esas infinitas mesnadas de oscuros espectros, relumbrar sus armas, a los enceguecedores rayos. Se me iban apagando los ruidos, el fragor de los cascos. Cañones, extrañas catapultas, complicados aparatos de guerra pasaban sin hacer ruido. Parecen volar, deslizarse a un pie del suelo.

"Bajo un baldaquino amarillo, que fuera palio del Santísimo Sacramento en las procesiones de antaño, el Cónsul-César, sentado en la curul de alto respaldo que hace aún más enclenque y ridícula su magra figura, sonreía enigmáticamente, complacido al extremo por los efectos de su triunfal representación. A ratos miraba a los costados, de reojo, y entonces sus

del calor. Turbado el seso. Lengua estropajosa: El desfile me parece bien, señor vocal decano, pero lo que entiendo mal es su empecinada resistencia a la unión con Buenos Aires.

A Correia da Cámara han tenido que sujetarlo a su silla con los cordones de los estandartes y sus propios entorchados. Agorero el sol, echa por delante la sombra animalesca del enviado imperial.

El espejismo del desfile agranda, tensa su arco de reflejos. Visiones giratorias se aceleran en las reverberaciones. Cada vez más rápido el vértigo bordado a tambor. No dejo que Correia se desmaye ni se duerma. El negro Pilar lo apantalla con abanico de plumas. De tanto en tanto le rocía la cara con agua de azar y de rosa mosqueta. En lugar del emplumado bicornio, cubre su testa un inmenso sombrero de paja, humeando aromado vapor.

He usado el espejismo en otras ocasiones con idéntica eficacia. Al norte, con los brasileros. Al sur con los artigueños, los correntinos, los bajadeños, los santafesinos. Mis jefes están perfectamente instruidos en el mecanismo de las refracciones. Cuando el enemigo ataca en los desiertos o en los esteros, ordenan retirada. Hacen huir adrede a sus tropas. El invasor se interna persiguiéndolas por los caldeados arenales o las planicies pantanosas. Escondidos entre las dunas o las cortaderas, los paraguayos dejan la imagen de su ejército reverberando en las arenas o en las ciénagas. Se vuelve así imaginario y real al mismo tiempo en la distancia. Las engañosas perspectivas falsean el milagro. Los invasores avanzan. Los paraguayos agazapados esperan. Los invasores disparan. Los paraguayos imitan la muerte en la pantalla lejana. Los invasores se arrojan sobre el "cobarde enemigo guaraní". Todo ha desaparecido. Durante muchos días, a lo largo de muchas leguas, el mismo engaño alucina a

---

facciones cobraban la expresión de una vesánica autosuficiencia.

"Una altísima catapulta de por lo menos cien metros de altura avanzó sin hacer ruido, propulsada por su propia fuerza automotriz, probablemente una máquina a vapor. Potentes chorros proyectaban bajo esa inmensa mole de madera un verdadero colchón de exhalación gaseosa tornándola más liviana que una pluma. Fue lo último que vi. A mediodía me desmayé y me llevaron a mi hospedaje en la Aduana." *(Nota inédita de N. de Herrera.)*

los invasores. Asombrados del incomprensible sortilegio y preguntándose cómo, por muy rápidos que sean los infantes paraguayos o sus caballos de humo y de fuego, pueden desaparecer instantáneamente llevándose a sus muertos. Esta lucha contra los fantasmas agota a los invasores que al fin son envueltos por los paraguayos que caen de todas partes en aulladora avalancha. Los enemigos son destruidos en un parpadeo. Mueren llevándose en los ojos el vago horror de un espanto que la ironía vuelve aún más diabólico.

La treta nunca falla. Basta un buen entrenamiento y el sentido preciso de los paralajes y ángulos de luz que estos hombres llevan en lo más oscuro de su instinto. Ni siquiera precisarían armas pues el golpe de efecto de la sangrienta burla es más mortífero que el de los fusiles. Todo verbo en el círculo de su acción crea aquello que expresa, decía el francés, y se sentía milagroso empuñando su pluma en la actitud de un mago que revolea su varita. Yo no me siento tan seguro con mi cachiporrita de nácar, salida de prisión. Por las dudas proveo a mis soldados de fusiles y cartuchos. No muchos, aunque sean duchos. Sólo unos cuantos mosquetones de la infantería son auténticas armas; las que cargan los hombres de punta de escuadra que van desfilando más próximos al pabellón oficial. El resto, imitaciones, fusiles de palo. Al igual que los cañones tallados en troncos de timbó, el árbol de humo que tiene el color del hierro y pesa como el humo. ¡Mis armas secretas! En cuanto a los efectivos, no alcanzan a tres mil los que están desfilando desde hace treinta años. Avanzan a paso marcial frente al tinglado. Doblan la cuadra de la Merced. Rodean la manzana que engañó a Adán. Se pierden en los zanjones del Bajo. Pasan frente al palo borracho y pelado de Samu'ú-peré. Llegan hasta el cementerio y la iglesia de San Francisco en el barrio de Tikú-Tuyá. Luego pegan la vuelta por el Camino Real, enfilan de nuevo hacia la Merced y vuelven a pasar con la misma apostura ante el podio. Lo lejos está a la vuelta.

La resistencia del enviado imperial es extraordinaria. Sobrehumana. Antropoidea. No le durará mucho. Ya se está desmoronando. Tres días con sus noches hará que no duerme, mientras se han sucedido los festejos en las calles y las tratativas en la casa de Gobierno. Anoche, después de la representación en el Teatro del Bajo, el besamanos de los negros comenzó a la madrugada. Terminó con el sol alto. La sangre africana ha encontrado un motivo para hacer reventar su algarabía. Han danzado sin parar frente al retrato del emperador, colocado en un bosque de arcos triunfales. Ahora el estruendo de la parada militar no cesará hasta la caída del sol.

La cabeza de Correia da Cámara cuelga de las correas doradas. Conjunto inservible, a su manera completo. Por instantes se incorpora aún. Intenta reírse de la situación. Risa sin pulmones. A veces guarda silencio. La lengua afuera, babea una flor del color de la leche. Lo miro de costado. La misma figura del principio: Un ojo solo. Media cara (aunque descarado completo). Medio cuerpo. Un brazo. Una pierna. Tiembla un poco a cada vuelta de las tropas, en el chucho de la resolana, al borde de la insolación.

La vuelta completa lleva una hora seis minutos, de acuerdo con el diagrama del desfile que yo he trazado al milímetro. De modo que durante las doce horas del desfile han alcanzado a redondear exactamente veinte y seis años en este moto perpetuo de la marcha. Hombrecitos minúsculos y precisos avanzan en siete pelotones y una sola dirección con paso igualmente inmóvil. Polvo rojo. Magnéticas vibraciones de los reverberos. Monótono compás de la infantería. Fíjese, Correia. ¿No le parece mi ejército casi tan numeroso y tan bien armado como el de Napoleón? El emisario imperial no me responde. Una aguaza verde fluye de los belfos caídos. Resbala sobre el pecho, pringando la tornasolada chaqueta.

Tengo pocos amigos. A decir verdad, nunca está abierto mi corazón al amigo presente sino al ausente. Abrazamos a los que fueron y a los que todavía no son, no menos que a los ausentes. Uno de ellos, el general Manuel Belgrano. Hay noches en que viene a hacerme compañía. Llega ahora libre de cuidados, de recuerdos. Entra sin necesidad de que le abra la puerta. Más que verlo, siento su presencia. Está ahí presenciando mi ausencia. Ni el más leve ruido lo anuncia. Simplemente está ahí. Me vuelvo de costado en pensamiento. El general está ahí. Hinchado monstruosamente, menos por la hidropesía que por la pena. Flota a medio palmo del suelo. Ocupa la mitad y media de la no-habitación. Mi pierna hinchada, el resto del cuarto. Sin necesidad de apretarnos mucho ocupamos en el tiempo mayor lugar del que limitadamente nos concede en esta vida el espacio. Buenas noches, mi estimado general. Me escucha, me contesta, a su modo. La nebulosa-persona se remueve un poco. ¿Está usted cómodo? Me dice que sí. Me hace entender que, pese a nuestras desemejanzas, se siente cómodo a mi lado. Lo que yo más apreciaba en los hombres, murmura, la sabiduría, la austeridad, la verdad, la sinceridad, la independencia, el patriotismo... Bueno, bueno, general, no nos haremos cumplidos ahora que todo está cumplido. Nuestras desemejanzas, como usted dice, no son tantas. Sumergidos en esta obscuridad, no nos distinguimos el uno del otro. Entre los no-vivos reina igualdad absoluta. Así el débil como el fuerte son iguales. Como están las cosas, general, me habría gustado más sin embargo vivir la vida de un peón de campo. Acuérdese, Excelencia, me consuela el general con el vano consuelo de Horacio: Non omnis moriar. ¡Ah latinajos!, pienso. Sentencias que sólo sirven para discursos fúnebres. Lo que sucede es que nunca uno llega a comprender de qué manera nos sobrevive lo hecho. Tanto los que mucho creen en el más allá, como los que sólo creemos en el más acá. O altitudo!, dijo mi huésped y sus palabras rebotaron contra las piedras...

udo... udo... udo... Cuando se acallaron los ecos del versículo entre el zumbido de las moscas, volvió a nosotros el silencio de las profundidades. Sólo deseo, general, que no haya acabado usted desesperado del pensamiento de su Mayo, del mismo modo que desesperado de nuestro Mayo sin pensamiento, me empeñé en obrarlo revolucionariamente. ¿Recuerda que usted mismo me lo aconsejó en una carta? El recuerdo pesa mucho. Lo sé. El recuerdo de las obras pesa más que las obras mismas. Comunicábanse nuestras almas-huevos sin necesidad de voz, de palabras, de escritura, de tratados de paz y guerra, de comercio. Fuertes en nuestra suprema debilidad, nos íbamos al fondo. Sabiduría sin fronteras. Verdad sin límites, ahora que ya no hay límites ni fronteras.

Para consolarse de sus derrotas, comenzó a escribir sus Memorias. Se nota en ellas cómo la idea revolucionaria fermenta, germina, fracasa a la sombra de los intereses económicos de la dominación extranjera. Belgrano, uno de los primeros propagadores del libre cambio en América del Sur, nada dice de su participación en los proyectos de fundar monarquías las que, según los doctores porteños, debían ayudar al libre cambio. ¡Ilusos jabonarios!

Creo haber comprendido su pensamiento, general. No me responde, callado en lo más callado. Tal vez está orando. Me encojo un poco para no estorbar el rezo. No voy a preguntarle ahora el porqué de sus quiméricos proyectos de restablecer monarquías en estas tierras salvajes. Mi inmenso huésped odiaba como yo la anarquía. Puesto que los alborotadores, palabreros, cínicos politicastros, no habían proclamado aún ningún dogma, ninguna forma de gobierno, limitándose a degollarse los unos a los otros por el poder, mi amigo el general Belgrano buscó alucinadamente el centro de unidad en el principio de la jerarquía monárquica. Pero, mientras los pretendidos repúblicos de Buenos Aires querían poner reina o rey extranjero, Belgrano no aspiraba más que a una modesta monarquía constitucional. Los re-públicos monarquistas estaban en tratos con la borbonaria Carlota Joaquina. Trataban de imponer cualquier infante mercenario proveído por las potencias dominantes de Europa. No fue casual que los Rodríguez Peña y demás monarquistas porteños celebraran sus reuniones secretas en la jabonería de Vieytes. A mancha grande, ni jabón que la aguante. En cambio, ¿qué se le puede reprochar a usted, mi estimado general? No pretendió instaurar una monarquía teocrática en el mundo americano que se había liberado a medias de monarcas y teócratas. No pretendió establecer un papado romano, pampa, ranquel o diaguita-calchaquí. Sólo habló de poner en el trono de la monarquía criolla a un descendiente de los incas, al hermano de Tupac Amaru que desfallecía octogenario en la mazmorra de su prisión perpetua en España. ¿Era esto lo que no le perdonaron, general, sus conciudadanos?

A través de su silencio, contemplo el comienzo de su agonía, enclavado en la posta de Cruz Alta, antes aún del viacrucis de su peregrinación, a lo largo de catorce meses-estaciones. No se le ahorraron quebrantos, penurias, humillaciones. Quería llegar a Buenos Aires para morir. ¡Ya no podré llegar!, se queja. No tengo ningún recurso para moverme. Hace llamar al maestro de posta. Éste replica con fúnebre insolencia: Si quiere hablar conmigo el general, que venga a mi cuarto. Hay la misma distancia del suyo al mío. Pese a todo, pudo arrastrarse moribundo y llegar a su ciudad natal, que tantas veces lo había rechazado de su seno y arrojado a los más duros sacrificios. Llegó justo el día en que Buenos Aires, presa de la anarquía, disfrutaba de tres gobernadores a falta de uno, y usted, general, muriendo, muriendo, con el ¡ay patria mía! en los labios, hinchado su cuerpo, inmenso el corazón que asustó a los cirujanos que practicaron la autopsia. ¡Este corazón —dijo uno— no pertenece a este cuerpo! Usted, lejos, callado. A través de su silencio, mi estimado general, veo la losa cortada del mármol de una cómoda para cubrir su cuerpo, su memoria, sus obras.

Lo mío sucede al revés. No he tenido sino que revolearme en mi agujero de albañal. Traicionado por los que más me temen y son los más abyectos y desleales. A mí me hacen las exequias, primero. Luego me entierran. Vuelven a desenterrarme. Arrojan mis cenizas al río, murmuran algunos; otros, que uno de mis cráneos guarda en su casa un triunviro traidor; lo llevan después a Buenos Aires. Mi segundo cráneo queda en Asunción, alegan los que se creen más avisados. Todo esto muchos años después. A usted, general, sólo a un mes de su muerte, como en los antiguos funerales de Grecia y Roma, sus amigos se reúnen en torno a la mesa de un banquete fúnebre. En el salón del festín tapizado de banderas, su retrato coronado de laurel ocupa el testero. Al entrar los invitados, informa el Tácito Brigadier, se hace oír la música triste y solemne de un himno compuesto al efecto, y todos entonan la antífona, evocando a sus manes. En medio de esas horribles endechas, publicadas después por El Despertador Teofilantrópico, sigue resonando el inextinguible clamor de ¡ay patria mía! Pero ese clamor de las profundidades, ¡altitudo... udo... udo!, no lo escucharon ni el Tácito Brigadier ni los patricios porteños que volcaron sobre las flores dei festín sus copas de vino.

En cuanto a mí veo ya el pasado confundido con el futuro. La falsa mitad de mi cráneo guardado por mis enemigos durante veinte años en una caja de fideos, entre los desechos de un desván.

Como se verá en el *Apéndice*, también esta predicción de *El Supremo* se cumplió en todos sus alcances. *(N. del C.)*

Los restos del cráneo, id est, no serán míos. Mas, qué cráneo despedazado a martillazos por los enemigos de la patria; qué partícula de pensamiento; qué resto de gente viva o muerta quedará en el país, que no lleve en adelante mi marca. La marca al rojo de YO-ÉL. Enteros. Inextinguibles. Postergados en la nada diferida de la raza a quien el destino ha brindado el sufrimiento como diversión, la vida no-vivida como vida, la irrealidad como realidad. Nuestra marca quedará en ella.

Mi médico particular, el único que tiene acceso a mi cámara, mi vida en sus manos, no ha podido hacer otra cosa que robustecer mi mala salud. En su lugar, a más de cien leguas de distancia, los remedios de Bonpland algún bien me hacían, a trueque de las molestias políticas que también me dio. Mor de mi voluntad lo dejé partir sólo después que los grandes soberbios de la tierra dejaron de importunarme exigiéndome su liberación. Preferí el flux disentérico a que los sabios, los estadistas del mundo, el propio Napoleón, quienquiera que fuese, Alejandro de Macedonia, los Siete Sabios de Grecia, creyeran que podían torcer la vara de mis designios. ¿No amenazó Simón Bolívar con invadir el Paraguay, según lo recordó el padre Pérez en mis exequias, para liberar a su amigo francés, arrasando a un pueblo americano libre? Liberar al naturalista franchute ¿de qué? Si aquí disfrutó de mayor libertad que en parte alguna y gozó la misma o mayor prosperidad que cualquier ciudadano de este país, cuando supo ceñirse a sus leyes y respetar su soberanía. ¿No ha declarado el mismo Amadeo Bonpland que él no quería abandonar el Paraguay donde encontró el Paraíso Perdido? ¿Querían liberarlo o arrancarlo del Primer Jardín? ¿Qué exigencias eran esas bribonerías de los poderosos del mundo que tomaban como pretexto de sus bribonadas a ese pobre hombre rico aquí de felicidad y paz? La dignidad de un gobernante debe estar por encima de sus diarreas. Solté a Bonpland, contra su voluntad, sólo cuando dejaron de fastidiarme y se me antojó. Lo solté y caí de nuevo en la horchatería del protomédico.

Dime, Patiño, ¿qué pensarías tú de un grande hombre que, siendo amigo de los grandes hombres del mundo, que siendo él mismo uno de los sabios más reputados del mundo, se viene a meter de rondón en lo más recoleto de estas selvas con el pretexto de recoger y clasificar plantas? ¿Qué dirías de semejante sujeto de tantas campanillas que se allega a sentar plaza de bolichero en las fronteras del país? Yo diría, Señor, que con esas campanillas no va a dar un paso sin que se lo sienta a varias leguas. Pues vino con mucho sigilo y silencio, el franchute, y se puso a competir con el Estado paraguayo. Mientras procuraba alzarse de contrabando con la yerbamate bajo las mentas de yerbas medicinales y otras yerbas, incluso la contrayerba, no hacía el Gran Hombre sino volcar la alcuza del ojo hacia esta parte vicheando todo lo que pasaba aquí. Esto, en concierto con los peores enemigos del país: Connivenciado con Artigas, gran caporal de bandidos y salteadores, que ahora es aquí campesino libre paraguayo, título y condición muy superiores al de Protector de los Orientales; connivenciado el gran sabio con el lugarteniente del protector, el malvado traidor entrerriano, Pancho Ramírez, éste dejará al fin de sus correrías su alocada cabeza de buitre en una jaula; connivenciado con el otro lugarteniente artigueño, el renegado caudillo indio Nicolás Aripi; connivenciado con todos estos sabandijas de menor cuantía, el gran viajero se puso a merodear nuestra heredad. ¿A qué, por qué y qué? ¿No habrías dicho tú que semejante grande hombre era un intrigante de baja estofa, un vil espía, por el lado que se lo mirase? ¡Pues sí, Señor, con toda seguridad! Un crápula y ruin espía que debía acabar ensartado al asador. No tanto, mi delicado secretario antropófago. Me limité a hacer pasar un cuerpo de quinientos hombres a desbaratar aquella intrusa horda de indios vagos, ladrones y alborotadores del maldito Aripi, convertido en guardaespaldas pero también en amo (eso siempre sucede con los truhanes que ofician de secretarios). En la captura de la cuadrilla de maleantes, cayó también el sabio, herido en la cabeza, durante el arrasamiento de la espiocolonia. Sólo consiguió escapar el ignorante y maldito indio por idiotez y torpeza de mis soldados. Mandé que se le brindaran al prisionero toda clase de atenciones; incluso a las catorces chinas y a la turba de negros que fueron apresados con él. Confiné al sabio en los mejores terrenos en el pueblo de Santa María donde los mismos captores lo ayudaron a levantar la colonia. ¿Qué dices a esto? Señor, sólo repito ahora lo que dije y redije desde los tiempos en que sucedieron estos hechos: Que Vuecencia es el más bueno de los Hombres y el más generoso de los Gobernantes.

¡Cuantimás tratándose de ese ruin espía! Trágate ahora tu antigua y falsa indignación. ¿Qué dirías cuando el ruin espía, ya reducido, comienza a mitigar mis males sin pedirme nada a cambio? ¡Señor, que es un santo hombre! Aunque pensándolo mejor, Excelencia, no tanto, no tanto, pues lo que hace no lo hace por gusto sino obligado. Claro, tú piensas que el sabio prisionero recién llegado de la corte napoleónica a estas selvas, podía cortar impunemente con sus potingues el hilo de mi vida. ¡Claro, Majestad... digo Excelencia! ¿Harías tú semejante cosa, mi espiritual secretario? ¡Yo no, Señor! ¡Dios libre y guarde a este su leal servidor! No se deben intentar tales cosas a tontas y a locas, Patiño. A mí cuando me pica el ojo, busco el colirio, no la espina del cocotero. A ti te pica el trasero. No sueñes calmar la picazón, frotándolo en mi asiento. Lo que encontrarás es el lazo. Ya lo encontraste. Estaba escrito. Cumplido.

Hay quien habla de los pelos, huesos y dientes de la tierra. Gran animal es. Nos lleva sobre su lomo. A unos más tiempo, a otros menos. Un día se cansa, nos voltea y nos come. Otros hombres, que son los hombres-dobles, salen de sus entrañas. El Primer-Abuelo de los indios monteses, según el sueño hablado y cantado de sus tradiciones, salió de las entrañas de la tierra arañándola con sus uñas. Osos hormigueros salieron de la tierra comedora de hombres en busca de la Tierra-sin-Mal. Salieron a comer miel. Unos se transformaron en osos mieleros. Otros en jaguares blancos. Éstos se comen la miel y a los comedores de miel. Pero a la tierra, pelos, huesos y dientes colorados, le importa un pito de todos estos perendengues. Ella siempre acaba por comerse a los que entran y a los que salen de su entraña. Está abajo esperando. ¡Muy cierto, Señor!

(Escrito a la madrugada. Cuarto menguante)

Disfrazado de campesino llegué esa noche a Santa María. Hice esperar a mis hombres a una legua, escondidos en el monte. Cubierto por mi sombrero de paja a dos aguas, me metí en la fila de los enfermos que esperaban frente a la choza en la falda del cerrito. Me tocó estar entre un paralítico y un leproso, echados en el suelo; el uno con sus llagas y el aviso de su mal en un sombrero coronado de velas; el otro, sepultado media res en la inmovilidad total. Me eché yo también, haciéndome el dormido, la cara pegada a la tierra pelada con olor a mucho trajín de enfermedades. Los dejé pasar. Cuando abrí los ojos me vi frente a un hombre rechoncho, lozano, fresco. Melena canosa, casi platinada. Pelo muy fino barriéndole el hombro. Idéntica a él, su voz me dijo: No se saque el sombrero. No se descubra. No me tocó. No me auscultó. No preguntó por mis males. En seguida, sin hablar, sin preguntar, supo más de mí de lo que yo mismo sabía y podía contarle. Tome esto. Me tendió un manojo de bulbos y raíces. Parecían mojados por una resina muy gomosa. Mande hervirlos y poner la infusión al sereno durante tres noches seguidas. Sacó una petaquita parecida a la que yo uso para el rapé. La abrió. Adentro fosforileó un polvillo con la verdosa luminosidad de los lámpiros. Eche esto en la infusión. Tendrá su tisana de Corvisart. Casi sin aliento, guardé los bulbos y la cajetilla en mi matula de peregrino. Intenté sacar unas monedas. Puso su mano sobre mi mano. No, dijo, mis enfermos no pagan. ¿Me conoció? ¿Me desconoció? Vida no es entendida. No me reconoció visual. Puede que no. Puede que sí. Lo que respetó fue el secreto contado sin palabras, a la sombra del sombrero que celaba mi sombra. Salí tropezando de puro contento en la infinidad de bultos tumbados en el suelo. Gentío semejante en la obscuridad a quejumbroso muerterío. Avancé pisando manos, pies, cabezas que se levantaban y me insultaban con el tremendo rencor de los enfermos. Pero aun esos insultos me hicieron más feliz todavía. La salud no conoce el lenguaje de la cólera. Yo la llevaba en mi bolsa.

Bebí la tisana por tres días. Durante tres años mi cuerpo desbebió todos sus males.

Sin ninguna añoranza de la Malmaison, del fausto de la corte napoleónica, olvidado de su propio renombre, don Amadeo continuó disfrutando de su paradisíaco rincón en la campiña paraguaya, cada vez con mayor acomodo. Protegido, querido, venerado. Mientras se aprestaban ejércitos, conjuras, papeladas, emisarios de todas partes del mundo, científicos de prestigio cierto, mas también inciertos rufianes políticos que buscaban atraerlo al servicio de sus intereses, el compadre Amadeo me enviaba yuyitos para mis achaques; los bulbos gomosos y el polvo fosfórico de Corvisart.

Grandsire fue distinto. Vino en busca de Bonpland. Vio y se convenció. Dijo con toda claridad lo que debía decir sin faltar excesivamente a la verdad. Al otro lado del mar, los hombres de ciencia más conspicuos de la época esperaban sus informes. Todos seguían viendo en Bonpland desde lejos al Bonpland que ya no era: Humboldt, al Bonpland que lo salvó de los caimanes en el naufragio de las canoas en el Orinoco, o sobre las nieves del Chimborazo, o buscando en plena noche a su compañero en la espesura de la selva ecuatoriana. Los otros, con sus ojos de pavos reales, al sabio cortesano de la Malmaison y de Navarra, el artista jardinero de Josefina. Los más águilas, al águila caudal de la ciencia; al naturalista, que luego de recorrer con Humboldt más de nueve mil leguas por toda América, regresó a París con una colección de sesenta mil plantas y cerca de diez mil especies desconocidas. Humboldt y Bonpland, el Cástor y el Pólux de la Naturaleza no se volverían a encontrar bajo las constelaciones equinocciales.

¿Cómo le va en Misiones, don Amado?, le mando decir. ¡Prodigiosamente bien, Excelencia! Raro que no dispare su frasecita en francés. Se cuida de hacerlo, aleccionado por lo que le pasó a Grandsire cuando vino, según él, a "rescatarlo de su cautiverio". Devuélvele a ese venido, ordené al mayordomo de Itapúa, su impertinente oficio, diciéndole de mi mandato que su frívolo papel, el estilo ridículamente altanero y su confusa escritura y mala tinta lo hacen incomprensible y despreciable. Di, mayordomo, a ese supuesto y seguramente falso enviado del Instituto de Francia, que aquí no admitimos la internación de personas que puedan ser sospechosas de alterar la seguridad, tranquilidad e independencia de esta República. ¿Qué es la ridícula especie con que se avanza el francés a pretender encubrir sus propósitos de venir a buscar en el Paraguay esa juntura o unión del río de las Amazonas con el de la Plata? Aun cuando la hubiese, que todo el mundo sabe que aquí no la hay, no se permitirá a estos naturalistas o desnaturalizados espías que bajo disfraz de científicos entren en nuestros territorios a observar, escudriñar y practicar otras cosas más de lo que declaran, manifiestan o aparentan, ocultando sus verdaderos fines. Demás de todo esto, ¿qué es eso de alegar el enviado del Instituto de Francia su ignorancia del español? ¿Qué cree que pueden hacer aquí los ignorantes? Si él no sabe nuestro idioma, el Gobierno tampoco está en la obligación de saber el suyo. Di pues a ese caballero Grandsire que aquí no hablamos francés y que el Gobierno del Paraguay no está dispuesto a pagar un intérprete para atender ni entender sus engañosas pretensiones, de modo que no sólo no será recibido sino que se le emplaza a poner los pies en polvorosa. Esto quiere decir, mi estimado mayordomo, que el nuevo espía o lo que fuere, debe marcharse de inmediato, no que lo quemes a cartuchos de pólvora, o sea que lo fusiles sin más, como estás acostumbrado a hacer con los intrusos de la otra orilla.

El compadre Amadeo sabe que yo hablo francés, pero a él se le escapan sólo por descuido esas frasecitas e interjecciones que los pedantes ponen adrede en sus escritos para aparentar que saben lo que no saben. ¿Cree usted que llegará a recoger aquí por lo menos unas seiscientas mil plantas? ¡Oh creo que oui oui, Monsieur le Dictateur si Dieu y Vuecencia me lo permiten! Oigo la risa fresca de don Amadeo. La tierra del Paraguay, Excelencia, es el cielo de las plantas; las tiene en mayor número aún que estrellas el firmamento y granos de arena los desiertos. He interrogado con perseverancia las capas de nuestro planeta. Las he abierto como las hojas de un libro donde los tres reinos de la naturaleza tienen sus archivos. En cada una de sus páginas, cada especie, antes de desaparecer, ha depositado su huella, su recuerdo. El hombre mismo, el último venido, ha dejado las pruebas de su antigua existencia. ¿Ha leído usted todas esas páginas, don Amado? ¡Imposible, Excelencia! Llevaría millones de años y solo estaríamos al comienzo! ¿Qué le parecen las páginas del Libro en el Paraguay? Aquí tengo que profundizar, Excelencia. Hurgar capa tras capa hasta lo más hondo. Leer de derecha a izquierda, del revés, del derecho, hacia arriba, hacia abajo. No sólo eso, don Amadeo. Aquí debe leer estas páginas con una pasión desinteresada. Absolutamente desinteresada. El que lograra esto iniciaría una especie única en este planeta. Conformados en lo que somos, no podemos saberlo ni adivinarlo siquiera. Tiene razón, Excelencia. Yo he recogido cerca de cien mil plantas y doce mil seiscientas especies, absolutamente ignoradas, de los tres reinos que en esta República son en extremo prolíficos y variados. Quisiera quedarme aquí, Monsieur le Dictateur, hasta el fin de mis días, si S.E. me da licencia. Por mí, don

Amado, puede quedarse todo el tiempo que quiera. Aquí, la perpetuidad es nuestro negocio. Yo en lo mío. Usted en lo suyo. Pero él estaba enredado en una maraña de conspiraciones, acechanzas, astutas emboscadas de los enemigos del país. No digo que él se prestara a ser usado, sino que los falsarios mirmidones se aprestaban a usarlo de todos modos.

Es un gran error tanto en París como en Londres, dijo el propio Grandsire, pensar que el Dictador del Paraguay retiene a Bonpland por un motivo de enemistad personal contra él o por un capricho. No, señor, no es así, y sin la posición en extremo delicada en que se encuentra colocado el Dictador hacia las turbulentas repúblicas que le rodean; sin su vivo deseo de hacer respetar su país y ponerlo en libre comunicación con el resto del mundo, M. Bonpland no tendría que gemir, desde hace cinco años, en la cautividad que comparte con otros franceses, italianos, ingleses, alemanes y americanos que sufren la misma suerte. Por fin alguien entendía algo: Esos pocos particulares presos, aparte de los traidores y conspiradores, lo están en calidad de rehenes de la libertad de todo el pueblo. Es conocer muy poco el genio y el carácter del Dictador Supremo el creerle susceptible de ceder al temor, o a una amenaza, agrega Grandsire. Sí, señor; es conocerme muy poco. Si no, que lo diga el propio Bolívar, a quien ni siquiera contesté su nota, mezcla confusa de súplica, querella y amenaza. También Parish, el cónsul general del imperio británico en Buenos Aires, y otros aventureros menores que osaron meter las narices en el Paraguay, pueden decir algo sobre esto. Grandsire escribió al barón de Humboldt conceptos ciertos. En honor a la verdad debo decir, dice el francés, que por todo lo que veo aquí, los habitantes del Paraguay gozan desde hace 22 años de una paz perfecta, bajo una buena administración. El contraste es en todo sorprendente con los países que he cruzado hasta ahora. Se viaja por el Paraguay sin armas; las puertas de las casas apenas se cierran pues todo ladrón es castigado con pena de muerte, y aun los propietarios de la casa o de la comuna donde el pillaje sea cometido, están obligados a dar una indemnización. No se ven mendigos; todo el mundo trabaja. Los niños son educados a expensas del Estado. Casi todos los habitantes saben leer y escribir. (Omito su juicio sobre mi persona, pues aunque sean sinceros me molestan los elogios de particulares.)

Este país puede llegar a ser un día de la mayor importancia para el comercio europeo. El Dictador está muy irritado por los vituperios que el gobierno de Buenos Aires esparce a su respecto en los periódicos europeos. Ayer he tenido ocasión de ver a un cultivador, vecino de Bonpland, con quien éste se encuentra todos los días. Afirma que aquél sigue muy bien, que posee tierras que le ha ofrecido el Dictador, que ejerce la medicina, que se ocupa de la destilación del alcohol de miel, y que continúa siempre con pasión recibiendo y describiendo plantas que aumentan sus colecciones de día en día. El "prisionero" Bonpland escribió a su colega, el botánico Delille: Estoy tan contento y vigoroso como me habéis conocido en Navarra y Malmaison. Aunque no tengo tanto dinero, soy amado y estimado por todo el mundo, lo que es para mí la verdadera riqueza.

Dejé que se llevara todo lo suyo, ganado, dinero, colecciones, papeles y libros, su fábrica de licores y aguardiente, su taller de carpintería y aserradero, los enseres y camas de su hospital y maternidad. Los campesinos paraguayos acompañaron al francés hasta la frontera. Lo despidieron con cánticos, lamentaciones y vítores. El batallón de Itapúa escoltó la flotilla del viajero en el cruce del Paraná. La algarabía no cesó hasta que la multitud lo perdió de vista. Los de la escolta a su regreso refirieron que apenas pisó tierra del otro lado, le robaron cuatro caballos. ¡Cómo se ve que ya no estamos en el Paraguay!, contaron que dijo don Amadeo volviendo hacia nuestras costas los ojos arrasados de lágrimas. Descuido que aprovecharon los correntinos para robarle el resto de su caballada y equipaje.

Bonpland se marchó del Paraguay sin querer, a principios de febrero de 1831, adonde llegó diez años atrás. El delegado Ortellado, que lo tuvo bajo su protección durante todo este tiempo, cuenta que cuando se abrazaron y lloraron juntos a la hora de la separación, Bonpland le dijo: Vea, don Norberto, me trajeron a la fuerza. A la fuerza me voy. ¡Pero no vaya a decir eso, don Amadeo! S. Md. sabe muy bien que si quiere quedarse nuestro Supremo no le negaría licencia de permanecer aquí. Este pobre Ortellado fue siempre un imbécil sensiblero. Bonpland le dio una lección: No, don Norberto. Le agradezco mucho sus palabras, pero sé muy bien que El Supremo es inexorable en su rigor como es implacable en su bondad. Cuando él no quiso, no hubo fuerza en el mundo que me arrancara de aquí. Ahora Él cree que debo marcharme, y tampoco hay fuerza en el mundo que vaya a revocar su decisión. Así fue, don Amadeo. Las páginas de esta tierra algo le enseñaron.

Hace diez años que sólo tengo vagas noticias de su persona y sus trabajos. Dejó el Paraguay poco tiempo después de la muerte del orgulloso Bolívar. Bonpland marchó al exilio en medio de las bendiciones y lágrimas de un pueblo que no era el suyo, pero que él hizo que lo fuese. Bolívar huyó al exilio en medio de sus retratos rotos por la multitud de un pueblo que era el suyo, que él liberó y que luego lo expulsó. Muerto también, olvidado, despreciado, el deán Gregorio Funes, agente y espía de Bolívar en el Plata. Cuando el Grimorio Fúnebre tanto instigó a Bolívar con la quimera de la invasión al Paraguay, le dije: Déjese de chanfainas, padre Grimorio. Se puede o no se puede. Usted sabe que lo que usted quiere no se puede. De todos modos, si ha de venir su Bolívar, sepa que va a morir mucha gente, y es lástima que hombre tan principal y de muchos méritos se quede aquí a limpiarme los zapatos y ensillarme los caballos. Venga su paternidad a instalar aquí una empresa de pompas fúnebres que haga honor a su ilustre apellido y sepulcrales intenciones. Aquí hay muy buena madera para ataúdes y los mejores artesanos del mundo que le fabricarán primores de cajas. Le saldrán casi de balde y usted podrá venderlas al por mayor a los deudos porteños de los que vengan a querer pisar esta tierra sagrada, ¿me oye usted? ¡Sagrada! Si el negocio va bien, podría ampliarlo incluso a un tráfico de contrabando con las Desunidas Provincias. Los impuestos de alcabala, contribución fructuaria, los tributos de anata y demora, de remo y anclaje en el ramo de guerra, más el arancel a la exportación, no sumarían en total más de un 50 % sobre cada unidad puesta en destino. El transporte de los ataúdes podría efectuarse en flotillas boyantes o jangadas, lo que le ahorraría incluso, mi estimado deán Funes, los gastos de flete y alijo. Y no sólo esto. Las flotillas de ataúdes, convertidos en canoas, salvo los que ya vayan ocupados por sus dueños finados con honor en los campos de batalla, podrían conducir de pacotilla varios géneros de mercaderías del tamaño y peso de un hombre. No sé si me explico, reverendo deán, pero lo que digo es lo que quiero decir: Mediante este último expediente, el empresario de pompas fúnebres podría reembolsarse con los fletes cobrados por el transporte feretral... ¿Cómo? No, padre Grimorio, me oyó mal. No dije *federal.* Dije feretral. De féretro. ¡Vamos, con esta maldita costumbre mía de inventar o derivar palabras! Aunque lo *feretral* es hoy, con respecto a las Desunidas Provincias, verdadero sinónimo de *federal*, y no un bárbaro neologismo para designar una realidad imaginaria. Vuelta todavía más bárbara, funeraria e irreal por obra y gracia de hombres como usted, reverendo Grimorio Funes.

Murió el pobre Simón Bolívar en el destierro. Enterraron al intrigante deán, su agente y espía en el Plata. Entregaron a los gusanos, lectores neutros y neutrales de probos y de réprobos, el libro viejo y descosido de su malvada persona.

(Escrito a medianoche)

Sólo el viejo Bonpland sobrevive milagrosamente. Digo *milagrosamente*, lo que no es rendir ningún elogio a la mal llamada divina providencia, sino simplemente reconocer la secreta ley del azar. Salido apenas del Paraguay don Amadeo cayó en el remolino de la anarquía. De vicisitud en vicisitud, de infortunio en infortunio, de desgracia en desgracia, ha debido añorar los apacibles años de su retiro en Santa María. He sabido que hace poco, en la sangrienta batalla de Pago Largo entre las tropas de Rivera y de Rosas (mis vicheadores idiotas e ignorantes no saben informarme sobre la disposición general de las fuerzas en pleito), Bonpland escapó con unos pocos de morir degollado entre los mil trescientos prisioneros que cayeron en manos del general Echagüe. Me dicen que nuevamente anda por San Borja, en las costas del río Uruguay, en Santa Ana de Misiones, o en el Yapeyú. Don Amadeo fue siempre hombre de estar en varios sitios a la vez. Lo que es una manera de tener varias vidas. Unos lo ven por Levante; otros por Poniente. Alguien asegura haberlo visto en el norte; alguien en el sur. Parecen muchos, distintos y distantes, pero uno solo y único hombre son. Ojalá mis bombeadores lo ubiquen y el chasque regrese con los bulbos de grana-

dilla y el polvillo de la mágica tisana. Pero sobre todo con sus noticias. Lo imagino como siempre, aun entre el fragor de los galopes, bosques de lanzas, arroyos de sangre, ocupado en hojear capa tras capa el Gran Libro. Veo sus vivos ojillos celestes interrogando huellas y recuerdos de antiguas existencias. Archivos secretos: Esos escondrijos donde la naturaleza se sienta junto al fuego en las profundidades de su laboratorio. Donde espera pacientemente durante millones de años trabajando en lo mínimo. Fabricando sus jugos, sus chispas, sus piedras. Seres extraños. Presencias ya pasadas. Presencias aún no llegadas. Invisibles criaturas en tránsito de época en época. ¡Eh don Amadeo! ¿Qué ve usted en esas páginas? A las cansadas su voz: Poca cosa, Grand Seigneur. Mucho polvo en este salmigondis. Remolinos de polvo. Desiertos enteros diez veces más grandes que el Sahara arrancados de cuajo ocupan el sitio de las nubes. Galaxias de arena ocultan el cielo, tapan el sol. ¡Esto pesa, esto pesa! Sobre las dunas millares, millares y millares de chuzas galopan cada una con un hombre degollado en ristre entre el simún de los relinchos. Hay que esperar que baje todo esto, que se aquiete, que se aclare un poco, para que se pueda volver a leer. Luces, digo fuegos, ¿ve usted fuegos? ¿Hogueras no ve su aguda vista brillar? Mais oui, Monsieur Grand Seigneur! Fuego, sí. Veo fuegos por todas partes. ¿Vivaques dice usted? También, también, esos rescoldos de los combates. Fuegos fatuos zigzaguean por los montes, por los campos de batalla. Se encienden, se apagan. Mas la llama de la vida está ahí. ¡Oh, sí! Siempre fija en un mismo lugar y en todos los lugares. Ardiendo, ardiendo. A la luz de esa hoguera leo a ratos. Veo, velo, revelo enigmas obscuros que sólo se pueden ver bien del revés... ¿Qué, ahora el franchute se me pone a copiar a Gracián? Bien, don Amadeo, entonces nada está perdido. Salvo que... ¡Espere! Escuche, escúcheme bien lo que voy a decirle. Lo escucho con toda atención, Grand Seigneur. Salvo que ese fuego, dígole don Amadeo, salvo que ese fuego sea el fuego del infierno ¿no? Oigo de nuevo la risa fresca de Bonpland que me llega desde los cuatro puntos cardinales. Mais non, mon pauvre sire! Si hay infierno, como nos hemos habituado a pensar, el infierno no puede ser otra cosa que la ausencia eterna del fuego. Este viejo franchute, más cándido que Cándido, príncipe del optimismo universal, quiere consolarme, alentarme, reanimarme. Aunque quizás tenga razón. Tiene muchísima razón. Si hay infierno, es esta nada absoluta de la absoluta soledad. Solo. Solo. Solo, en lo negro, en lo blanco, en lo gris, en lo indistinto, en lo no creado. El bastón de hierro, quieto en el punto del cuadrante; ese punto en que principio y fin al fin se juntan. Aquel viejo campesino, sentado bajo el alero de su choza, en Tobatí, fuma su cigarro, completamente inmóvil en medio del humo caolinoso de la tierra. Su no-vida tiene cien años. Pero está más vivo que yo. No ha nacido todavía. No espera, no desea nada. Está más vivo que yo. ¡Eh don Amadeo! ¡Eh! Usted es quien ahora me permite partir. Me deja partir, liberado del sobreamor excesivo de la propia persona, que es la manera de odiar mortalmente en uno a todos. Si por ahí, como quien no quiere la cosa, encuentra por azar la huella de la especie a que pertenezco, bórrela. Tape el rastro. Si en alguna grieta perdida encuentra esa cizaña, arránquela de raíz. No se equivocará usted. Debe parecerse a la raíz de una pequeña planta con forma de lagartija, lomo y cola dentados, escamas y ojos de escarcha. Planta-animal de una especie tan fría, que apaga el fuego al solo tocarlo. No me equivocaré, mi buen Señor. La conozco muy bien. Surge en todas partes. Se la arranca y vuelve a brotar. Crece. Crece. Se convierte en un árbol inmenso. El gigantesco árbol del Poder Absoluto. Alguien viene con el hacha. Lo derriba. Deja un tendal. Sobre el gran aplastamiento crece otro. No acabará esta especie maligna de la Sola-Persona hasta que la Persona-Muchedumbre suba en derecho de sí a imponer todo su derecho sobre lo torcido y venenoso de la especie humana. ¡Eh don Amadeo! ¿Habla usted ahora con mis palabras? ¿Me está copiando? ¿O es mi corrector y comentarista el que vuelve a interrumpir nuestra charla? ¡Eh don Amadeo! ¡Eh? Ya no me contesta. Se hace el callado. Se hace el muerto. ¿No habrá muerto él también? ¡Eh franchute, contéstame! ¡Ah? Il n'y a pas de mais qui tienne! Meto yo también mi frasecita. Ensayo un poco otra vez mi pésimo francés. No sé si está bien escrito, pero ya no tengo el diccionario a mano. ¡Eh franchute! ¡Si no has muerto, si no han metido todavía tu cabeza en una jaula, háblame! ¡Ah! ¡Callarte ahora, justamente ahora, cuando en este silencio sepulcral necesito oír una voz, cualquier voz, aunque más no sea el croar de un miserable batracio!

Amadeo Bonpland regresó al Paraguay en 1857 en el barco *Le Bisson*, de la armada francesa, con el propósito de coleccionar plantas en Asunción, la ciudad capital que no pudo conocer durante su benigno cautiverio de diez años en las Misiones, bajo el gobierno de *El Supremo*. Resultó evidente que tanto como la recolección de especies naturales, le interesó vivamente saber qué había sucedido con los restos mortales del Dictador Perpetuo. El monolito que indicaba el emplazamiento del sepulcro frente al altar mayor del templo de la Encarnación había desaparecido y se había profanado la tumba. Todos sus esfuerzos por averiguar algo tropezaron con una impenetrable consigna de silencio, tanto en las esferas oficiales como populares.

Al año siguiente y a los 85 años de su edad, el célebre naturalista falleció (11 de mayo de 1858). Su cadáver fue conducido a la localidad de Restauración (hoy Paso de los Libres). A su muerte era director e institutor del Museo de Ciencias Naturales de Corrientes, cargo que le otorgaron honorariamente poco después del derrocamiento de Rosas. El gobernador dio orden de que el cadáver fuera embalsamado a fin de que toda la población correntina pudiera participar en las honras fúnebres decretadas por siete días. Tal decisión gubernativa fue frustrada sin embargo por un borracho que apuñaleó el cadáver expuesto al relente en el patio frontero de la casa, en medio del humo de las plantas aromáticas y medicinales en que era "curado" o momificado, según el método de embalsamamiento dado por el propio Bonpland en sus manuscritos. La agresión del borracho se debió a la creencia de que el conocido y querido médico se negaba a saludarlo, cosa que ya estaba enteramente fuera de las posibilidades de su proverbial afabilidad.

Un descendiente de *El Supremo*, el viejo Macario de Itapé, relató el episodio a un mediocre escriba, que lo transcribe de este modo:

"—Unos años antes de la Guerra Grande fui a visitar al médico Guasú de Santa Ana para pedirle remedios. Mi hermana Candé estaba muy enferma del pasmo de sangre. Recordaba el viaje anterior, veinte años antes, cuando me enviaron con taitá a traer el bálsamo para el Karaí Guasú *(El Supremo)*, esta vez no tuve suerte. Viaje inútil. El franchute también estaba enfermo. Así me dijeron. Tres días esperé frente a su casa, a que se sanara. Por las noches lo sacaban al corredor en un sillón frailero. Lo veíamos quieto y blanco, gordo y dormido a la luz de la luna. La última noche un borracho pasó y pasó frente al enfermo, saludándolo a gritos. Iba y venía, cada vez más enojado, gritando cada vez más fuerte: —¡Buenas noches, karaí Bonpland! ¡Ave María Purísima, Karaí Bonpland!... Al final lo insultó ya directamente. El médico guasú, grande y blanco y desnudo, lleno de sueño, no le hacía caso, ni se molestaba. Entonces el borracho no aguantó más. Sacó su cuchillo y subiendo al corredor, lo apuñaleó con rabia, hasta que salté sobre él y le arranqué el fierro. Vino mucha gente. Después supimos que el médico guasú había muerto tres días atrás. Para mí fue como si hubiera muerto por segunda vez, y por querer salvarlo al menos esta segunda vez, caí preso con el borracho criminal, que salió sano y salvo a los tres días. A mí me dejaron tres meses en el calabozo a pan y agua, por creer la policía que yo era cómplice del borracho. Está visto que en este mundo no se puede luego hacer ningún servicio a nadie. Ni siquiera a los muertos. Vienen los vivos y te encajan palo acusándote de cualquier cosa. Cuantimás si uno es pobre. Te acusan de haber matado a un muerto, de haberte limpiado el culo con un pájaro, te acusan de estar vivo. Cualquier cosa. Con tal de meterte palo. El borracho, medio pariente del gobernador, no tuvo necesidad de explicar nada. Yo cuando más explicaba me creían menos y me pegaban más. Al fin se olvidaron de mí. Ni agua ni galleta cuartelera. Asaba mosquitos al fuego de mi pucho y tan siquiera eso comía. Pero estaban muy flacos. Más que yo. Sólo me escapé cuando puramente piel y hueso, más flaco que una parra, di una última pitada al pucho. Me mezclé al humo. Cuando pude colarme por una rajadura del adobe, no paré hasta la querencia." *(N. del C.)*

(Cuaderno de bitácora)

Los rayos del sol caen a plomo sobre la sumaca de dos palos. Navega a remo aguas abajo por el río en bajante. Ni una brizna de aire. La vela cangreja cae lacia de la botavara. A ciertas horas rachas calientes la inflan a contracorriente. Marcha atrás la sumaca a saltitos. Los veinte bogadores redoblan sus esfuerzos por hacerla avanzar. Gritos guturales. Ojos revoleados a lo blanco. Negros cuerpos aceitados de sudor, colgados de las takuaras botadoras. El sol clavado en el cenit. Si pasan los días y las noches, pasan por detrás del escudo de Josué, sin que podamos saber si estamos en la cegadora tiniebla del mediodía o en la escrutadora tiniebla de medianoche. Ahora el sol es macho. La luna hembra desabotona sus fases. Se muestra desnuda a cara llena, la muy descarada. Los remadores indios y mulatos la contemplan con todo el cuerpo gimiendo, pandeándose en el arco del deseo mientras bogan bajo los crecientes y los menguantes. Solamente ellos la ven cambiar de forma. La ven yacer en su viejo sillón de hamaca. También el hombre se mecerá allí alguna vez cohabitando con ese animal del color de las flores. Solitario y suave animal del color de la miel. Camaleona de la noche. Cerda estéril hinchándose hasta mostrar el ombligo de su redonda preñez; o, volviéndose de costado, nada más que la comba en luna nueva de la cadera. Aridez fertilísima. Hace brotar las semillas. Bajar y subir las mareas. La sangre de las mujeres. El pensamiento de los hombres. Por mí, vete al diablo, hembra-satélite. Ya te has comido hasta mis dientes volviéndolos polvo.

Vamos atravesando un campo de victorias-regias. Más de una legua de extensión. Todo el riacho cubierto por cedazos del maíz-del-agua. Los redondos pimpollos de seda negra chupan la luz y humean un vapor a coronas fúnebres. Hiede el agua a limo de playones recalentados. Tufo de alquitranada viscosidad. Fetidez de los bajíos donde hierve el cieno fermentado. Carroña de peces muertos. Islas de camalotes en putrefacción. La fetidez del agua terrosa-leonada sale a nuestro encuentro. Nos persigue implacable.

La sumaca va repleta de cueros en salazón. Tercios de yerbamate. Barriles de sebo, de cera, de grasa. El calor los hace estallar de tanto en tanto, y se derraman en la sentina. Saltan llamaradas. El patrón caprino a saltos de un lado a otro los va apagando a ponchazos. Fardos de especias. Plantas medicinales. Feroces sabores. Mas dentro del hedor, otro hedor. El insoportable hedor que viaja con nosotros. Incalculables varas cúbicas, toneladas de cilíndrica pestilencia cien veces más alta que el palo mayor. No surge de la bodega de la sumaca sino de la bodega de nuestra alma. Semejante al olor de la misa dominical.* Algo que no puede provenir de nada sano o terrenal. Hedor blasfemo. Negotiium perambulans in tenebris. Hedor tal que sólo llegó hasta mí una vez, mientras me hallaba de pie junto a un objeto moribundo; ese viejo que durante más de setenta años había sido considerado un ser humano. Una vez más, la rancia fetidez me atacó en el Archivo de Genealogías de la Provincia cuando buscaba los datos de mi origen. Por supuesto no los encontré allí. No se hallaban en ninguna parte. Salvo ese hedor a bastarda prosapia. Me presenté a la justicia recabando información sumaria y plena de sangre y buena conducta. ¿Mi origen? Lo conocerás como una fetidez, murmuró alguien a mi oído. Por el olor se sabe la calidad, decía el aya Encarnación. Cuanto más calidá tiene el consangre en vida, peor olor tiene después de muerto. ¿Era ese hedor toda mi ascendencia agnaticia? Siete testigos falsos, al tenor de las preguntas del cuestionario, bajo falso juramento, perjuran: Que tienen mi estirpe por noble y de distinguida sangre salva de rodilla en rodilla, y por tal ha sido conocido y reconocido el de autos generalmente sin voces contrarias. ¡Horrible dialecto! Las voces contrarias han sido muchas, incluida la mía. ¿No han dicho que doña María Josefa de Velasco y de Yegros y Ledesma, la dama patricia de la pizarrita, no es mi

* Los enterramientos se hacían bajo el piso y alrededor de los templos; el calor del perpetuo verano paraguayo, aumentado por el de la compacta concurrencia de fieles, arrancaba de las grietas del suelo ese tufo que formó el refrán, vigente aún hoy en el habla popular, aunque olvidado ya de su origen: "Más hediondo que misa-de-domingo". *(N. del C.)*

madre? ¿No han dicho que el bergante carioca-lusitano ha llegado del Brasil trayendo a su manceba para luego repudiarla y hacer un matrimonio de conveniencias? Casado y velado según mandato de la Santa Madre Iglesia continuó, pues, bajo su patrocinio, torciendo el tabaco negro de su negra alma. No obstante, la información sumaria y plena de genealogía y buena conducta ha sido aprobada sin objeción alguna por fiscales y oidores. Se han echado perros creyendo que eran galgos. Mi árbol genealógico se levanta de costado en la sala capitular. Aunque no tengo padre ni madre, y ni siquiera he nacido todavía, he sido habido y procreado legítimamente, según las perjurias notariales. Hedor de una herencia obscura falsificado en el escudo nobiliario de mi no-casa: Un gato negro amamantando a un ratón blanco sobre cuarteles grises en los abismos gules de las nueve particiones, pariciones y desapariciones.

La correspondencia inédita entre el doctor Ventura y fray Mariano Ignacio Bel-Asco, a propósito de la *Proclama* de este último, alude al misterio genealógico:

"Otra observación de sus críticos, Rdo. Padre, es relativa a la discutida Genealogía del Tyrano.

"Deducen que para interesar Vd. a nuestros Paysanos no viene al caso que el Dictador sea hijo de un extrangero, puesto que en nuestras provincias y Payses, debido al atraso e ignorancia de los naturales, los dirigentes más capaces son siempre o casi siempre hijos de extrangeros.

"Tampoco importan, aducen, las máculas que se ha querido echar sobre su linage, con respecto a las dos madres que se le atribuyen; una de origen Patricio; la otra, plebeya y extrangera; así como las hablillas que corren sobre las fechas de su doble nacimiento.

"En efecto, conforme usted lo sabrá mejor que yo en su condición de Pariente, la especie generalmente admitida considera al Dictador como hijo de doña María Josefa Fabiana Velasco y de Yegros y Ledesma, su prima de usted, habido en el extraño matrimonio de esta dama patricia con el advenedizo y plebeyo portugués José Engracia, o Graciano, o García Rodrigues, oriundo según algunos del distrito de Mariana en el Virreynato del Janeiro, según el propio inmigrante carioca lo ha jurado ante el gobernador Lázaro de Ribera.

"Ante Alós y Brú jura que es portugués, natural de Oporto, en los reinos de Portugal. En algunos de sus reiterados y casi obsesivos reclamos de informaciones sumarias, el Dictador afirma que su padre era francés. Algunos de sus allegados aseguran, en cambio, que era español de las Sierras de Francia, región enclavada entre Salamanca, Cáceres y Portugal.

"Los elementos astutamente utilizados por el carioca-lusitano para aumentar la confusión y encubrir con ella los orígenes bastardos de su aventurera vida, son las letras de sus pretensos apellidos: el sufijo portugués *es* cambiado por el castellano *ez*, con el que figura en ciertos documentos públicos; en el apellido materno (la ç de França, con virgulilla debajo), muy conocido entre los bandeirantes paulistas, ha sido también castellanizado.

"Lo único cierto es que, tras sesenta años de vivir en el Paraguay y medrar en los más diversos oficios, desde peón en la elaboración de tabaco torcido, hasta militar, y posteriormente regidor y administrador de Temporalidades en los Pueblos de Indios, nadie sabe quién es ni de dónde ha venido.

"Es un extrangero, dirá de él un Gobernador, que aún no sabemos si es portugués o francés, español o lunático. Esto último es lo que nadie puede dudar, a juzgar por los estigmas de notoria degeneración en su descendencia.

"Enigma que duele muy particularmente a nuestra estirpe de Patricios es la unión de doña María Josefa Fabiana con el aventurero carioca-lusitano; algo que no tiene explicación plausible, salvo por la escabrosa fabulilla que corre al respecto, y de la cual también a V. Md., lo considero enterado.

"Una de las versiones, según ya he dicho, lo da como hijo de doña Josefa Fabiana, y nacido el 6 de enero de 1766, otra, que el Dictador nació dicho día y mes, pero de 1756, o sea diez años antes, de la union que mantenía José Engracia, o Graciano, o García Rodríguez, con la barragana o concubina que este sujeto al parecer trajera consigo en su venida al Paraguay, entre el grupo de portugueses-brasileros contratados por el gobernador Jaime Sanjust a solicitud de los jesuitas, en 1750, con destino al beneficio del tabaco.

"Tanto uno como otro enredo ha quedado disuelto en la nebulosa de testimonios y papeles más o menos apócrifos; pues, como usted sabe, nada consta de cierto acerca de estos hechos que atañen al origen y genealogía que el Dictador ha tratado de mantener ocultos hasta su ascenso al Poder Absoluto.

"Pero esto es harina de otro costal."

¿Soy yo el gancho de bitácora de la pestilente brújula? Aferrado a la pértiga del timón el piloto me mira de soslayo y corrige de tanto en tanto el rumbo sobre la sinuosa vía del canal, entre los traicioneros bancos de arena. La masa compacta del hedor, más pesada que la carga, sin embargo, hunde la sumaca por debajo de su línea de flotación. ¡Bienvenido salvaje olor ferino si vienes solo! Mi compañero, mi camarada. Inútil recoger los pensamientos en fuga por las malas furias de la vida. Me detengo en una memorable invocación: Por el Viviente que no muere ni ha de morir. Por el nombre de Aquel a quien pertenecen la gloria y la permanencia. Las palabras no son suyas. Las palabras no son de nadie. Los pensamientos pertenecen a todos y a nadie. Igualmente este río y los animales: Desconocen la muerte, los recuerdos. Desertores del pasado, del porvenir, no tienen edad. Esta agua que pasa es eterna porque es fugaz. La veo, la toco, precisamente porque pasa y se repone en el mismo instante. Vida y muerte forman el pulso de su materia que no es figura únicamente. En tanto yo ¿qué puedo decir de mí? Soy menos que el agua que pasa. Menos que el animal que vive y no sabe que vive. En este momento que escribo puedo decir: Una infinita duración ha precedido mi nacimiento. YO siempre he sido YO; es decir, cuantos dijeron YO durante ese tiempo, no eran otros que YO-ÉL, juntos. Pero a qué a-copiar tantas zonceras que ya están dichas y redichas por otros zonzos a-copiadores. En aquel momento, en este momento en que voy sentado sobre el sólido hedor, no pienso en tales barrumbadas. Soy un muchacho de catorce años. Por momentos leo. Escribo por momentos, escondido a proa entre los tercios de yerba y la corambre nauseabunda. Descuido. Diversión. Estoy aún en la naturaleza. Por momentos dejo caer la mano en el agua recalentada.

Ya camina a veinte días el tiempo de este viaje. El que dice ser mi padre, dedicado ahora al tráfico comercial, capitanea su barca. Erguido entre los barriles, como entre las troneras de un fuerte. Se dirige hacia el puerto preciso de Santa Fe, donde reina inexorable el estanco del tabaco, junto con otros leoninos impuestos a los productos paraguayos.

Mi presunto padre ha decidido enviarme a la Universidad de Córdoba. Quiere que me haga cura. Quiere que me haga pícaro. Quiere liberarse de mi fastidiosa presencia. Mas también quiere hacer de mí su futuro báculo, curtido el vástago en tanino eclesiástico. Por ahora me ha cargado en la sumaca, entre los cueros y las especias, el sebo y el maíz. Yo, la más ínfima, la más despreciable de sus mercancías.

Alguien, acaso la dama patricia que pasa por ser su esposa, que pasa por ser mi madre, ha pronosticado: ¡Algún día oirán a este oscuro niño condenando el nombre de su padre en la cima del Cerro del Centinela! La dama patricia era muda. Atacada por algún mal en la garganta, perdió el habla. Al menos yo jamás escuché de sus labios voz humana, ruido o rumor que se le pareciese. De modo que el pronóstico hubo de ser escrito por ella en las tablillas que usaba para comunicarse. Mientras dormía, una siesta, escondíle la pizarra y las márcolas de escayola. Las hice polvo a martillazos. Enterrélo en un baldío. La proveyeron de nuevas pizarritas y tizas. Volvió a escribir con letra más firme: ¡Algún día oirán a ese oscuro niño condenando a su padre y a su madre! Luego de escribir esto, la muda quebró la pizarra y rompió a llorar sin parar siete días seguidos. Tenían que mudarle a cada momento las sábanas, las almohadas, los colchones empapados. Nadie supo qué quiso significar. Probablemente alguien allegado a la casa, el coronel Espínola y Peña (de quien también se murmuraba que era mi verdadero padre), acaso el bellaco de fray Bel-Asco, quién sabe quién leyó en algún libro la sentencia sibilina. La repitió el aya en sus cantares. La cosió al forro de mi destino.

(En el cuaderno privado)

Nunca he amado a nadie, lo recordaría. Algún residuo habría quedado de ello en mi memoria. Salvo en sueños, y entonces eran animales. Animales de sueño, de trasmundo. Figuras humanas de una perfección indescriptible. Sobre todo esa criatura que las cifraba a todas. Visión-mujer. Astro-hembra. Cometa-errante. Ser extramundano de ojos azules. Blancura resplandeciente. Larguísima cabellera de oro, emergiendo de entre los vapores del horizonte, barriendo, cubriendo a fantástica velocidad todo el arco del hemisferio equinoccial.

No amé a Clara Petrona Zavala y Delgadillo. Por lo menos bajo la forma de amor normal que no se da a un ser anormal como yo. ¿No entiendes que lo imposible no se da en un mundo normal?, me digo y repito. Especialmente para un espíritu como el que he tenido toda la vida. Siempre alerta contra mí mismo; desconfiando siempre, hasta de lo más confiable.

De pronto estas furias cegadoras. Súbitas violencias. ¿Por qué estos arrebatos salvajes? Esta cólera, esta feroz exaltación levantándose de repente en mi interior con la saña de un viento devastador. Sin más causa y razón que su propia sinrazón. Estas terribles erupciones que han hecho de mi vida un infierno. Un tan largo morir para la fatiga de haber nacido dos veces. Una sola es ya demasiado. ¡Tan cansado a la larga!

En cierto sentido puede que haya sido una lástima. No haber encontrado, merecido una buena esposa que me ayudara a ser un hombre calmo. Un marido. Resignado a no ser más que eso.

Tal vez estaría sentado al sol fumando mi cigarro, palmoteando el trasero de las terceras o cuartas generaciones. Dando vueltas en el caletre, en la punta de la lengua, el regusto de lo que habrá para cenar entre los olores que vienen de la cocina, los ruidos de los cubiertos. Considerado, respetado por todos. Chancletario placer, en lugar de arrastrar gastados zapatos sobre los mismos viejos o nuevos caminos. Estar. Quedarse. Permanecer. A un espíritu como el que siempre he tenido, nunca le han gustado los viajes, contratiempos trajinadores.

Ah si no fuera por esta horrible desazón que siempre he tenido, habría pasado mi vida encerrado en una gran habitación vacía, llena de ecos. No en este agujero de albañal. Sin nada más que hacer que escuchar el silencio mucho tiempo guardado. Un gran reloj de péndulo. Escuchar, amodorrarse. No los ruidos del espíritu traqueado, enfermo. Las flatulencias intestinales. Oír el tic tac del péndulo. Seguir con los ojos el vaivén que va de lo negro a lo blanco. Ver las pesas de plomo colgando cada vez más bajas, hasta que me levanto de mi silla. Subo las pesas una vez a la semana.

Según el proverbio latino *Stercus cuique suum benet olet*, a cada cual le gusta el olor de su estercolero, ¿habría aguantado mi buena esposa, por sufrida que hubiera sido, las miserias de una vida conyugal? Supongamos que le hubiese tocado en suerte aquel hombre, del que habla el obispo de Hipona, forzado por los gases de su vientre a peer incesantemente durante más de cuarenta años hasta que bajó al sepulcro, puede decirse en alas de esos vientos de sus interioridades.

Pongámonos sin embargo en el mejor de los casos. Imaginemos la variante optimista propuesta por Vives, el glosador del santo, con otro ejemplo de su época; el del hombre que mantenía el poderío de su voluntad sobre el trasero, el más rebelde, el más tumultuario de nuestros órganos. A tal obediencia lo había sometido, que lo obligaba a expeler esos gases en forma de aires musicales variando cada tanto la partitura; de tal suerte que muchos lo visitaban deseosos de deleitarse con esos odorantes conciertos. Vives afirma que el virtuoso se hallaba a veces tan inspirado en el solitario retiro de su cámara, que la calidad de sus ejecuciones rayaba a la altura de los mejores gaiteros, de los más renombrados dulzaineros del país. Son excepciones. Mas pensemos por un momento en la pobre mujer del hombre con trasero músico. ¿Habría soportado sin enloquecer oyendo por más de cuarenta años sin cesar un solo minuto, los solos de ese clarinete?

Mas no solamente los gases. También el reumatismo, el mal de piedra, los incontables trastornos de la edad, de la salud. No son estas inevitables goteras las únicas que enmohecen, deterioran, agrietan la unión conyugal. Hay que contar sobre todo con el peor de los achaques: la soledad de dos en compañía. El tener que verse, frotarse, soportarse de grado o por fuerza, un día, todos los días sin más término que la muerte misma. Estar el uno al acecho del otro. Soportar sus respectivos caprichos, manías, antojos. El grío tiránico de no poder aceptar un pensamiento diverso al propio. Entonces no hay más remedio que no dejarse ver nunca en las comidas. Huir del otro. No hablarle jamás. Sobre todo cuando el otro pertenece a la especie de gente fanática que cree rendir culto a su propia naturaleza desnaturalizándose; que se enamora de su menosprecio; que se enmienda empeorando. ¡Monstruoso animal el que de sí mismo se horroriza, para quien sus propios placeres son dura carga! La compañía de un perro es más humana en estas condiciones que la de un marido estrafalario, que la de una histérica mujer. *Nostri nosmet poenitet.* Nosotros mismos somos nuestra penitencia, decía Terencio con razón.

Hay quien oculta su vida.

No; no amé a ninguna mujer que no fuera ese cometa-mujer.

No pude haber amado a Clara Petrona Zavala y Delgadillo. Si por un instante ocupó el lugar de mi Dulcinea celeste, lo fue sólo por un instante.

En todo caso formaba una sola persona con Clara Petrona su madre, doña Josefa Fabiana. La hija, sombra crepuscular de esa mujer, a quien yo di, no los porteños, el nombre de Estrella del Norte. Mas este nombre corresponde en verdad a un astro de mi cosmos secreto que yo mismo no conozco.

El corazón crece por todos lados cuando ama. Aquel que ama a una persona a causa de su belleza ¿ama a la persona? No; porque la viruela que mata la belleza sin matar a la persona haría que él la dejara de amar. No se ama a las personas. Se aman sus cualidades. Las de Clara Petrona, con ser casi insuperables, eran inferiores a las de su madre; las de ésta no igualaban a la Estrella del Norte, mi deidad celeste.

De niño la llamaba Leontina. Acaso por los sonidos luminosos que sentía encenderse dentro de mí al pronunciar ese nombre hurtado a las confidencias del aya. En ese nombre se formó la historia de esa niña rubia. Su nombre. Ese nombre en que se combinaban las luces de una girándula. La fuerza. La fragilidad. El sonido sin sexo, sólo audible para mí en la femineidad suma.

¡Ah Estrella del Norte! El corazón desbordado te seguía por todas partes. Sobre todo por las noches. Aventura-perro. Aventura-león. ¿Esperaba encontrar en ella lo inesperado? Siguiendo el camino, me prevenía el aya, no te vayas a meter en un cántaro.

Yo cerraba los ojos en la obscuridad. Murmuraba el nombre. La veía brillar bajo los párpados. Por aquel tiempo ella era también una niña. Yo sentía ya entonces que sólo a ella podría amar. Sus rubios cabellos caían más abajo de su cintura, sobre la túnica de aó-poí, ceñida con un cíngulo de esparto. Su cabellera de cometa no alumbraba aún las manchas negras de la Cruz del Sur, entre las tres Canopes de que habla Américo Vespucio en la Relación de su Tercer Viaje. Mas la primera descripción de las manchas negras, de los Sacos-de-Carbón, la encontré mucho después en el *De Rebus Oceanisis*, de Pedro Mártir de Anglería.

Antes me acostaba de espaldas en el pasto, buscando a la Estrella del Norte, entre las constelaciones de las Osas. A mis espaldas, mi nodriza cubierta de llagas traía a Heráclito de la mano. Se reían de mí. La encontrarás en el cántaro, se burlaba roncamente la una. La mujer sale de lo húmedo, decía el otro. Búscala en la ley de las estaciones; allí donde el número siete se junta con la luna.

El corazón mezcla amores. Todo cabe en ese redondo universo. Pequeño cerebro que late como si pensara.

Muchos otros amoríos tomaron en mi vida la forma de la Estrella del Norte. Mas sólo lo hicieron por un instante. Únicamente ella permaneció sin cambio en mi corazón, en mis pupilas de niño, en mis mudanzas de hombre, en esta segunda triste infancia de viejo.

Prueba a cerrar los ojos de nuevo. ¿La ves brillar bajo tus párpados? No; la oscuridad ahora está adentro, afuera, en todas partes. Las manchas de la Cruz del Sur cubren la región vacía del cielo. Luz muerta de constelaciones, convertida en carbón, llena las dos bolsas que se hinchan debajo de tus ojos. El brillo suave aunque desigual de las nubeculae convertido en lagaña.

¿No podrás nunca dejar de hablar de ti mismo? ¿Ante quién quieres montar la escena ahora? Estás tratando de no confundir las manchas negras de la Cruz del Sur con las nubes luminosas de Magallanes. Estás hablando de aquellos seres cuyo polo es la noche. Buscas el.cielo boreal. Busco a mi Estrella del Norte entre los Sacos de Carbón de la Cruz.

Por aquel tiempo me aparté sólo a medias de la naturaleza. Encerréme con ella en un desván. Rechazado por los seres humanos y hasta por los animales, me metí en los libros. No en libros de papel; en libros de piedra, de plantas, de insectos disecados. Sobre todo, las famosas piedras del Guayrá.* Unas piedras muy cristalinas. Debo sacarlas ahora de mi memoria donde están enterradas a centenares de varas de profundidad. Las piedras cristalinas se forman dentro de unos cocos de pedernal. Muy apiñadas como los granos de una granada. Las hay de varios colores, de tanta diafanidad y lustre, que al principio fueron reputadas por piedras finísimas. Se equivocaron los primeros halladores. Son de mucho más valor que los rubíes, esmeraldas, amatistas, topacios y aun diamantes. Incalculable su valor. Las más bellas se encuentran en la serrezuela de Maldonado. Yo sé, soy el único que sabe cómo el jugo penetra la costra exterior de los cocos de piedra, formando adentro los cristales. Crecen adentro. Al faltarles cavidad y estar muy comprimidos, revienta el coco con estruendo igual al de una bomba o cañonazo. Los pedazos se esparcen por largo trecho o se incrustan dentro de otras formando piedras compuestas, unidas, únicas. En el fondo de la última, en el núcleo más íntimo, a veces se ven resplandecer las murallas y las torres de

* Este trozo está compuesto con fragmentos entresacados de Azara (*Descripción*, p. 31), de Ruy Díaz de Guzmán (*Argentina*, LIII, c. XVI), y sobre todo de la Provisión del marqués de Montes Claros, gobernador y capitán general del Perú, Tierra Firme y Chile, "para que se enbíen a la Caja Real de Potosí con buen aviamiento las Piedras del Guayrá", a 1º de abril de 1613. Cif. Viriato Díaz-Pérez. *(N. del C.)*

ciudades en miniatura, no más grandes que la punta de un alfiler. Visibles tal si estuvieran en la cumbre de una montaña. Algunos de estos pedazos se entierran muy hondo y vuelven a estallar, produciendo temblores y estruendos en los cerros y serranías. También en los lagos y ríos cuando el tiempo se descompone... Traje estas piedras al desván del altillo, convertido en secreto laboratorio de alquimia, en la quimera de fabricar con su esencia la piedra de las piedras: La Piedra.

De este ensueño que ellas no bastaron a proteger, ah bellas y traidoras piedras, me arrancó mi presunto padre para destinarme a la Gótica Pagoda. Antes de que se vuelva más loco que su hermano Pedro yogando todo el santo día con mulatas e indias, sentenció. ¡Andando, dotorsinho da merda!

Así vamos boyando aguas abajo. Aplastados por la fétida columna-pirámide del olor. Escribo en el cuaderno sobre las rodillas. Me dirijo al río en bajante; así tal vez me escuche: Bien sabes que voy contra mi voluntad. ¿Pueden llevar contra su voluntad a uno que no *es* todavía? Tú, que nunca paras, tú que siempre pares; tú que no tienes antigüedad; tú que estás impregnado de la conciencia de la tierra; tú que has dado desde hace milenios tu humor a una raza, ¿puedes ayudarme a desahogar mis almas múltiples aún en embrión, a encontrar mi doble cuerpo ahogado en tus aguas? Si lo puedes hacer ¡sí lo puedes! hazme un signo, una señal, un hecho por pequeño e imperceptible que sea. No te portes como los avaros espíritus del Cerro del Centinela. Tiempo atrás les dejé un mensaje bajo una piedra preguntándoles sobre la Estrella del Norte. Encontré el papel hecho una pelotita, manchada de una substancia no precisamente muy espiritual. ¡Ah! ¡Ahá! carraspeó el río en un playón: El Takumbú es un cerro muy viejo. Desvaría ya. Sabe poco. Sufre del mal de piedras y del flujo cavernario que dejó en sus entrañas el culto a la Serpiente. ¿Por qué crees que ponen allí a los prisioneros condenados a trabajos forzados por delitos políticos? El Gran Sapo Tutelar ha mandado extraer las piedras para pavimentar esta maldita ciudad. Asunción quedará empedrada de malos pensamientos... Lo interrumpió el ulular de los bogadores. La sumaca escoró un instante sobre el canto de un banco de arena. Varias takuaras estallaron al doblarse, empujando. La sumaca sorteó el escollo. Aproveché el batifondo. Metí la hoja en una botella. La dejé caer entre los camalotes.

Toda la noche mi padre putativo se ha pasado narrando sus trabajos en el Paraguay, desde su llegada en la caravana brasilera para el beneficio del tabaco negro. Ascensos. Aventuras. Fanfarronadas. Ha contado su incorporación a las milicias del rey. Ha fabricado pólvora. Ha reparado arcabuces. Ha revistado los fuertes, presidios y antemurales de la Provincia, Costa Abajo y Costa Arriba. Ha fundado el fuerte de San Carlos. Ha comandado los de Remolinos y Borbón. Ha levantado nuevos fuertes y bastiones. Ha colaborado con Félix de Azara y Francisco de Aguirre en la demarcación de los linderos entre los imperios español y lusitano. Refiere interminablemente sus servicios a la corona. Monótona entonación de boca que no piensa en lo que dice. Don Engracia repite por mil veces y una más el viejo cuento. Por ahora no le interesa sino distraer a los bogadores mientras reman por turnos. Los que descansan duermen al arrullo de la voz capruna.

Por momentos la voz tutorial se desdibuja entre el sordo rumor de los remos, el chapoteo del agua contra los costados de la embarcación, el crepitar de los fardos, la explosión de algún barril de sebo. De modo que estas interrupciones a su modo cuentan otras historias, que tampoco nadie escucha por su sentido sino por su sonido. Salvo yo, que las escucho y oigo por ambas cosas.

(La voz tutorial)

En 1774 me ascendieron a capitán. Veinte años de duro bregar. Entera fidelidad a nuestro Soberano. Tres años más tarde presté a la Corona el más importante servicio de mi carrera. Fui comisionado para inspeccionar secretamente la situación en que se hallaban establecidos los vasallos del Rey Fidelísimo en las márgenes del río Igatimí, y fortificados en la plaza de este nombre. Por caminos fragosos, invadidos de infieles, los salvajes indios mbayás, azuzados por los bandeiros, me interné en territorio enemigo con sólo un desertor de dicha nación como baqueano. Me infiltré a todo riesgo en el silencio da noite, y por dos ocasiones, en el mencionado bastión ocupado artera y traidoramente en aquellos días por los portugueses-brasileiros. Observé con toda exactitud sus fortificaciones y situación. Traje de todo noticia individual por planos, siendo este plano, según dixo después el propio Gobernador Pinedo, muy útil y favoravel cuando pasamos al ataque y reconquista de dicha plaza.

La batalla del asedio se libró durante tres noches y tres días, en lo más crudo del invierno. Animales y hombres a tremer con frío resbalábamos sobre espesas capas de yelo. Quebrábanse bajo nuestro peso, hundiéndonos en los profundos zanjones y fosos de las defensas, mientras llovían sobre nosotros las descargas cerradas de los sitiados y las flechas de los indios.

Las piezas de artillería se atascaron sobre ese campo de yelo que alumbraba la oscuridad. Por tres veces la caballería se desbandó. Desnudos, sin ningún alimento, los hombres nos habíamos convertido en verdaderos carámbanos.

Nuestro jefesinho, el Oficial Dn. Joseph Antonio Yegros, padre del actual capitán don Fulgencio Yegros, medio pariente mío, dio orden de simular una retirada. Intentarem un último ataque en la madrugada. Isso era querer engañar ao macaco com banana pintada. Encender vela sem pabilo.

Sentado sobre los cueros, recostado contra el palo mayor, en medio de la fetidez, aumentada ahora con la putrefacción de los cadáveres de Igatimí, el narrador calló un momento. El farol de cabotaje asentado sobre sus rodillas le excavaba las facciones de macho-cabrío, mitad hombre, mitad bestia. Concentrado por entero en sus recuerdos, sólo está allí en hueso presente. Alma antihumana vagando por regiones de yelo, de viento, donde zumban millares de flechas, donde resuenan estampidos de cañones, de fusiles. Salvajes gritos en portugués, en dialectos indígenas. Endemoniada algarabía. Fragor.

Notoriamente la voz tutorial ya no tiene en cuenta a los remeros, al piloto, al contramaestre, a los balseros mulatos, a los bogadores indios. Menos aún, de seguro, a mí. Nunca me tomó en consideración sino como a un ser ridículo, monstruoso. Yo no existía para mi padre putativo sino como objeto de su inquina, de sus vociferaciones, de sus castigos. El portugués tira bofetones capaces de desquijarar a un león. El viento del papirotazo que me lanzó al pillarme con el cráneo aquella tarde, me ha quedado dando vueltas bajo el cuero cabelludo. Otro más, por la noche, porque me he demorado en cumplir su orden de arrojar el cráneo al río. Mas esa noche la fuerza de mi puño también se hace sentir con la velocidad del rayo. La mano-garra pega su zarpazo sobre el amo tutorial. Se cierra sobre el cuello. La aprieta. No lo suelta hasta que lágrimas de rabia e impotencia brotan de sus ojos mortecinos. ¿Pueden llorar dos desiertos? Clavo mis ojos en los suyos, y ahora los desiertos son cuatro. El portugués cede al fin. Con el penúltimo estertor: ¡Suelta, rapaisinho! ¡Vamos, suelta, que me ahogo! ¡Tira el cráneo al río, y en paz! Retiré la mano lentamente de la nuez de Adán. Los dedos caínes continuaban crispados. Durante toda la noche tuve que hundirlos en el agua hedionda, que los fue aflojando de a poco hasta volverlos a su natural.

(La voz tutorial)

...Aquella noche no morí tremando de frío, desnudo en la zanja, a escasa distancia de las empalizadas enemigas. Entre los matorrales duros de escarcha me arrastré en un esfuerzo más que humano hacia dos cadáveres algo tibios todavía. Me cubrí con ellos a modo de cubija. Me abracé fortemente a uno de ellos, aferrándome a la flecha que tenía clavada en la espalda. Pegué mi boca a la del cadáver en busca del resto de calor que todavía hubiera en él. ¡Perdóname!, murmuré entre los espumarajos sanguinolentos, tan duros ya también como los pelos de su bigote. ¡Ayúdame, miliciano morto! ¡No me dexes morir si vocé ya está morto! El cadáver no decía nada, como dándome a entender: Aproveche no más, cumpai, de lo que pueda, que a mí ya poca falta me hace todo lo que me sobra. Por el tono de la voz reconocí en la obscuridad al cumpai Brígido Barroso. Un hombre, el más ahorrativo y cicatero que hubo en toda la Tierra Firme por los tiempos de los tiempos. Ya me extrañó que se hubiese vuelto de repente tan desprendido. Me arropé bien con su cuerpo. Si ya llegaste a los Infiernos, dime cumpai Barroso, qué es lo que hay por ahí, y si es verdade que estáis en el País do Fogo, entrégame por tu boca aunque sea una brasinha de ese fuego. Mas la boca del Barroso se iba quedando helada, fadigando, regateando, misereando hasta después de muerto lo que no era de él...

Se me escapó un grito que retumbó en la noche. El Capricornio se levantó. Estuvo a punto de abalanzarse sobre mí. Levanté la tercerola encañonándolo. Se contuvo. Me llenó de improperios en su bárbaro dialecto bandeirante. La sumaca orzó y encalló en la tosca de la ribera. ¡Por Dios, Excelencia, qué le ha ocurrido! ¡Le acabo de oír un grito terrible! Nada, Patiño. Tal vez soñaba que iba por el río. Llevaba la mano metida en el agua. Me mordió una piraña tal vez. Nada grave. Vete..No me molestes cuando estoy escribiendo a solas. No entres cuando no te mando llamar. Pero... ¡Excelencia! ¡Sus dedos están goteando sangre! ¡Voy a llamar al médico, inmediatamente! Deja. No sangrarán mucho. No vale la pena molestar a ese viejo zonzo por esta vieja herida. Vete.

En esta parte del cuaderno, la letra aparece, en efecto, algo borroneada, cubierta de un verdín rojizo donde las polillas han pastado a gusto dejando grandes agujeros.

Amanecimos con la sumaca varada en un recodo semejante a un embudo de altas barrancas. Dormían todos un sueño más pesado que el de la muerte. El patrón, los tripulantes desparramados sobre la carga, más muertos que los cadáveres de Igatimí. Saltó el sol desde la otra orilla y se instaló en su sitio fijo. Clavado en el mediodía. El hedor arreció. Lo reconocerás como una fetidez, dijo la Voz a mis espaldas. En ese momento vi al tigre, agazapado entre la maleza de la barranca. Podía adelantarme a lo que iba a suceder. A la sombra de las velas, improvisadas como toldos, la tripulación seguía durmiendo en el bochorno del atardecer. Acompasé mi voluntad a la de la fiera que se arqueaba ya para el salto de ocho metros de altura. Una milésima de segundo antes de lanzarse el manchado y rugiente meteoro sobre la sumaca, me arrojé yo al agua. Caí sobre un islote de plantas. Desde allí, flotando mansamente, vi al tigre destrozar a zarpazos a don Engracia cuando éste se quiso incorporar para hacerle frente con el fusil. El arma describió una parábola y vino a caer en mis manos. Apunté con cuidado, ceremoniosamente, sin apuro. Cierto deleite me demoró en el espectáculo de la sumaca convertida en ara de sacrificio. Apreté el gatillo. El fogonazo recortó la figura del tigre en un anillo de humo y azufre. Rugidos de dolor hicieron retemblar las aguas, estremecer los islotes, retumbar las orillas. La ensangrentada cabeza del tigre se volvió resoplando. Furioso. Sus ojos se clavaron en los míos. Mirada de incontables edades. Algún mensaje quería transmitirme. Apunté despacio otra vez a la amarillenta pupila. El tiro apagó su incandescencia. Cerré los ojos y sentí que nacía. Mecido en el cesto del maíz-del-agua, sentí que nacía del agua barrosa, del limo maloliente. Salía al hedor del mundo. Despertaba a la fetidez del universo. Pimpollo de seda negra flotando en la balsa-corona, armado de un fusil humeante, emergiendo al alba de un tiempo distinto. ¿Nacía? Nacía. Para siempre extraviado del verdadero lugar, se quejaron mis primeros vagidos. ¿Lo encontraré alguna vez? Lo encontrarás, sí, en el mismo lugar de la pérdida, dijo la carrasposa voz del río. A mi lado flotaba una botella. Del otro lado reinaba una densa tiniebla. La levanté. Vi el embudo de la barranca boscosa ardiendo en el resplandor cenital. Empiné la botella. Bebí de un sorbo mis propias preguntas. Jugo de lechetrezna. Mamé mi propia leche, ordeñada de mis senos frontales. Me incorporé lentamente empuñando el fusil.

Miré en torno. Vi la sumaca desierta, escorada en la orilla, manando el tufo de su carga. La cabeza del tigre ensartada en la pica de la botavara. Hacia el fondo, entre el follaje obscuro de la barranca, vi dos filas de destellos alrededor de lo que parecía ser un ataúd. Bajó corriendo el talud el contramaestre. Su silueta obscura y transparente a la vez, se detuvo ante mí vacilando, sin saber cómo comenzar: ¡Señor... el padre de S. Md. lo manda llamar!... Déjese de tales zonceras, contramaestre. En primer lugar, no tengo padre. En segundo, si se trata del que usted llama mi padre, ¿no lo están velando allá arriba? Sí, Señor; don Engracia acaba de morir. Pues bien, yo acabo de nacer. Como ve, en este momento nuestros negocios son distintos. Su señor padre continúa insistiendo en que suba S. Md. a verlo. Ya le he dicho que no me liga a ese hombre vivo o muerto ningún parentesco. Demás de eso, si insiste en verme a toda costa, que se apee un rato de la caja y baje él a verme. Yo no me muevo de aquí por ningún motivo. Señor, S. Md. sabe que únicamente los cojos bajan las cuestas fácilmente, pero el patrón ya está completamente inválido y no sabría dar un paso por más esfuerzos que haga. Quería despedirse de S. Md., reconciliarse, recibir su perdón antes de ser enterrado. Mi perdón no le protegerá del trabajo de las moscas primero, de los gusanos después. Señor, se trata del alma del anciano. El crápula de ese anciano no tiene alma, y si la tiene es por un descuido del despensero de almas. Por mí que se vaya al infierno.

En la *Carta XLVIII*, Guillermo P. Robertson refiere el episodio de la siguiente manera:

"Muchos años antes de ser hombre público, *El Supremo* riñó con su padre por un motivo baladí. No se vieron ni se hablaron durante años. Al fin, el padre cayó postrado en el lecho de muerte, y antes de rendir la grande y última cuenta, deseó vivamente quedar en paz con su hijo. Se le hizo saber esto, pero él se rehusó a verlo. La enfermedad del anciano se agravó por la obstinación del hijo; le horrorizaba, en verdad, dejar el mundo sin obtener la reconciliación y el mutuo perdón. Protestó que la salvación de su alma peligraba grandemente si moría en tal estado. Nuevamente, pocas horas antes de exhalar el último suspiro, consiguió que algunos parientes se allegasen al rebelde hijo y le implorasen que recibiera y diese la bendición y el perdón. Éste se mantuvo inflexible en su rencorosa negativa. Le dijeron que su padre creía que su alma no llegaría al cielo si no partía en paz con su primogénito. La naturaleza humana se estremece con la respuesta: —Entonces díganle a ese viejo que se vaya al infierno.

"El anciano murió delirando y llamando a su hijo con gemidos desgarradores que ha recogido la historia."

Basado en las obras de los Robertson y en otros testimonios, Thomas Carlyle, describe la escena con menos patetismo. Ante la súplica de reconciliación del anciano, que no se resigna a morir sin ver a su hijo y otorgarle mutuo perdón por temor de no poder entrar en el cielo si esto no ocurre, Carlyle hace decir a *El Supremo* simplemente: "Díganle que mis muchas ocupaciones no me permiten ir y, sobre todo, no tiene objeto".

Otro atestado insospechable de indulgencia o contemporización sobre la ruptura, surge de la correspondencia de fray Bel-Asco y el doctor Buenaventura Díaz de Ventura. Antecesor éste de *El Supremo* en el cargo de síndico procurador general, radicado después en Buenos Aires y personaje influyente en la política porteña; autor, fray Mariano, del feroz libelo que bajo el título de *Proclama de un Paraguayo a sus Paysanos* lanzó contra el Dictador Perpétuo a poco de su nombramiento, ambos a dos no podían menos que mentir con la verdad (pese, como decía el incriminado, a que toda referencia contemporánea es sospechosa).

Reducido a lo esencial el contrapunto de las cartas expresa lo siguiente:

"Con posterioridad a su regreso de Córdoba ahorcó los hábitos talares que le correspondían como Clérigo de Órdenes Menores y Primera Tonsura, y se lanzó a una vida aún más licenciosa y relajada que la que había llevado en Córdoba. A causa de esto rompió con su padre, a la sazón Administrador de las Temporalidades del Pueblo de Indios de Jaguarón, y nunca más quiso mantener trato con él.

"Años antes de que el mal hijo asumiera el Gobierno Supremo, el anciano en trance de morir quiso reconciliarse con su primogénito. Envió a algunos parientes con la súplica de tenerlo junto a él en la agonía para impartirle su última bendición. La negativa más rotunda y despiadada fue la respuesta.

"El anciano desesperó llamando y pidiendo perdón a su hijo. En su delirio agónico, sin embargo, debió alucinarse al final con la aparición de su hijo que entraba en la habitación, envuelto en su capa roja, y se aproximaba al lecho.

"El pobre hombre murió clamando *¡Vade retro Satanás!*, y maldiciéndolo en sus últimos estertores.

"Sin embargo, por los días de estos tristes sucesos, nuestro futuro Dictador vivió atormentado por el resentimiento que le producían las constantes alusiones a su origen bastardo. Logró con arterías un falso testimonio genealógico. Desde entonces, en el Cabildo, en todos los cargos públicos, en las canongías y prebendas que fueron los peldaños para subir hasta el Poder Supremo, comenzara siempre sus presentaciones con las sacramentales palabras: Yo, el Alcalde de Primer Voto, Síndico Procurador General, natural de esta Ciudad de la Asunción, descendiente de los más antiguos hijosdalgo conquistadores de esta América Meridional. Creía ponerse así a resguardo de nuevos agravios contra su condición de hijo de un extrangero, de un advenedizo, de un mameluco paulista; sobre todo, del para él terriblemente injurioso y degradante calificativo de *mulato*, cuya marca candente le quemó el alma bajo el estigma de su oscura tez."

"Lo que no puede ponerse en duda, Rdo. Padre, es que la ruptura con su padre data de aquella época de relajación y de vicios. Las versiones de los testigos han trasmitido este hecho con cierta repugnancia supersticiosa que lo ha tornado ambiguo y equívoco. La verdad parece ser, empero, que al haberle recriminado el padre su nefanda conducta e increpado duramente por otros procederes no menos sucios e indignos, el bruto envenenado por sus vicios morales lo abofeteó despiadada, cobardemente, por ser él un hombre en la plenitud de las fuerzas y el otro un anciano.

"No falta quien diga que sólo la intervención de unos vecinos impidió que lo matara a golpes. Con lo cual nuestro Dictador se hubiera iniciado dignamente como parricida."

"No, amigo Ventura; no se deje arrastrar sin embargo por su justa indignación. Esa 'repugnancia supersticiosa' de los testigos que han transmitido el incidente entre padre e hijo, no se basa en ningún hecho ambiguo o equívoco. La verdad sea dicha, y con mayor razón aún entre nosotros, aunque no nos convenga menearla mucho por ahora, pues podría resultar contraproducente. Yo se la diré, pero guárdesela con la reserva que acredita su prudencia y circunspección.

"La ruptura entre don Engracia, por entonces Administrador de las Temporalidades de Jaguarón, y su irascible hijo, se debió a los excesos y orgías a que el propio don Engracia se lanzó desde el comienzo, en unión con su hijo Pedro a la sazón ya con evidentes señales de insania, en aquel pueblo de indios.

"Los abusos del Capitán de Artillería de las Milicias del Rey, convertido en Administrador, fueron de aumento en aumento a juzgar por los tremendos cargos que fulminan contra él los moradores del pueblo de Jaguarón en un memorial elevado directamente al virrey por el cacique Juan Pedro Motatí, corregidor de dicho pueblo."

(Memorial del cacique Motatí)

"No es mucho que sufran los indios tan pesada servidumbre, cuando el agente que conmueve este incendio es de una insaciable codicia, cargado de hijos y de deudas, destituido de conveniencias capaces de remediarle. Entró lleno de ambición al gobierno de los indios, oprimiéndoles con un trabajo insoportable, despojándoles de sus cortas heredades y contemplándoles en un estado digno de llorar.

"Quién podría pensar, señor, que las violencias se extendieran hasta despojarnos de nuestras hijas y mujeres, cometiendo con ellas el más horrendo crimen que la malicia humana puede excogitar.

"Por todo ello, suplicamos a V. E. se digne mandar un sujeto integérrimo, como lo exigen tan tristes infortunios, a fin de que confirme en el terreno de los hechos esta Información secreta que humildemente elevamos a su alta justificación; sea declarado reo el Administrador y se le aplique un ejemplar castigo, como previenen las leyes, a vista de tanta inhumanidad como manifiestan sus delitos e inicuos procedimientos, suspendiéndole ínterin del ejercicio que tiene..."

"Es probable que las acusaciones del cacique Motatí fuesen algo exageradas. El cuadro que ofrecía de la desolación de su pueblo a consecuencia de las presuntas extorsiones, crueldades y desmanes del administrador, puede ser, en efecto, que estuviese un tanto recargado.

"¿Cosas veredes? ¿Calumnias? ¡Vaya usted a saber!

"Por la misma época, el antecesor de mi pariente político, a quien éste fue a reemplazar, el viejo sacerdote Gaspar Cáceres, ya casi moribundo, encontraba aún fuerzas para formular contra el capitán-administrador furibundos cargos.

"De su puño y letra escribía... Discúlpeme Padre ¿un moribundo escribiendo de su puño y letra?... Bueno, amigo Buenaventura, es probable que escribiera los cargos un poco antes, cuando el asunto se puso muy espeso. El P. Cáceres denunció: Tales sus violencias, que los caciques del pueblo emigran en masa a las provincias vecinas con sus mugeres e hijos. El pueblo de Yaguarón se ha quedado sin más pobladores que los ancianos, inválidos y aquellos naturales que a punta de látigo y fusil, como en el antiguo régimen del yanaconato y las encomiendas, el administrador los pone a trabajar a la fuerza en sus tierras. El miedo que infundió y el odio que dejó tras de sí en aquel pueblo, fueron sus únicas obras, afirmaba el ex administrador en su lecho de muerte, por su propia mano o dictando la soflama a algún familiar.

"No lo dude usted, fray Mariano, el achacoso ex administrador, destituido de esa canonjía, respiraba por la herida ante el enérgico espíritu de empresa del capitán-administrador de las Temporalidades. Los resentimientos, la malignidad de los moribundos, suelen ser terribles.

"Lo cierto es, amigo doctor, que varios años después, cuando el capitán servía de nuevo en las milicias de la Provincia, tramitábase aún el expediente relativo a la emigración en masa de los naturales encabezados por sus caciques, entre ellos, uno de nombre Azucapé (Azúcar-chato), el más rebelde y decidido de todos. El Administrador pudo mandarle ahorcar de no haber huido a tiempo.

"La causa de la ruptura entre padre e hijo habría que buscarla en estos hechos. Me consta que el abandono de la carrera eclesiástica por parte de mi sobrino, y su repentino encenagamiento en una vida de relajación y vicios, fueron posteriores a este rompimiento; probablemente su corolario y consecuencia.

"Hasta entonces ha llevado una vida monacal, conjetura alguien que se supone bien enterado. ¿Pero valdrán de algo las austeras costumbres, revestidas por la dignidad de los hábitos talares?, se habría preguntado muchas veces. ¿Hacer tanto sacrificio por el decoro de un nombre, blanco de terribles ataques, cuando allá en Jaguarón su padre y sus hermanos Pedro y Juan Ignacio enlodaban no sólo el nombre sino la tradición de toda la familia en vacanales con indias y mulatas?

"Cambia radicalmente. Así, mientras los oprimidos naturales abandonan su ancestral heredad, el ex Clérigo en Órdenes Menores de Córdoba, se lanza de la noche a la mañana a los excesos de un desenfrenado libertinage.

"Se convierte en loco adorador de Venus. Busca amoríos fáciles, aventuras sin pena, mugeres alegres. Las noches las consagra a juergas interminables. Recorre en grupos los arrabales de la ciudad dando serenatas, interviniendo en bailes orilleros. Se luce en estas parrandas porque toca admirablemente la guitarra y sabe cantar.

"Sobre todo le entusiasma el juego. En muchas ocasiones amanece tallando al monte o al truco, en el que pierde con la misma facilidad que gana el dinero de sus pleitos en los que se ha hecho famoso por no perder uno solo desde su iniciación como abogado." *(N. del C.)*

Entiérrenlo de una vez, lo más hondo que puedan. Luego traiga a los hombres. Vamos a hacer zafar la sumaca de su atascadero y regresaremos de inmediato a Asunción. Fuese el contramaestre. Reflejo veloz entre los reflejos subiendo la barranca. En lo alto del acantilado, en la blanca tiniebla del mediodía, los destellos de las velas titilan con luz muy viva de hermosos colores. Efectos de la perspectiva y la refracción, el aéreo velorio entre los árboles produce un agradable espectáculo punteado por los seis velones muy cerca de las nubes.

Las velas de los dos palos se inflaron suavemente y se pusieron tensas con el viento norte que empezó a soplar, y la sumaca continuó viaje aguas abajo en el anochecer. La voz capruna recomenzó el relato de sus trabajos como capitán de las milicias del rey. La silueta recostada contra el palo mayor parecía más erguida que en los treinta días anteriores. Su voz más clara. La luz rojiza del farolillo de cabotaje dejaba entrever un semblante más saludable. La mayor parte de la tripulación, sentada a su alrededor, escuchaba cabeceando su cadenciosa e interminable retahíla. Sólo unos pocos remeros indios ayudaban al viento con sus botadores en el empuje de la sumaca sobre la derrota del canal. En siete días, exactamente, avistamos el puerto preciso de Santa Fe.

(Circular Perpetua)

Lo bueno, lo cierto a pesar de todo, es que aquí la Revolución no se ha perdido. El país ha salido ganando. La gente-muchedumbre ha subido a ocupar su sitio en derecho de sí. Los utensilios animados de antes son los campesinos libres de hoy. Poseen sus predios y medios; remedios para todos sus males que se han vuelto bienes. Ya no tienen que ajornalarse sino al Estado, su único patrón, que vela por ellos con leyes justas, iguales para todos. La tierra es de quien la trabaja, y cada uno recibe lo que necesita. No más, pero tampoco no menos.

De las siete vacas y un toro traídos por Juan de Salazar, al fundar Asunción, hay no menos de diez millones en las sesenta y cuatro estancias de la Patria; chacras colectivas hay por centenares. El país entero está rebosando riquezas. La necesidad de multiplicar se ha vuelto ahora necesidad de desmultiplicar. Pues todo exceso de bienes degenera fatalmente en males, según lo acredita la experiencia. La prosperidad de un Estado no consiste tanto en la existencia de una población muy grande como en la perfecta relación del pueblo con sus medios. Vendrá el día en que los paraguayos no podrán dar un paso sin pisar sobre montones de onzas de oro. Lo vaticinó ya hace muchos años aquel pardo riograndense Correia da Cámara, que vino varias veces queriendo cambalachearme quimeras en nombre del Imperio. Por tiempos, los vaticinios de taimados farsantes aciertan más que las predicciones de los visionarios que sólo visionan elementos inverosímiles producidos por la ilusión crónica de la Utopía. Tacha este galimatías. Pon: Los paraguayos estamos a punto de caminar sobre el oráculo empedrado de onzas de oro que nos predijo aquel portugués-brasilero.

Nuestro pueblo, lo dije siempre, alcanzará lo suyo el mejor día; de lo contrario, el tiempo se lo dará. Ábranse los ríos al comercio exterior; es lo único que falta para que nuestras riquezas inunden el exterior. Cuando la bandera de la República sea libre de navegar hasta el mar, se admitirá que vengan a comerciar con nosotros los extranjeros en igualdad de condiciones.

Sólo entonces se arreglará no sólo el tráfico mercantil, sino lo que es más importante aún, las cuestiones de límites entre los Estados, divididos artificialmente para que mejor reinara la Colonia. Detrás de ella, las sub-colonias y los sub-imperios sostenidos por los intereses de las oligarquías. También han medrado a más no poder, disfrazados de patriotismo. Hasta que la Confederación de Estados Americanos sea una realidad palmaria y no mero palabrerío de discursos y tratados, aquí se arreglarán el comercio, las relaciones exteriores, todo según convenga y del modo que sea más útil a los paraguayos. No para exclusivo aprovechamiento de los extraños, como sucedía antes de la Dictadura Perpetua.

Con su propio esfuerzo el Paraguay ha labrado su fundamento de Patria, de Nación, de República. La educación que reciben es nacional. La iglesia, la religión, también lo son. Los niños aprenden en el Catecismo Patrio que Dios no es un fantasma ni los santos una tribu de negras supersticiones con corona de latón dorado. Sienten que si Dios es algo más que una palabra muy corta está en la tierra que pisan, en el aire que respiran, en los bienes ganados en el trabajo colectivo; no pordioseando de uno en fondo a la mala de Dios por atrios, calles, mercados, pueblos, villas, ciudades y desiertos. Formados en el seno de la tierra la consideran su verdadera madre. Tratan a los demás conciudadanos como a hermanos salidos del mismo seno. Hum. Tacha esta imagen de la tierra-madre. No entrará en el magín de esos hijos de mala madre.

Aquí he nacionalizado todo para todos. Árboles, plantas tintóreas, medicinales, maderas preciosas, minerales. Hasta los arbustos de yerbamate he nacionalizado. No digo los animales, los pájaros; éstos jamás abandonan sus comarcas natales. Las nubes brotan de la humedad de la tierra, del agua de los ríos, de la respiración de las plantas. Las nubes regresan en la lluvia, en el relente del sereno. Vuelven a la tierra, a los ríos, a las plantas. Nubes, pájaros, animales, hasta las criaturas inanimadas nos predican su lealtad al terruño. Cómo te parece que va esto, Patiño. Señor, sus palabras me están haciendo lagrimear, y a través del sudor de los ojos que son las lágrimas, veo turbio pero a la vez muy claramente todo lo que usted dice. Capaz, Señor, porque sus palabras meten dentro de uno las verdades que están afuera... *(Sigue un dicterio irreproducible de El Supremo; luego, el resto del folio se halla quemado.)*

(En una hoja suelta)

...caracol, gusano, babosa, guijarro, flores, mariposas del campo. Mucho amor sobre todo por lo fijo, enraizado. Innumerables especies de plantas. Imposible nombrarlas a todas. Monos he cazado, tigres, zorros, venados, chanchos de monte. Toda clase de alimañas. Especies feroces o mansísimas. Cacé una vez un ejemplar del animal llamado *manticora*, gigantesco león rojo, de rostro humano con tres filas de dientes, casi siempre invisible porque el tornasol de su pelaje lo confunde con la reverberación de los arenales. Sopla por sus ollares el espanto de las soledades. Su cola erizada de púas, las arroja en todas direcciones más veloces que flechas. Se incrustan en los árboles. Hacen llover gotas de sangre del follaje. Cacé el mantícora en el arenal plinio flechándolo con un dardo narcótico. Lo dejé en libertad. Cuando despertó volvió a su habitáculo secreto. Cuando desperté, me encontré salpicado de gotitas de sangre. Estas especies no emigran; desde el mantícora al caracol blanco fileteado de rojo, los he visto a todos regresar libremente a sus querencias salvajes. Pájaros he visto volar tan alto, tan lejos, hasta parecer quietos en la punta de mi aguda vista. Desaparecían. Caían del otro lado del horizonte. Momentos más tarde se me echaban encima por todas partes. Cuervos me han hecho eso. También otras variedades de volátiles, de acuátiles. Mas todos, todos, hasta los más errátiles, regresan. Las cosas vivientes, al igual que las inanimadas, tienen también mucho amor por lo fijo, enraizado, inmutable. Si las piedras tuvieran cómo y con qué, a todo lo más saldrían un rato de paseo y luego se volverían a sus lugares de origen. Plantada la piedra en su peso, plantada la planta en sus raíces. Tenacidad del acto de permanecer. Pensamiento de afincamiento. Ya mucho me duele cada uno de esos árboles gigantes que debo mandar derribar para cambiarlos por pólvora, por municiones, por armas. Cada hachazo cae en mi tronco;

su grito grita en mí su queja de desarraigo y muerte. Las jangadas bajan flotando por los ríos acollarando millares de palos. ¡Vamos!, les digo. ¡No se hagan los zonzos! Es preciso que se caigan para que la Patria se levante; es preciso que se vayan río abajo para que la Patria se quede y remonte.

(Circular perpetua)

Únicamente a los migrátiles humanos no les ha entrado en la sangre lo nacional. ¿Qué es eso de irse, renunciar a lo suyo, a la materia de la que salieron, al medio que los engendró? ¡Peores los hombres que las alimañas!

Yo no llamo ni reputo paisanos a estos migrantes que se expatrian ellos mismos renunciando a sus lares, abandonando su tierra. Se convierten en parásitos de otros Estados. Pierden su lengua en el extranjero. Alquilan su palabra. Ya en apátridas deslenguados, calumnian, difaman, escriben novelerías contra su país. Confabulados con el enemigo se hacen espiones, baqueanos, furrieles, informantes. Si vuelven, vuelven de manga con el invasor. Lo incitan, lo ayudan en la conquista, en el avasallamiento de su propio país. ¡Si por lo menos sirvieran para ser trocados cada uno por un gránulo de pólvora!

Si no hubiera sido por mi Gobierno habrían emigrado en masa. Se iban en legiones, hasta que fulminé la prohibición: ¡Se quedan, culebras migratorias, o les hago dejar el cuero a las hormigas! Algunos se me escaparon, como el traidor José Tomás Isasi, que envió después en pago de su fuga unos pocos barriles de inservible pólvora amarilla, aumentando el escarnio, escarneciendo el agravio de su huida y ladronicidio contra el Gobierno, contra el país.

Muchos adeptos de los unitarios, de la causa porteñista, quedaron en cambio emboscados aquí. Mosquitas muertas durante el día. Zumbadores culícidos por la noche. Conspiran, merodean, acechan, espían. Transpiran lo seco. Mascan lo amargo. Se chupan el jugo de las uñas. Incuban huevos palúdicos en sus charcos de baba. Desproceden; desgüévanse de lo humano. Liendres de contagio. Infección. Uno alza un repollo podrido, un marlo de maíz. Debajo hay una oruga con forma de hombre pequeñito. Fístula en figura de hombre.

¿Qué haces ahí? No contesta. No habla. No tiene voz. Ausencia disfrazada. No habiendo podido escapar, simulan ser muertitos lejanos, atareados en parecerlo. Boca cosida. Un pelo de zonzo como antena en mitad del tonso cabezo. Ocho patas falsas. Doce ojos ciegos. Al principio uno piensa: ¡Maldito! ¿No será ésta la oruga del pulgón del algodón? ¿No es acaso el coleóptero megacéfalo brasilero que transporta el microbio de la mancha del ganado? ¡Bandeiras de larvas venenosas ahora! La aplasto de un tacazo. Se ha disuelto en un filamento de baba. La suela se pegotea en la goma venenosa. Uno de estos coleópteros bandeirantes se trepó una vez hasta la hebilla del zapato. Lo retiré con la punta del bastón. Dejó en el metal un rastro semejante a la corrosión de un ácido. Mandé bañar el lugar con una irrigación de extracto de nicotina, jabón negro, ácido fénico y ácido fórmico extraído de las feroces hormigas guaykurúes. Todo en vano. Los hilos de moho seguían estando ahí. Júntanse muchos en fangal. Pululan en la laguna de veneno cual si estuvieran en su elemento. Forman colonias. Hablan un dialecto de portugués bandeirante o en un acocolichado porteño migratorio. En llegando la noche, según la luna que haga, se transforman en telas de arañas. Los he vigilado durante noches y noches. Se desvanecen al primer sol. Los hilos de baba han dejado la marca de sus inmundicias en puertas, fachadas, corredores. Marca de baba en el papel perjurado de los pasquines catedralicios...

No copies estos últimos párrafos en la minuta de la circular. No, Señor, no las he copiado. Cuando Su Merced dicta circularmente, orden del Perpetuo Dictador, yo escribo sus palabras en la Circular Perpetua. Cuando Su Merced piensa en voz alta, voz de Hombre Supremo, anoto sus palabras en la Libreta de Apuntes. Si es que puedo, Excelencia, digo si es que alcanzo a pescar esas palabras que caracolean de su boca muy que más ligerito hacia arriba. ¿En qué estableces la oposición Supremo Dictador/Hombre Supremo? ¿En qué notas la diferencia? En el tono, Señor. El tono de su palabra dicta hacia abajo o hacia arriba, vamos a decir con su licencia, según sopla racheado el viento ergañón que sale de su boca. Únicamente Vuecencia sabe una manera de decir que dice por la manera. El bichofeo oye moverse al gusano bajo tierra. Vuecencia ha de oírme moverme así bajo la papelada. Me manda. Me dirige. Me ha enseñado a escribir. Gobierna mi mano. ¡También puedo partirte en dos, gusano escribiente! Muy cierto, Excelencia. Cómo no. Dueño absoluto es de hacerlo en el momento de su santísima gana. Entonces seremos dos escribientes a su servicio. Si bien, como usted mismo, Señor, acostumbra a decir, el amanuense no tiene responsabilidad. Aunque también Su Merced suele decir con la misma verdad vuelta al revés: ¿Quién puede estar orgulloso de ser un triste escribiente? Esto lo tengo siempre muy presente, Señor. No, Patiño; lo que debes preguntarte a cada rato es si el sirviente no es el verdadero culpable de todo lo malo que ocurre: Desde el que me lustra los zapatos hasta el que copia lo que dicto. Continuemos pues.

El presente bienestar, el futuro progreso de nuestro país son los que quiero proteger, preservar; si fuera posible, hacer avanzar más aún. En esta atención, ahora que juzgo más proporcionadas las circunstancias, estoy tomando medidas, haciendo preparativos para librar al Paraguay de gravosa servidumbre. Libertar el tráfico mercantil de las trabas, secuestros, bárbaras exacciones con que los pueblos de la Costa impiden la navegación de los barcos del Paraguay, arrogándose arbitrariamente el dominio del río, para grasarse, auxiliarse con sus depredaciones en la pretensión de mantener a esta República en servil dependencia, atraso, menoscabo, ruina.

Impedí las sucesivas invasiones que proyectaron someter nuestro país a sangre y fuego. La de Bolívar, desde el oeste, por el Pilcomayo. La del imperio portugués-brasilero, desde el este, por las antiguas rutas depredatorias de los bandidescos bandeirantes. Desde el sur, las constantes tentativas de los porteños; la más infame de todas, la que planeó el infame Puigrredón, que reconoce en nuestro país el destino más rico de toda la América, y quiso venir a apropiarse no sólo de nuestro territorio, sino a robar lisa y llanamente el oro de nuestras arcas.

Borrador autografo de Pueyrredón. Proyecto para pacificar Santa Fe, dominar Entre Ríos y Corrientes y subyugar al Paraguay:

El termino de la expedicion en el Entre Rios, por su situación parece q. debe ser Corrientes. Incorporadas las tropas de esta provincia del modo q. dexe referido, cuando menos el exército se compondrá de 5.000 hombres con armas sobradas. Aqui, pues, es donde se presenta el campo más hermoso y facil de escoger el mejor fruto de todo el trabajo subyugando la rebelde provincia del Paraguay. Al solo respeto de este numero de fuerzas, toda ella se sometería sin disparar un tiro. Lejos de desagradar a nuestra gente la internación en aquel país, toda ella iría gustosisima, como que es el destino más rico hoy de toda la América, así en las cajas de gobierno, donde debe haber de un millón a millón y medio de pesos, como en el vecindario por no haber sufrido los impuestos, gabelas y demás erogaciones de las otras provincias. Prescindiendo de todas las ventajas q. resultarian de reunir esta numerosa provincia y de salir de la zozobra en q. nos tiene la equivoca conducta de su despota en punto a patriotismos, le sigue la principal en el escarmiento de los demás pueblos dando al traves con la piedra del escándalo, o el plantel de las disidencias como ha sido y es esta

Mientras no se ponga en el orden debido al Paraguay, no cesará el clamoreo de los mal intencionados, de los ignorantes, de q. los paraguayos son los unicos q. entienden.

(*Documentos de Pueyrredón*, t. III, p. 281.)

Dos años antes, a comienzos de 1815, otro pillo porteño, el general Alvear, Director Supremo de los pillos portuarios, pretende reanudar relaciones con nuestra República. ¿En qué términos? ¡En los de un tramposo trapero-usurero! Me escribe avanzándose con la superchería de que si Buenos Aires sucumbe el Paraguay no podrá ser libre. Trata de atemorizarme con la treta de otra invasión europea. Me ofrece, en consecuencia, un intercambio no de liberal comercio y amistad, sino la trata negrera de cambiar veinticinco fusiles por cada cien reclutas paraguayos para su ejército. No conozco ni he leído una felonía parecida entre los más ruines y cínicos gobernantes de la historia americana.

Otros más quieren invadir el Paraguay. Los propios paraguayos emigrados suplican al general Dorrego que lo haga. Vileza de los migrantes. Y antes y después de Dorrego, otros y otros engallados capones: Artigas, Ramírez, Facundo Quiroga. Tigres de los llanos, gatos de los montes, rugen, maúllan, silban, suspiran por venir a saquearnos. Acabaron todos enterrados, desterrados; alguno de ellos, en nuestra propia tierra.

También Simón Bolívar quiere invadirnos. ¡El Libertador de medio Continente realiza aprestos para atacar al Paraguay y someter al único país ya libre y soberano que existe en América! Con el pretexto de venir a liberar a su amigo Bonpland proyecta la invasión por el Bermejo. ¡Guay para él de haber puesto su bota sobre el Paraguay! Entonces sí que las rojas aguas del Bermejo habrían hecho honor a su nombre. Primero me escribe una tramposa carta que entre flores y dobleces oculta la espinita de un pomposo ultimátum.* No me tomé siquiera el trabajo de contestarla. Déjenlo que

* "Al Señor Dictador Supremo del Paraguay

Excmo. Señor:

Desde los primeros años de mi juventud tuve la honra de cultivar la amistad del señor Bonpland y del Señor Barón de Humboldt, cuyo saber ha hecho más bien en la América que todos sus conquistadores.

Yo me encuentro ahora en el sentimiento de que mi adorado amigo el señor Bonpland está retenido en el Paraguay por causas que ignoro. Sospecho que algunos falsos informes hayan podido calumniar a este virtuoso sabio, y que el gobierno que V.E. preside se haya dejado sorprender con respecto a este caballero.

Dos circunstancias me impelen a rogar a V.E. encarecidamente por la libertad del señor Bonpland. La primera es que yo soy la causa de su

venga, digo a los que se asustan con la bravuconada del libertador liberticida. Si alcanzara a llegar, lo dejaré trasponer la frontera sólo para hacerlo mi ordenanza y encargado de mi caballeriza. Ante mi silencio escribe a su espía en Buenos Aires, el deán Grimorio Funes, pidiéndole gestione el permiso para pasar a este país, "liberarlo de las garras de un alzado y devolverlo como provincia al Río de la Plata", propone don Simón. El fúnebre deán no tiene éxito en sus intrigas y conjuras. ¡Cómo había de tenerlo el lúgubre trujamán! Se muestra muy decepcionado por los recelos de Buenos Aires a iniciar "la empresa de reducir a esta fiera", que vengo a ser yo. Lo que Bolívar pretende no es únicamente poner las botas en el Paraguay. Pretende también ponerlas en el Río de la Plata, no contento con haberlo fastidiado a San Martín en Guayaquil.

venida a América, porque yo fui quien lo invitó a que se trasladase a Colombia, y ya decidido a efectuar su viaje, las circunstancias de la guerra lo dirigieron imperiosamente a Buenos Aires; la segunda es que este sabio puede ilustrar a mi patria con sus luces, luego que V.E. tenga la bondad de dejarle venir a Colombia, cuyo gobierno presido por la voluntad del pueblo.

Sin duda V.E. no conocerá mi nombre ni mis servicios a la causa americana; pero si me fuese permitido interponer todo lo que valgo, por la libertad del señor Bonpland, me atrevería a dirigir a V.E. este ruego.

Dígnese V.E. oír el clamor de cuatro millones de americanos libertados por el ejército de mi mando, que todos conmigo imploran la clemencia de V.E. en obsequio de la humanidad, la sabiduría y la justicia, en obsequio del señor Bonpland. El señor Bonpland puede jurar a V.E., antes de salir del territorio de su mando, que abandonará las provincias del Río de la Plata para que de ningún modo le sea posible causar perjuicios a la Provincia del Paraguay, que yo, mientras tanto, le espero con las ansias de un amigo y el respeto de un discípulo, pues sería capaz de marchar hasta el Paraguay y sólo por libertar al mejor de los hombres y al más célebre de los viajeros.

Excmo. Señor: Yo espero que V.E. no dejará sin efecto mi ardiente ruego y también espero me cuente en el número de sus más fieles y agradecidos amigos, siempre que el inocente que amo no sea víctima de la injusticia.

Tengo el honor de ser de V.E. atento, obediente servidor.

Simón Bolívar

Lima, 23 de octubre de 1823.

N. del C.: El Supremo Dictador, efectivamente, no contestó esta carta de Bolívar. La respuesta que algunos historiadores-novelistas recogen es apócrifa; en todo caso, invención de una cortesía que *El Supremo* no estilaba destilar en ningún caso.

En la conferencia que sostiene en Potosí con los zorros porteños Alvear y Díaz Vélez, don Simón vuelve a plantear su ambición "redencionista" el 8 de octubre de 1825. Voy a proponer a ustedes, les dice, una idea neutra. ¡Vaya con la idea neutra! Señores, les dice, he hecho reconocer el Pilcomayo en toda su extensión hasta su desembocadura para proporcionarme la mejor ruta del Paraguay con el proyecto de irme a esa Provincia, echar por tierra a ese tirano. Puedo embolsármelo en tres días. ¿Qué les parece? Nones, dicen los zorros plateados. Hace diez años que pretendemos hacer este trabajo nosotros. La fiera gallina resiste. Pone sus huevos de oro en su hermético gallinero convertido en un bastión inexpugnable, y no hay forma de que nos comamos la gallina ni los huevos. Claro, güevones, porque yo me los como semiempollados cada mañana con el desayuno.

Me escriben pues Bolívar, Sucre, Santander. Me encojo de hombros.

Carta de José Antonio Sucre, presidente del flamante estado de Bolivia, al general Francisco de Paula Santander, vicepresidente de Colombia, lugartenientes ambos de Bolívar:

"El Libertador parece que está en el proyecto de mandar una expedición de Cuerpos del Alto y Bajo Perú a tomar el Paraguay que sabe usted gime bajo el tirano que tiene aquella provincia no sólo oprimida del modo más cruel, sino que la ha separado de todo trato humano, pues allí nadie entra sino el que gusta su Perpetuo Dictador." (Octubre 11 de 1825.)

De Santander a Sucre:

"La Europa culta celebraría mucho que el Paraguay saliese de la tutela cruel del tirano que la oprime, y que la ha separado del resto del mundo." (Setiembre, 1825.)

Del deán Funes a Simón Bolívar:

"Refiriéndome el ministro García este suceso [el corte tajante que ha dado el Dictador del Paraguay a la negociación iniciada por el ministro inglés en Buenos Aires], aproveché esta oportunidad para hacerle palpable cuán errada era la empresa de reducir esta fiera por el camino de la razón, y cuán acertado era en cambio el pensamiento de V.E. de hacerle sentir por el Bermejo la fuerza de sus armas... Yo he creído de mi deber poner en noticia de V.E. todo esto, porque entiendo que le proveo bastante materia a la fecundidad de su genio, y porque según mi opinión la empresa no debe abandonarse." (Setiembre 28 de 1825.)

Nota de Juan Esteban Richard Grandsire:

"El extracto del periódico precitado habla de amenazas de parte del general Sucre si el jefe del gobierno del Paraguay no tomaba en consideración los pasos que suponían hechos por Bolívar para obtener la libertad de M. Bonpland. Es conocer muy poco el genio y el carácter del Dictador

No leo ni contesto cartas tunas importunas. Me tienen sin cuidado los engreídos prepotentes de todas las latitudes de la tierra.

¡Qué diferencia sobre todo entre Bolívar y San Martín! Éste es el único que se niega a la descabellada empresa de someter al Paraguay. Su causa no era la de sojuzgar pueblos libres sino liberar a la nación americana. "Mi patria es toda la extensión de América", dicen de consuno San Martín y Monteagudo. Su lucha comienza desde la revolución de octubre del año doce, la única que merece legítimamente este nombre en el Río de la Plata. La inspiran estos dos hombres a los que corresponde el título de paraguayos por sistema y pensamiento, además de haber nacido el primero en tierra guaraní. No importa que les parezca haber arado en el mar, navegado entre cordilleras y volcanes. San Martín, defraudado por Bolívar en Guayaquil. Bernardo de Monteagudo, su ministro de Gobierno, depuesto por un motín reaccionario, asesinado después en Lima. El propio Simón Bolívar, a quien Monteagudo acompañó en la tentativa suprema de formar la Confederación Americana, cuyo proyecto esbocé a la Junta de Buenos Aires, años antes que él.

Algún día, la obsesión de la patria americana, que sólo podía haber nacido en el Paraguay, el país más acorralado y perseguido de este Continente, reventará como un inmenso volcán y corregirá los "consejos" de la geografía corrompida por taimados comepueblos. Tiempo al tiempo. Por ahora peligros de nuevas invasiones no hay.

Claro que estos hechos, por mejor decir fechorías, algunos de ustedes no los conocen sino de oídas; otros los tendrán olvidados, y los más no les dan el verdadero sentido que tienen. Simplemente, porque no han debido afrontarlos y resolverlos en su oportunidad, según me tocó hacerlo a mí. En las maduras de los beneficios alcan-

Perpetuo al creerle susceptible de ceder al temor, o a una amenaza indirecta: el hombre que desde hace doce años tiene las riendas del gobierno del Paraguay y que ha sabido acallar las pasiones y mantener la tranquilidad interior y exterior de los vastos estados que gobierna, a pesar de las intrigas y las revoluciones de los gobiernos vecinos, no será jamás considerado como un hombre vulgar por los hombres sensatos, y las amenazas podrían atraer sobre M. Bonpland una catástrofe deplorable que se puede evitar por una gestión directa del cónsul general de Francia en Río de Janeiro, y mejor aún si el pedido viniese de París."

(Setiembre 6 de 1826.)

zados para todos por el Jefe Supremo, los subalternos se olvidan de las duras que a éste le tocó pasar. En el tiempo de la dicha pocos son los que se acuerdan de los contratiempos de la desdicha. Pero un mínimo de memoria es necesario para vivir; aunque más no sea para subsistir: dolerse en la indolencia, que parece haber llegado a ser vuestro estado natural, de los sufrimientos padecidos para lograr el bienestar presente. Todo, hasta el más ínfimo bien, está tasado en su valor y su costo. No hagan menosprecio, mis estimados jefes y funcionarios, del precio que nos ha costado hacer de nuestro país, según lo dijera uno de nuestros peores enemigos, el destino más rico hoy de toda la América.

(En el cuaderno privado)

El Paraguay es una Utopía real y Su Excelencia el Solón de los tiempos modernos, me adulaban los hermanos Robertson, en la mala época de los comienzos. No he podido leer aún el libro de estos ambiciosos jóvenes, que ahora ya estarán viejos y por supuesto más crápulas que antes. A juzgar por el título, no puedo esperar que sus cartas sobre mi Reino del Terror (no sé si son dos libros o uno solo) mejore el cuadro aviesamente pintado diez años atrás por los Rengger y Longchamp. A no dudar, una nueva cochura de embustes e infamias adobadas al paladar de los europeos que se pirran por estos reinos salvajes. Salvajería de espíritus refinados y hastiados. Disfrutan flagelándose con las desgracias de razas inferiores, en busca de nuevas erecciones. El dolor ajeno es un buen afrodisíaco que muelen los viajeros para los que se quedan en casa. ¡Ah ah ah! Ciegos, sordos y mudos, no entienden que no pueden transcribir sino el ruido de sus resentimientos y olvidos. ¿Qué puede esperarse de estos viajeros extraviados, incapaces, rapaces? ¿De dónde sacan las materias de tales memorias? Si mis propios manuscritos no están seguros en mi caja de siete llaves, los de estos traficantes migratorios, atentos únicamente a la cacería de doblones, se habrán perdido siete veces en quién sabe qué retretes.

Las *Cartas* y *El Reino del Terror* aparecieron con mucho atraso debido al extravío de los originales que *El Supremo* pareció prever y pronosticar: "En una de aquellas noches del pasado enero —dicen los Robertson— cuando todas las cosas inanimadas de la naturaleza se habían congelado, cuando los caminos se hallaban cubiertos de nieve y las aceras resbaladizas, uno de los autores de estas *Cartas sobre el Paraguay* viajaba en ómnibus de Londres a Kensington. Llevaba bajo el brazo el manuscrito de la obra. Al bajar del coche, la aparición de un negro casi espectral, cubierto de capa y tricornio, le cerró el paso, mirando fijamente al viajero. Éste resbaló y cayó sobre el hielo. La extraña aparición se volvió más espectral aún contra el débil destello del mechero de gas. Luego se desvaneció. Por un momento quedó aturdido a causa del golpe y del susto. En cuanto pudo, se incorporó y se alejó del lugar cojeando muy dolorido. Había caminado apenas algunos minutos cuando *sintió* que se le habían dormido los dos brazos, además de la penosa renguera. En ese momento, su conciencia extraviada tuvo la súbita revelación de que había perdido el *manuscrito*. Volvió al malhadado sitio de la caída. Buscó y removió la nieve perturbado por el difuso temor de encontrarse de nuevo con el afantasmado personaje. No reapareció éste; mas tampoco aparecieron los papeles. Al día siguiente fue anunciada la pérdida en carteles y periódicos. Se ofrecieron gratificaciones. Pero nunca más pudimos volver a poner los ojos sobre las cuartillas perdidas. Unos días después recibimos un billete anónimo donde se nos decía: *Vuelvan al Paraguay. Allá encontrarán el manuscrito*. Pensamos en una ocurrencia de mal gusto hecha por algunos de nuestros amigos. No volvimos al Paraguay, desde luego. Más fácil era rehacer las *Cartas*, que obtuvieron el más lisonjero de los éxitos. En tres meses la edición estuvo agotada, antes aún de que las molestias de la cojera y el hormigueo de los brazos desaparecieran del todo. No faltaron, sin embargo, algunos reparos y críticas. Thomas Carlyle, por ejemplo, nos trató duramente. Él veía en el Supremo del Paraguay al hombre más notable de esa parte de América. Despedía una luz muy sulfurosa y sombría que brillaba en su espíritu —afirma el cultor de los Héroes—, pero con ella iluminó el Paraguay lo mejor que pudo. En fin, opiniones adversas como las del gran Carlyle, en lugar de desmerecer nuestra obra aumentaron su prestigio por el hecho de que hombres de su talla la tuvieron en cuenta; lo que contribuyó muchísimo a su promoción y difusión".

Por otra parte, algunos autores contemporáneos sostienen que las *Cartas* en cierto modo son apócrifas; es decir, que los Robertson se atribuyeron, al menos parcialmente, la paternidad de un material espigado en los muchos libelos que sobre *El Supremo* corrían en el Río de la Plata por aquella época. Si se toman en cuenta las propensiones "acopiativas" que hicieron la fortuna y finalmente la ruina de los Robertson en sus andanzas south-americanas, la afirmación no carecería de alguna verosimilitud. La "unidad de estilo" de los ex comerciantes convertidos en memorialistas o novelistas, su habilidad para "pintar soberbios retratos" y otras virtudes literarias se hallan presentes, en efecto, en los volúmenes de las *Cartas* y en *El Reino del Terror*, pero no excluyen la probable impostura. El extravío del manuscrito "loco", confesada o inventada por los autores, delata esta posibilidad. La refuerza aún más el episodio, sin duda no menos fraudulento, del fantasmagórico encontronazo en una callejuela de Londres con el sombrío espectro, muy al gusto de la literatura de misterio ya en boga por entonces. Los autores parecen querer insinuar la aparición de trasmundo de *El Supremo* con el fin de robarles el manuscrito que, según ellos, sería su lápida. De seguro los autores consideraban ya "finado" a su antiguo anfitrión y podían tomarse un doble desquite endosándole este "ladronicidio" de ultratumba bajo la impunidad de una pueril novelería. Pero *El Supremo* se hallaba aún vivo en Asunción, esperando poder leer las anunciadas obras que aparecieron por fin en 1838 y 1839, poco antes de su muerte. *(N. del C.)*

Ansiosos de vender sus recuerdos, el alma que ya no tienen al diablo de un imaginario lector, la especie más nefaria que conozco, inventan para su deleite afro-disíaco patrañas, calumnias, hechos imaginarios. Relatan como ajenas sus propias perversidades.

No tanto por dar el gusto a estos zalameros turiferarios del dinero y del poder, cuanto por usarlos al servicio del país que ellos usaban para hacer pingües ganancias, pensé nombrarlos mis representantes ante la Gran Bretaña, o sea la Inglaterra, como súbditos de ella. Hacía rato que venían cargoseándome con las súplicas de que les concediera este cargo. Para ellos, una distinción sin segundo, al par que un nuevo medio de ampliar y aumentar su fortuna de traficantes y contrabandistas con patentes de inmunidad diplomática. No ignoraba por supuesto que los propósitos de estos codiciosos mercaderes no eran los de colaborar lealmente en la prosperidad económica de nuestra Nación sino fomentar aún más la suya. A sus segundas intenciones opuse las mías, que siendo las terceras eran las primeras.

Mandé llamar, pues, a Juan Parish Robertson, el mayor de los hermanos, y le planteé el asunto con mi habitual franqueza.

J. P. Robertson, en sus *Cartas sobre el Paraguay*, relata así la entrevista:

"Un oficial de la guardia del palacio llegó esa noche con el irrecusable mensaje: —Manda El Supremo que pase usted a verlo inmediatamente.

"Salí con el ayudante, un alférez negro, rancio de grasa de cocina y de hollín. Se sabía lo que significaban las visitas de estos nebulosos 'officiers' del regimiento escolta. Marchaba delante de mí invisible, salvo su blanca chaqueta de lancero; de modo que yo acudía a ese encuentro, que nada bueno presagiaba para nuestra suerte, con la sensación de acompañar a una fétida sombra uniformada sin más ruido que el roce de un espadín.

"Cuando llegué al palacio fui recibido, sin embargo, por El Supremo con más bondad y afabilidad que de ordinario. Su aspecto se iluminaba con expresión casi vecina a la jovialidad. Su capa mordoré colgaba de sus hombros en graciosos pliegues. Parecía fumar su cigarro con desacostumbrado deleite, y contra su costumbre de encender una luz en su humilde salita de audiencias, esa noche se hallaban encendidas dos grandes velas del mejor baño de sebo sobre la mesita redonda de un pie, a la que no podían sentarse más de tres personas: la mesa de comer del Absoluto Señor de aquella parte del mundo. Dióme la mano muy cordialmente: —Siéntese, señor don Juan. Arrastró su asiento junto al mío y expresó su deseo de que le escuchase muy atentamente.

"—Usted sabe cuál ha sido mi política con respecto al Paraguay. Sabe que han querido acollararme a las otras provincias donde reina el malvado germen de la anarquía y de la corrupción. El Paraguay está en condición más pingüe que cualquier otro país. Aquí todo es orden, subordinación, tranquilidad. Pero desde el momento que se pasan sus fronteras, como usted mismo lo ha podido comprobar, el estampido del cañón y el son de la discordia hieren los oídos. Todo es ruina y desolación allá; aquí, todo prosperidad, bienestar y orden. ¿De dónde nace todo esto? Pues, de que no hay hombre en América del Sur, fuera del que habla, que comprenda el carácter del pueblo y que sea capaz de gobernarlo de acuerdo con sus necesidades y aspiraciones. ¿Es esto verdad o no? —me preguntó. Asentí. No podía decirle que no, pues El Supremo no admite que se le contradiga.

"—Los porteños son los más veleidosos, vanos, volubles y libertinos de cuantos estuvieron bajo el dominio de los españoles en este hemisferio. Claman por instituciones libres, pero los únicos fines que persiguen son la expoliación y el engrandecimiento de sus intereses. Por consiguiente, he resuelto no tener nada que hacer con ellos. Mi deseo es entablar relaciones directamente con Inglaterra, de gobierno a gobierno. Los barcos de la Gran Bretaña surcando triunfalmente el Atlántico entrarán en el Paraguay, y en unión con nuestras flotillas desafiarán toda interrupción del comercio desde la desembocadura del Plata hasta la laguna de los Xarayes, quinientas leguas al norte de Asunción. Su gobierno tendrá aquí ministro, y yo tendré el mío en la corte de Saint James. Sus compatriotas comerciarán en manufacturas y municiones de guerra, y recibirán en cambio los nobles productos de este país.

"A esta altura del discurso se levantó de su silla con grande agitación y, llamando al centinela, ordenó viniera el sargento de guardia. Apenas apareció el llamado, le ordenó perentoriamente traer 'eso'. El sargento se retiró y antes de tres minutos volvió con cuatro granaderos que portaban un petacón de tabaco de doscientas libras de peso, un bulto de yerba de iguales dimensiones, una damajuana de caña paraguaya, un gran pilón de azúcar y muchos paquetes de cigarros atados y adornados con cintas variopintas. Por último, vino una negra vieja con algunas muestras de tejidos de algodón en forma de tapetes, toallas y paños de toda especie. Pensé que sería un presente que El Supremo quería hacerme en vísperas de mi partida hacia Buenos Aires. Juzgad entonces mi sorpresa cuando oigo de pronto que me dice:

"—Señor don Juan, éstos no son más que unos pocos de los ricos productos de este suelo y de la industria y el ingenio de sus habitantes. Me he tomado algún trabajo para proporcionar a usted las mejores muestras que el país produce en diferentes rubros de artículos. Sabe en qué extensión ilimitada estos productos pueden obtenerse en este, puedo llamarlo así, Paraiso del mundo. Ahora, sin entrar en discusión sobre si este continente está maduro para las instituciones liberales y burguesas (pienso que no) no puede negarse que en un viejo y civilizado país como la Gran Bretaña, estas instituciones han invalidado gradual y prácticamente las antiguas formas de gobierno ordinariamente feudales, formando en cambio la estabilidad y grandeza de una nación, que es hoy la mayor potencia de la tierra. Deseo, pues, que usted prosiga viaje hasta su patria, y que tan pronto llegue a Londres se presente a la Cámara de los Comunes. Tome, lleve con usted estas muestras. Solicite ser oído desde la barra e informe que usted es diputado del Paraguay, la Primera República del Sur, y presente a esa Cámara los productos de este rico, libre y próspero país. Dígales que yo le he autorizado para invitar a Inglaterra a cultivar relaciones políticas y comerciales conmigo, y que estoy listo y ansioso de recibir en mi capital a un ministro de la corte de Saint James, con la deferencia debida a las relaciones entre naciones civilizadas. Una vez que ese ministro llegue aquí con el reconocimiento formal de nuestra Independencia, yo nombraré un enviado mío ante aquella corte.

"Tales fueron los términos casi textuales con los que El Supremo me arengó. Quedé atónito ante la idea de ser nombrado ministro plenipotenciario, no ante la corte de Saint James, sino ante la Cámara de los Comunes. Se me recomendó especialmente no entrevistarme con el jefe del ejecutivo, 'porque —adujo El Supremo— sé bien cuán inclinados son los grandes hombres de Inglaterra a tratar cuestiones tan importantes como ésta, sólo cuando la Cámara de los Comunes las ha debatido y resuelto afirmativamente'.

"Nunca en mi vida me enredé más en cuanto al modo de obrar o decir. Rehusar la quijotesca misión era provocar inmediatamente la ruina sobre mi desdichada cabeza y la de mi pobre hermano, si es que no las perdíamos antes bajo la cuchilla del verdugo. No quedaba más que aceptar. Así, lo hice, a despecho de la asfixiante sensación de ridículo que me oprimía cuando me veía ya forzando la entrada en la barra de los comunes; dominando con media docena de changadores al comisario del Parlamento, y entregando, a despecho de oposiciones y resistencias, a la vez los petacones de cuero con mercaderías paraguayas y el discurso, *verbatim*, de El Supremo. Pero Asunción estaba muy lejos de Saint James. Por consiguiente acepté el mandato, que no la propuesta, y me confié al azar de los accidentes en busca de una remota posibilidad de disculpa que me eximiera aceptablemente de culpa por no haber podido entrar con tan insigne honor y los petacones de cuero por la puerta que se me había indicado al otro lado del mar."

Vea, don Juan, le dije, vamos a hablar clarito. Estoy dispuesto a concederle el honor que me viene solicitando. Lo haré representante mercantil del Paraguay ante el gobierno de su imperio. Mi deseo es fomentar relaciones directas con Inglaterra, cosa que estimo de mutua conveniencia para ambos países; el suyo, la mayor potencia del mundo contemporáneo; el mío, la más próspera y ordenada República de estos nuevos mundos. ¿Le conviene a usted la canonjía? Se deshizo en alabanzas y agradecimientos. Mas, en ese mismo momento, como me ocurre siempre cuando enfrento a trápalas que me vienen con los papeles mojados, ya sabía yo que el obsecuente inglés no iba a cumplir nada de lo que él mismo se avanzó a prometer. Más aún; por el ruido de sus halagos *supe* que iba a engañarme. Pese a todo, no podía yo dejar de jugar esa carta. La misión Robertson era una manera de sondear, bajo bandera británica, la posibilidad de romper el bloqueo de la navegación forzando la arbitrariedad de los pícaros y sucesivos gobiernos del Río de la Plata, ya por entonces rendidos al vasallaje de la corona británica bajo el manto de un pretendido "protectorado". Me pareció inclusive una buena ocurrencia intentar sacar cocos del fuego por manos del inglés. No se merecían otra cosa los muy truhanes.

Quiero don Juan, díjele, clavándole las uñas en sus coronarias, que usted logre el restablecimiento de la libertad de comercio y navegación, despojada al Paraguay por Buenos Aires contra todo derecho. Estoy en las mejores condiciones de hacerlo, Excelentísimo Señor, me aseguró el traficante. Soy muy amigo del Protector y comandante de la escuadra británica en el Río de la Plata. Apenas hable con él, los buques paraguayos entrarán y saldrán sin ninguna dificultad, protegidos por los navíos de guerra del capitán Percy. Acordes, don Juan. Mi deseo es, sin embargo, que sus funciones no se limiten al ramo de comercio únicamente. Éste no será posible sin el previo reconocimiento por Gran Bretaña de la Independencia y soberania del Paraguay. Para mí será un honor, respondió el mercader, gestionar este justo reconocimiento y estoy seguro de que para mi país también será un motivo de orgullo enlazar sus relaciones con una nación libre, independiente y soberana como lo es el Paraguay, al que todo el mundo llama ya con justicia el *Paraíso del Mundo.* Grandes palabras descosen los bolsillos, don Juan. No se alucine usted con humo de pajas, que el Paraguay no es la Utopía que usted dice, sino una realidad muy real. Sus productos se dan en extensión ilimitada y pueden proveer todas las necesidades del Viejo Mundo. Según mis informes, la situación es ésta: La caída de Napoleón y la restauración de Fernando VII tienen trabucada la mente de los hombres de Buenos Aires. Alvear es ahora Director Supremo. Artigas ha vencido en Guayabos a los directoriales, que se han quedado sin dirección, a la deriva de los acontecimientos, luego de su expulsión de la Banda Oriental. Éste es el momento oportuno para que usted intente lo que le propongo. Armaré una flotilla de barcos cargados hasta el tope. Los pondré bajo su mando y usted no parará hasta la Casa Blanca, quiero decir hasta la Cámara de los Comunes, a presentar esos productos, sus credenciales y mis demandas del reconocimiento de la independencia y soberanía de esta República. ¿Estamos acordes? ¡Genial idea Excelencia!

Días después Robertson salió para Buenos Aires en su barco La Inglesita. General euforia. Halagüeñas perspectivas. Una primera operación de sondeo, sugerida por José Tomás Isasi. También a él lo dejo partir con dos bergantines abarrotados de productos.

Los *Apuntes* vuelven a confundir las fechas. José Tomás Isasi no partió con Juan Robertson, sino diez años más tarde, en el grupo formado por Rengger y Longchamp y otros extranjeros cuya salida fue autorizada por El Supremo, en 1825.

El insólito hecho tuvo su origen en una solicitud de Woodbine Parish, cónsul británico en Buenos Aires. En ella solicitaba al gobernante paraguayo la libertad de los comerciantes ingleses para salir llevándose sus bienes. El tácito reconocimiento de la soberanía del Paraguay por parte de Gran Bretaña, implicado en la petición de su encargado de negocios en el Río de la Plata, produjo su efecto, declaran en su libro Rengger y Longchamp. El Dictador Perpetuo accedió a que se marcharan no sólo los comerciantes ingleses sino también otros súbditos europeos, comerciantes o no, elegidos por él. Les extendió el salvoconducto y permitió que aparejasen los buques con la sola condición de que fuesen tripulados por extranjeros o negros. Les prohibió, además, que llevasen otros efectos y mercaderías que los adquiridos por su propio dinero. Lo que fue rigurosamente fiscalizado y cumplido. José Tomás Isasi, naturalmente, no sólo fue eximido de este requisito sino que disfrutó de las más amplias prerrogativas. "Pudo engañarme —diría más tarde su compadre— porque conspiraron a su favor dos circunstancias. Lo dejé partir para que nadie pensase que cedía a la necesidad o a la presión del inglés en favor de la libertad de sus compatriotas únicamente. Por otra parte, el felón de mi compadre, ¡maldita institución del compadrazgo!, utilizó además la tos de su hija como patente de traidor y de corso". Isasi nunca regresó al Paraguay. Remató su deslealtad con la burla de remitir tiempo después algunos barriles de inservible pólvora, única e irrisoria devolución del cuantioso desfalco. El indignado ex amigo trató de obtener a cualquier precio su captura. Decretó la confiscación de todos sus bienes, y un joven dependiente de su casa de comercio en Asunción, de nombre Gregorio Zelaya, fue fusilado tras juicio sumarísimo, al año justo de la fuga, el 25 de abril de 1826. A cada aniversario, un nuevo rehén era ejecutado en una especie de ritual que castigaba al culpable "in-absentia" —según el inmemorial simbolismo de tales sacrificios— en las víctimas más inocentes. El poder y los esfuerzos de años y años del Dictador resultaron vanos. Los enemigos de Artigas, asilado en el Paraguay, ofrecieron entregar a Isasi a cambio del ex Supremo de los orientales. Fue el único arbitrio que el Dictador Perpetuo rechazó con pareja indignación. Mandó fusilar sin proceso al portador de la oferta de trueque. Mas no por ello renunció a su obsesiva persecución del fugitivo, que desapareció como si lo hubiese tragado la tierra.

En cuanto a la "insinuada promesa" de reconocimiento oficial, libre navegación y comercio, Mr. Parish la demoró indefinidamente, luego que los viajeros traspusieron la "muralla china" por la Puerta del Sur en la Unión de las Siete Corrientes. A título de memorando y jugándose la última carta de su orgullo disfrazado de cortesía, el Dictador fletó otro buque con el solo objeto de conducir una nota al cónsul inglés. No fue muy política sin embargo; luego de vagas consideraciones sobre el buen fin del viaje de los liberados, resolló la nota por la herida: "Los súbditos de S. M. británica sólo han sobrellevado la misma suerte a que han sido condenados todos los habitantes del Paraguay en este inicuo bloqueo. Por último, no tienen ningún motivo de quejarse, pues ellos vinieron al Paraguay sin que nadie los hubiese llamado". El encargado de negocios británico hizo caso omiso al "insinuado" reclamo, y escribió al Dictador solicitándole ahora la libertad de Bonpland. La cólera de *El Supremo* estalló silenciosa pero definitiva: Devolvió el oficio en la misma carpeta sobre la que mandó pegar un burdo rótulo con letra de su amanuense que decía: "A Parish, cónsul inglés en Buenos Aires". Al mismo tiempo giró una lacónica circular a sus funcionarios de todo el país: "Jamás deben creer a los europeos, ni fiarse de ellos cualesquiera sea su nación y los objetivos que manifiesten traen. Cerrar la puerta en las narices a quien se asome, y si insiste con sus cargoserías, no decirle: Pase adelante, acción tiene, según el hábito de nuestra inveterada hospitalidad, sino darle con un palo en el hocico y gritarle bien por lo alto, ¡Fuera de aquí, sabandija!"

Del respeto y consideración que los extranjeros liberados siguieron sintiendo lejos del Paraguay por el Dictador Perpetuo —con la misma intensidad que los ciudadanos y extranjeros residentes en la Arcadia Paraguaya—, Rengger y Longchamp dan un insospechable testimonio, citado después por el cónsul de Francia en Buenos Aires, M. Aimé Roger: "El capitán Hervaux que fue autorizado a partir en uno de los bergantines del señor de Isasi, luego de un prolongado cautiverio en el Paraguay, murió en Buenos Aires en 1832. Durante los siete años que corrieron desde su libertad hasta su muerte, nunca pronunció ni oyó pronunciar el nombre de *El Supremo* (el único que aceptaba como título del Dictador Perpetuo) sin ponerse de pie y cuadrarse con fuerte ruido de tacos, llevándose la mano al sombrero. Un paraguayo huyó como polizón en otro bergantín. Le pregunté: ¿Por qué ha dejado el Paraguay? He sido soldado desde hace veinticinco años. ¿Es ése el único motivo de su fuga? El único, señor, desde hace veinticinco años. ¿Se sentía usted allá desgraciado? ¡No, señor, de ningún modo! Buena tierra, buena gente y sobre todo qué buen gobierno. ¡Pero veinticinco años!" *(N. del C.)*

Proporciono a Isasi cincuenta mil pesos en monedas de oro del erario para compra de pólvora y armamento de la mejor calidad. Me traiciona el inglés Robertson. Me traiciona doblemente el paraguayo Isasi. Debí sospecharlo cuando me pidió autorización para llevar con él a su mujer e hija. Celó arteramente sus designios, prevaliéndose de mi debilidad por la niña. ¿Para qué quieres sacrificar a tu familia en este penoso viaje? Es por mi hija, Señor. Sufre de tos ferina y el doctor Rengger asegura que el cambio puede sanarla. ¡Oiga cómo tose la pobrecita! ¡Día y noche, sin parar! Bueno, José Tomás, si se trata de la salud de mi ahijada, llévala. Cuídate al regreso. Ya no viajarás convoyado por los buques ingleses, y todavía está por verse si el cónsul británico cumple su insinuada promesa de negociar el tratado de comercio entre la Inglaterra y el Paraguay. Mala fariña me da este Juan Parish. Los ingleses son taimados. Mejor no confiar en ellos hasta que demuestren que son confiables. José Tomás Isasi, mi amigo, mi compadre, mi compañero de años, me escucha en lo bajo. Del altor de sus zapatos. Levanta hacia mí la niña que se me prende al cuello en un inusitado gesto de cariño, pues hasta ese momento ha demostrado hacia mí más vale cierto instintivo temor. La coqueluche no ha logrado disminuir la belleza verdaderamente angelical de la criatura. La ha transfigurado por el contrario en una expresión que tiene algo de sobrenatural. Acaso por contraste con la negra y aún no visible felonía de su padre. En una pausa de la tos, que le sofoca el aliento en las convulsiones, me da un beso en cada mejilla. ¡Adiós, padr...!, solloza, cortada la voz por un nuevo ataque. Instinto de los niños que adivinan las despedidas definitivas. La llevaron hecha un largo estertor de ahogo que la batahola del puerto asordinó en seguida. Lo último que vi de mi ahijada fue su rubio pelo brillar en un lampo al sol de aquella esplendorosa mañana de abril. Con una extraña aprehensión me sumergí en los febriles preparativos de la partida.

Al regreso de su penúltimo viaje, Juan Robertson pagó una parte de sus culpas. Mis peores enemigos, los artigueños, fueron los encargados de cobrarla y de propinarle el condigno castigo. Entre Santa Fe y la Bajada, los bandidos y salteadores del Protector de los Orientales, piratearon al pirata descendiente de piratas. Lo sometieron a terribles vejámenes. Lo estaquearon desnudo, de bruces contra la tierra. La chanfarria de tapes y correntinos se revolcó sobre él durante horas. Relato confuso de cosas vividas a medianoche. Soñadas a mediodía. No sé si fue sincero el gringo. Me gustaría leer la versión que da en su libro del episodio, si es que se anima a contarlo.

El episodio está relatado por los Robertson en *El Reino del Terror*. La supresión de ciertos repugnantes pormenores, atribuible más que a remilgos puritanos, al proverbial gusto inglés por la reserva y el decoro, tanto como a la distancia de los hechos narrados en mesurada prosa por los autores, no impide que su versión coincida en líneas generales con la que da *El Supremo*. *(N. del C.)*

En medio de mis reproches e insultos al inglés, se me filtró de pronto la melopea que él solía canturrear entre dientes durante las partidas de ajedrez o entre mis divagaciones sobre la estrellería, los mitos indígenas, la Guerra de las Galias o el incendio de la Biblioteca de Alejandría. There a Divinity that shapes our ends, Rough-hew them how we will! Oigo la voz de Juan Parish. La Divinidad Benéfica desbastó al fin su destino de la manera querida, *"how he will"* en los campos de la Bajada.

Los bandoleros de Artigas saquearon La Inglesita de pies a cabeza. Incluso los kepis y uniformes de gala pedidos por los militares de la Junta. Fajas, encajes, ruanes y madapolanes, joyas y perendengues para sus mujeres.

Por el tiempo de estos sucesos, ya no existía la Junta Gubernativa ni el Consulado, que la había sustituido. La dictadura temporal se hallaba en vísperas de convertir a *El Supremo* en Dictador Perpetuo. Los ex militares de la Primera Junta, en su mayor parte, se hallaban confinados o presos. *(N. del C.)*

Un tricornio, instrumentos ópticos y musicales, un telescopio, varias máquinas eléctricas, encargos que yo le había enlistado pormayorizadamente. Por supuesto, la dotación completa de armas y municiones que bajo un cargamento de carbón y trigo traía por mi orden para el ejército.

El trapo a rayas de su imperio no le sirvió para empuñar el mango ardiente de la sartén donde se tostaban las castañas. Cuando el efebo inglés despertó de su pesadilla presenció un divertido espectáculo improvisado en su honor. La banda de facinerosos artigueños, disfrazados con los uniformes de gala, los ornamentos y paramentos eclesiásticos, travestidos con las ropas y alhajas de las mujeres, bailaban a su alrededor una zambra de enloquecidos demonios, blandiendo sables y pistolas flamantes. Apostaban a gritos quién era capaz de degollarlo de un solo tajo. También Juan Parish Robertson, en aquel instante, como el viejo del cuento de Chaucer (y como me sucedió a mí hace poco) debió de haber golpeado con los puños las puertas de la madre tierra pidiéndole que lo dejara entrar. No sé qué es lo que en ese momento debió pensar Juan Robertson. Pensamientos nada reconfortantes de seguro. Corazón herido no ama cuchillo. Aunque un inglés trata siempre de ser intemporal, ya no estaba a su lado Juana Esquivel para restañar sus heridas y adormirlo con sus cánticos de cigarra.

Para peor de males, la noche antes de su partida, cuando el freír era aún el reír, su hermano lo había despedido con bromas y pantomimas algo proféticas. No se rían, señores, sobre todo usted don Juan, mi futuro cónsul comercial. Tanto escarba la gallina en busca de grano que al fin encuentra el daño. Dicho, predicho.

A Juan Parish lo salvó el flautín que solía tocar en nuestras reuniones. Cuando los vándalos bajadeños hicieron con él todo lo que se les antojó, descubrieron entre sus efectos el octavín doble. ¡Tocá la flauta!, le exigían a cada momento mientras los emperejilados captores lo llevaban amarrado al palo mayor de su propio barco a la comandancia de la ciudad. Con mis heridas y llagas todavía sangrantes, los sátiros disfrazados de mujeres, de curas, de militares, me exigían que tocara sin cesar el flautín, mientras ellos hacían retumbar el puente a mi alrededor con sus zarandeos y danzones de negros, refirió Juan Robertson buscando granjearse mi compasión. ¡Tocá la flauta! ¡Tocá la flauta!, me ordenaban a planazos, cada vez que se me cortaba el aliento. Me ahogaba, y en medio de la desesperación me agarré con dedos y uñas al instrumento. No tenía a qué asirme más que a esa pajita de sonido. ¡Le aseguro, Excelencia, que no hay nada más triste que entonar desafinadamente el propio réquiem en un flautín de mala muerte para alegría de quienes van a matarlo!

No murió Juan Robertson. ¡Maldito tarambana! No lo mataron los bandidos de Artigas. Por el contrario, supo revender bien caros sus tropiezos y sus trapos. Consiguió, bajo coacción de la escuadra británica, hacerse indemnizar con largueza el atropello de las hordas artiguistas. Con el salvoconducto que le otorgó el Protector de los Orientales, efectuó pingües negocios a lo largo de toda la costa, sacando el doble o el triple de lo que le saquearon. A precio de oro y desvergüenza vendió el traficante anglicano cada gota de sangre perdida en el módico gólgota bajadeño. Después cometió incluso la desfachatez de presentarse aquí, a pesar de haberle prohibido pisar nuevamente tierra paraguaya.

¡Lo que no puedo perdonar a usted, señor Robertson, es que se haya prestado vilmente a negociar con el director Alvear la venta de armas por sangre de paraguayos! El bribón porteño me ha ofrecido trocar hombres por mosquetes. Me ha ofertado 25 fusiles por 100 paraguayos. ¡Cuatro ciudadanos de esta libre Nación por una escopeta! ¡Infames mercaderes! ¡Éste es el precio en que han tasado el valor de mis compatriotas! ¡Y usted, a quien he dispensado honores y atenciones más que a ningún otro súbdito extranjero, es el que me trae la oferta! ¡Mercachifle de carne humana! ¡Negrero pirata, qué se ha creído usted! ¡Sepan que no hay oro en toda la tierra para pagar ni la uña del meñique del más inútil de mis conciudadanos!

Tímidamente, tal un gusano partido por el medio que habla a través de una grieta de la tierra, Juan Robertson intentó disculparse:

¡Yo no he hecho tal negociación, Excelencia! Sólo he accedido a que el director Alvear enviara en la valija postal de mi barco una carta sellada y lacrada dirigida a Su Excelencia. ¡Cobarde, además de hipócrita! ¿O no conocía usted el contenido de esa infame carta? No diré del todo que no, Excelencia. Algo me habló el general Alvear acerca de su propuesta en el fuerte de Buenos Aires. Me dijo que necesitaba sacar reclutas del Paraguay para reforzar las legiones del Río de la Plata. Yo anticipé al director Alvear que usted no se avendría a semejante negociación; que me constaba que Su Excelencia sólo canjea armas y municiones por árboles o yerba, por tabaco o cueros vacunos ¡jamás por pellejo humano! ¡Ah esto no lo toleraría bajo ningún concepto el Supremo Dictador del Paraguay!, dije al jefe del gobierno porteño, y me negué en redondo a mediar en esta negociación. Sin embargo, aceptó traer la infame carta en su barco. Usted no trae la carta. No. La trae la maleta de su barco. Fino ardid. Discreta coartada. Además se dejó robar las armas que yo le pagué por adelantado con un cargamento de mercaderías cien veces superior a su precio. Señor, me robaron todo lo que se puede robar a un hombre. Y más. Pero estoy dispuesto a restituirle íntegramente en dinero contante y sonante el valor de la mercadería robada. ¡Claro que lo hará usted hasta el último céntimo, con más las costas por daños y perjuicios! Pero no es esto todo. Entretanto, Artigas ha enviado copias de la carta secuestrada a los cuatro vientos para que todo el mundo se entere de que mis conciudadanos van a ser vendidos como esclavos. Lo siento en extremo, Señor. La verdad de los hechos será restablecida muy pronto. ¿No sabe usted aún que la verdad no existe y que la mentira y la calumnia no se borran jamás? Pero dejemos estas vanas filosofías. Sin embargo lo que quiero saber es cuándo me serán entregadas las armas bajo embargo. Siento decir a Su Excelencia que lamentablemente eso no podrá ser. Sírvase explicarme, señor Robertson, para qué entonces sirven los cañones de la escuadra británica, que a usted le han servido para reembolsarse con creces todo lo robado. ¿Por qué no ha insistido usted ante el cónsul de su imperio, ante su compinche, el comandante de esos barcos de guerra, que me sea devuelto lo que me pertenece? ¿No respalda esa flota el protectorado británico sobre el Río de la Plata? ¿Es incapaz de impedir que se cometan impunemente actos de piratería que han despojado a mi país de un armamento necesario para su defensa? Las armas, Excelencia, se consideran artículos de guerra, y en estos casos, el cónsul y el comandante británicos se abstienen de intervenir. Esto sería vulnerar la soberanía y libre determinación de los Estados. Su Excelencia lo sabe y tampoco estaría dispuesto a permitirlo en el suyo. No me salga usted ahora con tales zarandajas. ¡Ya estoy harto de taimerías impregnadas de flema inglesa! Así es que, en resumen y finiquito de toda esta barrumbada, sus comandantes y cónsules no pueden asegurarme el libre tráfico por el río que, según el derecho de gentes y de naciones, no es patrimonio ni propiedad exclusiva de ninguno de los estados limítrofes. Así es, Excelencia. Está fuera de sus facultades, lo lamento, Señor, pero así es. De modo entonces, señor negrero, que cuando se trata de la soberanía del Protectorado hay soberanía y cuando se trata de la soberanía de un país libre y soberano como el Paraguay, no hay soberanía. ¡Espléndido modo de proteger la libre determinación de los pueblos! Se los protege si son vasallos. Se los oprime y explota si son libres. Parece que ahora no resta más alternativa que apostar al amo inglés o francés y a los que vengan después. Por mi parte, no estoy dispuesto a tolerar semejantes marrullerías a ningún imperio de la tierra.

Vea, Robertson, usted y su hermano han sido recibidos bondadosamente en esta República. Se les ha permitido comerciar con la amplitud que les ha gustado. Han traficado en todo y contrabandeado de manga ancha hasta en la contrayerba y en mulatas.*

*Una de las *Cartas* es ilustrativa a este respecto. Transcribe ***verbatim et literatum*** la que el sargento escocés David Spalding (radicado en Corrientes después de desertar de las invasiones inglesas) escribe a sus amigos, los hermanos Robertson, reclamándoles el cumplimiento de una pequeña "deuda". La carta del sargento Spalding está fechada en la época de los sucesos ocurridos a Juan Parish en la Bajada, por lo que también resulta, en este aspecto, el "documento" de un testigo de vista, a pesar de su enrevesada sintaxis y ortografía.

He aquí los párrafos pertinentes de la carta escrita en inglés:

"Tengo verdadero pesar en comunicar a usted la novedad que acabo de recibir por el hecho que don Agustín, el patrón del bergantín de Ysasys {sic} {se trata de José Tomás Isasi} encontró a su hermano de usted en el río San Juan, como tres leguas avajo del puerto de Caballú Cuatiá, quien había sido yevado o debuelto por los soldados de Artigas que lo asaltaron en la Vajada cuando venía aguas arriba trayendo armas para El Supremo del Paraguay. El

Me ahoga la indignación. Saco la petaquita que me dio Bonpland con el bálsamo de Corvisart. Lo aspiro en forma de rapé (¡no estaba para tisanas!), repetidas veces, hasta que toda la cara y las manos se me bañan de una fosforescencia verdosa. Juan Robertson da un paso atrás, espantado. ¡Oiga usted! ¡Ha perdido su cara, Excelencia! ¡El descarado es usted, qué coños! No sólo usted y su hermano han vivido y comerciado aquí a su antojo. Muchos otros comerciantes ingleses lo han hecho. Cuando quisieron irse se fueron. Se llevaron fortunas. Usted y su hermano han hecho aquí una fabulosa fortuna. He procurado, como usted sabe, abrir relaciones directas entre su nación y este rico país. He querido nombrar a usted mi representante comercial, mi cónsul, mi encargado de negocios ante su cámara del común. ¡Y éste es el pago que recibo! ¡Cuando pido los artículos que necesito se me dice que sus autoridades no me pueden garantizar el libre tráfico de armas! ¡Cuando se han de consultar mis intereses, se me dice que lo destinado para mi República ha de quedar a merced de montoneros y degolladores, mientras los oficiales británicos escandalosamente pasan por alto mis justas reclamaciones! Sepa entonces que no permitiré más a usted, a su hermano, o a cualquier comerciante británico residir en mi territorio. No les permitiré más comerciar con trapos ingleses. Las palabras trapos ingleses me provocan grandes estornudos. Romadizo de repugnancia. Aspiro más rapé fosfórico. Por la ventana entran nubes de cocuyos. Los reviento a puñadas. Me refriego la cara, el cuello, con las tripas de los lámpiros.

25 de este mes pienso ponerme en camino para ese lugar, y si puedo prestarle cualquier servicio a él, haré todo lo que esté al alcance de mi poder y cortos recursos, y de allí saber cómo van las cosas.

"Envié de la costa del río para entregar a ustedes por don Enrique de Arévalo (apodado el Tucu-tucu), una cadena de oro, una cruz ídem, cuatro anillos ídem, de esos memoriales para regalos y otros quantos que valen menos de lo que pesan pero lucen muchísimo más de lo que valen. Sírvase decirme si los ha recibido o no, pues el embiado no es del todo de fiar en estas comisiones. La cadena de oro tenía dos yardas de largo, y sería una lástima que anduviera colgando donde no deve, muy más cuando todavía se me deve el precio de su costo.

"Espero que a la fecha habrán vendido ustedes mi muchacha mulata, y tendrá usted, ahora que su hermano está preso y ni Dios sabe cuándo lo soltarán, la bondad de enbiarme el precio della en yerva suave de la primera calidad y en la primera oportunidad." *(Robertson, Notas.)*

Me refriego todo el cuerpo con esta grasa luminosa. La habitación se llena de lívidos resplandores. Mi cólera arde del piso al techo. La racha de estornudos vuelca la urna funeraria donde guardo rape del Brasil. La sala se llena de una neblina negra moteada de amarillo. Lo se ahora que lo escribo. Entonces lo vio Robertson, descandelado por esos fulgores. Ante su empavorecido estupor tranqueo yo del revés y del derecho de una pared a otra, de una orilla a otra orilla, hecho una llama verde. ¡Llévense sus malditos trapos! ¡Trapos de innobles traperos! ¡Trapos infectados de tropas de pulgas, piojos y otras especies de insectos! ¡Para nada necesitamos aquí esa cascarria traposa! Usted y su hermano deben dejar la República en veinticuatro horas si es que no quieren dejar el cuero, cumplido este plazo. ¡Permítame, Excelencia, tenemos que aprontar nuestras pertenencias!... ¡No le permito nada! ¡Ustedes no tienen más pertenencias que el roñoso trapo de su existencia! ¡Sáquenla de aquí antes de que mis cuervos siracusanos picoteen sus británicas piltrafas! ¿Me ha entendido? ¡Eh? I beg yourd pardon, Excellency!... Shut up, Robertson! Guárdese su estropajosa lengua y mándese mudar. Usted y su hermano quedan expulsos y desterrados. ¡Disponen exactamente de 1435 minutos para soltar amarras y liberar a esta ciudad de sus pestilentes personas! ¿Me ha oído?

Se va el impostor alejándose de espaldas, agarrados los ojos a las hebillas de mis zapatos, a las hebillas de mis calzones, a las hebillas de mi paciencia. Vuelve hamacándose como si no pudiera soltarse de esa hebra que lo tiene preso en un tejido invisible. ¡Perdón, Excelencia! Perrunamente. Gañido arrastrándose por el piso, lamiéndome las suelas. ¡Robertson, le he dicho que se marche! ¿Hasta cuándo piensa que va a durar mi paciencia! ¡Márchese con Dios o con el diablo! ¡Pero márchese de una vez! ¡Vaya y diga de mi orden al comandante de su escuadra que es un bribón! ¡Vaya y diga de mi orden a su cónsul que es un redomado bribón! ¡Vaya y diga de mi orden al bribonazo de su rey y a la bribonaza de su reina que son los más consumados bribones que ha parido el planeta! ¡Dígales de mi orden que mi herrumbado bacín vale más, muchísimo más, que su roñosa corona, pero que no estoy dispuesto a trocarlo por ella! Y no le digo que vaya y diga de mi orden a los honorables miembros de su cámara del común que son unos bribones y redomados pillos, porque lo único respetable todavía para mí es el común, que representa al pueblo en cualquier parte, aun en el sucio agujero de su imperio. Alférez, lleva a este green-go-home al cuartel donde guardará arresto con el otro green-go-home de su hermano, hasta el momento de su partida. Da parte de mi orden al jefe de plaza para hacerla cumplir. Ko'ã pytaguá tekaká oñemosê vaêrã jaguaicha!.* Tiene exactamente 1341 minutos a partir de este instante para hacerlo. Como siete fogonazos, los siete relojes irguieron sus cuadrantes sobre la mesa enseñando sus filosas agujas clavadas en el mismo punto y dieron al unísono la hora. ¡Vamos, arrea a este lépero a la guardia! Luego vete a despertar al fiel de fechos. Dormido o muerto, tráelo. Voy a dictarle ahora mismo la sentencia de confiscación de bienes y expulsión. Juan Robertson se arrojó a mis pies sollozando una súplica en una desesperada y final tentativa de que les conmutara la pena. A una señal mía, el alférez lo arrancó de un brazo y lo sacó a empujones de mi presencia. Hasta que se apagó el ruido de los pasos, marciales del uno, arrastrados del otro, quedé inmóvil en medio de la habitación. La luz verdosa de mi persona se proyectaba en la obscuridad a través de la puerta. Salí a dar la consigna al centinela. Patiño llegó abrochándose los pantalones, cubiertos los ojos de telarañas. ¡Has tardado como siempre, bribón, una eternidad! ¡Señor, me acaban de llamar! Vete a seguir durmiendo. Mañana será el mismo día que hoy. Cerré las puertas y metí las trancas. Entré en mi cámara y me puse a escribir al cono blanco de la palmatoria.

* *¡Estos gringos de mierda deben ser echados como perros!*

En el trémulo destello de la vela se está quemando un insecto: Mi certeza en la ley del necesario azar. No es más que un insecto. ¿Ha entrado por las hendiduras? ¿Ha salido de mí? Una mosca, una curtonebra. La primera. ¿La primera? ¡Quién sabe cuántas habrán venido ya a espiar mi disposición a pactar, a capitular sin condiciones! En todo caso, la primera que veo. Negra emiseria, omisoria, emisaria de las animalias de la noche. Muy pronto comenzarán a invadirme. Por ahora una sola, en apariencia. La curtonebra insiste en quemarse. No puede. No es que no pueda quemarse la curtonebra. La llama del velón es la que no puede consumirla. El hedor del sebo y del insecto chamuscado llena la fosa de mi recámara. No puedo ventilarla ahora. No puedo sacar la mosca que se moja en el destello, como en otro tiempo sacaba las moscas ahogadas en el tintero con la punta de mi pluma-lanza. Pluma-memoria. El que se ahoga ahora soy yo. ¿Quién me sacará con la punta de su pluma? Sin duda, algún rastrero hideputa cacalibris, a quien desde ahora maldigo. Vade retro! La mosca se colorea de rescoldo. Aletea feliz. Se lustra las alas con las patas. Sus enormes ojos afacetados me observan. Diamante rojizo. Tornasolado en lo negro de distintos destellos. ¿¿Has salido de mí, hideputa!! La curtonebra me dispara uno de sus poliédricos ojos montados sobre resortes. Siento en mí el efecto de un cañonazo. Vae victis! Ha llegado el momento, ha pasado el instante, está por dar la hora, el minuto, la fracción de eternidad en que arrojo el cetro de fierro en la balanza que pesa el tesoro destinado al rescate de nuestra Nación.

¡Dominar la casualidad! ¡Ah locura! Negar el azar. El azar está ahí desovando en el fuego. Empolla los huevos de su inmortalidad no parecida a ninguna otra. De la temblorosa llama surge intacto el azar. En vano he tratado de reducirlo y ponerlo al servicio del Poder

Absoluto, más débil que el huevo de esa mosca. Lo conocerás como una fetidez, escribe-repite la pluma. Debe haber algo oculto en el fondo de todo. Viejo espacio, no hay azar. Viejo tiempo, tú eres el azar que no existe. ¿No? ¡Sí! ¡No pretendas engañarme ahora! El engaño ya no es tu negocio. Al menos conmigo. La vela huele a lo que perece y se acaba. Condenado a vivir en el corazón de una raza, también Yo estoy atado al naranjo de las ejecuciones. In-servible carroña. Hasta mis propios cuervos la desprecian con asco. Locura inútil. Alguien me dicta: Soplà la vela del ser por la que todo ha existido. A ver, prueba. Sopla. Soplo con todas mis fuerzas. El destello no se empaña en lo más mínimo. Únicamente el rescoldo obscuro de la mosca se aviva un poco. Muy poco. Casi nada. Nada. ¡Vamos! Prueba otra vez. Imposible. Estoy muy débil. Voy a intentarlo de otra manera; por el camino de la debilidad suma; por el camino de la palabra; por la vía muerta de la palabra escrita. Hazlo entonces esta vez, esta última vez, con la retórica más ñoña, más idiota posible. Ejecuta el ejercicio como si verdaderamente creyeras en él. La simulación debe ser perfecta. Tal la fórmula de los exorcismos más eficaces. Receta de conjuros, de conjuras. ¡Vamos! Escribe. Escribe mientras te observa regodeándose burlonamente la curtonebra.

Raza mía. . . (esto suena aún a sermón, a bando, a proclama. ¿Para qué, si ya nadie ha de leer lo que escribo; si ya no se ha de comunicar el pregón a golpe de tambor y corneta?). Raza mía, escucha de todos modos. Escucha antes de que se apague mi vela. Oye el relato que te haré de mi vida. Voy a decirte como verdad lo que voy a decirte.

Negado el azar por un anacronismo, de los muchos que empleo en mi batalla contra el tiempo, soy ese personaje fantástico cuyo nombre se arrojan unas a otras las lavanderas mientras baten montones de ropa limpiándola de la suciedad de los cuerpos. Sangre o sudor, lo mismo da. Lágrimas. Humores sacramentales, excrementales, qué más da. YO soy ese PERSONAJE y ese NOMBRE. Suprema encarnación de la raza. Me habéis elegido y me habéis entregado de por vida el gobierno y el destino de vuestras vidas. YO soy el SUPREMO PERSONAJE que vela y protege vuestro sueño dormido, vuestro sueño despierto (no hay diferencia entre ambos); que busca el paso del Mar Rojo en medio de la persecución y acorralamiento de nuestros enemigos.. ¿Que tal suena? ¡Como el mismisimo carajo! Ni el capón más tuerto de los muchos gallos que cantan a media noche queriendo despertar al alba antes de tiempo, ni el más ignorante de esos escribientes que escarban buscando la letra del pasquín en el Archivo, creería una sola palabra de lo que has escrito. Ni tú mismo lo crees. Bien, y qué cuernos me importa.

Hedor nauseabundo. Por las hendijas se filtra el ruido de los pasos del apagavelas; me vela su acatarrado estribillo: ¡Las doceee en puntoooo y serenoooo! ¡Aunque les dueeelaaaan las mueeelaaas voy apagandoooo las veeelaaas!... Gritos lejanos de los centinelas pasándose la consigna: ¡Indeeepeeenciaaa oooo muerteeeee!!! ¡Ah la costumbre que enmohece los hábitos y degrada lo más sagrado... *(Profundizar esto, si puedo...)*

Desandando años, desengaños, traiciones, malavisiones, José Tomás Isasi, contra su negra voluntad ladronicida, ha remontado el río a contracorriente. Lo he capturado al fin. Estaba obligado a hacerlo, así se hubiera fugado al confín del universo. ¿Por qué traicionaste mi amistad? Silencio de piedra. ¿Por qué robaste al Estado? Silencio de polvo. ¿Por qué traicionaste a tu Patria? Silencio de pólvora. Del Aposento de la Verdad lo arrastran al centro de la Plaza donde está encendida una hoguera con los barriles de la inservible pólvora que me envió. Símbolo de su felonía. La inútil pólvora amarilla ahora sirve por lo menos para quemar al bribón. Amarrado a un poste de fierro cumple la condena que he dictado contra él en el instante mismo en que su nefanda acción fue descubierta. Desde mi ventana lo veo arder. Hace diez años que lo veo arder allí. El humo de su carne achicharrada forma sobre su cabeza la figura de un monstruo de furioso oro que llora y llora implorando perdón. Sus lágrimas parecen gotas del oro derretido de los cincuenta mil doblones que robó del Arca. El dorado llanto no inspira ninguna piedad al gentío que presencia la ejecución. Más vale se siente envilecido de sólo escucharlo, de oír y ver que esas lágrimas amonedadas dispersas por el viento penden de las hojas de los árboles susurrando quejumbrosos píos. Nadie, ni siquiera los niños, hace el menor ademán de ir a coger esas plorantes gotas de negro oro reluciente. Un pequeño río de lava de negro oro reluciente rueda hacia la Casa de Gobierno, se cuela por las rendijas. Sus lenguas lamen las suelas de mis zapatos. Una partida de granaderos, húsares y otros efectivos de la guardia, acude en funciones de bomberos con baldes de agua y carretadas de arena. En un abrir y cerrar de ojos sofocan los ojos del incendio. Lavan la inmundicia de negro oro reluciente. Limpian los rastros de lava. Por largo rato, bajo el ruido de los zapatones-patria, quéjanse aún en las junturas del piso invisibles filamentos de ese lloro negro. A punta de sables, friegas de lampazos, refriegas de escobillones, lejía y jabón acaban con los restos lloradores.

Una muda presencia me distrae de la modorra. Me hace levantar los párpados. Antes aún de verla, *sé* que es ella. María de los Ángeles está ahí. Los brazos cruzados sobre el pecho. La cabeza levemente inclinada sobre un hombro, el izquierdo. Su mata de pelo dorado ceniza cayéndole en cascada hasta la cintura. Erguida sin altanería, mas tampoco sin falsa modestia; sin compadecer ni inspirar compasión. Desde una lejanía inalcanzable me mira fijamente. Enciende el viejo espacio muerto. ¿Has presenciado la ejecución de tu padre en la plaza? Sonríe. Ahora sólo el pulvinar del iris ha cambiado (muy poco) de color. Sobre el papel la pupila es casi garza. Me entero de todo en un instante que no cabe en el folio. José Tomás Isasi, resero en Santa Fe, murió pobre y enfermo. Caído del caballo, lo enterraron en el mismo lugar de su caída. Una india vieja te recogió y te llevó a Córdoba; después al Tucumán. Te veo, niña aún rondar la casa en que descansó y oró tu padrino Manuel Belgrano, después de sus batallas. El lugar donde comenzó su agonía; la posta convertida en su Huerto de los Olvidos. Entre los guiñapos de la túnica, veo en tu hombro izquierdo una mancha. Sé lo que es eso. Rastro de la vida montonera. El peso de la chuza, del fusil. Puedo calcular el tiempo que los ha cargado ese hombro de mujer. Una cicatriz en el cuello. Costuras hechas por las malas furias de la vida. A un viejo como yo, sin más calor que el de su desecamiento, tristeza cerca de persona querida mucho le enflaquece. Y ya no hay más por más que se busque.

He mandado ajusticiar a su padre porque robó el oro del Estado. Ella me trae el precio del rescate. De mi propio rescate, tal vez. Ahora sé lo que es socorro. Sólo ahora lo sé. ¿Por qué sólo ahora cuando el ahora ya no es más?

No hablas y te entiendo. Escribo y no me entiendes. Aun si pudiera salir de este agujero, yo no podría estar a tu lado. En otro tiempo anduvimos juntos. Un enorme caballo blanco y negro por mitades, interponía entre nosotros su mitad blanca, su mitad negra. Anduvimos lado a lado sin poder juntarnos, en edades diferentes. Por todas esas lejanías he pasado con persona mía a mi lado, sin nadie. Solo. Sin familia. Solo. Sin amor. Sin consuelo. Solo. Sin nadie. Solo en país extraño, el más extraño siendo el más mío. Solo. Mi país acorralado, solo, extraño. Desierto. Solo. Lleno de mi desierta persona. Cuando salía de ese desierto, caía en otro aún más desierto. El viento vuela entre los dos con olor de alguna lluvia cerca. ¡Cuánto querer poder querer! ¡No recibir más que temor, y uno acaba suspirando odio como si fuera amor! Cae la lluvia fuerte. Goterones sólidos. Cortina de plomo entre dos edades del universo. ¿Es el Diluvio? El Diluvio. Continuamos avanzando. Cuarenta días. Cuarenta siglos. Cuarenta milenios. Entre las grandes hojas y los monstruos mansos e inmensos, dos niños juegan. No se conocen. ¿Se han visto alguna vez? No se acuerdan. ¿Adán y Eva? No sé, no sé... No hemos aprendido aún a hablar. Pero ya nos entendemos. Jugamos entre los monstruos lentos y apacibles. Tú vas despertando uno a uno los pimpollos de seda negra del maíz-del-agua. Yo pateo una granada de angustifolia. Te llamo sin nombrarte. Te vuelves y miras. Dentro de la granadilla hay algo que se mueve. Semilla viviente. ¿Qué es? ¿Qué es? Ignoramos los nombres de las cosas, de los seres. Es cuando mejor los conocemos. Sus nombres son ellos mismos. Idénticos en forma, en figura, en pensamiento. Laten dentro de nosotros. Chispean afuera y en lo íntimo. Vemos aparecer un diminuto pichón. Plumaje metálico. Pequeñísima cabecita humana con ojillos de pájaro. Nuestras manos se juntan en el suave plumón. Lo sacamos de su encierro. Colibrí. Pájaro-mosca. Picaflor. El pájaro primigenio. Nuestro Padre Último-Último-Primero en medio de las tinieblas primigenias sacó de sí al colibrí para que lo acompañara. Habiendo creado el fundamento del lenguaje humano/ habiendo creado una pequeña porción de amor/ el Colibrí le refrescaba la boca/ el que sustentaba a Ñamanduí con productos del Paraíso fue el Colibrí... ¡Sí, sí, menudo trabajo de nuestro Padre Último-Último-Primero, poner los fundamentos del lenguaje! ¡Ah! ¡Sudaba gotas-colibríes! Ya está: ¡El famoso lenguaje humano! Entonces también nosotros hablamos. Millones de años después los holgazanes bribones de la filosofía y los escobones del púlpito dirían que no sacamos el lenguaje de una simple granadilla sino de una "ayuda extraordinaria". Ahora esa *ayuda extraordinaria* ya no me sirve. Te oigo y te comprendo por memoria. Lo demás, todo perdido. El inmenso caballo negro entre los dos.

Has llegado justamente hoy 12 de mayo, día de tu cumpleaños. Nada me queda que darte. Arrímate a la mesa. Toma de ahí ese juguete que sobró del reparto del año pasado. Representa los días de la semana girando sobre una rueda. Cambia de color y de sonido según los días. En la obscuridad, ciertos timbres permiten imaginar la figura y el color de cada día. Creo que el resorte se atascó en un domingo de tenebrio obscurus. Vino el armero Trujillo. Procuró componerlo. Dijo: ¡No puedo contra el ojo! Vino maese Alejandro. El barbero estuvo manipulando un buen rato con la navaja. De repente gritó y retrocedió: ¡Terrible lo que he visto! Vino Patiño. Llevó el reloj. Se sentó a su mesa de tres patas, puso los pies en la palangana. Estuvo hurgando con la pluma las fosas nasales del reloj que seguía en síncope. No pudo siquiera hacer girar las agujas. Patiño sólo puede hacer girar la noria de la escribanía, dar vueltas a la manija de la circular-perpetua. ¡Señor, este juguete está embrujado!, gritó. ¡Qué va estar embrujado! Ellos, esos mequetrefes, están embrujados. Su obscuridad de viejos los hace más temerosos que los niños. Cada uno ve en ella lo que cada cual es por dentro. ¡No echen la culpa a esa cosa inocente! No entendieron. Huyeron empujados por su miedo. Tampoco yo me ocupo más de dar cuerda a los relojes. Tómalo. Quizás tú puedas componerlo. Lo deja suavemente donde estaba. No lo quiere. Tal vez para ella el tiempo transcurre de otra manera. La vida de uno da siete vueltas, le digo. Sí, pero la vida no es de uno, oigo que ella dice sin mover los labios. Ya no es una criatura. ¿Qué puedo darte? Tal vez aquel fusil... Entre esos fusiles fabricados de materia meteórica, está el fusil que empuñé al nacer. ¡Ése, ése! Tómalo. ¿Lo llevas? ¡Lo lleva! En las historias que se cuentan en los libros no suceden estas cosas. Inspecciona el fusil atentamente. No parece del todo satisfecha. Coge el reloj de musica descompuesto. Lo pone en hora. Le hace dar su sonido. Doce campanadas. Mediodía del domingo. Color azul índigo. Te pregunto si piensas quedarte en la Patria. Eres la única migrante que ha vuelto. Es bueno que hayas dejado de montonerear a la zaga de esos pequeños atilas de las Desunidas Provincias, los Ramírez, los Bustos, los Disgustos, los López y demás bandoleros de baja calaña. No saben más que degollarse entre sí. Ensartar sus cabezas en las picas. Connivenciado con los maulas de aquí, el Pancho Ramírez quiere invadirnos. Su cabeza acabó en la jaula. Facundo Quiroga, el Tigre de los Llanos, también fanfarronea en los humos de una pretendida invasión. Lo desquijaran a pistoletazos en un carruaje de señorón. Nosotros somos los únicos que hicimos aquí la Revolución y la Liberación. Los paraguayos son los únicos que entienden, dijeron nuestros peores enemigos. ¿Eh? ¿Dices que no? Ya verás. Aquí tenemos la única Patria libre y soberana de América del Sur; la única Revolución verdaderamente revolucionaria. No te noto muy convencida. Para ver bien las cosas de este mundo, tienes que mirarlas del revés. Después, ponerlas del derecho. ¿Qué a eso has venido? Bueno, ah, bueno. Aquí yo debería escribir que me río con un poco de sorna. Sólo para disimular mi balbuceo. Te pregunto si querrías hacer algún trabajo útil. Éste es el rescate que debes pagar. Culpa no tienes ninguna. Condena que vale, legal, ya no puedo hacerte. Pena que cumple, legal, un tiro de arma, horca, todas esas zarandajas no puedo mandar contra ti. Apruebo, recibo, mucho aprecio doy a la prueba de tu palabra poca, de tu mucha voluntad. Cuando ha movido la mano, lentitud suma, movimiento que casi no parece, he creído que ella iba a disparar al fusil de mi nacimiento contra mi no-persona. Dudar, no dudé. Medio me entristecí apenas. Mas he de probarte un poco primero, le digo buscándole los ojos. Voluntad mucha, la mejor intención, no valen nada todavía si no obran. Debes empezar desde abajo; a veces lo más bajo es lo más alto. El fin de las cosas es según su comienzo. No hay jerarquías sino en la calidad de los logros. ¿Aceptas? Entonces quedas nombrada como directora de la Casa de Muchachas Huérfanas y Recogidas. No funciona desde que en 1617 murió Jesusa Bocanegra. Con todo y ser monja, demás de maturranga, la Bocanegra fue la primera montonera de la educación en estas comarcas. Anda ahora mismo a reorganizar la Casa. Haz que cumpla su función. Encontrarás por ahí a unas huérfanas mías. Si es que están todavía y no se han maleado por malos casamientos y esas tristes cosas que ocurren a las mujeres que han nacido para ser sometidas.

Cuando salí del Cuartel del Hospital, Patiño me trajo el parte de que la Casa de Muchachas Huérfanas y Recogidas se está convirtiendo en un gran prostíbulo. Hasta las peores mujeres de mala vida que guardaban prisión en las cárceles han sido llevadas, Señor, a esa Casa mala donde están gozando de buena vida. Casa-cuartel parece, de tan llena que está por las noches con los efectivos de urbanos, de granaderos, de húsares. Parrandean con las muchachas in cuéribus. Mucho más peor que las indias. He mandado un interventor, Excelencia. Lo han echado poco menos que a patadas. Dicen que una hembra brava, a la que nadie conoce, a lo menos nadie todavía la ha visto, es la que comanda el mujerío putero, un decir con su licencia, Señor. Sobre la puerta han clavado su Licencia en un papel firmado con su mismísima firma, Señor. Digo, sospecho, Excelencia, si no será otro pasquín perjurario como el que han puesto en la puerta de la catedral. He mandado poner espías, Señor. Sácalos. ¿Cómo, Excelencia? ¿No aprueba que vigilemos la Casa? ¡Saca a los espías, bribón!

Entra el provisor montado en un rollo de papel. ¿Qué le ocurre, Céspedes? Me siento muy preocupado por su salud, Excelencia. No es asunto que le incumba por ahora. Ya llegará el momento en que deba tomarse la molestia de echarme un responsito. Pensé que tal vez Vuecencia querría ordenar la venida de un sacerdote. Ya me la ha ofrecido usted. ¿No recibió la respuesta que le envié con el protomédico? ¿A qué ha venido, Céspedes, desobedeciendo mis órdenes? Pone el rollo bajo el brazo. Comienza a sobarse las manos. Lenta contradanza en torno al lecho. El sacramento de la confesión, Señor, como Vuecencia sabe... Un sacerdote... No, Céspedes, no necesito de ningún lenguaraz que traduzca mi ánima al dialecto divino. Yo almuerzo con Dios en la misma fuente. No como ustedes, piara de pícaros, en opíparos platos que luego sale lamiendo el diablo. El vicario tropezó con el meteoro. Le salían chispas por los oídos. Aguarde un momento, Céspedes. Tal vez tenga usted razón. Acaso ha llegado el momento para un ajuste privado de cuentas de mis públicos hechos con la iglesia. ¡Gracias a Dios, Excelencia, que Su Señoría ha resuelto recibir el sacramento de la confesión! No, mi estimado Céspedes Xeria, no se trata de sacramentos ni de secretamientos. Nada que confesar ni ocultar en cuanto a mi doble Persona. Ya se encargarán de eso los foliculanos con o sin tonsura. En cuanto a mi comportamiento con la iglesia ¿no ha sido generoso, magnánimo, bondadosísimo? Agréguele usted los superlativos que quiera. ¿No es así, provisor? Así es, Excelencia. Siempre se quedará corto en alabar la acción del Patronato del Gobierno sobre la iglesia católica nacionalizada de romana en paraguaya. Dejé a la iglesia que se gobernara por sí misma con entera libertad, sobre la base del Catecismo Patrio Reformado. A su paternidad le consta. Desde que Yo lo puse al frente de la iglesia como vicario general, cuando se dementó el obispo Panés, hace veinte años, usted ha venido manejando a discreción la industria del altar. Lo que resulta justo, pues segun el apóstol, los que sirven en los altares es de ellos de donde han de sacar el sustento. Lo que resulta injusto es que los servidores del altar saquen de esta industria ciento más que el sustento, conforme su paternidad también lo sabe. Su Excelencia ha dicho la pura verdad. Mi gratitud será eterna por su magnanimidad... No se apure, Céspedes. Vaya a llamar al actuario y vuelva. Quiero que estas confesiones entre Patrono y Pastor figuren en acta, sin secreto ninguno. Tal debería ser la esencia del sacramento de la confesión. Santificado no por el secreto sino por la fe pública. Pecado y culpa nunca se reducen a la conciencia o inconsciencia privada. Afectan siempre al prójimo, incluso al menos próximo. Por lo que he resuelto que este ajuste in extremis sea pregonado y difundido a mi muerte en todos los púlpitos de la capital, las villas y los pueblos de la República.

¿Cuáles son mis pecados? ¿Cuál mi culpa? Mis difamadores clandestinos de adentro y de afuera me acusan de haber convertido a la Nación en una perrera atacada de hidrofobia. Me calumnian de haber mandado degollar, ahorcar, fusilar a las principales figuras del país. ¿Es cierto eso, provisor? No, Excelencia, me consta que ello no es cierto en absoluto. ¿Cuántos ajusticiamientos se han producido, Patiño, bajo mi Reino del Terror? A raíz de la Gran Conjura del año 20, fueron llevados al pie del naranjo 68 conspiradores, Excelencia. ¿Cuánto duró el proceso de estos infames traidores a la Patria? Todo lo que fue necesario para no proceder a tontas y a locas. Se les otorgó el derecho de defensa. Se agotaron todos los recaudos. Podría decirse que el proceso no se cerró nunca. Continúa abierto todavía. No todos los culpables fueron condenados y ejecutados. Algunos se salvaron. Así fue como sólo después de quince años de su muerte, el inaugural traidor de la Patria en Paraguary y Takuary, Manuel Atanasio Cavañas, fue descubierto en la trenza de la conjura, y sometido a la misma condena que los demás. Porque eso sí, mi estimado vicario, aquí de la Justicia no se salva ningún culpable vivo o muerto. Entonces, dígame usted, provisor, contésteme si es que puede; le pregunto, considere, respóndase a sí mismo: Menos de un centenar de ajusticiamientos en más de un cuarto de siglo, entre ladrones, criminales comunes y traidores de lesa Patria, ¿es esto una atrocidad? ¿Qué podría decirme, por comparancia, del vandalaje de bandidos que hacen temblar con su cabalgata infernal toda la tierra americana? Saquean, degüellan, a todo trapo y a mansalva. Cuando han acabado con las poblaciones inermes, se degüellan los unos a los otros. Cada cual lleva atada al tiento de su montura la cabeza del adversario cuando ya la suya se le está volando de los hombros bajo el sablazo a cercén que la atará al tiento de otra silla. Jinetes decapitados galopando en charcos de sangre. Arreciando las distinciones y los límites, le diría que se han acostumbrado a vivir y a matar sin cabeza. Total, para qué la necesitan, para qué la quieren, si sus caballos piensan por ellos.

Arreciando las distinciones y los límites también le diría que, frente a esos atilas montaraces, me yergo humilde y me siento modesto. Jefe patriarcano de este oasis de paz del Paraguay, no uso la violencia ni permito que la usen contra mí. Digamos, en fin, aunque sea mucho y sólo por figura y movimiento de la mente, sentirme aquí un recatado Abraham empuñando el cuchillo entre estos matorrales del tercer día de la Fundación. Solitario Moisés enarbolando las Tablas de mi propia Ley. Sin nubes de fuego alrededor de la testa. Sin becerros sacrificiales. Sin necesidad de recibir de Jehová las Verdades Rebeladas. Descubriendo por mí mismo las mentiras dominadas.

Lado a lado, imposible compararme con ellos. Mas tampoco se me rebaja la honra aun si la transeúnte coincidencia con aquellos patriarcas fundadores la hubiéramos de establecer en relación de tiempo y lugar. Al fin de cuentas, también ellos tuvieron sus dificultades marcadas por nudos de cuarentenas. Moisés necesitó 40 años para conducir a su pueblo a la Tierra Prometida, y todavía andan vagando por ahí de sión en sión. Dimensión inalcanzable. El pobre Moisés pasó 40 días, que fueron otros cuarenta años, en el Monte Sinaí para recibir los 10 mandamientos que nadie cumple. Yo precisé menos tiempo; me han bastado 26 años para imponer mis tres mandamientos capitales y llevar a mi pueblo no a la Tierra Prometida sino a la Tierra Cumplida. Yo he logrado esto sin salirme del eje de mi esfera. Según la Biblia, el diluvio cubrió la tierra durante cuarenta días. Aquí, males y daños de toda especie diluviaron durante tres siglos y el Arca del Paraguay está a salvo. En el Nuevo Testamento se lee que Jesús ayunó 40 días en el desierto y fue tentado por Satanás.

Yo en este desierto ayuné 40 años y fui tentado por 40 mil satanases. No fui vencido ni me crucificarán en vida. Conque, ¡figúrese usted, provisor, si me preocupará la cábala cuarentaria!

Ustedes, tonsos clerigallos, hablan de Dios pintando sombras y bosquejando abismos en las ratoneras de los templos. No es creyendo sino dudando como se puede llegar a la verdad que siempre muda de forma y condición. Ustedes pintan a Dios en figura de hombre. Mas también al demonio pintan en figura de hombre. La diferencia entonces está en la barba y en la cola. Ustedes dicen: Jesús nació bajo el poder de Poncio Pilatos. Fue crucificado. Descendió a los infiernos. Al tercer día resucitó de entre los muertos y subió a los Cielos. Pero yo le pregunto: ¿Dónde nació Jesús? En el mundo, Céspedes. ¿Dónde trabajó? En el mundo. ¿Dónde pasó su martirio? En el mundo. ¿Dónde murió? En el mundo. ¿Dónde resucitó? En el mundo. Por tanto, ¿dónde están los infiernos? En el mundo, pues. El infierno está en el mundo y ustedes mismos son los diablos y diablillos con tonsura y la cola la llevan colgando por delante.

En la Biblia leemos que cuando Caín mató por envidia a su hermano Abel, Dios le preguntó: Caín, ¿qué has hecho de tu hermano Abel? Le preguntó, mas no lo castigó. Por lo tanto, si existe, Dios no castiga a nadie. El castigado es él, por enseñar la verdad. ¿Qué verdad? ¿Qué Dios? A esto es lo que yo llamo pintar sombras que nadie puede agarrar por largas que tenga las uñas, por más velas benditas que empuñen sus malditas manos.

Pese a todo yo no prohibí aquí ningún culto. Tampoco se me antojó crear el culto del Ser Supremo, que algunos débiles gobernantes tienen que entronizar en los altares abriendo el paraguas de la protección para el mañana. El Dictador de una Nación, si es Supremo, no necesita la ayuda de ningún Ser Supremo. Él mismo lo es. En este carácter lo que hice fue proteger la libertad de cultos. Lo único que impuse fue que el culto se sometiera a los intereses de la Nación. Promulgué el Catecismo Patrio Reformado. El verdadero culto no está en ir y venir, sino en comprender y cumplir. Obras quiero yo, no palabras, que éstas son fáciles y la obra difícil, no porque sea difícil obrar sino porque el mal original de la naturaleza humana lo tuerce y envenena todo, si no hay un alma de hierro que vigile, oriente y proteja a la naturaleza y a los hombres.

Lo que hice fue proteger la Iglesia Nacional contra los abusos de los que debiendo servirla y dignificarla la degradaban y envilecían con la relajación de sus vicios, la inmoralidad de sus costumbres. Ustedes los curas y los frailes vivían públicamente con sus concubinas. Lejos de avergonzarse, se vanagloriaban de ello. ¿Eh? ¡Ah! Ahí está el librejo de los Rengger y Longchamp. Testimonio en este aspecto insospechable. El prior de los dominicos, entre otros, cuenta Juan Rengo, le confesó alegremente en una reunión ser padre de veinticuatro hijos habidos con diferentes mujeres. ¿Cuántos ha engendrado usted, Céspedes? ¡Por Dios y la Virgen Santísima, Excelencia, me pone en un verdadero aprieto! Vuecencia sabe... Sí, que ha sementado más de cien hijos; la mayor parte, en las gentiles salvajes de Misiones, que usted tenía la obligación de cristianar, no de preñar. Muchos de estos hijos suyos revistan hoy en las tropas de línea custodiando fronteras. Más dignos que usted. Aquí, en la capital, no diré que mi vigilancia ha logrado volverlo casto. Al menos ha morigerado un tanto sus lujuriosos pujos. ¡Si todavía lo hiciera para desafiar las reglas del derecho canónico con las reglas del derecho de pernada! Los secuaces de la tonsura han enderezado aquí ambos derechos en la torcida sensualidad de sus bragas. Lo que no tiene disculpa. En 1525 Martín Lutero casó con una monja. Me casé, alegó don Martín, no por amor, sino por odio a unas reglas repodridas de vejez. Hubiera podido abstenerme, ya que ninguna razón íntima me obligaba a hacerlo. Pero di el paso para mofarme del diablo y sus esbirros, de los príncipes y de los obispos, de los inventores de estorbos, al comprender que ellos eran lo bastante locos como para prohibir el matrimonio de los sacerdotes. Con gusto provocaría un escándalo aún mayor, dijo don Martín, si supiera que hay otra actitud con la que puedo complacer a Dios y poner fuera de sí a mis enemigos.

No estruje el rollo, Céspedes. Acepte sus culpas como yo las mías. En esta confesión ex confessione hemos de absolvernos mutuamente. Excelencia, mi gratitud será eterna por su magnanimidad bondadosísima. Honor que me ha hecho de haber internado a estas pobres almas en la Casa de Muchachas Pobres. La Casa no se llama ahora así, Céspedes. Ya no hay pobres en el Paraguay. Usted sabe que por Auto Supremo la Casa se llama ahora de Recogidas y Huérfanas. ¿Qué son sino huérfanas, aunque estén vivos sus padres? Huérfanas, pero no pobres. Hijas adoptivas del Estado. Los hijos no tienen por qué cargar las culpas de sus padres.

Por otra parte, a usted también le consta, yo no confisqué los bienes, los conventos, las innumerables propiedades de la iglesia con el fin de heretizar el país. Lo hice para cortar las alas a los relajados servidores de Dios que en realidad se sirvieron de él en la crapulosa vida que llevaban a costa del pueblo ignorante. Por poco no paseaban por las calles sus gordas humanidades in puribus. Ya no regían para los tonsos regulares e irregulares ni siquiera el pudor y menos la vergüenza. Para qué el hábito talar si estos tales entraban a talar vientres por doquier y a cualquier hora. ¿Cómo bajaban al río los monjes para tomar su baño, Patiño? En cueros, Excelencia. ¿En algún lugar recoleto? No, Señor, hacia el desaguadero de la Lucha, en el riacho lleno siempre de lavanderas. Vea usted, Céspedes. A más de uno de sus secuaces, pirañas y palometas trozaron el miembro incélibe. Subían ensangrentados. Lo que al parecer no los condenaba al celibato forzoso pues al poco tiempo, como si les hubiese reverdecido el muñón, volvían a hacer de las suyas. ¿No debía tomar medidas el Gobierno contra estas inequidades? ¿Es esto haberse levantado contra Dios? ¿No era acaso protegerlo contra los agravios más negros de la clerigalla?

Cuando al obispo Panés se le prevaricó el cerebro, ¿qué hacía el dementado, Patiño? Por los días de aquella época, Señor, sabía venir a molestar a Su Excelencia todos los días queriéndole hacer creer que tenía enjaulado al Espíritu Santo en el sagrario de la catedral. Afirmaba que el Dios-Pájaro le dictaba sus pastorales y humillas, y que el obispo en persona era quien las copiaba con una de las plumas que arrancaba a las alas del Espíritu Santo. La última vez, a un nuevo pedido de audiencia, Su Merced me ordenó decir al obispo que si el asunto era hablar otra vez sin ton ni son del Palomo Trinitario, lo mandara asar y lo comiera. Que un buen pichón como ése tendría la suficiente virtud para sacarle de la cabeza todo el vapor de locura que había allí amontonado, y que si eso no bastaba para curarlo, que se buscara una querida como los otros frailes, que no iban a los bailes pero que se quedaban con la mejor parte. Salvo error u omisión en la cuenta, eso fue lo que pasó, Señor, y yo me lavo las manos. ¡Ah imbécil y malvado Patiño! Todo lo trabucas y confundes. Tienes la horrible palabra del idiota. No te mandé decir al obispo insano que asara el Palomo Trinitario y se lo comiera. Te ordené decirle que hiciera sajar en dos un pichón y se lo aplicara en forma de emplasto a la cabeza. Sabes muy bien que ése es el remedio que se usa aquí y en otras partes para extraer los malos humores del cerebro. Un pichón, cualquier pichón. ¡No el Espíritu Santo, sacrílego idiota! Lo de la querida fue agregado por ti, mulato irreverente, vocinglero canalla, en la burla a ese pobre viejo casi nonagenario. No te mandé que le dieras ese grosero mensaje. Te ordené decirle que yo no era un ocioso como él para recibirlo a cada rato, y que si quería que anduviésemos bien, se ocupara de sus asuntos, salvo que prefiriera ser relevado de la silla. Después se han avanzado a calumniarme de que yo lo hice envenenar con las botellas de vino de misa que le envié como obsequio. ¡Excelencia, por Dios, la sombra de esa duda ha quedado suficientemente aclarada! La muerte de S. Ilma. sucedió a causa de su mala salud y más que avanzada edad. Cuando murió el obispo, ¿qué encontraron en el sagrario? Telarañas, Excelencia. Vea usted provisor, ¡qué tenue el esqueleto del Espíritu! Yo no hice más que confiscar los bienes de la iglesia. Limpiarla de la horda impura que la poblaba. Limpié las ratoneras de los conventos. Los convertí en cuarteles. Mandé derribar y quemar los derruidos templos. Dejé intacto el culto. Respeté los sacramentos. Destituí al obispo demente. Lo puse en la silla a usted, que sin ser el mejor tampoco era el peor. Pues aun cuando el Gobierno ha dejado de ser católico debe seguir respetando la fe religiosa, con tal que sea honrada, austera, sin malicia, sin hipocresía, sin fanatismo, sin fetichismo.

Aquí, por culpa de ustedes los Paí, sucedió todo lo contrario. ¿Se acuerda, provisor, de los comandantes que hacían pedir imágenes de santos para guardar las fronteras? Acaba de ver usted lo que le ha querido hacer el cura de la Encarnación a la viuda de mi centinela Arroyo. Asuntos de estipendios. Ruines asuntos.

El Paí-cura es el que ha hecho adúltero a este pueblo leal. Lleno estaba de inocencia, de natural bondad. ¡Si por lo menos lo hubiesen dejado vivir en su primitivo cristianismo! Ya el Antiguo Testamento narra las iras de Jehová contra Jerusalén agusanada de escribas y fariseos. Narra las fechorías de los malos sacerdotes, de los falsos profetas. Si esto sucedía en los tiempos de Jehová con el llamado Pueblo de Dios, ¿qué miserias no iban a reinar en estas tierras que los católicos conquistadores y misioneros vinieron a reducir a un anticipado infierno para mayor gloria de Dios?

Al obispo Panés lo saqué de su silla en 1819, luego de muchos años de no querer cumplir sus obligaciones ni ejercer su ministerio. Su misma demencia, verdadera o simulada, no era sino el estado de su encono furioso contra los patriotas. ¡Ateo! ¡Hereje! ¡Anticristo!, ponen el grito en el cielo mis calumniadores clandestinos. ¿Qué hacen aquí abajo los curas? Nada más que espumar la olla de sus negras intenciones. Nadie conoce mejor que el cucharón el fondo de la olla. Des-ollé los cucharones de frailes y curas. Los saqué de sus madrigueras y cubiles de vergüenza y degradación. El comandante Bejarano, Excelencia, si me permite meter la cuchara, sacó por su orden los confesonarios a la calle y los repartió por la ciudad para garitas de los centinelas. ¡Lindos de ver, Señor, esos nichos de madera labrada y dorada de las calles! Los guardias sentados adentro, vicheando a través de los visillos de raso. Las puntas de las bayonetas caladas refucilando afuera a los rayos del sol. Muy satisfecho, riéndose difunteramente, Su Excelencia solía decir: ¡Ningún ejército del mundo tiene a sus centinelas en garitas más lujuriosas! Las mujeres seguían viniendo a arrodillarse ante las rejillas de los confesonarios-garitas queriendo confesar sus pecados. Denuncias. Quejas. Delaciones. Pleitos entre comadres. Alguno que otro grano quedaba a veces en el cedazo de la rejilla. El guardia-cura imponía la penitencia a las pecadoras en los zanjones y mandaba a los pecadores a la prevención más cercana. Un sin-juicio vino a confesar al centinela haber asesinado a Su Excelencia. ¡Yo quiero pagar mi culpa! ¡Quiero pagar mi crimen contra nuestro Supremo Gobierno!, gritaba para que lo oyera todo el mundo frente al Cuartel de los Recoletos. Le salía espuma por la boca. ¡Yo he matado a nuestro Karaí-Guasú! ¡Quiero pagar, quiero pagar, quiero pagar! ¡Quiero que me ajusticien! El centinela no sabía qué hacer con el loco. Vaya y dése preso en el cuartel. ¡No, yo quiero que me maten ahora mismo!, seguía gritando el loco. Saltó de donde estaba hincado. Se agarró a la bayoneta del guardia y la enterró en su pecho hasta la cruz. ¡Yo maté al Gobierno! ¡Ahora lo rematé!, fueron sus últimas palabras.

Es lo que digo, Céspedes. Tales son los endiablamientos que han producido en esta pobre gente los malos Paí. Todos practican el engaño. Luego intentan curar el quebranto, curar las heridas de mi pueblo diciendo: ¡Todo va bien! ¡Paz! ¡Paz! ¡Paz! Pero esa paz no existe por ningún lado. Los curas no pastorean hombres en los prados del Evangelio. Pastorean demonios. ¿No acaba de afirmarlo el propio papa de Roma? ¿No acaba de enfatizar sobre la pluralidad espantosa del diablo? ¡El mismísimo pontífice! ¿Cuántos demonios sabía usted, Céspedes, que existían en el Nuevo Testamento? Sesenta y siete, Excelencia. No, provisor, anda atrasado en noticias demonológicas. El papa en su última bula, reproducida en La Gaceta porteña, ha afirmado que hay miles de millones de demonios. ¿Lo ha oído usted? ¡Miles de millones! Han proliferado más que la especie humana. ¡Vea usted qué fertilidad espermática la de satán! Ahora cada pecador ya no tiene un solo pobre diablo sino millones de poderosos, rijosos demonios. ¡Qué puede hacer un solo ángel de la guarda contra tantísimos malignos! ¿Estamos pues todos condenados sin remisión posible a dar de cabeza en el infierno? ¿Qué hacer contra el Príncipe de las Tinieblas? Por de pronto, suprimir el resto del aparato eclesiástico, que ha demostrado no servir en la lucha contra satán sino para echar con tanto gasto el culo a las goteras, como vulgarmente se dice. Desde la erección de la iglesia en el Paraguay en 1547, la industria del altar ha producido tantas riquezas, que parece fábula para mejor reír. He echado cuentas minuciosamente. Con la mitad de tales riquezas pudimos comprar tres veces todas las Yslas de las Yndias del mar Océano que están debaxo del gremio del Señor componiendo el ynmenso Aprisco de la Fe, según dice la bula de erección. La bula íntegra no se ocupa más que de las mandas estipendiarias, salarias, arancelarias, prebendarias, canonjiarias, calendarias y demás beneficios de todo el personal que debía cobijar el ynmenso Aprisco de la Fe. De las rentas annuas, doscientos ducados de oro, asignados a la mensa episcopal, quedando facultado el obispo para aumentarla, ampliarla, alterarla libre, lícitamente, cuantas veces le pareciera conveniente en su diócesis. A la dignidad de deán, ciento cincuenta libras. A las de arcediano y chantre, ciento treinta pesos. A los canónigos, ciento. ¿Qué hacen estos anacoretas? El arcediano, Excelencia, toma el examen a los clérigos que se han de ordenar. El chantre debe asistir en el facistol y enseñar a cantar a los sirvientes del coro. A los canónigos les toca celebrar misa en ausencia del obispo, y cantar las Pasiones, las Epístolas, las Profecías y las Lamentaciones. Bueno, bueno, Céspedes. Como no hay más prelados, coros, facistoles, y ya estamos hasta la coronilla de pasiones, profecías, epístolas pasquineras, lamentaciones infames: suprimidos los cargos. Suprimidas las cargas. ¿Me ha entendido, provisor? Nada más de canonicatos, acolicatos, prebendados ni fascistones de ninguna especie. Igualmente suprimidas las indignidades de racioneros a razón de setenta pesos cada uno; de medio-racioneros a treinta y cinco rupias per capita. ¿Qué es esta canonjía de magistral? El que debe enseñar gramática al clero, Excelencia. Suprimido. ¿Y la de organista? El que tiene por obligación, Señor, tocar el órgano en las misas pontificales, a voto del Prelado o Cabildo. Es también el que con el deán ha de dar licencia a las personas que por causa de una necesidad expresa de sus órganos necesitan salir del Coro en el momento del Culto. ¡Vea, Céspedes, lo que se ha gastado desde 1547 a esta parte en esta gente yente viniente del coro al común! ¡Fuera! ¡Se acabó! A todos los ensotanados-ensatanados que hayan sobrevivido a la abolición de 1824, mándelos a trabajar en las chacras, en las estancias de la Patria. A los que por su edad o enfermedad no pudieran, intérnelos en los hospitales, asilos, casas de salud o de orates.

El único organista de verdad que surgió en el Paraguay, Modesto Servín. Tómelo como ejemplo, Céspedes. ¡Un genio! Jamás costó un real al Estado. Come su alma. De eso vive, y da a los más necesitados las mandiocas y maíces de su chacra, plantados por sus manos. Pudo ser organista en la Basílica de San Pedro. Prefirió ser fiel a su Patria tocando en el pobre templo de un pueblo de indios. Organista de Jaguarón. Maestro de primeras letras. Santidad última. El lugar donde nació ya debía estar consagrado. Suprimido el cargo. El que toque el órgano, que lo haga por gusto, con arte y por amor al arte al igual que Modesto Servín.

¿Hay más indignidades y oficios-desquicios eclesiásticos, Céspedes? Hay, Señor, el de pertiguero, el de mayordomo o procurador, el de tesorero, cuya misión es mandar cerrar y abrir la iglesia; hacer tocar las campanas; guardar todas las cosas del servicio; cuidar de las lámparas y cálices; proveer el incienso, luces, pan y vino y demás cosas necesarias para celebrar. Luego, Excelencia, la dignidad de perrero, el cual ha de echar a los perros fuera del templo y ha de barrer la Casa de Dios los sábados y vísperas de las fiestas que traen vigilia. ¿Cuánto le ha asignado la Erección al mariscalato de los perros? Doce libras de oro, Excelencia. ¿Sabe usted, provisor, cuánto gana un maestro de escuela? Seis pesos más una res vacuna por mes. ¿Sabe cuánto gana un soldado de las tropas de línea? Lo mismo, más el vestuario y equipo. Mande a los perreros a trabajar en comisión con los efectivos de urbanos en las batidas annuas de perros de la ciudad, villas y pueblos. Ya están trabajando en eso, Excelencia. Desde la Reforma de la Iglesia introducida por el Supremo Gobierno, los perreros colaboran en la batida y cacería de perros y son los encargados de sacrificar a los canes rabiosos que cada año son más en cantidad. ¿Cuánto gana usted, Céspedes? La dote y mensa del obispo por sede vacante, Señor. Más las de arcediano, chantre y canónigo. Más las raciones enteras y medias raciones que me corresponden por sustentar la carga del Hábito Pontifical y la Administración de nuestra Iglesia. ¡Me parece una barbaridad! Desde hoy percibirá usted la paga de un oficial del ejército. Todos los curas, cualesquiera sean sus oficios y maleficios, recibirán un salario igual al de los maestros de escuela. ¿Le parece bien, provisorio? Usted lo ha dicho, Excelencia. Acátese su Voluntad Suprema. ¿Qué hay de la llegada del nuevo obispo? ¿Nuevo obispo, Excelencia? No se me haga el desentendido, Céspedes. ¿O es que teme perder su silla bacante? No es eso, Excelencia; sólo que no tenía ninguna noticia de la llegada de ningún nuevo obispo. No es nuevo sino muy viejo. Se trata del opulento clérigo Manuel López y Espinoza, designado por el papa el año 1765. ¡Imposible, Señor! El doctor don Manuel López y Espinoza, nombrado obispo de esta Diócesis el año que Vuecencia menciona, tendría ahora más de ciento cincuenta años. Debe de haber muerto hace mucho tiempo. No, Céspedes. Estos obispos matusalénicos no mueren. ¿No finó el obispo Cárdenas a los ciento seis años? López y Espinoza está tardando en llegar porque lo transportan en silla de mano desde el Alto Perú. Viene acompañado por un ejército de familiares y esclavos. Trae consigo las cuantiosas haciendas que tenía en Trujillo, en Cochabamba, en Potosí y en Chuquisaca. Ganado. Carretas cargadas de lingotes de plata. Opulentia opulentissima. Lo último que he sabido de él es que ha desviado su lenta marcha por el Gran Chaco, abandonando la antigua ruta de Córdoba del Tucumán por temor a las guerrillas del Norte. He estado aguardando todo este tiempo su llegada. Indios guaykurúes adiestrados, soldados baqueanos, mis mejores vaqueros rastreadores patrullan desde hace años en su búsqueda todas las rutas probables del Chaco. Estoy seguro de que la silla gestatoria-migratoria llegará a Asunción, aunque más no sea con el petrificado esqueleto de López Espinoza sentado en ella. No me interesa el írrito viejo. Desde ya, Céspedes, puede usted contar con la mitra, el báculo del prelado sesquicentenario, si aún continúa vivo. Si no lo está, encárguese de dar cristiana sepultura a la osamenta viajera cuando arribe a nuestras costas. Los bienes que traiga el patriarca episcopicio serán incorporados al patrimonio nacional, los que sumados a los ahorros que acabamos de hacer con el personal de la iglesia, podrán costear por sí solos el gran ejército que tengo proyectado en defensa de la soberanía de la Patria.

La Yglessia del Paraguay, verdadero Grano de mostaza en estas ynmensidades, apenas brotada en tierra tan bien regada, se desarrolla explendorosamente cual frondosissimo Arvol en cuyas ramas Aves del Cielo de todos los colores y plumages han anidado preciosissimas y sin cuento, reconocen con celestial encanto los primeros informes a poco tiempo de la Erección. ¡Vea usted cómo ha crecido el grano de mostaza! ¡Demasiadas aves de rapiña entre sus ramas! Vamos a proceder de modo que el frondosissimo Arvol se enmiende consigo mismo: que el follaje empapado de amor sirva para algo más que albergar pájaros de cuenta. Punto.

¿Debió haber permitido Dios que se cometieran todas estas iniquidades? ¿Eh? Se lo pregunto a usted que se titula su ministro. No, Excelencia, la verdad es que no debió haberlas permitido. ¿Qué piensa usted que es Dios? Yo, Excelencia, pienso que, según el Catecismo Patrio Reformado, Dios Justo, Dios Omnipotente, Dios Sabio es... ¡Alto! Se lo voy a decir yo sin tantas jacarandainas: Dios es quien es definitivamente. El demonio, lo contrario. ¡Excelencia, es la mejor definición de Dios que haya oído en mi vida!

Vayamos ahora a un pequeño examen. ¿Cuál es la primera pregunta del Catecismo? Con todo gusto, Excelencia. La primera pregunta es: ¿Cuál es el Gobierno de tu País? Respuesta: El Patrio Reformado. La segunda pregunta, provisorio. La segunda, Señor, es: ¿Qué se entiende por Patrio Reformado? Respuesta: El regulado por principios sabios y justos, fundados en la naturaleza y necesidades de los hombres y en las condiciones de la sociedad. La tercera. La tercera pregunta, Excelencia, es... es... ¡Sí! La tercera pregunta es: ¿Cómo se prueba que es bueno nuestro sistema? Respuesta: Con hechos positivos... Se ha equivocado usted, provisorio. Esta respuesta corresponde a la quinta pregunta. El hecho positivo es que usted anda mal de la memoria. Me obliga usted a que le rebaje el sueldo a la paga de sub-teniente. Sea más frugal y recobrará la memoria. Los encantos de la frugalidad no se pagan con oro. La verdadera santidad no es la fingida. No es la que se oculta bajo la tonsura cuyo tamaño es el de un real de plata, según lo estableció la Erección, como unidad monetaria de los estipendios. ¡Si esto es religión que venga el diablo y lo diga! ¡Qué diferencia entre los malos servidores de la religión y los que la sirven en pobreza suma, en total renunciamiento! Éstos ven a Dios en el prójimo, en el semejante. Tanto más vívidamente, cuanto más pobre, más sufrido es éste. Aquí tuvimos un ejemplo. El P. Amancio González y Escobar, el cura fundador de los pueblos melodiosos del Chaco. No tengo, señores, otros bienes que la pobreza, parte de mi religión, escribió antes de morir. Esta cuja me la prestó un hermano. Este colchoncillo me lo cedió la piedad de una anciana. Aquella tinaja me la fabricó un indio. Esta caja, un vecino honrado. Esta mesa, este reclinatorio, un ebanista leproso, fabricante de instrumentos. Mando que sean restituidos a sus dueños los pobres, en tanto yo restituyo la vida a quien la debo. No hay en mi choza otros expolios que los que hará la muerte en el saco de mi cuerpo. Únicamente mi alma es de Dios. Esto dijo con sus palabras y sus actos el padre Amancio. Evangelizó a los indios en la misma medida en que los indios lo evangelizaron a él. Ésta es la lengua que habló el curita melodioso de Emboscada. La entendieron todos. Lengua de apóstol. Usted, Céspedes Xeria, no es creyente. Sin embargo habla como si lo fuera. A mi manera, yo tengo cierta fe en Dios, de la que usted carece. Para mí no existe un consuelo religioso. Sólo existe un pensamiento religioso. Para usted sólo existen el premio y el castigo, que no tienen sentido después de la muerte. Salvo que la vida pueda dar un sentido a la muerte en este mundo sin sentido. No lo tiene o no entendemos este sentido porque no es forzoso que el sentido del mundo sea el de nuestra vida. Nuestra civilización no es la primera que niega la inmortalidad del alma. Pero sin duda es la primera que niega importancia al alma. Después del combate, dice uno de los Libros más antiguos del mundo, las mariposas se posan sobre los guerreros muertos y los vencedores dormidos. Usted, Céspedes Xeria, no es de esas mariposas. Si la iglesia, si sus servidores quieren ser lo que deben ser, tendrán que ponerse algún día de parte de los que nada son. No sólo aquí en el Paraguay. En todos los lugares de la tierra poblados por el sufrimiento humano. Cristo quiso conquistar no sólo el poder espiritual. También el temporal. Derrocar al Sanhedrín. Destruir la fuente de los privilegios. Quebrar la frente de los privilegiados. Sin esto, la promesa de la bienaventuranza, papel pintado. Cristo pagó su fracaso en la cruz. Pilatos se fue a lavar los platos. Sobre este fracaso inicial los falsos apóstoles descendientes de Judas erigieron la falsa religión judeo-cristiana. Dos milenios de falsedades. Pillaje. Destrucción. Vandalismo. ¿En esta religión debo creer? Desconozco a este Dios de la destrucción y de la muerte. ¿A un Dios desconocido debo confesar mis pecados? ¿Quiere que me ría a carcajadas? No, Céspedes. ¡Déjese de bromas fúnebres! ¿Tiene algo más que decir? Sólo he venido humildísimamente, Señor, a testimoniar a Vuecencia la gratitud y fidelidad de la Iglesia Paraguaya a su Patrono Supremo. Con asentimiento y consejo de mis hermanos en religión, me he permitido traer para someter a su examen la Oración Fúnebre que el Padre Manuel Antonio Pérez, nuestro más brillante Orador Sagrado, ha de pronunciar en las exequias de Su Señoría... digo, cuando llegue el momento, si es que llega, y si Su Excelencia se digna aprobarla. Ya llegó ese momento, Céspedes. Ya ese momento es pasado. Lleve el pasquín funerario y péguelo con cuatro chinches en el pórtico de la catedral. Allí, las moscas que ganan batallas serán sus más devotas y puntuales lectoras. Corregirán su puntuación y sentido. Ahorrarán trabajo a los historiadores. Ego te absolvo... *(roto, quemado, lo que sigue).*

(En el cuaderno privado)

Muchísimo peores, más indignos, los funcionarios civiles/militares. Por lo que en este punto, al menos, el decretorio papelucho de la condena cierta razón tiene al proponer pena de horca para todos ellos. Me ha venido a recordar algo que debí obrar sin demora.

En treinta años mis venales Sanchos Panzas me han dado más guerra que todos los enemigos juntos de adentro y de afuera. Bastaba mandarles con medidas precisas que hicieran avanzar la Revolución en el sentido de su órbita, para que estos marmitones trabucaran mis órdenes. Todos mis planes. Hicieron avanzar hacia atrás el país a patas de la contrarrevolución retrógrada. ¿Son éstos los jefes que yo crié, los patriotas en que creí? Debí obrar con ellos lo que obré con los traidores de la primera hora.

La Revolución-revolucionaria no devora a sus verdaderos hijos. Destruye a sus bastardos. ¡Cáfila de truhanes! Los he tolerado. Quise rehabilitarlos en funcionarios dignos. Albergué cuervos que me salieron herederos. ¿No se han burlado a mis espaldas haciendo de mí el más mísero de sus compinches? Han convertido cada departamento del país en una satrapía donde obran y mandan como verdaderos déspotas. Sumidos hasta la coronilla en la corrupción han contrabandeado mi poder con su fofo contrapoder de abyecciones, obsecuencias, mentiras. Han contrabandeado mis órdenes con sus desórdenes. Han limado mis uñas con sus papeladas. Se burlan en sus adentros del viejo loco que se alucinó creyendo poder gobernar el país con nada más que palabras, órdenes, palabras, órdenes, palabras.

Ninguna necesidad de mantener a esta pérfida gente. Ninguna necesidad de un contrapoder intermedio entre Nación/Jefe Supremo. Nada de competidores. Celosos de mi autoridad, sólo se empeñan en minarla en beneficio de la suya. Cuanto más divida mi poder, más lo debilitaré, y como sólo quiero hacer el bien, no deseo que nada me lo impida; ni siquiera el peor de los males. ¿Me conformaré ahora, cuando ya apenas puedo moverme, en ser subalterno de cien déspotas de mi Nación? Convertido en personaje inútil, mi inutilidad ha dado cien amos a mi pueblo. Lo ha hecho en consecuencia víctima de cien pasiones diferentes en lugar de gobernarlo con la única obsesión de un Jefe Supremo: Proteger el bienestar común, la libertad, la independencia, la soberanía de la Nación.

A racha de hacha voy a talar este bosque de plantas parásitas. Tiempo no me sobra. Mas tampoco ha de faltarme. Produzco mi rabia. Debo contenerla. La letra me sale temblando en lo demorado. Me hace doler el brazo. Disparo mis órdenes-palabras al papel. Tacho. Borro. Me agazapo en la testadura de lo secreto.

No mandaré al sol que se pare. Me basta disponer de un día más. Un solo antinatural día en que la misma naturaleza parezca haberse pervertido ayuntando el día más largo con la más larga noche. ¡Suficiente! No necesito más para destruir a esos sabandijas. Jefes, magistrados, funcionarios ¡bah! El mejor de ellos es todavía el peor. Los mismos que en un superior progreso hacia arriba hubieran podido ponerse a la cabeza de la República, bajando hacia lo más bajo han terminado en una fístula.

Meditadas las circunstancias, todo concurre a asegurarme que voy a re-presenciar las cosas. No a re-presentarlas. Sin apuro. Caer de pronto sobre ellos a la velocidad del rayo. ¡Fulminarlos! Cuestiones a considerar de inmediato: Exterminar la plaga; no ahuyentarla con el alboroto que se usa para las langostas. Obrar suavemente. Si ordeño leche sacaré manteca. Si me sueno recio las narices sacaré sangre. Espantáranse los bárbaros. Por ahora despabilar las velas sin apagarlas. Traer las cosas a vías de hecho juntando las mazorcas bajo la horca. Hacer aparecer todo lo oculto. Quidquid latet apparebit. Caza quien no amenaza. Voy a empezar por el falsario que tengo más a mano; mi amanuense y fiel de fechos que anda tejiendo sus maquinaciones e intrigas para alzarse en cuanto pueda con el gobierno provisorio de fatuos. Nada más que un toquecito de corriente voltaica en las zonas sensibles del batracio-actuario.

Seamos justos eh Patiño. ¿No te parece después de todo que el pasquín tiene razón? ¿Cómo, Excelencia? Cuando no estornudas te duermes. No dormía, Señor. Únicamente tenía cerrados los ojos. Así, a más de oír, *veo* sus palabras. Estaba pensando en esas palabras que usted me dictó el otro día cuando dijo que, viva o muera, el hombre no conoce inmediatamente su muerte; que siempre muere en otro mientras abajo está esperando la tierra. No es eso exactamente lo que te dicté, pero es exactamente lo que te pasará a ti dentro de no mucho más que muy poco. Te he preguntado si no te parece que el pasquín tiene razón. No me parece que un pasquín pueda tener razón, Señor. Cuantimás si es contra el Superior Gobierno. ¿No te parece que debí haber mandado a la horca a todos los que dicen servir a la Patria cuando lo único que hacen es robarla a discreción? ¿Qué opinas tú, mi fide-indigno? Usted sabe, Excelencia. Tú no sabes que yo sé. Mas yo sé que tú no sabes todo lo que debería importarte. Si los bribones-ladrones supiesen las ventajas de la honradez tendrían la pillería de hacerse honrados a tiempo. ¿De qué te asustas? ¿Eres uno de ellos? Soy su humilde servidor nomás, Excelencia. Estás temblando entero. Tus pies acuátiles hacen crujir la palangana por debajo de su línea de flotación. Crujen tus dientes. ¿O es que de pronto te han agarrado a ti también las convulsiones de la alferecía? Te otorgaré el ascenso póstumo de alférez de la muerte-en-pie; mejor dicho, de la muerte-colgada. No intentes sigilar tu miedo. Por más que trates de medirlo, de achicarlo, siempre será más grande que tú. No es dueño de su miedo sino quien lo ha perdido.

Lupa en ristre cavas en la escritura panfletaria. Quisieras poder enterrarte en ella ¿no?; encontrar un sustituto; *ver* a ese alguien que ha de morir por ti. Lo sé, mi pobre Patiño. Morir, ah morir, sueño muy duro hasta para un perro. Más, para los que como tú ganan su vida con la muerte de los otros. Estás inmensamente gordo. Eres ya una entera pella de sebo. Mi presunta hermana Petrona Regalada podría fabricar con tu vil persona más de mil velas para la catedral. Otras tantas velas viles para el alumbrado. Regala a mi velaria hermana tu cadáver. Lo convertirá en candelas para tu propio velatorio. Por lo menos después de muerto serás el fiel de fechos más alumbrado que haya tenido a mi servicio. Obséquiale esa mole de sebo que es tu persona. Pero hazlo legal, por escritura pública, ante testigos. Eres de los que hacen trampa hasta después de muertos. No sé cómo se amañarán para colgarte cuando te llegue el turno. Van a tener que izarte con un torniquete. Las sogas de tu hamaca bastaron para ti. Te adelantaste al verdugo ahorcándote tú mismo para no tener que dar cuenta de tus traiciones y ladronicidios. Esa cosa pesada que cargabas en la boca, la adulación-traición, facilitó el trabajo del lazo. Tu apuro no te dejó tiempo de escribir con carbonilla en las paredes de tu celda versitos de despedida por el estilo de los que algunos escribas atribuyen a mi pariente Fulgencio Yegros como escritos antes de su ejecución. El refulgente caballero de lazo y bola, ex presidente de la Primera Junta y posteriormente traidor-conspirador, sabía dibujar su firma apenas. Pudiste imitar el apóstrofe-dicterio que el Cavallero-bayardo garabateó con el índice tinto en su sangre. Se abrió las venas con la hebilla de su cinturón que utilizó luego para ahorcarse, según se sigue mintiendo en las escuelas públicas siglo y medio después. No para honrarlo a él, hasta como traidor y conspirador, sino para denigrarme a mí. Repítela. ¡Vamos! Rebuzna ese engaño que hoy se enseña en las escuelas. Bien sé que el suicidio es contrario a las leyes de Dios y de los hombres, pero la sed de sangre del tirano de mi patria no se ha de aplacar con la mía... ¡Señor, Vuecencia no es un tirano! Hay varias versiones de este embuste póstumo. Puedes elegir la que quieras. Inventar otra más afectada aún antes de perder la memoria en el lazo. Sudor o lágrimas chorrean sobre el promontorio de tu barriga. Te estás dando a todos los diablos. Ya lo dijo el papa. ¡Tantos demonios rondando a un solo individuo, más indigno que todos ellos juntos!

Haz lo que hicieron los pobladores mulatos de Areguá, por consejo de los mercedarios, cuando se sintieron atacados por un malón de demonios. Les levantaron una casa para que dejaran de alborotar las suyas. Los luzbeles, luciférez, lucialférez, belcebúes, mefistófeles, anopheles, leviatanes, diablesas-hembras y los lémures de tres sexos, que el Dante no registró en sus círculos infernales de la demonología medieval, se lanzaron feroces contra el pueblo de Areguá. Continuaron sus tropelías porque la casa que les levantaron no les pareció suficientemente digna ni cómoda. Hasta que misia Carlota Palmerola les levantó a orillas de lago Ypacaray un palacio de mármol que se conserva hasta hoy. (*Al margen*: Dictar el Decreto de confiscación de este edificio abandonado que pertenece al fisco por derecho de aubana.) Sólo entonces se calmaron exigiendo únicamente los cachidiablos que las mujeres les llevaran comida y las diablesas que los negros y mulatos garañones más fornidos fueran de ronda por las noches a sus alcobas. Precio que los primeros aregüeños oblaron de muy buena gana. Por un tiempo Areguá conoció su época más feliz. Lo malo de la felicidad es que no dura; lo bueno de las orgías, que cansan pronto a hombres y diablos. Luego de aquellos cien días de lujuria en los que el pueblo de Areguá aventajó de lejos a Sodoma y Gomorra, con la ventaja de que el fuego no lo destruyó, los pardos, hombres y mujeres, retornaron a la rutina de sus moderadas costumbres. De aquellas bacanales en el blanco castillo, provino sin duda la pigmentación rojiza de la piel de los aregüeños, tal como lo atestigua el cronista Benigno Gabriel Caxaxia en su verídica historia traducida ya a varios idiomas. Tu padre, que emigró de Areguá para venir a emplearse como escribiente del último gobernador español, lucía en sus pardomorados mofletes esta granulación de fuego y ceniza. Tú heredaste su cara, mas el descaro es sólo tuyo.

Revolución de los farrapos en Brasil. Nuevos párrafos acerca de un viejo conocido, el cabrón de Correia da Cámara. La joven república me lo envía como ministro plenipotenciario. Pide autorización de entrada con el propósito de "sustentar ante el Gobierno del Paraguay las relaciones de perfecta inteligencia, paz y buena armonía felizmente existentes entre los dos Estados".

¿Cuáles serán los verdaderos móviles de la pretendida república? Si hay imperio no hay república. No espero de ella nada nuevo ni bueno; menos aún si su embajador es Correia. Ya está golpeando otra vez las puertas de Itapúa. Antes vino como emisario del imperio; ahora, como embajador de la república. ¡Este follón es eterno! Más tenaz que el gran río, el ríograndense. No cesa de correr. ¿Qué es eso de nuestras relaciones de perfecta inteligencia, paz y buena armonía entre los dos Estados? ¿Quieren ganar los farrapos mi buena voluntad con un mal chiste?

Oficio al delegado de Itapúa: No sé qué asunto viene a tratar conmigo el enviado de los que se dicen revolucionarios del Brasil. Los brasileros son siempre los mismos maulas bajo distinta piel. Imperio o república no los cambia. ¡Pretenden esos bellacos pasar por el ojo de la aguja de la Revolución! No me extraña que hayan vuelto a mandar de parlamentario a Correia, el mismo jorobado camello a quien expulsé infinidad de veces porque no venía sino a entretener y entorpecer con diligencias ineptas la satisfacción de las reclamaciones que yo he hecho y que seguiré haciendo hasta el fin de los tiempos, mientras no sean debidamente satisfechas. No creo que venga con asunto que importe, sino más bien con nuevas pamplinas e impertinencias, en las que se cree muy ducho. Sin embargo, nada perdemos con poner a prueba a este bribón; ver qué pellejerías se trae bajo imperial sombrero, gorro frigio republicano, chambergo de gaucho matrero o vincha de bandeirante.

Diez años atrás brindé al comisionado del Brasil su última oportunidad. La perdió. Durante dos años, desde septiembre del año 27 a junio del 29, mandé retenerlo en Itapúa. No hay mejor recurso que mantener a la gente en espera para que muestre las hilachas. Por no fiarme del tarambana de Ortellado, lo reemplazo por Ramírez, el único que puede medirse en cinismo y bribonería con Correia. Lo primero que has de decirle, mi estimado José León, es que el Brasil debe dar entera satisfacción a la República del Paraguay sobre todas sus reclamaciones, y no entretener, demorar, pasar el tiempo y tal vez los años con fútiles pretextos de vanas, frívolas e infructuosas diligencias, seguramente con la idea de frustrar con tales procedimientos nuestras justísimas demandas en materias y hechos bien sabidos, sobradamente notorios, pensando sin duda que aquí no tenemos bastante conocimiento de todo y pretendiendo además con gracioso empeño venir a espiar con sospechosa mala fe nuestro territorio. Debes leer al bribón esta parte del oficio, muy solemnemente, marcando las palabras, los silencios, las pausamenazas. Tu misión es hostilizarlo de las mil maneras que se te ocurran, hasta que ceda, cumpla o se largue. Sacarle tientos muy finos, no importa el tiempo que te demande la tarea. La mayor discreción, eso sí. Todo como de cuenta tuya, sin comprometer al Supremo Gobierno. Sus órdenes serán cumplidas, Excelencia. Voy a ser muy sigilativo. Aloja a Correia y a su comitiva, José León, en la ex comisaría. Ortellado me informa que el enviado del imperio me ha traído como sobornario presente del emperador cien caballos de raza árabe. Mételos en el potrero más pelado de pasto que encuentres, de modo que los corceles arábigos descoman a gusto y descarnezcan a voluntad; y que el malandrinazo del imperio se los lleve al regreso. ¿Me has entendido, José León? Perfectamente, Excelencia. No te achiques ni este filo de uña. No retrocedas ante el emisario una sola pulgada, ni un tranco de pulga, por mejor decir. Usted me conoce bien, Excelentísimo Señor. Voy a estar muy altivo.

A la espera de lo que pase me encierro en el Cuartel del Hospital. Corto así toda posibilidad de comunicación oficial. De paso, me dedico por entero a mis estudios y escritos.

Completo silencio de mi flamante comisionado. ¿Qué pasa ahí? Envío a mi oficial de enlace, el Amadís Cantero. Correia da Cámara lo denigrará más tarde en sus informes y memoriales. Será la única vez que diga la verdad.*

Con alguna razón, sin duda Correia protesta contra Cantero. Entretanto, mi exegeta y oficial de enlace intercepta sus mensajes e informes secretos. Itapúa es un hervidero de pequeños acontecimientos, partea Cantero. Suceden casi insensiblemente y como en secreto, dice, fiel a su manía de literaturizar las cosas. Don José León Ramírez ha puesto a toda la gente, incluso al subdelegado, al comandante, y a los oficiales, a la tropa entera de la guarnición, a cazar pulgas. El propio Don José León, metido en una canasta más grande que una canoa, aviada con botijas de agua y bastimentos, se ha hecho remontar mediante un aparejo hasta la cumbrera del edificio de la Delegación, presumiblemente empeñado también, a su modo, en la cacería de pulgas. No ha dado de sí, en estos tres últimos días, más señales de vida que algunos estremecimientos de la canasta en lo alto; remezones semejantes a furiosos ataques de chucho. ¿Qué hago, Exce-

* "Lector de novelas de caballería escritor él mismo de bodrios insoportables; uno de los más decididos pedantes del siglo, este esplandián español naturalizado paraguayo, el más vil sabandija que he conocido en todos los años de mi vida. Su fuerte es la historia, pero muchas veces hace actuar a Zoroastro en China, a Tamerlán en Suecia, a Hermes Trimegisto en Francia. Intrigante de la peor calaña, se debatía en la miseria hasta que se colocó de espía junto al Supremo Dictador, ante quien goza, según me informan, de gran predicamento. Noche a noche, me ha estado leyendo algo vagamente parecido a una biografía novelada del Supremo del Paraguay. Abyecto epinicio en el que pone al atrabiliario Dictador por los cuernos de la luna. En cuanto al Imperio y a mí, el Amadís se refiere en los términos más innobles. Amparado en la impunidad, en la ignorancia, en la vileza, ha derramado sobre el papel una espantosa mescolanza de infamias y mentiras. Lo peor de todo es que he tenido que soportar con fingida y entusiasta admiración la lectura del delirante manuscrito a lo largo de estos dos años. Forzado a escuchar al truhán de su autor, los dos hemos llorado a lágrima viva entre el espeso humo de excrementos vacunos que se queman aquí para combatir la insectería. Sus lágrimas son para mí el mejor homenaje de su emoción y sinceridad, de su admiración y respeto por nuestro Supremo Dictador, se ha atrevido a decirme el biógrafo y espía del sultán del Paraguay. ¡Es el tormento, la humillación más atroz, que se me han infligido jamás! (Inf. de Correa, *Anais,* op. cit.)

lencia?, pregunta Cantero. Espera, le ordeno. Continúa estirando la suela a Correia.

La indignación de Correa da Cámara estalla: "Es indecible lo que el Dictador me está haciendo padecer. Soy el representante de un Imperio y me trata como a un vulgar ladrón de caballos. Más que hospedado dignamente, estoy detenido, secuestrado casi, en el infecto rancho de una ex comisaría, en medio de un pantano. A despecho de este extremo ignominioso, por mí no me quejaría pues en el servicio de mi país y de mi Soberano debo soportar los mayores sacrificios. ¿Es justo, empero, que mi esposa e hijas soporten tan indignos vejámenes? Nos encontramos rodeados de charcos de los que fluyen miasmas pestíferos, pútridas emanaciones, insectos conductores de paludismo, disentería, vómitos negros. Tempestades, vientos desabridos, lluvias a torrentes, aguaceros con granizos, caen intempestivamente a cada momento. ¡Rayos, centellas, todas las miserias del mundo! Tolderías de indios. Lupanares por doquier. Mi mujer y mis hijas están condenadas a presenciar obscenos e infames espectáculos. El cuarto en el que hemos tenido que refugiarnos ha perdido la mitad de sus tapias. Desde nuestra llegada nos ha sido imposible dormir ni descansar. El techo de zinc es apedreado desde medianoche hasta el alba. Borrachos pasan a todas horas frente a la casa lanzando gritos y piedras contra puertas y ventanas, como divirtiéndose. Los indios se introducen en la vivienda y molestan a mis esclavas. Roban las vituallas. Apestan el ambiente con la fetidez de sus sucias personas. Soldados que se fingen ebrios tratan de forzar la puerta, y sólo se retiran cuando yo mismo los amenazo con disparar sobre ellos.

"Ayer fusilaron a un ladrón, a veinte pasos de mi ventana. ¿Dónde está el delegado? Lo mando llamar. El espía Cantero desvergonzadamente me sale con la especie de que está ocupado, de que no puede atenderme porque se ha puesto a cazar pulgas. Sosiéguese, Exmo. Señor Enviado Imperial, trata de aplacarme con fingida cortesía. Tenga S. E. la absoluta seguridad de que si el Delegado del Supremo Gobierno del Paraguay, Dn. Joseph León Ramírez, está cazando pulgas, lo hace sin ninguna duda en obsequio a su comodidad. ¡No son pulgas solamente, señor Oficial, la única plaga que nos atormenta en este infierno!, le replico. Pido, es más, exijo ver al delegado inmediatamente, y usted me dice que se halla metido en una canasta en lo alto del edificio de la Delegación de Gobierno, embarcado en la absurda cacería de pulgas. Recuerde S. E., dice imperturbable el espión-escritor, que cada uno tiene su manera de matar pulgas, y el Delegado del Supremo Gobierno es infalible en sus métodos.

"Esto no es todo, senhor Cantero. Esta mañana, una india vieja me exigió una fuerte indemnización alegando que su burra había sido forzada y muerta por el burro que transportaba agua a este tugurio. Tuve que indemnizarla con un doblón de oro, pues menos no ha querido aceptar. ¿Le parece a usted que todo esto es soportable? Para colmo, la mortandad de la peste está creciendo. Pasan

Mi confianza en Ramírez no está rota aún. Debe estar tramando algún ardid contra el enviado de la corte imperial.

Como verá, Su Excelencia, me dice Cantero en su último parte, estoy tratando por todos los medios posibles de ablandar al emisario de la corte imperial y sonsacarle las segundas y terceras intenciones que pueda traer, según Su Excelencia me ha ordenado. En un giro que me pareció acertado y oportuno, tenté a tirarle de la lengua con el pretexto de un sueño que fingí haber tenido acerca de la alianza entre el Paraguay y el Brasil y de que juntos formaríamos la potencia mayor de este Continente. El enviado imperial se muestra tan deprimido, que sinceramente comienza a inspirar lástima.

En las frescas galerías del Cuartel del Hospital disfruto imaginando al enviado del imperio devorado por mosquitos, chinches y pulgas. Invadido por las víboras de los esteros. Achicharrado por el calor del verano en el horno ruinoso de la ex comisaría. Acosado por el moscardón Amadís Cantero, que quiere averiguar por medio de sueños los planes expansionistas del Brasil.

de quinientos los infelices que con mis ojos y desde la puerta de esta cabaña he visto enterrar en las inmediaciones. Todo sucede en un día, y un día no tiene aquí diferencia del que le sigue en todo un año, de suerte que ignoro si he llegado aquí la semana pasada o el siglo pasado. ¡Igual que en los sueños, Excmo. Senhor!, se burla Cantero. A propósito de sueños, hará cosa de ocho días tuve uno respecto del Paraguay y del Brasil. Soñé que el Brasil sería el mayor imperio del mundo si su línea divisoria se extendiese hasta la margen del río Paraguay hacia el oeste, y hasta el río Paraná hacia el sur. Soñé, agregó el taimado espión, que el Paraguay y el Brasil formaban no solamente una alianza total sino una unidad completa. No creo, sin embargo, que tales sean las vistas del Imperio del Brasil. Por otra parte, no creo en sueños, dijo. Tuve que replicarle con toda severidad: ¡Yo creo menos aún en trapacerías disfrazadas de sutilezas! ¡Un paso más, senhor Roa [1], en el camino de los insultos, y conocerá el Gobierno paraguayo hasta qué punto el representante del Imperio sabe sustentar la dignidad de su eminente carácter y la ofendida majestad de su soberano!" (Inf. de Correa, op. cit.)

[1] El compilador desea aclarar que el lapsus y la mención no le corresponden; el informe confidencial de Correa menciona textualmente este apellido, según puede consultarse en el tomo IV de *Anais*, p. 60. *(N. del C.)*

Por fin, oficio de Ramírez. Triunfalmente me explica en detalle, a escala milimétrica, la relación que existe entre el salto de la pulga y la longitud de sus patas. Salto que varía de macho a hembra, antes y después de chupar la sangre de sus víctimas; también antes y después de la cópula, con perdón de Vuecencia. El infame espolón de mi delegado ha registrado todos los movimientos copularios en procaces dibujos.

Parte confidencial de Cantero: Lo que el Señor Delegado Ramírez ha subido con él en la canasta al techo de la Delegación, Excelencia, no ha sido bastimentos ni agua únicamente; también ha embarcado en la canasta a una de las doncellas de servicio del enviado imperial. Tan discreto ha andado por las alturas el Señor Delegado, que nadie ha visto ni ha sospechado nada. Con el vientre abotonado a la antigua, los ocupantes de la canasta se han frotado alegremente las mantecas haciendo la bestia de dos espaldas sobre el techo de la Delegación. Por su parte, el enviado del imperio se me ha quejado de que la invasión de pulgas ha crecido considerablemente. Estoy tratando de que no se entere del hecho, ya público y notorio en el pueblo. Hasta los indios se ríen de la canasta-que-subió-al-cielo. Mucho me temo que el desconfiado brasilero quiera rezarcirse a su vez de la indemnización que ha pagado a la india por la burra muerta. La bella esclava mulata luce sin embargo muy satisfecha después de su encanastamiento con el Señor Delegado. No podemos decir sino que Dn. Joseph León Ramírez ha logrado astutamente, con algún sacrificio de su parte, bueno es reconocerlo, beneficiar nuestra causa. La mulata es la que sustrae la correspondencia secreta de su amo, cosa que nos permite copiarla íntegramente a fin de mantener a Vuecencia plenamente informado de las comunicaciones del enviado del imperio a su cancillería.

Ordeno a Cantero que amaine su ofensiva amansadora. En el último parte me informa: He invitado, Excelencia, al enviado imperial y a su familia a dar paseos a caballo por las hermosas florestas del Paraná. Ha rehusado secamente. Le he enviado entonces de obsequio una hamaca paraguaya para él, su esposa y sus hijas. Luego unos arreos de plata labrada. Idéntico rechazo. Con motivo de la fiesta nacional de su natalicio, Excmo. Señor, el enviado imperial aprovechó la oportunidad para poner de relieve su enojo. El 6 de enero del año anterior lo había festejado en forma extraordinaria. Mandó prender dos grandes hogueras e iluminar el frente de su residencia con ochocientas velas, del modo como yo le he referido que la población paraguaya rinde velariamente su devoción a nuestro Supremo Dictador. Además de las velas, el comisionado del imperio repartió limosnas a los pobres y, vestido de gala, asistió con su familia a las danzas y juegos del pueblo. Este año, en cambio, mantuvo cerradas las puertas y ventanas de su vivienda, y vestido con el traje más burdo se paseó en forma ostensible y desafiante frente a la misma. Me permití hacerle notar la diferencia de su actitud de un año a otro. ¿Qué obligación tiene, me respondió ásperamente, el plenipotenciario de un Imperio de festejar el cumpleaños de un gobernante que lo retiene diez y siete meses en un pueblo de indios, indecente y malsano? Un hombre continuamente maltratado no debe ni puede divertirse. Haga saber a su Dictador Supremo, que parece jactarse de que el Brasil le teme, que no hay tal. El Imperio no se asusta de cosas pequeñas y toma las injurias a su enviado como de quien vienen. Hágale saber, de mi parte, que si hay entorpecimiento en la marcha de las negociaciones, ello se debe a la doblez de conducta del Gabinete Paraguayo, enfermedad moral ciertamente desconocida en la Corte de Río de Janeiro. ¿Cómo debo responder, Excelencia, a los desplantes de este mísero enviado? Déjalo que se desahogue. Decirle que si tiene de verdad algo importante que decirme, que vengan primero las pruebas con el cumplimiento de la palabra empeñada sobre el envío de armamento y demás. Si no lo tiene, que se vaya por donde ha venido. Debo informar también a Vuecencia que las osamentas de los caballos arábigos, traídos de regalo por el enviado del imperio, blanquean ya en el potrero bajo bandadas de aves de rapiña. Diles, Cantero, de mi parte, a los cuervos, ¡buen provecho!

Último informe de Correia a su gobierno, chasquea Cantero en cifrado: Las vinculaciones internacionales de la Dictadura son vastas. Sus tentáculos se extienden al Plata, a la Banda Oriental, a Río Grande, a Santa Cruz de la Sierra. El objetivo fundamental está señalado en la formación de una Gran Confederación de la cual sería centro y cabeza el Paraguay. Ninguna duda cabe que el gobierno paraguayo está en inteligencia con el mariscal riograndés Barreto, y que no abandona el proyecto de Revolucionar Río Grande del Sur y confederarlo a Montevideo contra Buenos Aires, en cuanto pueda contar con la alianza del Brasil para oponerse a las temerarias pretensiones porteñas. Al desligarse de las provincias del interior de Buenos Aires, el Dictador, que es el alma de esta nueva Federación, aunque todavía se conserva detrás de la cortina que mal le tapa, a la primera noticia del movimiento. mandó recuperar la posición o campamento del Salto, que abandonara, y ha enviado a recorrer los puertos de sus futuros nuevos aliados. ¡Ah deslenguado e intrigante Correia! ¡Y eres tú el que viene ahora como embajador de los revolucionarios del Río Grande! ¡Te dejaría llegar hasta Asunción, sólo para plantar tu cabeza ensartada en una pica en el centro de la Plaza de la República! ¡Puah, sucio bergante! ¡Ni ese honor de que tu sangre manche tierra paraguaya voy a concederte! ¡Vete al mismísimo demonio! El ingenuo Cantero me previene con la idiotez que le caracteriza: He averiguado, Excelencia, que el enviado del imperio es, además, archimasón y de los grados más elevados y terribles de esta tenebrosa asociación. No sería eso lo peor de Correia, mi estimado Cantero. Por el contrario, el ser masón, si es que lo es, vendría a constituir lo único poco bueno que tenga este pícaro bandeirante disfrazado, ya de emisario del imperio, ya de embajador de la república de farrapos. ¡Pobres farrapos republicanos! ¡Pobres masones! Tener en sus filas a este superfluo superchero los llevará a la ruina. Continúa el parte de Cantero: El representante imperial y republicano, Excmo. Señor, considera a Vuecencia el jefe de la naciente y vasta confederación. En el día, expresa en su informe del 2 de abril, más jefe de la Federación Argentina que el propio Buenos Ayres, con inteligencias secretas en el Estado Cisplatino y en la República Peruviana, contando con un partido en Misiones y Río Grande, rico de inteligencias en Matto Grosso, el Dictador se aprovechará de la primera ocasión para dar la mano a los partidarios de la independencia absoluta de la Provincia de Río Grande y acabar enteramente con Buenos Ayres; ponerse sin rebozo a la cabeza de la actual Federación, invadir Mato Grosso, apoderarse de las Misiones Orientales a título de compensaciones o represalias, y llevar los horrores de la guerra al centro de la Provincia de San

Pablo entrando por el Salto de Sete Quedas, bajo el mismo pretexto. La nunca interrumpida correspondencia entre el Gobierno Paraguayo y las provincias disidentes de la Federación del Río de la Plata, por vía Corrientes, durante la última pasada campaña del sur, la asombrosa restitución por parte del Dictador Paraguayo de los súbditos cordobeses, santafesinos, paranaenses, pocos meses antes de que estas Provincias se declararan contra Buenos Ayres y le iniciaran una guerra; todas estas circunstancias y otras más de las que iré dando cuenta puntual en mis informes, llevan a la conclusión de que no existe otro camino para conjurar los peligros que por todas partes amenazan al Imperio, que concertar una alianza con el Paraguay y su astuto y levantisco Dictador... ¡Qué más quisiera yo, redomado bribón! Rivalizas con Cantero en poner sobre el papel una espantosa mescolanza de hechos contrahechos, patrañas, falsedades de todo calibre. Encerrado en tu canasta de intrigas, tu imaginación es más pobre que la de José León Ramírez para matar pulgas. Expulsa de una vez, José León, a este impenitente degenerado y cuídate de revisar muy bien su equipaje. No le permitas llevar ni siquiera una pulga de nuestras pertenencias. ¡Eh! ¡Mucho cuidado! Exprésale también de modo terminante que no se le ocurra nunca más volver a arrimarse a nuestras costas, si no quiere perder definitivamente la cabeza que no tiene. ¡Que se vaya al infierno con su imperio o su república y con ambos a la vez!

(En el cuaderno privado)

Malas del todo no son las ideas de este botarate. Núcleo, el Paraguay, de una vasta Confederación, es lo que desde un primer momento pensé y propuse a los imbéciles porteños, a los imbéciles orientales, a los imbéciles brasileros. Lo que no solamente es malo sino muy malo, estriba en que estos miserables conviertan en materia de intrigas un proyecto de naturaleza tan franca y benéfica como es el de una Confederación Americana, formada en figura y semejanza de sus propios intereses y no bajo la presión de amos extranjeros.

Otro asunto:

He destituido a José León Ramírez. ¡Mándeme fusilar, Excelencia!, me ha rogado a lágrima viva echándose a mis pies cuando le mandé que se presentara a rendir cuentas de sus fechorías, porque debes saber, José León, que a picada de pulga pierna de sábana. ¡Soberano histrión! Estuvo a punto de tragarse la hebilla de mi zapato. ¡Moriré contento ante el pelotón, Supremo Señor, si ésos cartuchos a bala son el precio de haberme burlado de ese maula del imperio que ha pretendido burlarse de nuestra Patria y Gobierno!

No debí haberme fiado del arrepentimiento de ese falsario. Nueve meses justos después de su rehabilitación ha dado un hijo a mi supuesta sobrina Cecilia Marecos. Cierto es que no ha tenido necesidad de encanastarla ni de fingir extrañas cacerías de pulgas o ladillas. Le he mandado que pase a la madre la pensión que le corresponde por ley. A fin de que pueda pagársela con dignidad, lo he puesto a trabajar engrillado en el desagote y limpieza de las letrinas del ejército. Tiene un buen tiempo por delante, hasta que el niño entre en mayoría de edad. Así los años aplacarán en José León sus copulativos humos.

Circular Perpetua

Cuando recibí este desdichado Gobierno, no encontré en cuenta de Tesorería dinero, ni una vara de género, ni armas, ni municiones, ninguna clase de auxilios. No obstante estoy sosteniendo los crecidos gastos, la provisión, el apresto de artículos de guerra que demanda el resguardo, la seguridad nacional, a más de costosas obras, a fuerza de arbitrios, de maña, faenas, diligencias. Incesantes trabajos, desvelos, supliendo por oficios, ministerios, cargos que otros debían desempeñar en lo civil, en lo militar, hasta en lo mecánico. Recargado por esto y además por tareas que no me corresponden ni me son propias. Todo esto por hallarme en país de pura gente idiota, donde el Gobierno no tiene a quién volver los ojos, siendo preciso que yo lo haga, industrie, amaestre, ministre hasta el menor de los detalles, en mi afán de sacar al Paraguay de la infelicidad, del abatimiento, de la miseria en que ha estado sumido por tres siglos.

Me encuentro pues aquí sin poder respirar. Ahogado en el inmenso cúmulo de atenciones/ocupaciones que cargan sobre mí solo, en este país donde es menester que yo supla a la vez por cincuenta oficios. Si esto ha de seguir así, será mejor descansar. Dejar que el Paraguay siga viviendo a la manera de antes, o sea a la moda paraguaya. Esto es, un pueblo de tapes, hecho a la mofa, al desprecio de las gentes de otros países. Al fin siempre quedarán en vano mis afanes; mis diligencias en nada. Todos mis planes, frustrados; los costos, perdidos. Plata echada a la basura. Los paraguayos vendrán a quedar siempre en paraguayos y no más. De esta suerte, con todos sus títulos de República Soberana e Independiente que la acreditan como la Primera República del Sur, no será considerada sino a la manera de una República de Guanás con cuya sustancia y sudor engordan los otros.

Si en medio de todo hay quienes deseen más de lo que yo puedo proporcionar, no tengo otro arbitrio que licenciarlos. No he de poder hacer eso que los frailes llaman milagro. Mucho menos en esta tierra de imposibles. ¡Ya los quisiera ver a ustedes lidiando desde el Gobierno con la incapacidad de los funcionarios en los ramos de Hacienda, Policía, Justicia Civil, Obras Públicas, Relaciones Exteriores, Relaciones Interiores, Inspección de Forros y otras menudencias! Andar a la desesperada riñendo al puro reniego con los empleados de la fábrica de cal, de la fábrica de armas, pólvora, municiones; con los astilleros, las carpinterías de ribera, donde no consigo que apronten la flotilla de guerra que cubrirá la defensa del río desde la Capital a Corrientes. El Arca del Paraguay, la gran nave de comercio, yace sepultada en la arena desde hace veinte años. Sumen a estas actividades el apresto, instrucción, enseñanza de tropas de artillería, infantería, caballería, entre las terrestres; del personal apto para la armada en todos los usos que requieren nuestras necesidades; la atención, vigilancia, dirección de los talleres, artesanías, almacenes, estancias, chacras de la Patria; la organización del servicio de espionaje, bomberos, rastreadores, vicheadores, agentes de inteligencia, los más ignorantes e ineptos del mundo.

Además de Dictador Perpetuo debo ser al mismo tiempo Ministro de Guerra, Comandante en Jefe, Supremo Juez, Auditor Militar Supremo, Director de la Fábrica de Armamento. Suprimidos los grados de oficiales superiores hasta el de capitán, yo solo constituyo la Plana Mayor completa en todas las armas. Director de Obras Públicas, debo vigilar personalmente hasta el último artesano, la última costurerilla, el último albañil, el último peón caminero; todo esto sin contar el trabajo, los disgustos, las contrariedades que me dan ustedes, jefes, funcionarios civiles/militares, de todo el país en las guarniciones, en las fortalezas más lejanas.

¡Ya los quisiera ver! Les ofrezco el cargo. Vengan a tomarlo si todavía les parece vago lo que hago. Háganlo ustedes mejor que yo, si es que pueden.

Un pasquín me acusa en estos días de que el pueblo ha perdido su confianza, que ya está harto de mí; cansado hasta más no poder; que yo sólo continúo en el Gobierno porque ellos no tienen poder para derrocarme. ¿Es cierto esto? Yo estoy cierto que no. En cambio, si yo acabara de perder la confianza en el pueblo, hartarme, cansarme de él hasta no poder más, ¿puedo acaso disolverlo, elegir otro? Noten la diferencia.

Jefes de la República: Sobre todo ustedes deben preguntarse, escarbar en el fondo de sus conciencias, hasta qué punto se consideran libres de esta tomaína que se forma en los que están muertos antes de estar muertos. Pon una aclaración al pie: Tomaína es el veneno que resulta de la corrupción de las substancias animales. Espesa supuración de olor fétido, producido por el bacilo vibrio proteus en nupcias con la vírgula o coma. Mortalmente patógena, como que proviene de las alambiques de Tánatos. ¡Estos bárbaros, ya lo estoy viendo, son capaces de ir a destilar tomaína en lugar de caña en sus alambiques clandestinos! Vulgarmente también se la llama cadaverina. Para este veneno que fabrican dentro de sí los vivos-muertos, no puedo ofrecerles ningún antídoto. No vacilo en decirles que para este bacilo no existe contrabacilo. Contra la cadaverina no hay resurrectina. Nadie la ha descubierto todavía, y probablemente nadie la descubra jamás. De modo que ¡cuidado! Estos jugos venéficos se forman no sólo en los que han de ser enterrados en potreros de extramuros, sin cruz ni marca que memore sus nombres. Se engendran también en aquellos que yacen bajo fatuos "cúmulos". En aquellos más inmensamente fatuos todavía que se mandan edificar mausoleos-pirámides donde albergar sus carroñas como un tesoro en una caja fuerte. Los proto-próceres, los proto-héroes, los proto-seres, los proto-maulas y otros protos, mandan erigirse estatuas, poner-imponer sus indignos nombres a plazas, calles, edificios públicos, fuertes, fortines, ciudades, villas, pueblos, pulperías, lugares de diversión, canchas de pelota, escuelas, hospitales, cementerios. Prostibularios-santuarios de sus sacros restos y arrestos. Esto fue así en todos los tiempos y lugares. Lo sigue siendo ahora. Lo seguirá siendo mientras la gente viva no deje de ser idiota. Sólo cambiarán las cosas cuando reconozca sin soberbia pero también sin falsa humildad que el pueblo, no la plebe, es el único monumento viviente al que ningún cataclismo puede convertir en escombros ni en ruinas.

También aquí, antes de nuestra Revolución, sucedió esto. Ya les he hablado de la fastuidad y fatuidad de las milicias de linaje; o sea de los señores de lazo y bola que heredaron estancias, sables, y entorchados. No sería nada extraño que esté volviendo a suceder ahora. Las yerbas malas echan raíces profundas. Podría ser que la tomaína de aquellos indignos oficiales y jefes los esté infectando otra vez a ustedes de afuera para adentro, de adentro para afuera. He dicho y sostengo que una revolución no es verdaderamente revolucionaria si no forma su propio ejército; o sea si este ejército no sale de su entraña revolucionaria. Hijo generado y armado por ella. Pero puede ocurrir que a su vez los jerarcas de este ejército se corrompan o se pudran, si en lugar de ponerse por completo al servicio de la Revolución, ponen por el contrario la Revolución a su servicio, degenerándose. Yo digo entonces que no bastó el ajusticiamiento de un centenar de reos de conspiración y traición a la Patria. Creí haber fini-quitado el rezago de militares falsarios y traidores; de todos aquellos que se creyeron llamados y elegidos, cada uno por sí y ante sí, para ser la cabeza de la Revolución y no eran sino politicastros ignorantes, venales milicastros embalados en relucientes uniformes. Comprobaría así que las penas infamantes reservadas a estos crapulosos traidores a la Patria y al Pueblo de la República no han servido como remedio. La baqueta, el fusilamiento, el lanceamiento no acaban, por lo visto, con la degradación de jefes y oficiales; degradación que en desgraciada gradación se ha contagiado y propagado al resto de la gente de arma subalterna. Yo tendría que inferir lo siguiente: Hay algo uniformemente maligno bajo el uniforme. Este *algo* se constituye así en la insignia misma del deshonor y no del pundonor; no en el signo de la lealtad sino en lo indigno de la deslealtad. Las invenciones de los hombres son de siglo a siglo diferentes. La malicia de la milicia parece ser siempre la misma. Estigma uniforme por los signos de los siglos.

Sepan ustedes ser no solamente honrados sino también humildes soldados de la Patria, cualesquiera sean su grado, función y autoridad.

Los principales libelistas de *El Supremo*, cuyos testimonios pueden ser parciales pero no sospechosos de favoritismo, explican y sin querer justifican el austero rigor y la implacable disciplina que el Dictador Perpetuo trató de imponer en sus fuerzas armadas, al parecer sin mucho éxito:

"Las baquetas no se infligen ordinariamente más que a los militares.

Cuando les pedí recibo del uniforme entregado a las tropas, uno de ustedes me salió con la ridícula pregunta sobre retacillos de suela, como si yo hubiese de hacer aprecio de semejante basura, aunque por supuesto no voy a arrojarla a la calle. El ser soldado consiste en la capacidad. No en la ropa. En el virreinato de Nueva Granada,

Para la imposición de dicha pena basta una orden del Supremo Dictador. Todo condenado a pena capital es arcabuceado, como se hacía en los últimos tiempos de la dominación española. El día de la ejecución se pone una horca en la plaza, de la que pende el cuerpo del ajusticiado". (Rengger y Longchamp, *Ensayo Histórico*, cap. II.)

Al referirse al proceso y ajusticiamiento de los conspiradores del año 20 (en su mayor parte jefes militares, muchos de los cuales tuvieron destacada actuación en la lucha contra la expedición de Belgrano), Wisner de Morgenstern testimonia: "El ambiente estaba caldeado, y no hay duda de que la tormenta se preparaba, pues todos los que no participaban del poder estaban contra la Dictadura. El Dictador había recibido varios anónimos en los que se le pedía que se cuidara mucho, y él había hecho redoblar la vigilancia. En la noche del segundo día de Semana Santa, cinco individuos fueron apresados y sometidos a riguroso interrogatorio. Otro, que había conseguido escapar de la redada, un tal Bogarín, temeroso y tímido, fuése a confesar y descubrió todo lo que sabía del plan que se había elaborado para suprimir al Dictador. El Viernes Santo era el día señalado para ultimarlo en la calle, durante su paseo de costumbre en la tarde. El capitán Montiel fue designado para ello. Desaparecido el Dictador, el general Fulgencio Yegros, su pariente, se haría cargo del gobierno, y los comandantes Cavallero y Montiel tomarían el mando de las tropas, entre las cuales había comprometidos algunos sargentos. El sacerdote exigió al contrito Bogarín que denunciara en el día el plan al Dictador, pues como buen cristiano, tratándose de un crimen que se iba a cometer, no debía de ninguna manera participar en él". *(El Dictador del Paraguay*, cap. XVII).

Durante dos años se "substanció" el proceso en los sótanos del Aposento de la Verdad, que Wisner más cautamente denomina *Cuarto de la Justicia*. Los verdugos guaykurúes de Bejarano y Patiño tuvieron bastante trabajo en esta laboriosa encuesta. Al fin las confesiones arrancadas a punta de los látigos "colas-de-lagarto" no dejaron un solo resquicio de duda. El 17 de julio de 1821 fueron ejecutados los sesenta y ocho reos acusados de alta traición en la conjura, tras la cual El *Supremo Dictador* condujo hasta su muerte la nave del Estado sin ulteriores complicaciones. En alguno de sus apuntes se lee esta apacible reflexión: "Los problemas de meteorología política fueron resueltos de una vez para siempre en menos de una semana por los pelotones de ejecución". *(N. del C.)*

la mayor parte del ejercito patriota andaba en chiripá, en camisa; las más de las veces desnudos, caminando inmensas jornadas, muriendo continuamente en frecuentes batallas con los europeos. Lo confirman las austeras palabras del Libertador San Martín, nacido en el Yapeyú paraguayo. En una Orden General del año 19, el Libertador arenga a sus soldados: Compañeros: La guerra la tenemos que hacer del modo que podamos. Si no tenemos dinero, carne y un pedazo de tabaco no nos han de faltar. Cuando se acaben los vestuarios nos vestiremos con la bayetilla que nos trabajan nuestras mujeres, y si no, andaremos en pelotas como nuestros paisanos los indios. Seamos libres, que lo demás no importa nada.

Esto proclamó un grande y digno general en plena campaña libertadora. Aquí, mis galanos oficiales quieren mostrarse en uniforme de gala para pavonarse en las formaciones del Cuartel, o en la Plaza al toque de diana o de retreta y alucinar a la población como si fueran seres superiores. No, señores. El militar se debe acomodar a la decencia y a la austeridad. Para ser un buen soldado el lujo no sólo no es preciso sino que es perjudicial. No me pidan más chalecos encarnados de raso, de damasco, de segrí, de brocado, de guadamecí, de andaripola o de cambray. Aquellos se mandaron confeccionar

"El mayor placer del Dictador era hablar de su Ministerio de la Guerra. Una vez entró el armero con tres o cuatro mosquetes reparados. El Gran Hombre los llevó uno por uno al hombro y apuntando hacia mí, como para hacer fuego, apretó el gatillo varias veces sacando chispas al pedernal. Encantado, riendo a carcajadas me preguntó: —¿Qué creyó usted, Mister Robertson? ¡No iba a disparar sobre un amigo! ¡Mis mosquetes llevarán una bala al corazón de mis enemigos!

"Otra vez el sastre se presentó con una casaca para un granadero recluta. Se mandó entrar al conscripto. Se le hizo desnudar completamente para probársela. Después de sobrehumanos esfuerzos, pues bien se notaba que jamás había usado atuendos con mangas, el pobre muchacho lo logró. La casaca sobrepasaba todos los límites de la ridiculez. Sin embargo había sido hecha de acuerdo con la fantasía y un diseño del propio Dictador. Elogió al sastre y amenazó al recluta con terribles castigos si el uniforme sufría por descuido la menor mancha. Salieron temblando sastre y soldado. Luego, guiñándome un ojo, me dijo: —C'est un calembour, Monsieur Robertson, qu'ils no comprendent pas!

"Nunca vi a una niñita vestir su muñeca con más seriedad y deleite que los que este hombre ponía para vestir y equipar a cada uno de sus granaderos". (Robertson, *Cartas.*)

Si aún faltase algún insospechable

una sola vez para los lanceros mulatos. Las guerreras de pasamanería para los oficiales blancos que mandaban el cuerpo de pardos, no existen más. Las telas de los ornamentos confiscados a la iglesia sólo alcanzaron a cubrir el vestuario de los batallones de granaderos, de

testimonio acerca de la preocupación del Supremo Dictador, de su constante solicitud en el cuidado de sus fuerzas armadas, bastaría el que de un modo definitivo da al P. Pérez en la oración fúnebre pronunciada en sus exequias:

"¿Cuántas providencias no tomó Su Excelencia para mantener en paz la República, y ponerla en un estado respetable respecto de las extrañas? Provisión de armas, formación de soldados uniformados con las galas más deslumbrantes que se ven en los ejércitos de estas Repúblicas y aun de los reinos del Viejo Mundo.

"¡Me asombro cuando contemplo a este Hombre Grande dando expediente a tanta ocupación! Se dedica al estudio de la milicia, y en breve tiempo manda los ejercicios y las evoluciones militares como el más práctico veterano. ¡Cuántas veces he visto a Su Excelencia estrecharse a un recluta enseñándole el modo de poner la puntería para dirigir con acierto el tiro al blanco! ¿Qué paraguayo había de desdeñar la portación correctísima del fusil cuando su propio Dictador le señalaba el modo de gobernarlo, usarlo, limpiarlo y repararlo hasta en sus mínimas piezas? Se apersonaba a la cabeza de los escuadrones de caballería y los mandaba con tal energía y destreza, que transmitía su espíritu vivo a los que le seguían. Más poderosa era su voz que la del clarín en las marchas y en los entreveros de los simulacros de combate. ¡Y aún más! Maravilla muy grande era comprobar que luego de estos epopéyicos ejercicios, la revista minuciosa que hacía el propio Dictador, hombre por hombre, no descubría la más ligera mancha sobre esos albos e impolutos uniformes!"

"Todos los paraguayos entran en el servicio como simples soldados, y el Dictador no los nombra oficiales hasta al cabo de muchos años, y después de haber pasado por todos los grados inferiores. El uniforme general es una chaqueta azul con volados y vueltas, cuyo color varía según el arma, pantalones blancos y sombrero redondo; unos cordones en las costuras de la espalda distinguen la caballería de la infantería. Sólo el cuerpo de lanceros mulatos hace la excepción; su uniforme consiste en una chaqueta blanca sin abotonar, un chaleco encarnado, pantalones blancos y un gorro también encarnado. Para hacer estos chalecos y demás prendas del uniforme se tomaron los damascos de los ornamentos que aún se hallaban en los templos y conventos confiscados. Es verdad que el Dictador hizo confeccionar para los dragones y granaderos a caballo varios centenares de uniformes de gala; pero no se llevan más que en los días de parada y para montar la guardia de la Casa de Gobierno en ocasión de la visita de algún enviado extranjero. Fuera de estos dos casos, los uniformes se guardan cuidadosamente en los almacenes del Estado". *(Rengger y Longchamp. Ibid.)*

dragones, de húsares. Todos esos géneros eclesiásticos se han podrido. Chalecos, casacas, tahalíes bordados de plata. Altos morriones de terciopelo adornados de cenefas blancas, de tafetán amarillo revolando al viento de las marchas, hoy andrajos. No hay más ornamentos que confiscar. Perdón, Excelencia. Quería recordarle que en las Tiendas del Estado restan veinte fardas de esas telas incautadas en las iglesias de los pueblos de indios. ¡Silencio! No hables cuando no se te pregunta. No contradigas lo que voy dictando. Confórmense con el traje de puntevi, de brin arrasado o de hilo. Pantalones de piel lisa. Camisas de gasa abramantada para los oficiales. Cotonia rayada en retazos para la tropa. Los maestros de escuela visten aún más modestamente que los individuos de tropa. Sólo desde hace dos años se les provee de ropa interior algo más decente; inferior, con todo, a la de los soldados. Pantalón de lienzo asargado, camisa de mezclilla. Chaqueta de la tela que haya. Chaleco de nanquín. Poncho, sombrero de entrepaño, pañuelo de cuello. Antes de esto se vestían con los tejidos que ellos mismos amañaban en fibras de algodón, de karaguatá, de pindó. No han menester de más atuendo para cumplir con sus tareas, frente a niños desnudos, arropados en su propia inocencia. Yo mismo ya no tengo más que una sola levita zurcida; un par de pantalones, uno de recibo, el otro para montar; dos chalecos que han librado una guerra de treinta años con polillas, cucarachas, comejenes.

Además, no sé para qué quieren, para qué me reclaman a cada paso vestuario de lujo, si luego lo tienen arrumbado en cualquier parte. Ya me indigna bastante saber que en los actos de servicio, los jefes muéstranse pavoneando estrafalariamente con batas de hilo irisado de Irlanda, bombachas de bombasí, gorros de dormir, iguales a los míos, imitando mi indumentaria de entrecasa, en lugar del uniforme de reglamento para cada caso. ¿Qué imbecilidad es esa?

No quiero jefe idiota ni altanero que ande dando trancos de bufón. Ufano de sus rizos, de sus rasos, tapando sus desvergüenzas con sinvergüencerías de fantoches. Prefiero uno que parezca menudo, patizambo, pero que hinque el pie en sitio preciso, en momento oportuno. Corazón sobrado al servicio de la República. Capaz de cumplir sus obligaciones desembargadamente, sin ostentaciones ni chafarrinadas. Todas las cosas tienen dos asas. Cuídense de la falsa.

Los comandantes deben velar asimismo tanto por la disciplina como por la salud de sus soldados. Las tropas del Paraguay parecen tropas de alfeñiques. No la destruyen sus enemigos, como sucede en otros países. Ella misma a cada paso se imposibilita, se destruye por cuadrillas con sus excesos persiguiendo a chinas e indias, emborrachándose con el aguardiente que les contrabandean los traficantes extranjeros para sobornarlos; o peor aún, para degenerarlos, arruinarlos más pronto.

Les ordeno reprimir severamente estas faltas. Proceso sumarísimo. En el mismo lugar donde se les encuentre cometiendo tales desafueros los culpables deberán ser pasados por las armas. De lo contrario, se formará Consejo de Guerra al propio comandante cargando él con las consecuencias de sus desidias ante los abusos.

La población de indios, especialmente las mujeres de los naturales, merecen especial protección. Ellos son también paraguayos. Con mayor razón y antigüedad de derechos naturales, que los de ahora. Deben dejarlos vivir en sus costumbres, en sus lenguas, en sus ceremonias, en las tierras, en los bosques que son originariamente suyos. Recuerden que está completamente prohibido el trabajo esclavo de los indios. El régimen a usar con ellos es el mismo de los campesinos libres, pues no son ni más ni menos que ellos.

No sé cómo otro de ustedes, que pasa por gran jefe, ha salido pidiéndome sin avergonzarse le conceda el traslado de un soldado a la oficina de la comandancia en calidad de secretario, alegando que lo necesita para acomodarle sus partes. Esto es reconocer que ese soldado tiene más aptitud para ser oficialmente director, o acaso comandante. Salvo que esto de dirigirlo en sus partes disfrace alguna ocupación inconfesable. Lo que sería dos veces peor.

¿Es posible que muchos de ustedes no sepan siquiera pergeñar un mal parte, desgreñar un oficio, ordeñar la ubre de su inteligencia garrapateando un escrito? Esto es muy triste para el Gobierno.

Cuando yo recibo las papeladas de los comandantes, lo primero que hago es sondear la letra, lo escrito. Una misma cosa puede decirse de distintos modos con diferentes aplicaciones que pueden tener diversos sentidos. De donde tanto el comandante que no sabe escribir como el furriel que escribe lo que no sabe, salen hablando de cosas que no se entienden ni del revés ni del derecho. Si sucede algo malo por culpa de un parte mal redactado, el comandante se disculparía diciendo que no lo hizo él sino el furriel, malinterpretando lo maldictado. A más de esto, si se ofrece dar una orden reservada, el Gobierno se ve embarazado al dudar que el comandante la comprenda. De seguro me saldrá hablando en su respuesta de cualquier especie o zoncera, como a menudo sucede. ¿No tendría yo que nombrar comandante a ese furriel y enviar a tal analfabeto comandante al cuerpo de tropa?

A todos ustedes los saqué de la nada en tiempos en que yo andaba recogiendo capullos del campo. Quiero gente nueva, me dije. Quiero gente de oro en polvo. Quiero lo mejor de lo mejor al servicio de la Patria. Así encontré a los que me parecieron los mejores. No iba a andar escudriñando con la candela de Jehová lo secreto del vientre de nuestras mujeres. Tomé lo que hallé a mano. Me bastaba que hablara cada uno de sí mismo como de un desconocido; alguien que no fuese dueño ni siquiera de su propia persona. Yo les preguntaba: ¿Esta es tu casa? No, Señor, esta casa es de todos. ¿Este perro es tuyo? No, Señor, no tengo perro mío. ¿Al menos, tu cuerpo, tu vida son tuyos? No, Señor, los llevo emprestados nomás hasta que nuestro Supremo Gobierno disponga de ellos. Tal despropiedad significaba una fuerza incalculable. No tenían nada. Lo poseían todo, puesto que cada uno formaba el todo. Yo dije: Esta gente ha nacido de pie. Es la que necesito para poner de pie al país. Así lo encontré, por ejemplo, a José León Ramírez. Rápido de mente. Ojo de halcón. Volaba quieto. Corría parado. Las órdenes le llegaban viejas. Él estaba siempre un poco más adelante. Fue uno de mis mejores hombres, hasta que se convirtió en el peor. No le gustaba ser adulón ni alcahuete. José León Ramírez servía para todo mandado sin dejar de ser cada vez él mismo. Con los años pensaba ascenderlo a capitán, a ministro de Guerra. Inclusive, un tiempo, pensé en designarlo mi sucesor. Su oportunidad tuvo. Su oportunidad le brindé. La tomó blandiente. La perdió en la pendiente de sus bragas.

Otro bragante perdido: Rolón, el ex capitán Rolón. Llegó al grado más alto. Descendió al más bajo. Durante cinco años lo instruí personalmente en el arte de la guerra. La artillería era su arma natural. Se arrimaba a un cañón. Lo palmeaba, lo acariciaba como a un caballo manso. Mientras lo amarraba a la cureña le hablaba diciéndole por lo bajo qué era lo que tenía que hacer. En el momento de arrimar la mecha trazaba con el índice una parábola, fijaba el objetivo del modo en que el jinete indica al caballo la barrera que debe saltar. Un leve chasquido de lengua, el cañón pegaba el bote. Noventa y nueve veces de cada cien tiros el obús daba en el blanco, por lejano que estuviese.

¡Ah, Rolón, Rolón! Te hice rico en ardides para vencer a cualquier enemigo, para demoler cualquier ciudadela, incluso la de tu propia alma. Ensayamos en tierra y agua batallas terribles. En uno de esos simulacros acertaste los cien puntos. Casi me ganas. De soldado raso a capitán. El militar de más alta graduación que revistaba en el ejército de la República por los días de aquella época. Imponente el capitán artillero. Arietante. Martilleante. Sin relevo, sin sustituto posible. Único.

¿Te acuerdas, Patiño, cómo era? Lo estoy viendo, Señor. Alto, la cabeza raspando el techo. Cuerpudo. Melena, bigotes hasta la cintura. El sólo verlo imponía respeto, Excelencia. Bueno, pues Rolón era ése, tal cual lo pintas. Ese era Rolón, el primer capitán de la República.

En un alboroto con los correntinos lo mandé a bombardear la plaza para escarmentarlos. Puse a su disposición cuatro buenos buques de guerra armados hasta de veinte y tantos cañones. No sirvieron sino para que Rolón ofreciera sin costo al enemigo una ridícula representación. No sirvió sino de hazmerreír por el desatino con que condujo la expedición. ¿Dónde su amor a la patria? ¿Dónde su honor y su orgullo, el respeto al gobierno? ¿Dónde su propio amor propio?

En la juntura del Paraná con el Paraguay, los cuatro barcos se pusieron a bailar ante el fuerte de Corrientes en los remolinos de las siete corrientes. Sin disparar un cañonazo. Sin saber qué rumbo tomar; si hundirse o volar.

Pobladores y tropas improvisaron un burlesco carnaval en homenaje a los navíos invasores. Se lanzaron a competir con ellos a quién bailaba más y mejor. Y si los correntinos no los tomaron con sólo alargar las manos, fue porque la borrachera los tumbó a ellos tanto como a Rolón y a sus hombres el susto. Al regreso de su hazaña se presentó muy fresco disculpándose con necedades. Así resulta cuando se encomienda una empresa a desvergonzados inservibles. Es verdad que yo sólo ordené esa expedición como prueba, la que no me salió bien. Sólo por esto no mandé ejecutar a Rolón. Se le conmutó por la pena de remo perpetuo. ¿Qué es de él? Continúa bogando en la canoa, Señor. Los últimos partes de las guarniciones costeras informan que ya no es más que piel y huesos. Otros, que es una sola entera mata de pelos cuya cola de más de tres metros se arrastra en la corriente mientras boga. Los ribereños del Guarnipitán han hecho correr extraños rumores. Dicen algunos que el que va sentado en la popa no es ya el condenado vivo sino el difunto. Otro díceres dicen que la muerte misma es la que va bogando en la negra y podrida embarcación. Y así debe ser nomás porque hace años que no recoge los alimentos de los lugares establecidos en la condena, entre la Villa del Pilar y el Guarnipitán.

¿Qué estás haciendo sobre el papel? Raspar la *i* de díceres, Señor, relevarla por la *e*. Cambiar, aunque sea por valor de una letra, el destino del ex capitán Rolón.

Ahí lo tengo a ese otro collón cobardón, el ex comandante de Itapúa, Ojeda. Revés indigno de lo que debe ser un verdadero comandante de guarnición. Abandona Candelaria a las tropas de Ferré que invaden nuestro territorio pretendiendo extender su dominio y apoderarse de las Misiones, antigua pertenencia y posesión del Paraguay. Mi comandante de guarnición se retira sin resistir, antes de sonar el primer tiro. Las armas se les derriten en las manos a estas gallinas uniformadas cuando se ven forzados a hacer uso de ellas. Deja regado el camino de su fuga con bagajes, pertrechos, bastimentos que cuestan sangre y sudor al país. Lo mando llamar. Hasta los calzoncillos se te cayeron manchados de tus propias miserias. Lo que es una vergüenza para la República. Oprobio sin segundo. Ignominia sin ejemplar. Últimamente me has dejado avergonzado con el gusto simple y sin excusa que has tenido, al extremo de hacerme abandonar la Candelaria, bastión imprescindible para la seguridad del país; el último resquicio que nos quedaba para comerciar con el exterior. Qué dirán esos comerciantes extranjeros. Qué se dirá en el Paraguay, cuando tus compatriotas lo sepan. Te escupirán en la cara, y en lugar de comandante de la primera guarnición de la República, serás la última escupidera del desprecio y la burla de todos.

Yo mismo me abstengo de hacerlo. Trato de no criar rabia contra ti. No me tolero enojos contra hombres tan-para-poco, tan-para-nada. Criar rabia contra infelices bribones es lo mismo que autorizarse a que estas contrapersonas pasen durante algún tiempo gobernando las ideas y los sentires de nuestra Persona. Lo que es doble pérdida.

Por ahora no te mandaré al naranjo. No creas que por lenidad o bondad. No disculpo la harta bobada que has hecho. Tolerancia, fuente de todos los daños. Boberías. Hago hincapié: Me esfuerzo en no desparramar rabias inútiles contra inútiles como tú.

No pido a mis hombres que obren siempre con la máquina del acierto. Con ser comandante de fronteras, te has apocado, sobrecogido en un vano temor, sin motivo, sin necesidad, sin hacer nada. Esto es falta de energía, de disposición de ánimo, y así poco es lo que se puede esperar de ti. No salgas con la evasión de aguardar órdenes. Todo comandante, a cualquier rumor o indicio de enemigos, tiene la obligación de prevenir las defensas que están a su arbitrio. Lo que no le impide esperar órdenes si las circunstancias dan tiempo y lugar. A pretexto de no tener órdenes no debe desordenarse todo. Ponerte en estado de defensa teniendo el como y el conque, es lo menos que debías haber obrado. Cuando en una batalla se combate con especial empeño por la posición de una capilla o de una plaza determinada, debe lucharse por ella como si se tratara del más importante santuario nacional, aunque tales objetivos tengan en ese momento un valor puramente táctico, y quizás sólo para esa batalla. Tú has estado sobrado de fuerzas para mandar efectivos de hasta cinco mil hombres a Santo Tomé, con buena artillería, sumadas las tropas de reserva en infantería y caballería, más dos escuadrones escogidos de lanceros. Has podido hacer de esta sección el comienzo de una verdadera campaña militar en resguardo de nuestras fronteras, y llegado el caso, convertirla en una cruzada de largo alcance con vistas a extender y asegurar el dominio de los ríos hasta el mar océano contra las hordas de salvajes y gobiernos de pega que estorban nuestro derecho a la libre navegación de los ríos, agravian nuestra soberbia e impiden el ejercicio de nuestro comercio exterior.

Debido a barrumbadas como la tuya, esos salvajes enemigos andan con sus frívolas habladurías. Reputan a los paraguayos por gente simple, poco patriota, y así fácil de ser embaucada, alucinada con cualquier cosa, hasta con el brillo de espejuelos, tal como hacían los españoles para embaucar y alucinar a los indios.

No hablarían esos mierdas si el Supremo Dictador del Paraguay tuviera un militar digno de su mando y del honor de la República. Un militar, no un asno, instruido en el arte de hacer la guerra. Capaz de ir en calidad de general aunque no fuese más que sargento, a lo sumo capitán, para arrasar Corrientes y la Bajada, en pago y castigo de sus ladronicidios, depredaciones y burlas.

La buena tropa, pero sobre todo los buenos jefes, tienen otro espíritu, otra energía, otra resolución. El fuego de la patria les arde en la sangre, les impide mostrar la espalda al enemigo, azolvar sus armas. En cada jefe, en cada soldado viaja la patria entera. Viendo que los enemigos insultan, les caen sobre ellos al unísono y los hacen polvo. Pero los soldados al mando de militares timoratos tienen la sangre helada. Todo lo miran con indiferencia. Si a los jefes nada les importa, qué puede importarle a la tropa.

Por tu culpa, mi estimado comandante es-capado, me he visto obligado a cerrar el campamento del Salto, no fuera que también por ahí anduviésemos a salto de mata con gente tan cumplida para la fuga. He puesto candado a las tranqueras de San Miguel y Loreto en previsión de otros desastres.

Por ahora no te mando fusilar a condición de que en adelante no retrocedas ni un palmo en las escaramuzas con el enemigo. Quedas obligado a marchar siempre al frente de tus tropas en los combates y asaltos. Ya no habrá retiradas bajo ningún pretexto. Y en prevención de que cometas nuevas barrumbadas, te ordeno leer a las tropas durante tres días, al toque de diana y retreta, el Bando Supremo adjunto en que autorizo y ordeno a los sargentos de compañía, a los cabos y hasta al último soldado, a que te disparen una perdigonada por la espalda al menor intento de volver a mostrarla al enemigo. Te brindo generosamente esta conmutación y dejo en tus manos, mejor dicho en tus pies, la iniciativa de ser fusilado en combate por tu propia decisión. Tú en persona debes leer el Bando.

Una buena milicia es la única capaz de remediar estos males. No vamos a perpetuar castas militares. No quiero parásitos acuadrillados que sólo sirven a los fines de atacar/conquistar al vecino; encadenar/esclavizar a los propios ciudadanos en su conjunto.

Quiero que sean ciudadanos-soldados íntegros aunque carezcan de instrucción militar completa, si bien la reciben con las primeras letras desde la escuela primaria. Atacados por el enemigo, todos nuestros ciudadanos se convertirán automáticamente en soldados. No hay uno solo que no prefiera la muerte a ver su Patria invadida, su Gobierno en peligro.

Los ciudadanos pueden ser excelentes soldados en un mes. Los soldados llamados regulares no pierden sus vicios en cien años.

Los funcionarios, categoría en la que se debe incluir a las dos clases superiores del Estado, una en su condición de magistrados, la otra como ayudantes o ejecutores armados de las decisiones de aquéllos, han de recibir una formación rigurosa que les permita a los unos defender la Nación contra sus enemigos; a los otros, administrar justicia en favor del pueblo; terminar con las injusticias que continúan existiendo aún después de nuestra Revolución.

Los militares, los magistrados deben evitar con el mayor de los cuidados que su diestra mano aparte riquezas mientras la siniestra sujeta las riendas del mando destruyendo el fundamento igualitario de la sociedad.

Por ello les he prescripto una forma de vida de total austeridad; la que yo mismo me he impuesto. Ni ustedes ni yo podemos poseer bienes de ninguna naturaleza. Celibato perpetuo para no dejar viudas les mando. Nos está vedado constituir nuestra propia familia, pues nos llevaría a favoritismos injustos. Guerreros, magistrados, ayudantes, especie de santos armados, sin bienes propios ni vida familiar, están obligados a defender los ajenos con desprecio de toda otra mira. Quiero que esto quede bien claro. Relean mis órdenes. Apréndanlas de memoria. No quiero que lo puesto sea estorbado por lo supuesto. Quiero que la letra les entre no con sangre sino por entendimiento.

Pido, exijo a todos ustedes el control estricto de los bienes, de los fondos públicos, de los gastos. Estrictísima vigilancia para evitar ladronicidios, cobros indebidos, coimas, exacciones, cohechos, sobornos. Bochornos en los que algunos de ustedes parecen ser más duchos que en aplicar arregladamente los reglamentos. Sobre este punto de la piratería de los funcionarios volveré más adelante. Voy a apretar las clavijas afinando la cuerda al tono justo alrededor del cuello de cada uno. Tacha el párrafo. Luego de sobornos, escribe: El saneamiento de la administración es indispensable para la ejecución del plan de salvación pública que hemos de realizar en mancomunado esfuerzo.

La República es el conjunto, reunión, confederación de todos los miles de ciudadanos que la componen. Se entiende de los patriotas. Los que no lo son, no deben figurar ni considerarse en ella; a no ser como la moneda falsa que se mezcla con la buena, conforme lo han aprendido en el Catecismo Patrio.

Tenemos el Estado más barato del mundo, la Nación más rica de la tierra por sus riquezas naturales. Tras los muchos, incontables años durante los cuales hemos disfrutado de la mayor paz, tranquilidad, bienestar que jamás se conocieron antes en este Continente, debemos esforzarnos ahora en defensa de este inconmensurable bien.

Al estado de paz perpetua sucederá el estado de guerra permanente. No atacaremos a nadie. No toleraremos que nadie nos ataque. El Paraguay será invencible mientras se mantenga cerrado compactamente sobre el núcleo de su propia fuerza. Mas, en saliéndose de este núcleo, su poder decrecerá en razón inversamente proporcional al cuadrado de la distancia en que se dispersen sus fuerzas. He aquí la ley de gravitación ejerciéndose en forma horizontal. Newton no ve todos los días caer la manzana. Tacha manzana. Pon naranja. Tampoco sirve. Tacha todo el párrafo. ¿Quién lo conoce aquí a Newton?

Con vistas a reorganizar los padrones poblacionarios deben levantar de inmediato un completísimo censo de todos los habitantes, inclusive indígenas, que se hallan radicados en la jurisdicción a cargo de cada uno de ustedes sobre los veinte Departamentos de la República, a fin de actualizar el registro de nuestra población. Este censo ha de especificar en los formularios detallados al efecto, cantidad de adultos, edad, sexo, ocupaciones, aptitudes de cada hombre o mujer; antecedentes familiares, políticos, policíacos, el que los tuviere, principalmente de los jefes de familia; referencias a su afección y desafección a la Causa de nuestra Independencia. Número de hijos, desde los recién nacidos a los que están por entrar en edad militar. Situación de los niños que reciben instrucción. Enviarán listas de los muchachos de las escuelas con expresión de los que ya andan escribiendo. Con respecto a los más adelantados, se les requerirá respuesta en forma de una composición escolar a la pregunta de cómo consideran estos niños al Supremo Gobierno. Tienen amplia libertad de expresión. El Gobierno destacará inspectores a cada una de estas escuelas a objeto de verificar con adecuadas pruebas el progreso de los alumnos, promedios de asistencia, aprovechamiento, saber, aplicación, así como las causas que impiden su rendimiento o provocan el ausentismo y la repitencia en los grados. Nunca como hoy es necesario hacer entera verdad del dicho: En el Paraguay no hay ningún ciudadano que no sepa leer ni escribir, y lo que es su consecuencia: Expresarse con propiedad.

Reflexionen pausadamente sobre estos puntos que constituyen el basamento de nuestra República. Focos de proyección de su progreso en el porvenir. Quiero jefes, delegados, administradores, aptos en sus diversas funciones. Quiero pundonor, austeridad, valor, honradez en cada uno de ustedes. Quiero másculos patriotas sin mácula.

Anoten cualquier duda, opinión, sugerencia, que estimen conveniente formular acerca de los principales asuntos tratados en esta Circular. Tengo pensado realizar dentro de poco un cónclave, que es como decir un Congreso de jefes, funcionarios, empleados del más alto al más bajo rango, a fin de fortalecer, uniformar, entre todos, la futura política del Supremo Gobierno.

Cada uno de ustedes debe preparar una rendición de cuentas de toda su actuación en los diversos cargos a que han sido destinados desde su ingreso en la administración pública. Rendición de cuentas que será estudiada por el Supremo Gobierno antes del Cónclave. Sus informes, que suelen ser bastante deformes, esta vez han de ser conformes a los formularios que se les hará llegar con el próximo chasque. Tales fojas de servicio, juntamente con el censo de la población, así como el censo educacional, que he ordenado, deberán ser enviados dentro de un mes, es decir, a fines de setiembre del presente año, a más tardar.

El propósito de esta rendición de cuentas no se fraterniza desde luego con el despropósito de relevarlos a ustedes por las faltas que pudieran haber cometido en el pasado. Condenarlos por haber incurrido en torpezas, no sería sino otra torpeza más. Lo ya hecho para bien está bien. Lo hecho para mal procuremos hacerlo bien en el futuro. Mi idea es conducir a cada uno de ustedes de modo que lleguen a ser grandes jefes, funcionarios irreprochables de la República. Por ello quiero que sus partes, sus oficios, sus relatorios vayan saliendo ajustados a la realidad de los hechos. No se dejen llevar por las riberas de su imaginación. No me obliguen a ir pelando sus papeladas bulbosas llenas de cáscaras amargácidas. No me hagan morder la cebolla. Quiero que tomen mis advertencias no tanto como del Jefe Supremo, sino más bien del amigo que no sólo los estima sino que los ama. Tal vez mucho más de lo que ustedes mismos pueden sospechar.

El tiempo que vivimos bien puede resultar el postrero; por lo tanto, adecuado para enmendarnos a reculones. Por disconveniencias mejor que por conveniencias personales. Estando poco adoctrinado por los buenos ejemplos, que no han abundado nunca en nuestro propio país, me sirvo de los malos ejemplos cuya lección al revés es ordinaria pero extraordinaria para dar buenos ejemplos del derecho.

Costumbre de nuestra justicia es ejecutar a los culpables en advertencia de los demás. A fin de que el mal ejemplo no cunda, se corrige no al que se ahorca sino a los demás por el ahorcado. Siempre se muere en otro. No les vaya a ocurrir que ya estén muertos y no lo noten o se hayan olvidado de que lo están. La mentira no me engaña. Siempre doy con ella aunque venga escondida entre las suelas de los zapatos. Supersticiones y cábalas no me tocan ni alucinan. A ustedes les consta mi templanza; mas también mi inexorable rigor. Este rigor está puesto por entero al servicio de la Patria. Defenderla a todo trance de sus enemigos sean éstos de dentro o de fuera.

¡Entendedme, pobres conciudadanos! Yo antes quiero morir que volver a ver a mi pobre Patria oprimida, y tengo la satisfacción de creer que lo general de toda la República está en lo mismo. Si así no lo fuera, culpa nuestra será. Mas entonces ninguno de nosotros se salvará del desastre de la Patria. ¿Por qué? Porque todos y cada uno de nosotros *seremos* ese desastre. Sobre tales despojos vendrán a sentar sus reales las fieras del desierto.

Se suele decir que el que se fía del pueblo edifica en la arena. Tal vez, cuando el pueblo no es absolutamente más que arena. Pero aquí no reina esta cábala. Yo lidio no con un pueblo de arena ni de fantasmas, sino con un pueblo de hombres de mil y tantas miserias. ¡Paraguayos, un esfuerzo más si queréis ser definitivamente libres!

Apenas yo reciba los resultados del nuevo censo y empadronamiento general de los ciudadanos que les ordeno en la presente, serán informados sobre el proyecto que he forjado para la formación de un gran ejército y una flota de guerra a objeto de liberar de una vez por todas a nuestro país del inicuo bloqueo de la navegación y reforzar nuestras defensas, fundamento de nuestra autodeterminación y soberanía. Los pormenores del plan serán revelados oportunamente a los comandantes militares en instrucciones muy reservadas.

(Cuaderno privado)

Por el momento lo que voy a obrar es lo siguiente: Una vez talado el bosque de sátrapas, una vez extinguida la plaga de perros hidrófobos babeantes de abyección, mandaré extender sobre sus restos una gruesa capa de cal y de olvido. No más jefes indignos y bufones. No más efectivos de líneas que haraganean a la espera de huir al menor peligro. No más tropas de un ejército que existe y no sirve para nada, pues hasta el último de los soldados acaba contagiándose de los vicios de sus jefes. No más uniformes, ni grados, ni jerarquías escalafonarias, que los da no el mérito sino la antigüedad de su inutilidad. El ejército de la Patria será todo el pueblo en ropa y dignidad de ser el pueblo en armas. Ejército invisible, pero más efectivo que todos los ejércitos. Sus efectivos, los campesinos libres, encuadrados por los jefes naturales que surjan de ese natural ejército de trabajo y defensa de la República. Trabajarán de día. De noche harán sus ejercicios. Se adiestrarán en las tinieblas de modo que las mismas tinieblas sean sus mejores aliadas. Las armas serán escondidas durante el día, junto a los surcos. Las murallas boscosas serán nuestros mejores bastiones; los desiertos y esteros, nuestros fosos impenetrables; los ríos, lagos y arroyos, las arterias por donde circulará la fuerza fulmínea de nuestros destacamentos articulados en pequeñas unidades. Que vengan los elefantes. Ya el compadre Confucio decía que los mosquitos aca ban comiéndose a los elefantes. Cuando irrumpa el enemigo, creerá que entra en una tierra inerme y pacífica. Mas cuando los invasores se den cuenta de su error acorralados entre el trueno y el relámpago por este aparente espejismo de hombres y mujeres que defienden su heredad en ropa de trabajo, sabrán que sólo puede ser vencido el pueblo que quiere serlo.

Las tropas de padres de familia arraigados en la zona del Paraná, que envié contra la invasión de los correntinos, fueron un buen ejemplo al comienzo. Desde hoy, nada de inservibles tropas de líneas. Disolveré esos efectivos de haraganes e incapaces que disparan al primer tiro del enemigo. Se acabó el ejército de parásitos que chupan la sangre del pueblo inútilmente, además de vejarlo sin cesar con toda clase de atropellos y abusos.

Desde hoy, el pueblo mismo será el ejército: Todos los hombres y mujeres, adultos, jóvenes y niños en condiciones de servir en el Gran Ejército de la Patria. Único, invisible, invencible. Estudiar todos los aspectos de su organización. Proyectar en sus menores detalles un plan de estrategia y táctica; un reglamento de combate de guerrillas y un sistema general de autoabastecimiento, orientados a cubrir los objetivos centrales de trabajo y defensa.

La base más importante para esta conversión de las milicias tradicionales en milicias del pueblo es... *(quemado el resto del folio).*

Yergue el cráneo sacudiéndose la tierra. Levanta la mitad de la osamenta apoyándose en los cuartos traseros. Está a punto de arrojarme a la cara el secreto del negro Pilar. Un pequeño arco iris de baba se le forma alrededor del hocico. Sarcástica sonrisa a la sombra pelada del hueso. Me retiro un paso, fuera de su alcance. Lo observo de reojo. La hidrofobia de un perro muerto puede ser dos veces mortal. ¡Lo mandaste matar por!... Se contiene con un fingido ataque de tos. Despacio, mi buen Sultán. Tienes la eternidad por delante. Hala hala ¿qué ibas a decir del negro? Continúa. Te escucho. No eras antes tan buen oyente, mi estimado Supremo. Tampoco tú eras muy conversador en tu vida de perro. Lo mandaste fusilar el mismo año en que celebrabas tus bodas de plata con la Dictadura Perpetua. Corrió ese año sebo caliente como nunca. ¿Te acuerdas, Supremo, del velón? Velo ahí. Tus perráulicos lo mandaron fabricar de cincuenta varas de altor por tres de grosor en la base. Diez mil quintales de sebo ardiendo fueron derramados sobre el esqueleto del envarillado. Encendieron el pábilo que estaba calculado para durar por lo menos otro cuarto de siglo con la llama prendida dentro de su nicho de mica. Lo levantaron por la noche en la Plaza de la República. Víspera de aquella Navidad. Tú no sabías nada. Sorpresa absoluta. Únicamente te sorprendió esa luz que brillaba después del toque de queda en un sitio donde no la habías visto nunca ni ordenado que estuviera. Enfocaste el telescopio desde la ventana. ¡La Estrella del Norte!, te oí murmurar. Toda la noche pasaste contemplándola. Gañido bajito de perro viudo. Mil suspiros. Un solo suspiro cortado por mil contrasuspiros. De modo que eran mil y también uno solo. Me obligaste a suspirar y gañir a tu lado, aplastándome la pata con el taco ferrado del zapato. Mientras tú suspirabas y gañías a lo perro yo me reía a lo hombre de tu ridícula pena-persona. Cuando el alba asomó te llevé a la cama casi a rastras. Te encerré en tu camaranchón. Monté guardia a la puerta.

Atraído por el alboroto de la plaza descubriste el velón algunas horas después. Desprendido de la armazón de takuara, bajo los ardores del sol está ya completamente doblado hacia tierra, chorreando sebo y humo por la punta. ¡Gritos y risas, vivas y hurras a El Supremo! La multitud se enardece. Retoza en torno al inmenso candil, que ha querido humillar mansamente la cabeza hasta la multitud en la nunca vista celebración. Las mujeres se revuelcan frenéticas en el polvo rojo de la plaza. Las más audaces bacantes-vacantes se abalanzan contra la reblandecida punta. Erizados los cabellos. Túnicas en jirones. Ojos desorbitados. Arañan pedazos de sebo caliente. Cogen en el cuenco de las manos las gotas ardiendo. Se refriegan plastos de sebo contra el vientre, los pechos, las bocas. Salen aullando enloquecidas:

Oe... oé... yekó raka'é
*ñande Karaí Guasú o nacé vaekué...**

Te diste a todos los diablos. Lo que para ellos era la Fiesta de las Fiestas, para ti fue la más siniestra burla de las burlas. Mandaste despejar la plaza a bayoneta calada. Tres veces tuvieron que cargar tus granaderos en formación de combate. Los perráulicos temblaban.

Ese día mandaste fusilar al negro Pilar. Fui a lamer las heridas que le habían abierto las balas en el pecho. Hacia la hora nona, con voz de muerto el negro me dijo riéndose un poco: ¡Tanta vela al santo-pedo! ¿No, Sultán? A la india Olegaria la dejé preñada. Cuando haya parido el hijo decile que yo le hago decir que le ponga mi mismo nombre. Y al viejo de mierda ése, que no tiene nombre, decile que yo le hago decir que no sepa por dónde anda ni tenga qué decir, que se le haga noche por dentro y se duerma de una vez sin que sepa jamás que se ha muerto. Eso fue lo que dijo el negro Pilar. Su póstumo deseo. ¿Por qué no escribes estas cosas ciertas entre tantas mentiras que tu mano toma en préstamo a otras mentiras creyendo que son tus verdades?

Sabes que no lo mandé matar por pura sevicia, Sultán, sino por los hechos que hizo. Lo mandé al infierno por su ladronicidio, por su

* *oé... oé... hace mucho tiempo*
nuestro Gran Señor dicen que nació.

traición. ¿A qué infierno? ¿Al de tu negra conciencia? ¿A tu Infierno Supremo? ¡No me faltes el respeto! ¡Mándame fusilar a mí también, maldito viejo muerto de supremidad! ¡Estoy harto de ti! Fíname antes de que tu mano no pueda mover más esa pluma. Ahora que somos finados podemos entendernos. No, Sultán, todo esto exige una comprensión que, vivo o muerto, no cabe en tu entendimiento. ¡Bah, Supremo! ¡No sabes aún qué alegría, qué alivio sentirás bajo tierra! La alucinación en que yaces te hace tragar los últimos sorbos de ese amargo elixir que llamas vida, mientras vas cavando tu propia fosa en el cementerio de la letra escrita. El propio Salomón dice: El hombre que se aparta del camino de la comprensión permanecerá, aunque esté vivo, en la congregación de los muertos. Estás iniciado a medias; como en ella yo soy más antiguo, tú el novicio me debes respeto, Supremo. Sabiduría añade dolor, ya lo sabemos. Pero hay un dolor que vuelve a ser locura, y esto no se halla escrito en ninguna parte. No te quedes absorto contemplando demasiado ese fuego que tu incipiente ceguera verbal cree ver arder en los Libros. Si existe no está en ellos. No haría sino incinerarlos. Te achicharraría. En esta ocasión he vuelto a tu maloliente perrera sólo por acompañarte un instante; al cabo siento por ti la piedad de los muertos por los vivos. No trates de entenderme. Podrías volverte dichoso de pronto. ¿Sabes lo terrible que es ser dichoso en este mundo?

En la obcecación de tu Poder Absoluto por el que crees dominarlo todo, no has adquirido ni siquiera un real de la sabiduría del rey Salomón, el no-cristiano. Dormía con sus concubinas guardando bajo su almohada el cuchillo del Eclesiastés. A veces sacaba sin un roce el acero forjado-en-dolor mientras ellas dormían. Les cortaba sus cabelleras fabricándose hermosas barbas rojas, doradas, negrísimas, onduladas, crespas, motosas, que le llegaban hasta el ombligo. Con una sonrisa les cortaba los senos de un tajo; tan suave, que las durmientes debían de sentirse aún acariciadas en sueños. Les vaciaba los ojos en un pestañeo. ¡Nada hay más hermoso que contemplar en la palma de la mano un par de ojos colmados de sueño! El cordón umbilical del nervio óptico colgando entre los dedos. Fosforecen un rato las pupilas en la obscuridad. Brillo sulfúreo de amor-odio. Luego se esconden del lado obscuro de la tierra. Son cosas que no están en los Cantares.

¡Espérate, Sultán! ¿Quién ha dicho esto último? ¡No me aturrulles! Da lo mismo, Supremo. No te preocupes. ¿Cómo no he de preocuparme? Si estoy tratando de entender; no quiero mezclar mis cosas con tus perradas de ultratumba. Ya te he dicho que no entenderás hasta que entiendas. Pero esto no te ocurrirá mientras simules tu enterramiento en esos folios. Las falsas tumbas son pésimos refugios. El peor de todos, el sepulcro escriturario de a medio real la resma. Sólo bajo la tierra-tierra encontrarás el sol que nunca se apaga. Tiniebla germinal. Noche-noche la de ojos en peregrinación. Única lámpara alumbrando sus trabajos de vida-y-muerte. Pues si no siempre en lo obscuro se muere, sólo de lo obscuro se nace ¿entiendes, Supremo? Cuando aún vivías me eras útil, mi estimado Sultán. Te oigo gruñir en sueños. Ladras. Despiertas sobresaltado. Levantas la pata derecha para atajar la mala visión. En tus ojos se refleja la imagen del Extraño. Desconocido sin dimensiones de color ni forma. Cosa. Suceso. Vaticinio de lo negro a lo gris; de lo gris a lo blanco; de lo blanco a la sombra parada delante de ti. Tu sueño ahora demasiado pesado. Ya no sabes representar la muerte como en otro tiempo lo hacías soberbiamente para diversión de mis huéspedes. Igual que el bufón del negro Pilar, capaz de mojigangas parecidas remedando voces, figuras, gesticulaciones de los extraños más extraños. Pantomimo. Histrión. Alcahuete. Morcillero. Sátiro. Transformista. Caricato. Mamarrachero. Ladronzuelo.

Dime, Sultán, aquí entre nosotros, ponte la pata sobre el pecho: Con la más entera franqueza dime si el negro te habló algo acerca de esa fábula que le encalabrinó el cerebro con la idea de ser algún día rey del Paraguay. ¡Mentiras! ¡Patrañas de tu bolacero fiel de fechos para desacreditar aún más al negro! ¡Lo último que hubiera querido es ser rey de este país de mierda! El que sueña con destronarte y hacerse rey algún día es justamente tu fiel de fechos, el propio Policarpo. Fíjate en el respaldo de la silla de tu lacayo. ¿Qué ves escrito ahí, a carbonilla? *Policarpo I Rey del Paraguay.* Mándale que borre la leyenda con la lengua. Lo hará, no te preocupes, antes de que el nudo corredizo la haga saltar bien húmeda fuera de la boca.

Por orden del perro escribo pues sobre el negro Pilar. Durante diez años el paje disfrutó de mi exclusiva confianza. Aparte del protomédico, el único que entra a mi cámara. Me ceba el mate. Vigila la cocción de los alimentos. Los prueba antes que yo. En las audiencias oficia de asistente; de vigía de punta en los paseos. Avanzo sobre el moro; voy avanzando lentamente por las calles taladas de árboles. Los ojos de halcón del negro vigilan las rendijas de las casas atrancadas. Rezago entre la maleza, un racimo de cabezas ensombreradas. Pilar cae blandiendo el látigo sobre los sombreros de paja. Cabezas de muchachuelos curiosos se esconden bajo los sombreros. Los ahuyenta a guascazos.

En los ejercicios militares cabalga a mi lado. Maneja la lanza o el fusil como el más pintado de mis húsares. El negro provoca en ellos envidia, pasmo, admiración. En las cacerías anuales de perros Pilar va siempre en las avanzadillas. Le encanta meterse en las casas de los patricios. Ultima a bayonetazos, delante de los aterrorizados dueños, a los cuzcos escondidos bajo las camas, en las cocinas, en los sótanos, bajo las polleras de las mujeres. En una de estas batidas atravesó de un chuzazo a Héroe, saldando con él viejas cuentas. Mientes, Supremo. El negro Pilar no mató a Héroe, que ya andaba muerto de hambre desde que expulsaste a los Robertson. Nadie le tiraba un hueso ni siquiera a escondidas por temor a caer en desgracia si llegabas a saberlo. Cállate, Sultán. No me interrumpas tú ahora. No te me pongas en dictador ni en corrector. Hablo del negro Pilar, no de ti. Escribo sobre él, y a la letra le da igual que sea verdad o mentira lo que se escribe con ella.

Lo que más le alucinaba era contemplar el cielo por las noches a través del telescopio en busca de mis constelaciones preferidas. Mira, José María, voy a leerte el calendario del zodíaco. ¿Qué es zodíaco, Padrino? Algo parecido a un almanaque del cielo. Ya sé, Padrino, algo parecido al Almanaque de las Gentes Honradas que usted lee de cuando en cuando. ¡No mezcles las cosas viles con las cosas del cosmos! Escucha, si yo te alcanzo un cabo de vela y te digo que lo comas, ¿lo harías? No, Señor, porque usted mismo me tiene dicho que uno no debe comer su propia vela. Atiende, bribonzuelo: el sol gira en torno de su anillo ardiente y no necesita más alimento que el suyo propio. ¡Quién pudiera ser sol! ¿No, Señor? ¡Comerse panzadas de uno mismo! No me interrumpas tú ahora. El zodíaco es la franja circular de las doce constelaciones que recorre el sol en el espacio de un año. Los doce signos marcan las cuatro estaciones. Vamos a leer el calendario. Ahí está Aries, el carnero, bestia libidinosa que nos engendra. Allí Tauro, el toro, que empieza por darnos una cornada. En el torocandil, Señor, yo soy siempre el primero que cornea a los otros negros. Mira a Géminis, los gemelos; es decir la Virtud y el Vicio. Procuramos alcanzar la virtud cuando llega Cáncer, el cangrejo, que nos engancha con sus pinzas dientudas. Mientras nos alejamos de la Virtud, Leo, rugiente león, se nos cruza en el camino. Nos tira feroces zarpazos. ¿El león moribundo de la fábula de Esopo que usté me suele contar, Señor; el que organiza la parada para comerse el resto de los animales? Si no me dejas hablar no llegaremos nunca al fin. Pega tu negra alma al telescopio; escucha lo que voy diciendo. Huimos del León, encontramos a Virgo, la virgen. Nuestro primer amor. Nos casamos con ella. ¿De qué te ríes? De nada, Señor; sólo porque también le he oído decir a usté que los virgos se encuentran siempre entre las pajas. Parece que también hay virgos en el cielo. Nos creemos felices para siempre cuando aparece Libra, la balanza, que pesa la felicidad con peso de humo. Muy tristes quedamos. Escorpio, el escorpión, nos sacude un puyazo en la espalda que nos hace dar un terrible salto. Nos curamos de las heridas, cuando hete aquí que nos llueven flechas desde todas partes: Sagitario, el arquero, se divierte. Nos arrancamos las flechas. ¡Cuidado! Ya estamos flotando en el Arca. Ha llegado Acuario, el aguatero, que ha vertido todo su diluvio inundando la tierra. La ha convertido en un océano donde reina Piscis, porque ellos nos pescan a nosotros sin carnada ni anzuelo. En cada cosa hay oculto un significado. En cada hombre un signo. ¿Cuál es el suyo, Señor? Capricornio, el capricornio del Trópico. Ariete que arremete y por todas partes se mete. ¡La gran pucha, Padrino, con este Libro del Cielo! El sol lo lee todos los años, Pilar. Siempre sale sano, lleno de ánimo; allá arriba sigue girando alegremente. Yo también puedo hacerlo, Señor. Leerlo directamente. No sé cuándo nací, ni el mes, ni el día, ni la hora, pero por la picardía de esos signos el que me corresponde capaz que es el de los Mellizos. Soy el kõi de mi kõi. Yo diría que tu signo más vale es el cangrejo que le sigue. Si me reparto en lo menudito de cada día, sí Señor. Ahora lo que me pregunto es si en la vida de Su Merced es también de ese modo. Para mí, que su signo es usted mismo, Señor. Usté no depende de la suerte momentera que salta el salto fino por un hilo empujando las cosas que no se ven mientras suceden las cosas que se ven. En las historias de los libros ¿no es de esa manera? Si Vuecencia me da licencia yo también leeré ese Almanaque de las Personas Honradas del Cielo. No sabes leer aún. Aprende. Anda a aprender el alfabeto en la escuela. Voy a ver si puedo hacerlo, Señor, digo en la podencia de lo floreado con palabras nomás.

No llegará el negro a pasar de Capricornio. Su falsa inventiva lo clava en la irreverencia delatora. Eco de antiguas bellaquerías de mis detractores, que atribuyen mi odio por los patricios a los frustrados amores con la hija del coronel Zavala y Delgadillo. No menciona nombres el audaz hablantín. Chocarreras vaguedades sobre la Estrella del Norte, apodo con el que por donaire se conocía a doña María Josefa Rodríguez Peña, madre de la hermosísima Petrona. Público mote correspondiéndose en la boca del negro con mi más guardado secreto. Historia fingida de una constelación. Prueba al canto de que hasta a través de las más lejanas galaxias el ruin gusano acaba siempre picando la salud de la fruta. El corazón del negro ya estaba picado. Le hice aplicar una tunda de azotes. Los recibió sin un gemido. Luego se arrodilló a mis pies pidiéndome perdón. Le brindé una oportunidad para rehabilitarse. Fue la última vez que cometí un acto de estúpida conmiseración. Me siguió engañando un tiempo. En mi presencia, humildad, discreción sin ejemplar; a escondidas, el peor de los truhanes. Se tornó cínico, libertino, borrachín, relajado ladrón. Ayudado por la india Olegaria Paré, su concubina, empezó a robar en los almacenes del Estado. Lo vil con lo vil se junta. A mis espaldas empezó a cobrar gajes, coimas por presuntas mediaciones ante el Gobierno. Rufianadas de toda especie, que respondían a su prodigiosa capacidad de truhanería, de invención, de malicia. Todo el mundo se disputaba los favores del famoso chambelán en que se había convertido mi antiguo paje. Entretanto, la india ya embarazada a punto de parir seguía vendiendo de postín en la plaza del abasto, hasta en las casas de los enemigos, las mercancías que su amante robaba. Piezas de lienzo inglés, bramantes, arrasados de hilo, gasas-libélulas, pecheras de encajes, cintas de colores, pañuelos, juguetes, fueron a parar a manos de los derruidos linajes, de los chapetones arruinados, de los engreídos patricios. Daban lo que no tenían para pagar estos lujos robados a las Tiendas del Estado. Inmenso regocijo. Una guardia lo pilló arrojando por las claraboyas rollos de cintas que se deshacían en la brisa del río.*

* *Declaración del guardia Epifanio Bobadilla:*

...¿Qué está haciendo Smd. Joséph María?, dice el sumareado que preguntó al reo. Nada, centinela. Tirando al aire pedos-de-monja. ¿Y la india que está abajo, escondida en la zanja? Eá, ella recoge bolas-de-fraile nomás. Vaya, urbano, ocupe el retén. Lo voy a denunciar por hacer abandono de su puesto de imaginaria. No diga a nadie nada de lo que ha visto y oído. Usté no ha visto ni oído nada. ¿Me ha entendido, centinela? Está bien, Smd. D. Joséph María. Retírese pues soldado. ¡Fiiir... carrera maaar! me ordenó Dn. Joséph María. ¿No ve que si usté curiosea, la monja tiene vergüenza? Esconde el culo. No sabe llover sus pedos forrados de vientonorte. Las bolas-de-fraile se secan en la falda de la Olegaria. Mándese a mudar, urbano. Ahí va una caxeta de dulce para usté y mis recuerdos a su hermana, declara el sumareado centinela Bobadilla que le dijo el reo. Oído lo cual el urbano se retiró llevándose la caxeta.

Una tarde, al volver del paseo, el pasmo me clavó en la puerta del despacho. Enfundado en mi uniforme de gala estaba el negro sentado a mi mesa dictando con destemplados gritos las más estrafalarias providencias a un escribiente invisible. Completamente borracho, hojea deshojando los expedientes amontonados. Me cuesta arrancarme al estupor que ha hecho de mí una piedra de imaginación, digo de indignación. ¡Lo peor es que en la alucinación de mi cólera me veo retratado de cuerpo entero en ese esmirriado negro! ¡Remeda a la perfección mi propia voz, mi figura, mis movimientos, hasta el menor detalle! Se levanta. Saca de su escondrijo las llaves del arca de caudales. Retira el grueso legajo que contiene los procesos de la Conspiración del año 20. También empieza a deshojarlo. Lanza puñados de hojas al aire vociferando insultos contra cada uno de los sesenta y ocho traidores ajusticiados. ¡Terribles anatemas! Los mismos con que yo suelo apostrofarlos todavía, después de veinte años.

No me ha sentido entrar. No repara en mi presencia. Al fin me ve. A pesar de su borrachera pega un bote hasta el techo. La embriaguez de la desvergonzada pantomima aumenta su locura. No escucha mis improperios, mis amenazas. Salta sobre mí. Me arranca la chaqueta, me desgarra la camisa. Me torea. Baila en torno a mí gangueando una mágica melopea. Me arrincona, me acorrala contra el meteoro metiéndome en el cambaluz que está representando ese mono disfrazado de Supremo Dictador de una Nación.

En un rápido giro se transforma ahora en cada uno de los sesenta y ocho ajusticiados. Son ellos los que ahora me insultan, me apostrofan, me juzgan a mí, caído detrás del piedrón. Sesenta y ocho figuras que forman una sola en el ritmo de vértigo que electriza los movimientos del negro. Sesenta y ocho imágenes de próceres traidores, más fieles a sus desaparecidas figuras, que los retratos pintados por el procerógrafo Alborno. Sesenta y ocho voces de ultratumba en la sola atiplada voz del negro. ¡Guardias!

Turulatos, atemorizados por la inminencia de una feroz batalla, húsares, granaderos, urbanos, entran agazapados, dispuestos a enfrentar a una legión de demonios. No me ven en la penumbra. Únicamente al negro, en quien me ven a mí, desplazándose a saltos entre los muebles, haciendo refulgir la empuñadura de oro del espadín, los hebillones de plata de los zapatos napoleónicos.

El mico suprémico centellea de un lado a otro. Alaridos rajan el aire del despacho. Rebota el negro de una pared a otra. Se estrella contra el techo, contra el piso; de nuevo contra las paredes, contra los muebles, contra los armerillos, contra las banderas, contra las rejas de la ventana. Al fin queda quieto, hecho un nudo, sobre el aerolito, riéndose estentóreamente. Gritándome aún insultos con el remedo de mi voz. Interjecciones, exclamaciones obscenas. Soflamas groseras, aprendidas en el libertinaje más soez.

¡Ahí!, apunto con el índice levantándome del piso. ¡Ahí está! ¡Préndanlo de una vez, idiotas! Me salen ahora a mí las órdenes chilladas con la voz del negro. Los guardias no saben aún por quién decidirse. Si por mí, casi desnudo, negro por la penumbra, por la cólera; si por el negro, travestido, sudoroso, resplandeciendo en lo alto del meteoro. ¡Ahí!, grita a su vez el negro. ¡Llévenlo, guacarnacos, espolones! ¡Sáquenlo de aquí!

Nos llevan a rastras a los dos. El negro se debate aún con todas sus fuerzas. Muerde, desoreja a uno; troncha a dentelladas el dedo gordo de otro guardia. Lo desmayan a culatazos. Lo sacan dejando un rastrón de sangre, de vómito hediendo a aguardiente de pulpería. Las piezas del traje de gala, esparciéndose sobre el piso se estremecen aún en los últimos espasmos de ese vértigo de pesadilla. Un zapato anda dando vueltas por el aire en busca del pie que ha perdido. Cae sobre la mesa convertido finalmente en pisapapel.

Negó todos los cargos del sumario. Las vergas de toro no consiguieron arrancarle nada más que lo menos. Bejarano, Patiño, los verdugos guaykurúes lo trabajaron concienzudamente en el Aposento de la Verdad. Desollado, ceniciento, se mantuvo en sus trece. Fui a verlo una noche. Lo espié a través de una rendija del calabozo. Perenne sonrisa de burla entre los labios hinchados, amoratados. Tercamente negó sus delitos. Hasta llegó a amenazar que haría caer a muchos si hablaba; a gente que llegaba hasta el techo del Gobierno, dijo: Altos oficiales, funcionarios, a quienes él había prestado dinero. Lo peor de todo, sus actos de ladronicidio en complicidad con la india.

Declaración de la india Olegaria Paré:

Jura como que es cierto y dice como verdad que ha tenido tratos y comunicación con el criado Joséph María Pilar, el cual para el efecto le ha solicitado personalmente, sin valerse de otro alguno, y desde el mes de setiembre de mil ochocientos treinta y cuatro ha principiado a valerse de ella. También declara que estos servicios los hacía gustosamente a Smd. el señor Joséph María por el gusto de gustarle a él y no por ningún otro interés... *(testado lo que sigue del párrafo).*

Habiéndose negado a las primeras solicitudes aceptó por su entera voluntad irse con Dn. Joséph María por el mes de Octubre, mientras S. E. estuvo en dicho Cuartel. Habiéndole indicado Dn. Joséph María las medias Islas que hay en las costas del arroyuelo que pasa por frente del citado Cuartel como lugar proporcionado para sus tratos y comunicaciones, concurrían allí hasta que S. E. salió y volvió a ocuparse en los ejercicios militares de fuego. Los dos siguieron encontrándose en los vosquecillos de las medias Islas, pero no se acuerda cuántas veces.

Allí le entregaba el señor Joséph María rollos de cintas celestes y carmesí de a un dedo y de a dos de ancho y de a 15 varas poco más o menos de largo, y algunos papeles de agujas, pero no se acuerda qué cantidad de cintas, ni cuántas libras los pedazos de acero, ni a qué número los papeles de agujas. Sólo que para entenderse ambos en lenguaje inocente según dice que Dn. Joséph María le decía, y para no despertar sospechas, llamaban "bolas-de-fraile" a los aceros, "pedos-de-monja" a las cintas, no acordándose de las cantidades que le tiró.

Declara que permanecieron en estas comunicaciones y tratos hasta mediados de la Cuaresma, en que sintiéndose embarasada dejó de continuar en ellas, o sea en los entretenimientos de a dos que tenían en las medias Islas; ocurrió esto a su propio pedido, para que no se descubriese que el causante del hecho era Dn. Joséph María. Sin embargo dice que él mismo vino a entregarle una vez 3 varas de bramante y otras 5 varas de lienso inglés, de los quales géneros se hizo hacer una pollera, una camisa o media túnica no recordando quién los confeccionara, y la faja para esconder lo que sería el fruto de su vientre, prendas que aquí presenta en devolusión, muy usadas aunque bien labadas y planchadas.

En el mes de junio sigue diciendo que volvió a pasar por detrás de la culata de la Casa de Gobierno subiendo del río con un atado de ropas

¿Y qué? ¿Lo mandaste ajusticiar por esto? El negro quería vivir libremente las treinta monedas de oro de libertad que le compraste. Encontró todo el bien en lo que tú llamas todo el mal; de la línea del bajo vientre para abajo. ¿Es esa para ti la línea de flotación de lo que a cada rato llamas pomposamente razones de la Razón Universal? Adán no tuvo ombligo. Tú, ex supremo, lo has perdido. ¿Ya no te acuerdas de tu parrandera vida de jugador, vihuelista y mujeriego?

---

como labandera para tapar su embaraso y los tratos en que andaba con Joséph María Pilar. Desde entonces con estos mismos recursos y sacamangas, por unas ventanillas que caen a la calle desde los Almacenes, Dn. Joséph María Pilar continuó arrojándole a una zanja, donde ella se escondía, más rollos de cintas, que fueron como 3 docenas, de todos colores, y otras tantas piesas de género de varias qualidades, que ella vendía a sugetos de la Plaza del Avasto. Interrogada sobre la filiación de dhos. sugetos, dice que ninguno dellos son de su fe y conocencia, aunque sí que todos eran sugetos pobres que iban a la Plasa, a los que ella vendía los enseres al barrer y por lo que le dieran. Responde también a otra interrogación que jamás fue a reducir los empeños hurtados a las casas de las familias ricas pues por su condición de india no la hubieran querido recibir siquiera las señoras de la alta sociedad. Dice que entregaba el dinero a Dn. Joséph María que lo repartía a los pordioseros de las calles y a los presos de las cárceles para sus alimentos, según lo contaba con los ojos llorosos; lo que ella considera cierto pues al día siguiente el susodho. Pilar ya no tenía más plata y había que seguir vendiendo. De todo el numerario que le entregaba cada vez afirma que le daba a ella 6 reales y otros 3 más por el nonato, para su aprovechamiento.

El lunes 13 de julio, yendo a la Plasa del Avasto a comprar chipá, Dn. Joséph María se le acercó entre la gente con mucho disimulo diciéndole que los "pedos" y las "bolas" estaban oliendo mal y que el malolor ya había llegado al olfato del Karaí-Guasú, pues le había mandado dar un rollo de azotes. Me dijo que había que prepararse para cualquier cosa. Ella dice que le contestó que siempre estaba preparada y que ella tomaba toda la culpa sobre su cabeza, y que no se asustaba de nada.

Le entregó entonces el reo 3 pantalones de lienso inglés, 2 arrayados y 1 liso, una camisa de lienso criollo de porte regular con pechera de encaje y un pañuelo de tornasol listado amarillo y rojo con flores color oro, para que los labase y planchase. Vestuario que llevaba puesto el dho. Joséph María cuando se iban los dos a los bailes de negros de Kambá-kua, de Huguá-de-seda o Campamento Loma, y allí bailaban, según expresión de la declarante, hasta no sentir más el cuerpo, que volvíamos al alba casi sin pisar el suelo.

También le entregó un anillo de plata siete ramales y un espejo con marco del mismo metal, como último regalo dice que le dijo que podía hacerle, pues Angel de Aviso no tenía

También al negro le gustaba yogar con la india Olegaria en las medias islas del arroyo. Volaba feliz entre el olor de las fritangas, los chipás, las naranjas, el sudor, el hedor, los gritos de placer de las placeras. Les pellizcaba las nalgas, los senos. Metía la mano-trompetilla bajo las polleras de las más pollas, sólo para libar el ácido aroma a polen-hembra, sin el cual estamos otra vez en el Eclesiastés. Estamos en lo que me pasó a mí. En el oprobio. En la miseria. Envejecí a tu lado. Me fui de este mundo con no más que la mitad del trasero perdido en calentar tu pierna gotosa, el rabo despelechado en barrer durante un cuarto de siglo el piso de tu Absoluto Poder.

El negro Pilar fue el único ser libre que vivió a tu lado. Al día siguiente te hiciste reembolsar las treinta onzas de oro que te costó su manumisión. Lo mandé ajusticiar porque su corrupción ya no

---

y menos Angel de la Guarda, pero que por el cuerpo le caminaba un estorbo de idea muy finita de que iba a fatalizarse pronto, y que si era así, dice la india a la letra: "S. Md. Dn. Joséph María seguiría acordándose de mí bajo tierra y también de nuestro hijo que vendría a nacer cuando él ya estubiera muerto, lo que ocurrió en la víspera de la Navidad del año que acaba de finar. Me dijo también mi señor Dn. Joséph María que si le queríamos ver no teníamos más que mirar en el espejo y que allí encontraríamos siempre su cara que nos estaría mirando con mucha alegría y fina devoción... *(Testado el último párrafo, casi ilegible.)*

Hoy, 6 de enero, Día del Excelentísimo Señor, declara que ha venido a presentarse por su propia voluntad y desisión, sin que nadie le mandara hacerlo, para responder por los cargos de los que como ya expresó *ut supra* se declara única culpable.

Biene asimismo a presentar en devolución al Estado todo lo que el finado le regalara; la ropa de fiesta igualmente bien labada y planchada y perfumada con ramitos de alvaca y jasmín; inclusive el espejo; menos el resto del dinero que dice haber gastado en peajes para tratar de ver al reo antes de su ajusticiamiento... *(tachado)*... y el último real y medio que gastó, dice la india a la letra, en comprar una candela puesta anoche en los corredores de la Casa de su Excelencia, ya que Él no acepta más regalo que ése. Prendí mi candelita entre la candelería que brillaba en el suelo de ese lugar en más inmensa cantidad que las estrellas del cielo dispareciendo entre ellas al momento de ponerla nomás, que era lo que yo quería porque no quería pasar por atrevida. Puse entre todas mi candela de a real y medio, el mayor homenaje que yo podía encender a Su Excelencia, que vela por todos nosotros ahora y en la hora, al rey San Gaspar su Patrono, y también en memoria de su ex Ahijado y ex Ayuda de Cámara, mi señor Dn. Joséph María Pilar, que era lo que yo más quería... *(borrado el final, ilegible).*

tenía remedio. Entiendo, ex amo, vieja sombra suprema. Mandaste ajusticiar al hombre corrompido por la naturaleza, sólo porque no pudiste entender lo que es una naturaleza corrupta. Escúchame, Sultán; no uses el capcioso lenguaje de los hombres de iglesia. No seas ingrato. Cuando comas da de comer a los perros aunque te muerdan, dijo el gran Zoroastro. Fuiste el único con quien no temí practicar este precepto. Casi podemos decir que comimos en el mismo plato. Mas ahora ni yo como ni tú muerdes. ¿Te has pasado al enemigo tú también, después de muerto? No, ex supremo. Soy perro muy viejo para traicionar mi naturaleza perruna. Tú, el que perseguía a los pasquinistas eres el peor de ellos, atado a la servidumbre voluntaria. No lo quieres admitir porque te lo canta un ex perro, y tú no eres después de todo más que un ex hombre. De haberte observado perrunamente supe que lo que ignorabas de ti es esa parte de tu naturaleza que tu viejo miedo te impedía conocer. Atiéndeme, Sultán, sin cólera, sin desprecio. Te consta que jamás he sido cruel por puro gusto. Las atrocidades por su sola atrocidad no son atroces. Me otorgarás por lo menos la fe de que he sabido cumplir con el gran principio de la Justicia: Evitar el crimen en lugar de castigarlo. Ajusticiar a un culpable no requiere sino un pelotón o un verdugo. Impedir que haya culpables exige mucho ingenio. Rigor implacable para que no haya rigor. Si después de todo hay aún algún necio que osa cavarse su fosa, pues a la fosa. Quien la quiere la goza. El negro. Suprimido. De la misma manera que se suprime una palabra abusiva. El malvado solo, la palabra sola, nada significan. Ningún riesgo. Tachado. Borrado. Abolidolvidado. Ahora, el silencio es mi manera de hablar. Si entendieran mi habla-silencio podrían vencerme a su vez. Impenetrable sistema de defensa. Eso es lo que crees, carroña suprema. No haces más que enredarte en las palabras. Por el estilo de aquel hombre que fornicaba a tres niñas que había tenido de su madre, entre las cuales había una niña que se casó con su hijo, de suerte que fornicaba con ella, fornicaba a su hermana, su hija y su nuera, y obligaba a su hijo a fornicar a su hermana y a su suegra... *(quemado el resto del folio).*

Dentro de poco ya no podrás leer en alta voz.

¿Qué pasará después del primer ictus? Más vulgarmente, después del primer ataque de apoplejía, ¿qué te ocurrirá? Es posible que pierdas el uso de la palabra. ¿Perder la palabra? Bah, no es malo perder lo malo. No; es que no perderás la palabra propiamente dicha sino la memoria de las palabras. Memoria a secas, querrás decir; para eso lo tengo a Patiño. No; quiero decir memoria de los movimientos del lenguaje, esos de que se valen las palabras para decir algo. Memoria verbal cavándose fosas orbitarias en el Istmo-de-las-Fauces. Pensamiento de lobo agazapado en la Isla-de-Lóbulos entre temporales, parietales, occipitales, lluvias secas sobre las zonas tórridas de Capricornio. Ni la mitad de una media cosecha de siete palabras producirán ya esos áridos cráteres hundidos en doble noche. No podrás tararear siquiera un compás de la Canción de Rolando, según era tu costumbre cuando apuntabas con el telescopio los cielos equinocciales. Esconderás la luna bajo el sobaco, queriéndola defender de los perros que el pastor Silvio azuza a silbidos. Acabarás arrojándola al brocal del aljibe de Broca.

¿Es eso todo, can minervino? No del todo. Es probable que la imagen del fin proyecte la sombra de una cruz sobre tu ensombrecido cerebro. Sientes pesada la lengua ¿no es cierto? Puedes moverla todavía. Puedes mover lengua, laringe, cuerdas vocales. No podrás pronunciar por momentos las palabras apropiadas. Las verás muy bien antes de abrir la boca. Te saldrán otras. Palabras equivocadas, desemejantes, mutiladas; no las que has visto y querido pronunciar. Después, el pequeño soplo saliendo de la caverna de los pulmones, trabajado por la lengua, aplastado contra el paladar, no digo roto por los dientes porque ya no los tienes, no producirá ningún ruido.

Por ahora nada más que los primeros síntomas. En lugar de decir *trompa* pronuncias *tromba*; en vez de decir a Patiño *qué ven tus pupilas*, le preguntas *qué ven los pezones de tus ojos* ¡eh pícaro viejo! En lugar de decir *mi lengua*, te sale *la tijera que tengo en la boca*. Lo que no es del todo impropio. Cortas las frases; hablas con una bola en la boca. Embolado. Embolofrástico. Introduces palabras impertinentes, extrañas, malformadas, malinformadas, en lo más simple. Das muchas vueltas haciendo tiempo para pensar en lo que quieres decir y te ha de desdecir. Alteras la formación de las proposiciones.

Hablas en infinitivos y gerundios. Verbos que no verberan. Oraciones guijarrosas. Omites sílabas y palabras. Repites sílabas y palabras. Juntas, separas sílabas y palabras. Arbitrariamente. Tú mismo no sabes por qué. Interrumpes a cada paso la conversación. Tartamudeas, alargas los finales; especie de eco de tu ego seco. Espasmo involuntario. Carraspeas, gargajeas, burbujeas sin necesidad. No lubricarás de ese modo sino que arruinarás aún más tu laringe. Garganta en llamas. Tragar tu saliva doble suplicio; por tragar, por ser tu saliva. Su absorción aumenta tu sensibilidad a los efectos de ese tóxico.

Probemos un poco. Di por ejemplo: *sufro de alegría.* Vamos, abre la boca; pronuncia la proposición. Nada más fácil: *Orfus ed alergia.* ¿Has visto? Inversión de letras. Invención de una palabra que no se conoce todavía. Otra frase. Profiere la consigna suprema. Avante. ¡INDEPENDENCIA O MUERTE! Bueno, está bien; te ha salido correcta. Con esta sentencia tienes la ventaja de su constante repetición. El mecanismo del lenguaje tiene por fundamento la repetición, y por la repetición es como se generan los cambios del lenguaje.

De todos modos vas perdiendo rápidamente la memoria del habla. Te atribuyes frases que has leído, escuchado. Estás más irritable que antes. Para peor, el oído también se te empieza a estropear. Hilas mal. Oyes mal. Inútil que trates de hurgártelo con la pluma. Ni con una lanza. No sirve de nada. Vas cabalgando hacia la sordera verbal, hacia la mudez absoluta. Llegará el momento en que no te oirá ni el cuello de la camisa. No te inquietes demasiado. Sólo estás en los comienzos. Además tu entendimiento permanece y permanecerá incólume.

¡Bien se ve, pobre Sultán, que el estar tanto tiempo bajo tierra te ha des-celebrado! La tierra te ha comido entero. Sólo ha dejado lo peor de ti. Escoria perrosa. Siempre fuiste malagradecido, olvidadizo. Nunca manifestaste el menor sentimiento de placer ni de gratitud por mucho que me esmerara en halagarte, en satisfacer tus menores deseos. Muchas veces te mostrabas airado. Sólo contra mí. Cínicamente burlón. En la vejez ya no podías sorber ni la sopa; yo mismo te la metía en la boca. Tu agradecimiento era tirarme una dentellada cuando ya te sentías satisfecho. Pocas gracias. Cuando el sueño te subía al tálamo, sólo se te podía despertar a empujones, haciendo mucho ruido. Luego el sueño se hizo más pesado que todos los tálamos e hipotálamos. Más que todos los empujones. Más que todos los ruidos. ¿Qué ruido es el que estás haciendo contra mí desde tu póstuma postura perruna?

Primero olvidarás los nombres, después los adjetivos, aun las interjecciones. En tus grandes explosiones de cólera, en el mejor de los casos, ocurrirá que todavía consigas articular algunas frases, las más remanidas. Por ejemplo, antes decías: *Quiero, significa poder decir no quiero.* Dentro de poco, cuando te impongas decir NO, sólo podrás farfullar después de muchas pruebas, en el colmo de la irritación: *¡No puedo decir NO!*

Empezarás por los pronombres. ¿Sabes lo que será para ti no poder recordar, no poder tartamudear más YO-ÉL? Tu sufrimiento acabará pronto. Al fin no podrás siquiera acordarte de recordar.

A la sordera se te sumará la ceguera verbal. Polvo de pulvinar tapará con su arenilla tus focos ópticos. Perderás también por completo la memoria visual. Cuando *eso* llegue por supuesto seguirás viendo; pero aunque no te hayas movido de lugar te encontrarás en un lugar completamente distinto. No podrás ya imaginar de memoria nada conocido, y lo no conocido ¿cómo podrás reconocerlo?

De una parte asaltado por sonidos idiotas de una lengua extranjera. Idioma extinguido que revive un momento al ser cortado en pedacitos por tu lengua-tijera. De otra parte, imágenes desconocidas. Seguirás viendo algunos objetos; no podrás ver las letras de los libros ni lo que escribes. Lo que no te impedirá la capacidad de copiar; hasta de imitar las letras de una escritura extraña, sin que entiendas por ello su sentido. Escribo, dirás, como si tuviera los ojos cerrados aunque sé que los tengo bien abiertos. Será para ti una hermosa experiencia. La última. Si te sientes muy aburrido, podrás jugar al dominó o a las cartas con Patiño; incluso ganarle todas las veces que quieras.

Escúchame, Sultán...

Entiendo, entiendo; no tienes necesidad de decirme nada, ex supremo. Todo lo tuyo me resulta sumamente claro. Quieres escribir.

Hazlo. Te sobra aún un poco de *eso* que los humanos llaman tiempo. Tu mano seguirá escribiendo hasta el fin y aun después del fin, aunque ahora digas: Sé bien cómo se ha de escribir la palabra, mas cuando quiero escribir con la mano derecha no sé cómo hacerlo. Nada más simple. Quien no puede escribir ya con la mano derecha puede hacerlo con la izquierda; quien no puede hacerlo con la mano puede hacerlo con los pies. Aun con el brazo derecho paralizado, la pierna izquierda hinchándose cada vez más, puedes seguir escribiendo. No importa que no veas lo que escribes. No importa que no lo entiendas. Escribe. Sigue el hilo conductor sobre el laberinto horizontal-vertical de los folios, en nada parecido a las circunvoluciones de tus latomías subterráneas. Tu habla es tan obscura que parece salir de esas mazmorras.

¡Escúchame, Sultán!...

Prueba de las rememoraciones. Te aclaro con un ejemplo. Si hubieras vivido en la edad en que se inventaron aparatos de reproducción cinética visual, verbal, no habrías tenido dificultad. Podrías haber impreso estos apuntes, el discurso de tu memoria, lo copiado a otros autores, en una placa de cuarzo, en una cinta imantada, en un hilo de células fotoeléctricas del grosor de un diezmilésimo de un pelo, y olvidarlo allí por completo. Luego, por un movimiento casual de la máquina, lo hubieras oído de nuevo y reconocido como propio por ciertas propiedades. Lo hubieses continuado tú, u otro cualquiera; la cadena no se habría interrumpido. Pero ese futuro de máquinas y aparatos no ha retrocedido aún a este país salvaje, que amas y odias; por el que vives y vas a morir.

Lo escrito en el Libro de Memorias tiene que ser leído primero; es decir, tiene que evocar todos los sonidos correspondientes a la memoria de la palabra, y estos sonidos tienen que evocar el sentido que no está en las palabras, sino que fue unido a ellas por movimiento y figura de la mente en un instante determinado, cuando *se vio* la palabra por la cosa y se entendió la cosa por la palabra. *Symptomale*, dirías tú. Lectura sintomática.

Esa segunda lectura, con un movimiento al revés revela lo que está velado en el propio texto, leído primero y escrito después. Dos textos de los cuales la ausencia del primero es necesariamente la presencia del segundo. Porque lo que escribes ahora ya está contenido, anticipado en el texto leíble, la parte de su propio lado invisible.

Continúa escribiendo. Por lo demás no tiene ninguna importancia. En resumidas cuentas lo que en el ser humano hay de prodigioso, de temible, de desconocido, no se ha puesto hasta ahora en palabras o en libros, ni se pondrá jamás. Por lo menos mientras no desaparezca la maldición del lenguaje como se evaporan las maldiciones irregulares. Escribe pues. Sepúltate en las letras.

¡Sultán, espérate! ¡Aguarda un momento!...

Ha vuelto a tumbarse. Se esfuma poco a poco. Furtividad zumbona. Nada más que el mondo cráneo a flor de tierra. También se hunde. Desaparece.

Mucha fatiga. Sólo por haber hecho largas palabras con la disparatada sombra de un perro.

Cinco veces cada cien años hay un mes, el más corto del año, en que la luna prevarica. El que pasó, un febrero sin luna. Luego, la tormenta de agosto; la misma que me volteó del caballo la tarde del último paseo. En medio de la lluvia, tumbado de espaldas, pugné desesperadamente por zafarme de la succión del barro. La lluvia tiroteándome la cara. No una lluvia cayendo desde arriba como suele. Chaparrón más que sólido, fuerte, gélido. Gotas de plomo derretido, ardiendo a la vez que helado. Diluvio de gotas disparadas en todas direcciones. Goterones de fuego y escarcha, haciéndome sonar los huesos, provocándome arcadas. Bajo el aguacero, el zaino teñido de súbitos blancos por los relámpagos arrancó de nuevo impávido su marcha. A horcajadas, la capa revolando al viento, erguido como siempre, ÉL, alejándome de espaldas y al mismo tiempo caído en el lodazal, vomitando, arrastrándome, gritando órdenes, súplicas, gañidos de perro apaleado, aplastado por el bloque de agua. Luego de luchar con más ardor y heroísmo que el más testarudo cascarudo, logré volverme de bruces, y continué peleando a brazo partido en el tembladeral. Al fin pude incorporarme pesado de barro y desesperanza. Vagué toda la noche por la ciudad, apoyado en una rama cogida al azar. No me atreví a merodear las proximidades de la Casa de Gobierno por temor a mis propios guardianes. Erré por los lugares más desiertos, dando vueltas y vueltas de ciego que me volvían siempre al mismo callejón sin salida, a la misma encrucijada. Vagabundo, el Supremo Mendigo, el único Gran Limosnero. Solo. Llevando a cuestas mi desierta persona. Solo sin familia, sin hogar, en país extraño. Solo. Nacido viejo, sintiendo que no podía morir más. Condenado a desvivir hasta el último suspiro. Solo. Sin familia. Solo, viejo, enfermo, sin familia, sin siquiera un perro a quien volver los ojos. ¡Vamos hideputa! Continúas gañendo como un perro. Si ya no eres más que una sombra, aprende por lo menos a comportarte como un hombre. La lluvia había amainado por completo. Completa obscuridad. Silencio completo en el callejón. Entonces me dije: La única salida del callejón sin salida, el propio callejón. Seguí andando apoyado en la rama. Me enfrentó una patrulla: ¡Alto! ¡Quién viveee! ¡Nadieee!, respondí sin que saliera la voz. ¡Santo y señaaa!, reclamaron entre el restallar de los cerrojos. ¡La Patria! hice resonar mi voz dentro de esos cuerpos empapados de lluvia y patriotismo. ¡Dónde vive!, insistió el cabo. ¡Domicilio incierto!, dije. ¿Cómo se anima a salir a estas horas al descampado, viejo pícaro? Me perdí en la tormenta, mis hijos. ¿No sabe que está prohibido salir después del toque de queda? Sí, sí. Yo mismo he dado la orden. No entendieron. Me insultaron. Sí, sí, mis hijos, sé muy bien que no se puede salir después del toque de queda. Pero a mí ya no me queda el toque. Este viejo está loco o borracho, dijo el cabo. Déjenlo ir. ¡Váyase, viejo, a dormir la mona en cualquier zaguán, si no tiene casa! ¡Cuidado que lo volvamos encontrar por ahí!

Me dirigí hacia una luz temblorosa que apareció al extremo de la callejuela. No era aún la del alba. Reconocí la pulpería de Orrego, que estaba abriendo la puerta. Dudé entre entrar y no entrar. Al fin me decidí. Qué va a reconocerme en este estado. Los espías son muy idiotas. Pedí con señas un vaso de aguardiente. ¡La pucha, compadre, que se ha venido usté como perro meado! ¡La lluvia le ha enmohecido hasta los cuernos, jefecito! Trató de dar manija a la charla. Hice un corte de manga a la altura del gañote. ¡Cierto, compadre, vos tenés cara de no tener voz! Le arrojé un cuarto de carlos cuarto, que cayó al piso entre las bolsas y los cajones. Trasero al aire, se puso a buscarlo de rodillas. ¡Dónde cojones se habrá metido la puta macuquina! Salí oyendo los insultos del espía al monarca derrotado en Trafalgar, convertido en un cuartillo de moneda.

A la tarde siguiente, desde la azotea del Cuartel del Hospital por el catalejo encañonado hacia el Chaco, vi avanzar una nube de extraña forma. Atacada por remolinos y escalofríos de rompiente. ¡Otra tormenta!, repicó la imaginación en los huesos. ¡Langosta! Pensé en la doble cosecha del año perdida, maloqueada por la plaga. De nuevo todo el país en pie de guerra. Matracas, tambores, gritos de batalla atronando el aire de un confín al otro. La nube se inmovilizó en el horizonte. Pareció retroceder. Perderse. Desaparecer entre los reflejos de la puesta de sol. Cosas del ante-ojo, del antojo. Fenómeno de refracción, a saber cómo y qué. Cuando me di cuenta estaba cayendo una manga de golondrinas que volaban a la deriva, enloquecidamente. Ciegas las aves. Los balazos del agua de la tormenta les habían reventado los ojos. Yo pude salvarme porque al caer del caballo me había puesto el bicornio sobre la cara. No bastó. Me saqué la placa de acero que llevaba al pecho bajo la ropa. Aguanté los tiros de plomo derretido y helado; las golondrinas, no. Se traían su verano desde el norte. El Diluvio les salió al paso. Les cortó el negocio. La azotea se llenó en seguida de esas avecitas desojadas que me miraban a través de las gotas de sangre en sus cuencas vacías. Aleteaban un instante y rodaban muertas. Salí de ahí a zancadas sobre el crujipío de los huesecitos, tal como se camina sobre una parvada de alfalfa seca. Deduje que la tormenta se había extendido muy lejos. Todo esa volatería llegaba desde los confines del país a morir a mis pies.

¿Qué pasa con la investigación del pasquín catedralicio? ¿Has encontrado la Letra? No, Excelencia, hasta ahora hemos tenido demasiado poca suerte. Ni la punta de un pelo en toda la papelada del Archivo, y eso que se ha revisado hasta el último pelo de foja y folio. No busques más. Ya no tiene importancia. Quería agregar nomás con su permiso, Excelencia, que capaz que no encontró al culpable en los legajos y expedientes del Archivo, porque la mayor parte de los firmantes de esas papeladas ya están muertos o presos, lo que es más o menos lo mismo. A los escribientes los he mandado por las dudas con fuerte custodia a repoblar el penal del Tevegó. Así matamos dos pájaros de un tiro, pensé; mejor dicho, avanzamos en la prevención de dos males; evitar por una parte que estos malandrines continúen ayudando a la guerrilla pasquinera. Por otra parte, acabar con la brujería del Tevegó, y se me antoja que la única manera es como quien dice dar nueva vida al penal poniendo otra vez allá prisioneros en lugar de los que se evaporaron en piedra. Porque esta mañana, al venir hacia el Palacio, Excelencia, he sido testigo otra vez de un suceso muy extraño. ¿Qué, bribón, vas a empezar de nuevo con uno de tus cuentos cherezados para hacerme perder tiempo y demorar tu condena? No, Excelentísimo Señor ¡Dios me libre de petardearle inútilmente la paciencia con habladurías y díceres! Te he dicho que no se dice díceres, sino *decires*. El vocablo proviene del latín *dicere*, pero en nuestro idioma se dice al revés. Sí, Señor, así lo haré en lo sucesivo. Resulta ser que ha sucedido una cosa que no tiene laya y que nunca se ha visto antes. Larga el rollo de una vez. Empiezo, Señor, y que Dios y Vuecencia me ayuden. La cosa no es simple. No sé ni por dónde empezar. Empieza; así sabrás al menos por dónde terminar.

La vez que Su Excelencia cayó del caballo durante la tormenta, y ya camina el tiempo a un mes de aquel maligno día, sucedió que mientras Vuecencia estuvo internado en el Cuartel del Hospital, entraron en la ciudad dos hombres, una mujer y una criatura. Venían al parecer en busca de limosna. Eso dijeron cuando se les tomó declaración. Lo que ya resultaba extraño, puesto que en nuestro país no hay más mendigos, pordioseros ni limosneros desde que Su Excelencia tomó las riendas del Supremo Gobierno. ¿De dónde vienen?, fue lo primero que les pregunté. En seguida recordé que Vuecencia suele decir cuando habla de que todas las cosas se retiran hacia su figura. Pero de esa cosa o gente que yo veía allí no recordaba ninguna figura conocida. ¿De dónde vienen?, volví a preguntarles algo boleado por la hediondez que salía de ellos. No supieron o no quisieron decirlo. Únicamente hamacaban la cabeza, con movimientos de sordomudos. ¿Eran mudos? ¿No eran mudos? ¿Eran sordos? ¿No eran sordos? Por las dudas les pregunté: ¿No son ustedes por un casual del Tevegó? Se quedaron callados. Uno de ellos, el que después agarró y dijo ser el padre, empezó a rascarse con ganas todo el cuerpo. Ustedes saben que pedir limosna está castigado con la pena de veinticinco azotes. No sabemos, señor, contestó el hombre que después agarró y dijo ser el tío. No tenemos nada, garganteó la mujer que después agarró y dijo ser la tía de la criatura, y señalándola: No tenemos más que esto para ganarnos la vida, porque lo que tenemos es hambre y hace tres días que no comemos ni un triste pedazo de mandioca. Nadie quiere darnos nada. Se asustan, nos cierran las puertas, corren de nosotros, nos echan los perros, nos tiran piedras los grandes y los chicos, como si tuviéramos el mal-de-san-lázaro, o más que eso, un mal mucho más mal, señor.

Al principio pensé que estaban queriendo engañar a la autoridad. La criatura parecía en todo de forma ordinaria. Se sostenía sobre los dos pies muy chotos, las piernas muy arqueadas. Pero andaba como las demás criaturas de su edad. Cabellos albinos, de tan blancos casi no se veían al sol. Los ojos sin vista, al parecer, aunque la vista no nació antes que los ojos. Pero que veían era seguro porque cuando la tía-machú se inclinaba para calmar los llantitos de la criatura, ésta se le prendía a la teta. Llévenlos, ordené a los soldados, y remédienlos en la guardia.

La criatura se echó al suelo y empezó a gatear, a lloriquear con una voz muy usada, muy vieja, que no parecía de criatura sino de una iguana asustada o de cualquier otro animal de los montes. Me acerqué, le puse en la boca mi mascada de tabaco. Lo probó un poco y lo tiró escupiendo el jugo negro. ¡Nákore!, dijo. Siguió llorando cada vez más fuerte y grueso. La tía-machú se arrodilló y le dio de mamar otra vez. ¿Qué edad tiene?, pregunté. Va a cerrar dos años, cabal-eté, el próximo cumpleaños de nuestro Karaí Guasú, dijo el padre. Nació el mismo día de los Tres Reyes, dijo el tío.

Vino un guardia. Quiso levantarla en brazos. No pudo. Pesa más que una piedra de cinco arrobas, dijo queriendo recoger la gorra que se le había caído sobre la cabeza de la criatura. Tiró de la gorra con todas sus fuerzas y no pudo arrancarla. Vino otro guardia y tampoco pudo levantarla. Pesa como diez arrobas, dijo. Entre los cinco guardias no pudieron alzar a la criatura, que ahora gritaba y se lamentaba por dos. En los tironazos los guardias le arrancaron los andrajos de ropa. Entonces vimos de golpe la laya de *esa* criatura. Bajo la tetilla estaba pegada a otro muchachito, sin cabeza, que tenía cerrado el conducto trasero. El resto del cuerpo, cabal. Únicamente un brazo más corto que el otro. Se le quebró al nacer, dijo la tía desde el suelo. Las dos criaturas estaban unidas frente a frente, como si el muchachuelo más pequeño quisiera abrazar a la niña más grandecita. La juntura que los prendía uno en un par tendría menos de un jeme, de modo que levantada la criatura imperfecta se hubiera visto el ombligo de la otra. Los brazos, muslos y piernas, que no estaban pegados, colgaban de la niña como hasta la mitad de su altor.

La tía nos dijo que la criatura sin órganos hacía sus necesidades por los conductos de la niña y así los dos se alimentaban y vivían de lo mismo. Cuando les pregunté dónde estaba la madre, dijeron que no sabían. El padre sólo atinó a contar vagamente que el día que nació la doble criatura, la madre había desaparecido. Mejor dicho, dijo rectificándose en la declaración, cuando volví de la chacra al anochecer, la doble criatura estaba allí pero la madre había desaparecido. Con mi hermano y mi hermana, que sigue dando de mamar a los dos sin que nunca se le acabe la leche, fuimos a ver a un curandero de Lambaré, el Payé payaguá que cría chanchos de monte. Él nos dijo que viniéramos a ver a nuestro Karaí Guasú, porque en algún tiempo y lugar estos mellizos contra natura iban a ser adivinos y podían resultar útiles al Supremo Gobierno adelantándole favorables pronósticos para mantener la unión de sus leyes y las diversas partes de nuestro Estado.

Seguí creyendo que lúnico que querían era salvarse de los azotes que correspondían a los pordioseros. Capaz que gente enseñada por los pasquineros o por los de las veinte doradas para joder la paciencia. Ustedes creen, les dije, que aunque sea cierto el embuste y las criaturas acollaradas llegaran a ser los mejores adivinos del mundo, nuestro Supremo Dictador va a querer pordiosear los pronósticos, maravillas o adivinanzas de estos mellizos contra natura. Les dije que usted, Señor, estaba contra todas las brujerías, restos de la influencia de los Paí sobre la ignorancia de la gente.

El padre, el tío y la tía-nodriza no dijeron más nada. No demostraron ningún susto, ninguna aflicción. ¡Al cepo y veinticinco azotes a cada uno!, grité a los guardias. La doble criatura también dejó de lloriquear. La tía la levantó sin esfuerzo, la puso a caballo en una de sus caderas y siguió a los guardias que se llevaban a los hombres. Por el camino sacó la gorra de la cabeza de la chica y la devolvió al guardia. Ordené al sargento que, una vez aplicado el castigo, los guardaran en el cepo y los tuvieran ahí hasta cuando Vuecencia se restableciera y ordenara lo que había que hacer con ellos.

Yo estaba tomando mate en mi casa la mañana del día siguiente, cuando apareció el sargento con cara de otro. Hablando racheado, todavía dentro del susto disfrazado de coraje que un soldado siempre debe tener aunque ya esté muerto, me contó lo sucedido. Susto es mal consejero. ¿Sabe lo que pasó, señor Patiño? Si no hablas como sordomudo tal vez algún día lo sepa, le dije. ¿Qué ha pasado, sargento? Los dos hombres y la mujer fueron desnudados para el castigo, señor secretario del Gobierno. Los tres no presentaban rastros de sus partes de macho o hembra. Nada. Sólo tres agujeros por donde orinaban continuamente. Los látigos se pudrían tras tocar esos cuerpos húmedos. Tuvimos que cambiar hasta cinco veces los látigos más duros trenzados en verga de toro. Los indios no quisieron seguir pegando. Mandé poner a los reos en el cepo. También a los mellizos. Esta madrugada ya no estaban. No había más que un charco de orina en el calabozo de los infractores. Las garganteras de los cepos estaban negras, quemadas. Calientes todavía. Es algo que quería contar a Vuecencia. Yo querría entender estas cosas sin segundo, pero únicamente usted, Señor, podría comprehender el suceso sucedido con su entendimiento y sabiduría. Tal vez lo que nosotros, ignorantes, llamamos monstruos como aquellos otros del Tevegó, no son monstruos a sus ojos. Capaz que estos seres de carne y hueso no son más que figuras de un mundo desconocido para el hombre común; obras perdidas de algún mundo anterior al nuestro; cosas contadas en libros perdidos para nosotros. Capaz que se relacionen con algunos otros seres sin nombre, pero que existen y son más poderosos que el cristiano. Nunca sabrás lo que es suficiente, si primero no sabes lo que es más que suficiente, me suele usted decir, Señor, cuando hago burradas.

Leí toda la Biblia buscando un hecho igual para encontrar comparancia. Isaías me dijo que ninguna obra, ningún libro de valor se había perdido en este mundo ni en los otros. Pregunté al profeta Ezequiel por qué comió excremento y permaneció tanto tiempo yaciendo sobre su costado derecho y también sobre el izquierdo. Me respondió: El deseo de elevar a los demás hasta la percepción de lo infinito. No sé qué quieren decir estas dos palabras.

Yo sé que lo que cuento lo estoy contando mal, Señor. Pero no es para hacerle perder tiempo ni por disfrazar mi pensamiento. Ni vaya a pensar esto. Lo que pasa es que no sé contarlo de otra manera. Usted mismo, Señor, dice que los hechos no son narrables, y usted sin embargo es capaz de pensar el pensamiento de los otros como si fuera suyo, aunque sea el pensamiento de un hombre ignorante como yo.

Tengo mi reverencia, Supremo Señor, mi respeto firme, firmado. Usted gasta su tiempo y paciencia en oírme. Lo que mucho agradezco es su fineza de atención. Hasta ha cerrado los ojos para oírme mejor. Yo envidio su instrucción; lo que yo más envidio es su inteligencia, su ciencia, su experiencia. Muchas de las cosas que usted dice por lo alto, yo no lo entiendo por lo bajo, aunque sé sin saber que son la verdad misma. Usted es más que bueno, muy bondadoso demasiado, en escuchar mis idioteces, las idiolatrías que me salen por la boca nada más que porque la tengo agujereada y usted me escucha con paciencia de santo.

En cada movimiento que yo real tuve de alegría fuerte o pesar en mi vida, si voy a ponerlo en palabras, al escucharme siento que soy otra persona. Una persona-que-habla. Dice lo que oyó muchas veces hasta que esta lengua mía saca humedad de boca ajena para hacer resbalar hacia afuera sus palabras. Salen garganteadas a lo loro. Yo sé que esto que estoy diciendo es dificultoso, muy trenzado. Pero usted mucho me envalentona con su aguante para oírme. Casi siento que me estoy confesando como el hombre sin juicio que se mató con la bayoneta del guardia por creer que había asesinado en sueños a Su Excelencia.

Uno se siente siempre otro al hablar. Pero yo quiero ser yo mismo. Hablar siendo hombre dueño de su lengua, de su pensamiento. Contarle mi vida con sus más y con sus menos. Usted, Señor, suele decir que vivir no es vivir sino desvivir. Eso querría contarle. Querría entender el miedo, el valor, las ganas que empujan a uno a dar cuerpo al suceder sin que el cuerpo se entere. Hacer tantos hechos que uno no entiende, parecidos a sueños desjuiciados, descorazonados, desfigurados. Tantas malas acciones extrañas que hacemos cuando estamos cerquita de lo que es nuestro, por derecho, por destino, a saber qué, y uno no lo sabe, no lo sabe, ¡no lo sabe!, aunque meta los pies en el agua más fría.

Las personas y las cosas no son de verdad. Muy pocas veces los sueños nos muestran figuras visibles, juiciosas. Tienen dos caras, hacen las cosas al revés. A usted también, Señor, le habrá pasado que la luz le golpea menos los ojos al despertar, si ha soñado cosas visibles. No, Vuecencia es de otro modo. Su Merced siempre ha de ver lo que sueña. Usted me llama a cada rato, idiota, animal. Y tiene razón. Yo soy de otro modo. Debo ser como el cuervo que quisiera que todo fuese blanco, o como la lechuza que quisiera que todo fuese negro.

Lo que mucho le agradezco es su fina atención. Usted me escucha, piensa, repiensa lo que le estoy diciendo muy zonzamente pero con mucha reverencia. Le hablo de lo que no sé pero yo sé que usted sabe. Voy a hablarle un poco más, ahora que mi memoria se ha vuelto un avispero que se hincha y aturde la cabeza; ahora que mi mano parece más fiel al papel y escribe empujada por otra mano. Lo serio, lo puntual, lo acontecido realmente es esto. Escuche, Señor, escúcheme desarmado; escúcheme más de lo que estoy diciendo, pues sólo Vuecencia ve más allá de todo lo visible, oye lo que está más allá de todo lo oíble. Sólo Vuecencia puede fraternizar el hecho con la adivinación del hecho. Adivinar las cosas pasadas es fácil. Las alegrías no ríen. Las tristezas no lloran. Las plegarias no aran, las alabanzas no maduran, suelen ser sus díceres. Y a muchas cosas les falta nombre. Por lo menos yo no sé darles y se me escapan. Cada vez estoy más confundido. Lo que pasa es más grave de lo que parece. Porque lo que sucedió aquel desgraciado día de su caída, volvió a suceder esta mañana. De nuevo como por una brujería malvada ha vuelto a aparecer en la ciudad esa gente contrahecha. Más contrahecha todavía, y no una sola familia como la primera vez. Yo solo, Señor, viniendo de mi casa a la Casa de Gobierno, encontré como unas diez tropillas de estos maulas. Salen de los zanjones, suben las barrancas, bajan del Cerro-del-Centinela. Parecen muy seguros y decididos. No demuestran ningún temor por nada ni por nadie. Aunque mansos todavía ante los soldados y las armas, no se puede saber qué fechoría serán capaces de cometer cuando formen mayor número. Están apareciendo por todas partes, según los partes de los puestos de guardia y retenes de extramuros. Pero así como aparecen, desaparecen en un pestañeo como si los tragara la tierra o se escondieran en los recodos de las lomas y en los malezales de la salamanca. Estos de ahora, Señor, ya no hablan; mejor dicho, sólo hablan entre ellos por señas o en un zumbido como los moscones de los entierros... ¿No se ha acabado su paciencia, Señor? ¿Eh, Su Merced? ¿Se ha dormido, Excelencia? Envuelto en toda su obscuridad no parece respirar siquiera. ¿Y si estuviera muerto? ¡Ah si estuviera muerto! Entonces... No, mi estimado secretario. No te hagas ilusiones. Quien espera salud en muerte ajena se condena. Es lo que te ocurrirá a ti dentro de poco. Tú me has estado hablando de esos monstruos de figura semihumana que han comenzado a invadir la ciudad. Mas yo te digo que hay otros peores todavía y no necesitan invadirnos porque ya están entre nosotros desde hace mucho tiempo. En comparación con éstos, aquéllos han de ser más inocentes que chicos de teta. Han de ser también más leales, cumplidores, responsables e inteligentes. Voy a tener que encomendar a esos monstruos mansos pero activos que hagan el censo ordenado a mis hombres. ¿Qué es esta burla de papelada que me has entregado ayer? Según tales padrones poblacionarios, el Paraguay solo tiene en junto más habitantes que todo el continente. A cien leguas se ve a la haraganería inventando cualquier disparate con tal de no trabajar. Total, escribir, anotar, es fácil. El papel aguanta todo. Mis funcionarios civiles y militares con tal de seguir no haciendo nada han encargado el trabajo a sus furrieles, y éstos han fabricado el censo a dedo, sobre sus rodillas, tendidos en sus hamacas, después de haber andado persiguiendo todo el día a chinas, mulatas e indias entre los montes, matorrales y rancherías. No hay más que oler en los papeles la jedencia de sus bragas. Estos pelafustanes han hecho nacer gente de la nada. A cada familia de padre y madre desconocidos les han metido una tracalada de hijos que no existen. El matrimonio que menos tiene figura con más de cien. Las madres solteras son más prolíficas todavía que las casadas, amancebadas, juntadas o amigadas. Aquí encuentro una tal Erena Cheve a quien los cojudos furrieles han dado 567 hijos, poniéndoles los más extraños nombres y edades, el menor aún nonato; el mayor, mayor que la madre. ¿No son todos estos nacimientos, verdaderos partos de los montes? De este modo, el último censo-padrón que mandé levantar hace diez años ha aumentado cien veces, y si yo me fiara de la piara, podría calcular y ordenar una leva inmediata de no menos de cien mil nombres ¡Un ejército de fantasmas salidos de las riberas de la imaginación de esos perdularios que han hecho de sus braguetas las piezas principales de sus arneses militares!

Señor, han llegado también las primeras listas de 140 maestros de escuelas públicas con las respuestas de los alumnos a la pregunta de cómo ven ellos la imagen sacrosanta de nuestro Supremo Gobierno Nacional. Vamos, déjate de pamplinas idiolátricas y lee las primeras. Comienzo, Señor:

Distrito escolar Nº 1, capital. Escuela Nº 27, "Primera República del Sur". Maestro José Gabriel Téllez. Alumna Liberta Patricia Núñez, 12 años: "El Supremo Dictador tiene mil años como Dios y lleva zapatos con hebillas de oro bordadas y ribeteadas en piel. El Supremo decide cuándo debemos nacer y que todos los que mueren vayamos al cielo, de modo que allí se junta mucha gente demasiado y al Señor Dios no le alcanza el maíz ni la mandioca para dar de comer a todos los pordioseros de su Divina Bienaventuranza". Otra alumna del maestro Téllez, Victoriana Hermosilla, 8 años, ciega de nacimiento, dice: "El Supremo Gobierno es viejísimo. Más viejo que el señor Dios, del que nos habla en voz baja el maestro don José Gabriel". Basta con los alumnos de Téllez. Este y Quintana, que son los que más ganan como maestros de disciplina y palmeta, en lugar de enseñar el Catecismo Patrio meten por lo bajo el abolido, y en lugar de los Catones y Cartillas de reglamento pervierten a los alumnos con historias de vana profanidad antipatriótica. Si mal no recuerdo, Téllez y Quintana ejercen sus cargos interinamente hasta tanto se encuentren otros de mayor idoneidad ¿no? Sí, Excelencia, están donde están provisorios desde el 11 de marzo de 1812, nombrados por la Primera Junta. Manda vigilar a estos dómines que hasta se han permitido dar clandestinamente clases particulares a los hijos de las Veinte. Su orden será cumplida, Excelencia.

Escuela Nº 5, "El Paraguayo Independiente". Maestro Juan Pedro Escalada. Alumno Prudencio Salazar y Espinosa, 8 años: "El Supremo Gobierno tiene 106 años. Nos ayuda a ser buenos y trabaja mucho haciendo crecer el pasto, las flores y las plantas. A veces se da un baño y entonces aquí abajo llueve. Pero Dios o el diablo, no sé cabal cuál de los dos, o capaz que los dos juntos, hacen crecer la yerba mala y el yavorai de nuestras kapueras". Hum... ¡Ah! Este alumno está mejor, pese al dómine porteño que quedó aquí como rezago de los areopagitas.

Misma escuela, los siguientes compuestos:

Alumna Genuaria Alderete, 6 años: "El Supremo Gobierno es como el agua que hierve fuera de la olla, siempre está hirviendo aunque se apague el fuego, y hace que no nos falte la comida".

Alumno Amancio Recalde, 9 años: "Pasa a caballo sin mirarnos pero nos ve a todos y nadie lo ve a Él". Ha. Bien se ve que este niño es el nieto de don Antonio Recalde.

Alumno Juan de Mena y Mompox, 11 años: "El Supremo Dictador es el que nos dio la Revolución. Ahora manda porque quiere y para siempre".

Alumna Petronita Carísimo, 7 años: "Mamá dice que es el Hombre Malo que mandó apresar a nuestro abuelo sólo porque el caballo en que sale a pasear todas las tardes tropezó en una laja floja frente a la casa de abuelito. Le mandó poner un grillo muy pesado y se fue al fondo de la tierra, así que ya nunca más podremos ver a abuelo José". ¿Rompo, Señor, esta composición de la niña? No. Está bien. La verdad de los niños no se rompe ni se dobla.

Alumno Leovigildo Urrunaga, 7 años: "El Supremo es el Hombre-Dueño-del-susto. Papá dice que es un Hombre que nunca duerme. Escribe día y noche y nos quiere al revés. Dice también que es una Gran Pared alrededor del mundo que nadie puede atravesar. Mamá dice que es una araña peluda siempre tejiendo su tela en la Casa del Gobierno. Nadie escapa de ella, dice. Cuando hago algo malo, mi mamá me dice: ¡El Karaí va a meter una pata peluda por la ventana y te va a llevar!" Manda citar a los padres de este niño. Que lo traigan y me vea. No es bueno engañar a los niños. Ya les engañarán después en las escuelas, si quedan escuelas, que cuando murió la araña peluda tuvieron que meter por la ventana una larga takuara para picanearla y saber si de verdad estaba muerta. Sí, Señor.

Escuela Nº 1, "Patria o Muerte". Maestro aborigen Venancio Touvé. Alumno Francisco Solano López, 13 años: "Pido al Supremo Gobierno el espadín del Dictador Perpetuo, para tenerlo en custodia y usarlo en defensa de la Patria". Este niño tiene alma bravía. Envíale el espadín. Señor, con su licencia le recuerdo que es hijo de don Carlos Antonio López, el que... Lo recuerdo, lo recuerdo, Patiño. Carlos Antonio López y el indio Venancio Touvé fueron los dos últimos discípulos del Colegio San Carlos que yo examiné y aprobé con la más alta calificación, poco antes de la Revolución. Tú también vas a acordarte de don Carlos Antonio López, futuro presidente del Paraguay. Antes de que ascienda su estrella en el cielo de la Patria, la soga de tu hamaca cerrará su nudo en torno a tu cuello. Sigue.

Escuela Especial "Casa de Huérfanas y Recogidas". Alumna Telésfora Almada, 17 años: "El Supremo Gobierno debe convocar inmediatamente a elecciones populares y soberanas. Entretanto, debe disolver el ejército parasitario mandado por jefes corrompidos y venales, transformándolo en milicias que hagan avanzar la Revolución junto con todo el pueblo de la Patria..." Ahá. ¡No es mala idea, no es mala idea en absoluto, la de esta muchacha! A propósito de la Casa de Huérfanas y Recogidas, Excelentísimo Señor, me permito informar que en ese establecimiento están ocurriendo cosas muy extrañas. ¿Vas a decirme, Patiño, que también allí están apareciendo esos monstruos nunca vistos que han comenzado a invadir la ciudad, tal vez al país entero? No tanto, Señor. Pero lo que sí es cierto y real, es que allí reina el mayor libertinaje que se pueda uno imaginar. No se sabe qué hacen, ni a qué hora duermen esas muchachas y mujeres de toda calaña. De noche la Casa de Recogidas y Huérfanas, un prostíbulo. De día, un cuartel. Han formado un batallón de todos colores, edades y condición. Blancas, pardas, negras e indias. Antes de romper el alba se van a los montes. Capaz que se dedican a ejercicios de combate. Durante todo el día hasta la caída de la noche se oyen tiros lejanos. He mandado vicheadores. Vuelven sin haber visto nada. Uno de ellos quedó fuertemente amarrado a un árbol con bejucos y un cartel injuriante en el pecho. El ysypó-macho con que lo ataron no se pudo cortar ni a machete y hubo que quemarlo para liberarlo. Se le practicó un largo interrogatorio en la Cámara de la Verdad. No pudo, no supo o no quiso informar nada, hasta que quedó sin aliento bajo los quinientos azotes. He ido personalmente esta mañana a registrar la Casa y la he encontrado vacía. Ningún rastro, Señor. Salvo la apariencia de estar deshabitada desde hace mucho tiempo. En tales circunstancias, me permito recabar a Vuecencia las órdenes de lo que debo hacer. Con respecto a la Casa, por ahora nada, mi fiel ex fiel de fechos. Coge la pluma y escribe lo que voy a dictarte. Apriétala bien fuerte con toda la firmeza de que seas capaz. Quiero oírla gemir cuando rasgue el papel con mi última voluntad.

CONVOCATORIA

YO EL SUPREMO DICTADOR DE LA REPÚBLICA
Ordeno a todos los delegados, comandantes de guarniciones y efectivos de línea, jueces comisionados, administradores, mayordomos receptores fiscales, alcabaleros, alcaldes de los pueblos y villas, presentarse en la Casa de Gobierno para la reunión del cónclave anunciado en la Circular Perpetua.
La reunión tendrá comienzo a las 12 horas del domingo próximo a 20 días del mes de setiembre.

La comparecencia es obligatoria y su omisión no podrá
ser suplida ni justificada en ningún caso por extrema
que sea la causa.

Ahora voy a dictarte la invitación especial que concierne a tu estimada persona:

YO EL SUPREMO DICTADOR PERPETUO
ORDENO que a la presentación de este mandato por manos del propio interesado el jefe de Plaza proceda al arresto del fiel de fechos Policarpo Patiño bajo total y absoluta incomunicación.
Por hallarse incurso en un plan conspirativo de usurpación del Gobierno, el reo Policarpo Patiño sufrirá pena de horca como infame traidor a la Patria, y su cadáver será enterrado en potreros de extramuros sin cruz ni marca que memore su nombre.
Son responsables del cumplimiento de este Decreto Supremo juntamente con el jefe de Plaza los tres comandantes restantes. Cumplido, deberán rendir cuenta de inmediato y personalmente al suscripto, quedando asimismo los cuatro comandantes sujetos a las penas de subrepción, lenidad o complicidad en que pudieran incurrir por omisión o comisión.

Alcánzame los papeles. Voy a firmarlos ahora mismo. Nueva tromba de agua, la última, se arranca de la palangana en el brusco movimiento. El condenado se ha cuadrado. Ha desaparecido. La persona catafalca del mulato se ha disuelto en el charco que inunda el piso y forma arroyuelos en las junturas. La vieja pestilencia ha aumentado súbitamente al doble de su tamaño y fetidez. Los chatos y enormes pies sin embargo están ahí. Talones juntos. Pulgares separados levantando sus córneas cabezas con temblorosos movimientos de súplica, de espanto. Unicamente los pies húmedos relucen en la penumbra. Inmensos. Bañados de sudor. Se han hinchado tanto, que el obeso fiel de fechos debe de haberse metido enteramente en ellos, queriendo hundirse más y más. Enterrarse. Pero las tablas del piso, más duras que el fierro, han producido un efecto contrario en el intento de fuga, de ausencia. La han hecho más presente aún en la tremenda hinchazón del monstruo humano convertido en dos pies que sudan. Dos pies que miran en el parpadeo de las uñas. Dos pies que imploran cuadrados militarmente. Dos pies que oscilan ya con el lento balanceo de los ahorcados. ¡Vámos, acércate! ¿O es que quieres morir dos veces? Alcánzame los papeles. El fiel de fechos asoma temerosamente de su escondrijo armado a doble calcañar. El enorme corpachón sale en puntillas de sus patas. Poco a poco. Miedo a miedo. Las bolsas calcáneas se van aflojando a medida que el corpachón recupera su tamaño, más también su duplicidad. El dúplice malandra, definitivamente partido en dos de arriba a abajo por el tajo de la pluma. Firmo. Firmado. Échales arenilla a los oficios. Pon el tuyo en un sobre. Lácralo. Señor, se acabó el lacre. No importa, va lacrado con la lacra de tu ex persona. Desnudo de golpe, se pone un decreto delante, el otro detrás. De lo íntimo de su pecho exhala un mortal suspiro. La diestra mano hecha un negro canuto de pluma da un gran golpe a la cara. ¿Pretende aún el infeliz sobornarme al final por la compasión? ¿Con una última gracia de volatinero de feria? Métese de golpe la mano-pluma en el gaznate atravesando la nuez de Adán, de modo que el fierro le sale por el colodrillo en el trasero de la cabeza, y en la punta de él aparece un niño cantando y haciendo endiabladas piruetas. Con voz de enano el ex Patiño me suplica: Excelentísimo Señor, acepto humildemente el justo castigo que Vuecencia ha querido imponerme, pues he venido cargando mi negra conciencia por un camino muy bellaco de muchos dolos y lodos, un camino blasfemado de la más negra ingratitud hacia su Excelentísima Persona. Pero más humildemente todavía me animo a rogar a Su Excelencia no prive a mi sepultura del más preciado signo de todo buen cristiano, la santísima Cruz. No me importa, Señor, ser sepultado en el potrero más pelado de extramuros. No me importa que la Cruz sea hecha del más vilísimo palo y aun de venenosa madera. No me importa, Señor, que la adornen de estola o con piedritas de colores al pie. ¡Ah, Señor, pero la Cruz, la Cruz!, gime el falsario agestándose de misterio. ¡Sin el socorro y protección de la Cruz, Piadosísimo Señor, los espíritus con los cuales tengo cuentas pendientes, vendrían a tomarse desquite y venganza contra mí! ¡A lo que más quiera, Señor, le ruego, le imploro!... Por lo que oigo, ya te consideras ahorcado y enterrado, y quieres hacer aquí mismo tu velatorio. ¡Señor, yo!... Tus suspiros me huelen a regüeldos. ¿Te consideras un buen cristiano? Señor, santulario no soy pero mi creencia en la Cruz no puedo asencillar. Ha sido siempre mi socorro, Señor, y tú has sido el bribón más redomado en cien años. ¿Qué puede significar entonces la cruz para ti? ¡De modo que Nequáquam! ¡Ni cruz ni marca! Te has equivocado al nacer y te equivocas al morir. No lucharé a puntapiés con mi ex acémila. La echaré como a un ex secretario. Anda a brujulear tu último retrete; a burro muerto la cebada al rabo. Vete ya y no te cuadres más porque oiré sonar el golpe de cuatro talones. Me ha entendido mal el animal. Se pone en cuatro patas, rebuzna un poco y se aleja chapoteando en el barro. ¡Ex Policarpo Patiño! Se detiene de golpe. ¡A su orden, Excelencia! ¡La lupa, acuérdate de la lupa! ¿Qué lupa, Señor? Pon la lupa al sol. ¡Ah sí, Excelencia! Se yergue el mulato bufando penosamente. ¡Vamos, apúrate! Abre el postigo. Coloca el lente en el arco que te he mandado poner ex profeso en el marco. Sí, Señor, lo coloco. Se entusiasma ajustando el cristal en la virola. Juego de niños. Expende Dictatorem nostrum Populo sibi comiso et exercitu suo! * ¿Cuántas arrobas de ceniza producirán mis flacos huesos? ¡Por lo menos cien, Excelencia! Exoriare aliquis nostris es ossibus ultor!,** murmuro mientras veo caer sobre el lente rayos del sol cenital. A partir de la superficie biconvexa, forman un sólido lingote de oro fundente. Bien. Está bien. El universo continúa cooperando con sus preciosos

* Combinación de la expresión *Expende Hannibalen* de un verso de Juvenal (*Sátiras*, X, 147): Pesa a Aníbal: ¿Cuántas libras de ceniza hallarás en aquel gran capitán?, y la frase de la rogativa cotidiana ordenada a los prelados seculares y claustrales por el congreso del 1º de junio de 1816 que eligió a *El Supremo* como Dictador Perpetuo de la República, en sustitución a la jaculatoria *De Regem*, que se rezaba antes. *(N. del C.)*

** ¡Que nazca algún día un vengador de mis cenizas! (Virgilio, *Eneida*, 625).

dones, que me resultan muy módicos. Pon bajo ese lingote de fuego tu ex mesa con todo y las finadas ánimas atadas a sus patas. Amontona sobre ella en forma de pira una pila de papeles. Desplaza un poco la mesa. Haz que el haz del sol pegue en la cresta misma del haz papelario. Ahí, ahí. Cuando empiezan a brotar los primeros rizos de humo contra su cara, el ex fiel de fechos deja de sonreír. Me mira perrunamente, los ojos llenos de lágrimas. Dales cuerda a los siete relojes. Ninguno de ellos te dará ya a ti la hora. Pon el de repetición al alcance de mi mano con sus campanas redoblando. Recoge la palangana y vete. Si no hemos de vernos más en esta vida, adiós hasta la eternidad.

Mi memoria no es soñadora. Antes trabajaba despierta hasta en el sueño, si es que alguna vez conseguí dormirme. Cosa muy poco probable. Ahora trabaja hasta en el no-sueño. Desmemoria rememorante mi mucho mando en eclipse. Escribo entre los remolinos de humo que llenan la habitación. Cámara de la Verdad. Cuarto de Justicia. Aposento de las Confesiones Voluntarias. Póstumo confesonario. Mis obras son mi memoria. Mi inocencia y mi culpa. Mis errores y aciertos. ¡Pobres conciudadanos, me han leído mal! ¿Y cuál es la cuenta de tu Debe y Haber, contraoidor de tu propio silencio?, pregunta el que corrige a mis espaldas estos apuntes; el que por momentos gobierna mi mano cuando mis fuerzas flaquean del Absoluto Poder a la Impotencia Absoluta. ¿Cuál es la cuenta, regidor perpetuo de tu desconfianza? En medio del humo la mano se cuela en mis secretos. Hurga. Separa la paja del grano. Granos muy pocos. Quizás uno solo: Muy pequeño. Diamantífero. Brillando enceguecedoramente sobre el negro almohadón de las Insignias. Paja mucha; casi todo el resto. Destinada a consumirse en el fuego. La mano de hierro fuerza a mi mano. Siempre alerta contra todo, escribe mi mano por mandato de la otra. No puedes soportar la sospecha y no puedes salir de ella. Emparedado en tu cóncavo espejo, has visto y seguirás viendo a un tiempo, repetido en sucesivos anillos hasta el infinito, la tierra en que estás acostado ensayando tu yacer último-último-primero. Selvas. Esteros. Nubes. Objetos que te rodean. La imagen espectral de tu raza dispersa como arena del desierto. Has jugado tu pasión a sangre fría. Cierto. Mas la has jugado sobre el tapete del azar. La pasión de lo Absoluto ¡ah mal jugador!, te ha herrumbrado y carcomido poco a poco, sin darte cuenta mientras vigilabas tus cuentas al centavo. Te has conformado con poco. Has puesto sobre el aerolito tu pierna enormemente hinchada. Está ahí, preso. Tú, encerrado con él. Sientes que late y respira mejor que tú. Sientes en el meteoro el pulso natural del universo. En cualquier momento puede regresar a sus caminos siderales. Estos perros del cosmos no enferman de hidrofobia. Tú ya no puedes moverte. Salvo esta mano que escribe por inercia. Acto vestigial de un Hábito absolutamente gratuito. Sólo te falta caer en la fosa. En lo más hondo del embudo-espejo. Cualquier rayo de luz que penetre su envoltura de insólita refracción, más pesada que la atmósfera de Venus, seguirá un arco invariable-mente más agudo que tu propio pensamiento... ¿Me estoy repitiendo? No; porque no es mi voluntad la que se moja de tinta y se expresa en signos. Sin embargo ¡sí! La Voz repite los pensamientos que alguna vez anoté en mi almanaque. ¡Los tenía completamente olvidados! ¡Los apuntes de Almastronomía que escribí el 13 de diciembre de 1804! La imagen del cóncavo espejo y el rayo de luz repitiendo en sucesivos anillos al infinito el ojo que mira hasta hacerlo desaparecer en sus múltiples reflejos. En esta perfecta cámara de espejos no se sabría cuál es el objeto real. Por lo tanto no existiría lo real sino solamente su imagen. En mi laboratorio de alquimia no fabriqué la piedra filosofal. Logré algo mucho mejor. Descubrí este rayo de rectitud perfecta atravesando todas las refracciones posibles. Fabriqué un prisma que podía descomponer un pensamiento en los siete colores del espectro. Luego cada uno en otros siete, hasta hacer surgir una luz blanca y negra al mismo tiempo, allí donde los que únicamente conciben lo doble-opuesto en todas las cosas, no ven más que una mezcla confusa de colores. De este descubrimiento no llegó a enterarse mi maestro Lalande, a quien el papa en la misma fecha del 13 de diciembre de 1804 le dijo que un astrónomo tan grande como él no podía ser ateo. ¿Qué habría dicho de mí el Sumo Pontífice, de haber venido al Paraguay donde le tenía reservado el cargo de capellán? ¿Qué habría dicho Su Santidad, bañándose en la espesa atmósfera de

Venus, al ver en mi cóncavo espejo el espectro de Dios salido del prisma? ¿También me habría llamado ateólogo?

Cuando fijé la fórmula, mi propio pensamiento era un prisma y un espejo-embudo. Hasta el último grano de polvo se reflejaba en él. Hacía titilar la página del éter. En otro tiempo, me repito, escribía, dictaba, copiaba. Me lanzaba por las pendientes de papel y tinta. De repente el punto. Súbito fin del desenfreno. El punto en que lo absoluto empieza a tomar del revés la forma de la historia. En un principio creí que yo dictaba, leía y obraba bajo el imperio de la razón universal, bajo el imperio de mi propia soberanía, bajo el dictado de lo Absoluto. Ahora me pregunto: ¿Quién es el amanuense? No el fide-indigno, desde luego. En aquel tiempo le mandé que se descalzara, de modo que la sangre acumulada en los pies al calor de los botines-patria se expandiera a la cabeza. Subió la sangre y activó un poco más las pilas del encéfalo sulfatadas de sebo, desamparadas de materia gris. Se le subió la sangre, mas también se le subieron los humos. Épocas del comienzo de la Dictadura Perpetua. No le bastó al fide-indigno la frescura del piso. Perfeccionó el invento. El mismo se trajo la palangana de agua fría. Durante más de un cuarto de siglo tuvo metidos los pies en esa agua negra que se volvió más espesa que la tinta. Sin saberlo, sin proponérselo, logró contradecir a Heráclito. Los pies anfibios del amanuense se bañaron en la misma agua inmóvil en un *siempre* bastante parecido a la eternidad. Tira el agua sucia y maloliente, Patiño. Cámbiala. Señor, con su licencia yo la dejaría por ahora en la palangana nomás. Ya tiene la forma de mis pies. Si la cambio, no sé qué puede pasar. Capaz que haga de nosotros herrumbre, o qué. Capaz ¡Dios nos guarde! que el agua nueva me derrita los pies y hasta todo el cuerpo. ¡Qué sé yo! Al agua del río y hasta al agua de lluvia les tengo mucho miedo. A la una porque corre. A la otra porque cae igual que la cola llovida hacia abajo de la vaca o del caballo. Razón no del todo desjuiciada la de mi Sancho Panza. ¿No alegaba el Sabio rey Salomón que el tiempo devora al hierro con herrumbre y al hombre con incertidumbre? ¿Se quiere algo más fijo e inmóvil que el Padrenuestro? Y sin embargo el Padrenuestro se mueve sin cesar en la boca de la gente. El pensamiento del Padrenuestro es más ágil que doce mil Espíritus Santos, aun si cada Espíritu tuviera doce capas de pluma, y cada capa tuviera doce vientos, y cada viento, doce victoriosidades, y cada victoriosidad, doce mil eternidades. Los Grocio y los Pufendores hacen la misma observación. Dicen que sus cláusulas ya estaban en uso en la época de Cristo. ¡Vaya usted a contradecirles! ¿Dónde la contraprueba? Lo que Cristo hizo, afirman, fue recogerlas y ensartarlas cual pepitas de oro, de mirra y de incienso. ¡Ah, el humo se espesa y la tos absorbe las funciones del pensamiento! ¡Ahora soy yo quien estornuda! Por la noche me arrodillaba ante la palangana del amanuense. Al cono blanco de la vela, me inclinaba sobre el redondo espejo negro. Juntaba las manos y quedaba a la espera en actitud de orar. En algún momento, a las cansadas, algunas veces, no siempre, veía deslizarse muy lentamente borrosas imágenes parecidas a nubes, de un horizonte a otro sobre la superficie de betún. ¿Pensaban pues los pies del fiel de fechos al revés de su mente memoriosa e ignara? Alguna cosa secreta pensaban esas plantas anfibias. También oía voces, algunas veces; algo semejante al runruneo de una procesión marchando por las calles detrás del palio del Santísimo. Pensar en el amanuense me llevaba a Aristóteles cuando sostenía que las palabras de Platón eran volanderas, movedizas y, en consecuencia, animadas; me llevaba a Antífanes cuando sostenía que las palabras dirigidas por Platón a los niños se congelaban a causa de la frialdad del aire. Debido a ello, no eran entendidas hasta que las palabras se tornaban viejas; los niños también se tornaban viejos, y entonces entendían algo muy distinto de lo que las palabras decían al principio. Mas los pies del amanuense, ¿qué pensaban? ¿Qué decían? ¿Eran animadas sus palabras como las de Platón? Si algo decían no era en castellano, guaraní, latín, en ninguna otra lengua viva o muerta. Las imágenes no pasaban de nubes muy blancas que adoptaban formas de animales desconocidos. Bestiarios. Fabularios. A veces, teñidas por los reflejos de algún diminuto sol sumergido, las nubes viraban al color azulenco que encapota el ojo de los tuertos; al opalescente de las telillas de las cataratas, o al almagrado y gualda de los tigres en celo. Nada más que esto. Ninguna revelación en el Patmos de la palangana. Sin embargo, hay que andar con cuidado. Nunca se puede saber. Un piojo puede volar montado en una caspa. Las revelaciones más profundas toman a veces los caminos más groseros e inesperados. Petronio opinaba que los mundos se tocan entre sí en forma de triángulo equilátero, y que en el centro de ellos está la residencia de la Verdad. Allí habitan todas las palabras, ejemplos, ideas e imágenes de todas las cosas pasadas y futuras.

En el infierno del verano, aun en las noches más calurosas, la palangana se mantenía obstinadamente muda. A la luz de la vela, de la luna, del farol más potente, el agua pesada dormía lisa, sin sueños. A pata suelta. Era con las primeras heladas del invierno cuando empezaban las nubes y los rumores. Ensayé los más diversos reactivos de ácidos, de sales, de substancias destiladas del alforfón o trigo sarraceno, del licopodio y otras muchas esencias aperitivas. El polen seminal de las plantas es muy inflamable. Lo más que conseguían era poner en erección alongadas burbujas que estallaban silenciosamente arrojándome a la cara la fetidez de los ojos de gallo del mulato. Toda una noche trabajé con el soplete de acetileno, a ver si podía descongelar las palabras y figuras encerradas en esas nubes, en esos susurros. La llama del soplete se tornó más blanca hasta ser una blancura de hueso que encandilaba los ojos; el agua, más negra, hasta que empezó a hervir despidiendo un vapor sulfuroso. El soplete explotó. Sus fragmentos se incrustaron en las paredes, semejantes a esquirlas de granada. A la mañana siguiente, observé con el mayor disimulo y atención el comportamiento de mi amanuense. De tanto en tanto, en las pausas del dictare, levantaba un pie y lo rascaba bajo la mesa, mientras las gotas caían, horadando la piedra de mi paciencia. Las sentía caer cual gotas de plomo fundido sobre las zonas más sensibles de mi pierna gotosa, agudizadas por el ataque de acefalea que me duraba desde la noche. ¿Qué pasa, Patiño? ¿Por qué te rascas el pie? Nada, Señor, parece que el agua está un poco caliente nomás. Resulta que me está sacando un poco de sarnapullido o sarampiún, o no sé qué. Con su permiso, Señor, voy a ir a cambiarla. ¡No!, le rogué yo ahora, gritando casi. ¡No la cambies! A su orden, señor. A mí me da gusto luego el agua un poco tibia. Los pies refrescan sin segundo después al viento de la hamaca, cuando uno duerme la siesta a pata suelta. Yo pensaba guardar esa agua con los secretos pensados por las patas de mi amanuense. ¡Tan infinitamente astuto el mulato, que previó esta última posibilidad, y volcó adrede la palangana! Lo pisado pasado, habrá dicho al irse.

Lenguas de fuego brotan alegremente en varias partes, acordes con mi estado de ánimo. Pabulum ignis! ¡Bienvenida, Potencia Ignea! Pase adelante, amigo Fuego. Acción tiene. Trabaje fuerte, a lo hombre. No le va a llevar mucho tiempo acabar con todo esto. ¡Con todo! ¡Eh! Usted hará la revancha de lo pequeño frente a lo grande. De lo oculto frente a lo manifiesto. No se desparrame. Concéntrese. No se distraiga con los díceres que murmuran algunos acerca de que los hombres no son más que mujeres dilatadas por el calor, o que las mujeres son hombres ocultos porque llevan elementos masculinos escondidos en su interior. Permíteme que te tutee. A ti te encomiendo mi fin entre tu llama y la piedra, del mismo modo que YO formé mi principio entre el agua y el fuego. No surgí del frote de dos pedazos de madera, ni de un hombre y una mujer que refregaron alegremente sus mantecas haciendo la bestia de dos espaldas, según decía mi exegeta Cantero. No sufrirás conmigo de indigestión. Mas tampoco podrás acabar del todo conmigo. Siempre queda por ahí algún pedazo que se te hace duro de tragar. Lo escupes. Plinio se arrojó al Etna. El volcán lo devolvió en un vapor que conservaba intacta su forma, su sonrisa burlona, hasta el tic de su ojo izquierdo, el tuerto, que guiñaba sin cesar. Empédocles, borracho, se precipitó en el mismo volcán queriendo no tanto matarse como engañar a sus compatriotas; hacerles creer, al no encontrar ningún vestigio de su cuerpo, que había subido al cielo. Vulcano vomitó intactos el vapor de uno, las sandalias de bronce del otro, delatando la superchería de aquellos dos orgullosos embaucadores.

No arderé en una pira en la Plaza de la República sino en mi propia cámara; en una hoguera de papeles encendida por mi mandato. Entiéndelo muy bien. No me arrojo de cabeza a tus llamas. Me arrojo al Etnia de mi Raza. Algún día su cráter en erupción arrojará únicamente mi nombre. Esparcirá por todas partes la lava ardiente de mi memoria. Inútil que entierren mis despojos junto al altar mayor del templo de la Encarnación. Luego, en la huesa común de la contrasacristía. Luego, en un cajón de fideos. Ninguno de esos sitios devolverá una sola hebilla de mis zapatos, una sola astilla de mis huesos. Nadie me quita la vida. Yo la doy. No imito en esto ni siquiera a Cristo. Según el melancólico deán, el Dios-Hijo se suicidó en el Gólgota. No importa que la causa fuera la salvación de los hombres. Tal vez el autotitulado "Pueblo de Dios" no mereció, no merece, no merecerá que ningún dios se suicide por él. Lo que probaría de paso que la idea de Dios es pobremente humana. Un Dios-Dios-Dios tres veces Último-Primero, no lo es aunque pueda resucitar al Tercer Día. Aunque sea un Dios-Trinitario en Tres-Personas-Iguales-y-Distintas. Si lo es verdaderamente, está obligado a existir sin pausa; a no poder morir ni siquiera un instante. Además, en el momento de la hiel y del vinagre, el Dios-Hijo vaciló en el Huerto de los Olivos. Señor, aparta de mí este cáliz, etcétera, etcétera.... ¡Flojo! ¡Blando el pobre Dios-Hijo. Acaso le faltó al Redentor pagar la última gota de sangre del rescate que le será reclamado a la especie humana, supuestamente redimida, en la gran pira de la destrucción universal bajo la terrible nube en forma de hongo del Apocalipsis. Mas no nos perdamos en hipótesis ateológicas.

Cuando uno mismo es el pozo que exhala esta emanación mortal, el horno que escupe ardiente humareda, la mina que vomita sofocante humedad ¿es posible no decir que no nos matamos con nuestros propios vapores? ¿Qué he hecho yo para engendrar estos vapores que salen de mí?, continúa copiando mi siniestra mano, pues la diestra ya ha caído muerta al costado. Escribe, se arrastra sobre el Libro, escribe, copia. Dicto lo inter-dicto bajo el imperio de ajena mano, de ajeno pensamiento. Sin embargo, la mano es mía. El pensamiento también. Si alguien debe quejarse de las letras, ése soy yo, puesto que en todo tiempo y en todo lugar sirvieron para perseguirme. Pero es necesario amarlas a pesar del abuso que de ellas se hace, como es necesario amar a la Patria, por muchas injusticias que en ella se padezca y aunque por ella misma perdamos la vida, pues sólo se muere según se ha vivido. Yo tomo de otros, aquí y allá, aquellas sentencias que expresan mi pensamiento mejor de lo que yo mismo puedo hacerlo, y no para almacenarlas en mi memoria, pues carezco de esta facultad. De este modo los pensamientos y palabras son tan míos y me pertenecen como antes de escribirlos. No es posible decir nada, por absurdo que sea, que no se encuentre ya dicho y escrito por alguien en alguna parte, dice Cicerón (*De Divinat*, II, 58). El yo-lo-habría-dicho-primero-si-él-no-lo-hubiese-dicho no existe. Alguien dice algo porque otro ya lo ha dicho o lo dirá mucho después, aun sin saber que lo ha dicho ya alguien. Lo único nuestro es lo que permanece indecible detrás de las palabras. Está dentro de nosotros más aún de lo que nosotros mismos estamos dentro de nosotros. Los que fingen modestia son los peores. Hipócritamente inclina Sócrates la cabeza cuando pronuncia su famosa y embustera sentencia: Sólo sé que no sé nada. ¿Cómo pudo saber el peripato que no sabía nada si nada sabía? Mereció pues la corrección de la cicuta. El que dice yo miento y dice la verdad, miente sin lugar a dudas. Mas el que dice yo miento y miente realmente, está diciendo una escricta verdad. Sofistiquerías. Politiquerías. Miserable honor el de entregar el ansia de inmortalidad a las palabras, que son el símbolo mismo de lo perecedero, sermonea el melancólico deán. Luego contrasermonea: Toda la humanidad pertenece a un solo autor. Es un solo volumen. Cuando un hombre muere, no significa que este capítulo es arrancado del Libro. Significa que ha sido traducido a un idioma mejor. Cada capítulo es traducido así. Las manos de Dios (dijo quien habló del suicidio de Dios, ¡vaya gracia!) encuadernará nuevamente todas nuestras hojas dispersas para la Gran Biblioteca donde cada libro yacerá junto a otro, en su última página, en su última letra, en su último silencio. El compadre Franklin, ahorrativo, acopiativo en todo, copia en su epitafio el pensamiento del deán. El compadre Blas copia al señor de la Montaña, simulando también una falsa modestia: Escribiendo mi pensamiento se me escapa a veces. Esto hace que me acuerde de mi debilidad que constantemente olvido. Lo que me instruye tanto como el pensamiento olvidado, porque yo no tiendo más que a conocer mi nulidad. Desde niño, cuando leía un libro, me metía dentro de él, de modo que cuando lo cerraba seguía leyéndolo (como la cucaracha o la polilla, ¡eh!). Entonces sentía que esos pensamientos estaban en mí, desde siempre. Nadie puede pensar lo impensado; solamente recordar lo pensado o lo obrado. El que no tiene memoria, copia, que es su manera de recordar. Es lo que me sucede. Cuando un pensamiento se me escapa, yo lo quisiera escribir, y sólo escribo que se me ha escapado. No pasa lo mismo con las moscas. Observad su fuerza racial, su mosqueteril patriotismo. Ganan batallas. Impiden obrar a nuestra alma, devoran nuestros cuerpos, y en nuestras ruinas ponen a calentar sus huevos que las hacen eternas, aunque cada una no dure más que unos cuantos días. ¡Las moscas! ¡Me he salvado de ellas! ¡El fuego y el humo me han salvado de su invasión, de sus depredativas migraciones!

Cuando lleguen no encontrarán sino a un solo comensal carbonizado en la Cena de las Cenizas, la Última Cena que no alcancé a brindar a los mil judas y uno más de mis traidores apóstoles.

¿Por qué tardas tanto, fuego, en hacer tu trabajo? ¡Eh haragán! ¿Qué te pasa? ¿También a ti te afecta la esterilidad y la impotencia a partir de cierta edad? ¿Estás más viejo que yo? ¿O es que tú también te ahogas en mi agujero de albañal? ¿Habré sacado esto de alguna parte? Si así fuere, me importa un pito. Patiño, espiritualista, me habría consolado: Señor, ¿quién le puede probar que este otro Señor Antiguo no es usted mismo? ¡Probado que un espíritu pasa de un cuerpo a otro y es siempre el mismo por los tiempos de los tiempos! Muy capaz era el bribón de convertir a sus ánimas en metensicosas migratorias.

No sé por qué me ocupo ya ahora de la marcha de los relojes. En el mortal silencio de la ciudad, el de repetición dobla sus fúnebres campanadas. El único sonido. Por los vivos y por los muertos. Morir no quiero, mas estar muerto ya no me importa, leo a Cicerón que copia una sentencia de Epicarnes. Y en Agustín de Hipona: La muerte no es un mal sino por lo que la sigue (*De Civit-Dei*, I, 11). Muy cierto, compadre. Menos cruel es estar ya muerto de una buena vez, que hallarse esperando el fin de la vida. Sobre todo, cuando yo mismo he dictado mi sentencia y la muerte escogida por mí es mi propia criatura. ¡Cuántos prisioneros han cavado ellos mismos sus tumbas en esta tierra! Otros han dado al pelotón la orden de ¡fuego! en su propia ejecución. Los he visto actuar con decisión, casi diría alegremente. Otros yacen aún, después de tanto tiempo, sobre el piso o en sus hamacas, cargados de grillos. A esta hora de la siesta, que para ellos continúa siendo de impenetrable tiniebla, a cubierto del sol enceguecedor duermen dulcemente. Trabajan en sueños cavando sus tumbas con su propio peso no mayor que el del más flaco de mis cuervos blancos. A éstos los veo ahuecando las alas tiñosas, espulgándose en la tardanza de la espera. Dos manchas negras en medio de los reverberos. Los prisioneros hamacándose en la obscuridad. Oscilan apenas en el vaivén perpetuo. El chirrido de sus grillos me arrulla con cierto sonido maternal. Yo, en cambio, absolutamente inmóvil. Beneficiario de una muerte cierta, les enseño mortificación con el ejemplo. Desde el mediodía yazgo de través en la cama, la cabeza colgando hacia el suelo. En el recuadro de la ventana aparecen medrosamente las figuras invertidas de Patiño y los comandantes. El ex fiel de fechos empuña ahora, no la pluma, sino una larga pértiga de takuara. Empieza a remover mi cuerpo no para comunicarle vida sino para comprobar que está muerto. Empujado por el palo me siento boyar en las aguas estigiales-vestigiales, mas también en otro río vivo, deslumbrante; el Río-de-las-coronas, el Río-Río. Mi cuerpo se va hinchando, creciendo,

"¡Siempre, hasta el final, la torturante y perenne obsesión del *río camino libre*!" (Julio César, op. cit.)

agigantándose en el agua racial que los enemigos han creído atrancar con cadenas. Mi cadáver las va rompiendo una a una, dragando las profundidades, ensanchando las orillas. ¿Quién me puede detener ahora? La mano póstuma se aferra a la punta del palo. Medio muerto de susto, el ex amanuense lo suelta. Hemos trazado juntos el último signo.

Policarpo Patiño escapó de la sentencia por poco tiempo, tal como lo había previsto *El Supremo*. A la muerte de éste, el 20 de setiembre de 1840, una junta formada por los comandantes militares se apoderó del gobierno acéfalo, tras una trapisonda palaciega. La derribó un golpe de cuartel al mando de otro "mariscal" del Finado, el sargento Romualdo Duré (fabricante de galletas). El ex fiel de fechos Policarpo Patiño, secretario de Estado y eminencia gris de la abatida junta, se ahorcó en su celda con la soga de su hamaca. *(N. del C.)*

"El 24 de agosto de 1840, día de San Bartolomé, a influjo de su doméstico infernal, el Dictador prendió fuego antes de morir a todos los documentos importantes de sus comunicaciones y condena, sin precaver que la voracidad del elemento podía ser tanta, que llegase a abrasarle la cama. Desesperado y ahogado de humo llamó en su socorro a sus sirvientes y guardias. Se abrieron puertas y ventanas y, en medio de la combustión, se arrojaron a la vía pública colchones, cobijas, ropas y papeles en llamas. ¡Oh aviso claro de las llamas que al mes siguiente principiarían a abrasar eternamente su alma! Entretanto lo único cierto fue que en esta ocasión los viandantes que pudieron sobreponerse a su pavor vieron por primera vez los interiores de la tétrica Casa de Gobierno. Algunos se detuvieron inclusive a examinar los chamuscados retazos de bombasí, tela desconocida en el país, de la que se hacían las sábanas de El Supremo.

"Para los católicos, el 24 de agosto es el día en que el diablo sale solo. Mucha gente unió esa circunstancia al color de la capa que usaba el Dictador, deduciendo que su fin estaba próximo". *(Manuel Pedro de Peña, Cartas.)*

El fuego se amodorra sin saber muy bien por dónde atacar. Chisporrotea sobre los papeles que va chamuscando y convirtiendo en humo, en cenizas. Prende regueros de chispas por los rincones. No se atreve a llegar hasta mí; tal vez no puede atravesar el lodazal que rodea el lecho. El agua y el fuego, de los que me formé, se complotan ahora para entregarme a la soledad final. Solo, en un país extraño de pura gente idiota. Solo. Sin origen. Sin destino. Encerrado en perpetuo cautiverio. Solo. Sin apoyo. Sin defensa. Condenado a errar sin descanso. Expulsado sucesivamente de todos los asilos que escojo. Imposibilitado de bajar al sepulcro... ¡Vamos, no es para tanto! No logrará la muerte ahora hundirte en la autocompasión que no melló tu vida. Los muertos son muy débiles. Mas el muerto vivo en la muerte, tres veces fuerte.

Acorde estoy en que esta lucha ad astra per aspera ha hecho de mí un mestizo de dos almas. Una, mi alma-fría, mira ya desde la otra orilla donde el tiempo se arremansa y empieza a acangrejarse. La otra, el alma-caliente, vigila aún en mí. Adepto de la duda absoluta, puedo avanzar todavía apoyando mi derecha diurna, la pierna demasiado hinchada que ya no puede sostenerme, en la izquierda-nocturna. Ésta resiste aún. Carga con mi peso. Voy a levantarme un rato. Debo avivar el fuego. Es ÉL quien sale de YO, volteándome de nuevo en el impulso de la retrocarga. Da una palmada. El fuego se reaviva en el acto. Vuelve a bailar alegremente, con mayor energía que antes. Sus lumbraradas meten en la habitación una especie de amanecer. ÉL pega otra palmada. Suena a cañonazo. Acuden en tropel dragones, húsares, granaderos con baldes de agua y carretillas de arena. Todos los efectivos con todos los elementos. Como cuando mandé quemar a José Tomás Isasi en la hoguera de pólvora, y el fuego de lava amarilla se propagó hasta mi propia cámara. El incendio es ahora sofocado una vez más bajo verdaderas trombas de agua y arena. Un diluvio de barro cae en la habitación a través de puertas, ventanas, claraboyas, ojos de buey, de las rajaduras del techo. Goterones. Goterrones. Gotas de plomo derretido, ardiendo y a la vez helado; chaparrón más que sólido, fuerte, haciéndome sonar los huesos. Las trombas de cieno se disparan en todas direcciones. Empapan, queman, agujerean, manchan, hielan, derriten todo lo que encuentran en mi cubil. Lo convierten en un albañal desbordado donde flotan témpanos viscosos, islotes de llamas. En medio, ÉL, erguido, con su brío de siempre, la potencia soberana del primer día. Una mano atrás, la otra metida en la solapa de la levita. No le tocan las rachas de viento y de agua. Hago que reviente el último aneurisma de voz que me reservaba bajo la lengua. Le escupo un sangriento insulto. Quiero exasperarlo: ¡Aunque nos entierren en extremos opuestos de la tierra, el mismo perro nos encontrará a los dos! No reconozco mi voz: Ese soplo que sale de los pulmones y pone en movimiento todo el aparato de fonación. Cuerdas, tubos, alvéolos, ventrículos, paladar, lengua, dientes, labios, no forman más en mí el efímero ruido que llamamos voz. ¡Hace tanto tiempo que no grito! Acordar la palabra con el sonido del pensamiento. ¡Lo más difícil del mundo! Pásome la mano por la cara en la obscuridad. No la reconozco. Ver en una lámpara dos focos de luz. Una negra, otra blanca. En un hombre, dos rostros. Uno vivo, otro muerto. ÉL se desinteresa. Se desentiende. Abre la puerta. Se dirige al zaguán. Sale al exterior. Veo su silueta en el corredor, nimbada de ese filamento de luz blanca y negra, veteando fosfóricamente la obscuridad. Oigo que da el santo y seña al jefe de la guardia: ¡PATRIA O MUERTE! Su voz llena toda la noche. La última consigna que he de oír. Queda cosida al forro del destino de los conciudadanos. Trepida la tierra bajo la vibración de ese clamor. Se propaga de un centinela a otro por todos los confines de la noche. YO es ÉL, definitivamente. YO-ÉL-SUPREMO. Inmemorial. Imperecedero. A mí no me queda sino tragarme mi vieja piel. Muda. Mudo. Sólo el silencio me escucha ahora paciente, callado, sentado junto a mí, sobre mí. Únicamente la mano continúa escribiendo sin cesar. Animal con vida propia agitándose, retorciéndose sin cesar. Escribe, escribe, impelida, estremecida por el ansia convulsa de los convulsionarios. Ultima ratio, última rata escapada del naufragio. Entronizada en la tramoya del Poder Absoluto, la Suprema Persona construye su propio patíbulo. Es ahorcada con la cuerda que sus manos hilaron. Deus ex machina. Farsa. Parodia. Pipirijaina del Supremo-Payaso. Sobre el tabladillo, sólo la mano escribe. Mano que sueña que escribe. Sueña que está despierta. Únicamente despierto el durmiente puede relatar su sueño. La mano-rata-náufraga escribe: Me siento caer entre los pájaros ciegos que caen a la caída del sol en la tarde de la caída. Sus ojos reventados me empapan de sangre. Guardan la imagen de mi caída en medio de la tormenta. ¡Esos pájaros están locos! ¡Esos pájaros soy YO! ¡Atención! ¡Me esperan! Si no voy con la maleta de la Justicia no los reconoceré nunca...

nunca...

nunca...

nunca...

nunca...

nunca...

NUNCA MÁS!!!

Está regresando. Veo crecer su sombra. Oigo resonar sus pasos. Extraño que una sombra avance a trancos tan fuertes. Bastón y borceguíes ferrados. Sube marcialmente. Hace crujir el maderamen de los escalones. Se detiene en el último. El más resistente. El escalón de la Constancia, del Poder, del Mando. Aparece el halo de su erguida presencia. Aureola al rojo vivo en torno a la oscura silueta. Continúa avanzando. Por un instante lo oculta un pilar. Reaparece. ÉL está ahí. Vuelca sobre el hombro el ruedo de su capa y entra en la recámara inundándola de una fosforescencia escarlata. La sombra de una espada se proyecta en la pared: La uña del índice me apunta. Me atraviesa. ÉL sonríe. Durante doscientos siete años me escruta en un soplo al pasar. Ojos de fuego. YO, haciéndome el muerto. Echa llave a las puertas. Encaja en los bornes las trancas de cinco arrobas. Le oigo recorrer con el mismo paso y efectuar la misma operación de atrancar, inspeccionar y revisar prolijamente las trece dependencias restantes de la Casa de Gobierno; desde la sala de armas hasta los almacenes de ramos generales, pasando por los retretes. Sé que no ha dejado sin registrar un solo resquicio en la inmensa mole paralelopipedónica, babilónica, de la Fortaleza Suprema. El humo del incendio extinguido en la tarde se arremolina y arremansa en la antecámara, en la recámara, en la cámara donde yazgo. ¡Por qué no se desplomará de una vez el viejo caserón en medio de tanta humedad!, pienso con fastidio, acordándome de aquellas mañanas en que después de misa iba a observar la excavación para los cimientos. Escondido entre los montículos de tierra roja, disimulado por mi capillo-monaguillo, volcaba carretadas de sal en las fosas, en lugar del pedregullo que echaban los obreros. Los miraba fijamente hacer su trabajo, mientras yo hacía el mío. ¡Ojalá que la primera lluvia derrita la sal y te hunda, maldito caserón!, gritaba mi pensamiento viéndolo crecer pesado, cuadrangular, piramidal. ¡Desmorónate de una vez! De seguro la sal pensada es más resistente que la grava de granito, que el asperón de los cerros, que la piedra de la desgracia. La sal de mi cuerpo empapado resiste intacta la viscosidad del Tercer Diluvio.

Pese a los vapores, al hermético emparedamiento, entra la primera curtonebra. Probablemente se ha colado por alguna hendija o grieta del altar mayor. Las curtonebras son atraídas por la fascinación de la muerte. Ciertas emanaciones anuncian su inminencia a las pequeñas moscas. Apenas ha cesado la vida, afluyen otras especies de moscas. Las migraciones se suceden. Desde el momento en que el soplo de la corrupción se ha hecho sensible instalando sus reales en la realidad cadavérica, llega la primera: la mosca verde cuyo nombre científico es *Lucilia Caesar*; la mosca azul, la *Azura Passimflorata*, y la mosca-grande de tórax rayado en blanco y negro, llamada *Gran Sarcófaga*, espolón de esta primera invasión migratoria. La primera colonia de moscas que acuden a la sabrosa señal puede formar en los cadáveres hasta siete y ocho generaciones de larvas que se amontonan y proliferan durante unos seis meses. Todos los días las larvas de la Gran Sarcófaga aumentan doscientas veces su peso. La piel de los cadáveres se vuelve entonces de un amarillo que tira ligeramente a rosa; el vientre a verdeclaro; la espalda a verdeoscuro. Por lo menos, tales serían los colores si todo ello no ocurriera en la obscuridad. He aquí el siguiente encuadrón de granaderas cadaverófilas: Las piófilas que dan sus gusanos al queso. Vienen después la cornietas, las longueas, las ofiras y las foras. Forman sus crisálidas como el pan rallado sobre los jamoncitos o la sopa de porotos que a mí tanto me gustaba saborear. Luego la descomposición cambia de naturaleza. Una nueva fermentación, más rica que las anteriores, más viva y dinámica también, produce ácidos grasos denominados vulgarmente grasa de cadáver. Es la estación de los dermestos capricorniles que producen larvas provistas de largos pelos, y de las orugas que florecerán luego en bellas mariposas denominadas aglossas o Coronas Borealis. Algunas de estas materias cristalizarán y brillarán más tarde como lentejuelas o pepitas metálicas en el polvo definitivo. Llegan más contingentes de inmigrantes. A la descomposición deliciosamente negra acuden las ávidas sílfides de ojos diamantinos y tornasolados; las nueve especies de necróforos, homeros liróforos de esta epopeya funeraria. El escuadrón de acuarios redondos y ganchudos inicia el proceso de la desecación y momificación. A los acuarios (que se llaman en realidad ácaros, aunque prefiero denominarlos acuarios) suceden los aradores. Éstos roen, sierran desmigajan los tejidos apergaminados, los ligamentos y tendones transformados en materia resinosa, lo mismo que las callosidades, las substancias córneas, los pelos y las uñas. Ha llegado el momento en que éstos dejan de crecer en los cadáveres, como vulgar y acertadamente se cree. A mí no me crecerán más las uñas de los pies, y mi forzada calvicie es sin remedio. Por fin al cabo de tres años, el último gran migrante, un coleóptero negro, inmenso, más grande que la Casa de Gobierno, llamado *Tenebrio Obscurus*, llega y dicta el decreto de la disolución completa. Todo se ha acabado. La hediondez, última señal de vida, ha desaparecido. Se ha fundido y esfumado todo. Ya ni siquiera hay duelo. El *Tenebrio Obscurus* tiene la mágica cualidad de ser ubicuo e invisible. Aparece y desaparece. Se halla en varias partes al mismo tiempo. Sus ojos de millones de facetas me miran pero yo no los veo. Devoran mi imagen, mas ya no distingo la suya envuelta en la negra capa de forro carmesí... *(petrificado el plasto de los diez folios siguientes).*

(Quemado el comienzo del folio)... y ya no puedes obrar. Dices que no quieres asistir al desastre de tu Patria, que tú mismo le has preparado. Morirás antes. Morirá esa parte de ti que ve lo mortal. No podrás escapar de ver lo que no muere. Porque lo peor de todo, grotesco Arquí-loco, es que el muerto siempre y en todas partes sufre, por muy muerto que esté con mucha tierra y el olvido enci-

ma. Creíste que la Patria que ayudaste a nacer, que la Revolución que salió armada de tu cráneo, empezaban-acababan en ti. Tu propia soberbia te hizo decir que eras hijo de un parto terrible y de un principio de mezcla. Te alucinaste y alucinaste a los demás fabulando que tu poder era absoluto. ¡Perdiste tu aceite, viejo ex teólogo metido a repúblico! Creíste jugar tu pasión absoluta a todo o nada. Oleum perdidiste. Dejaste de creer en Dios pero tampoco creíste en el pueblo con la verdadera mística de la Revolución; única que lleva a un verdadero conductor a identificarse con su causa; no a usarla como escondrijo de su absoluta vertical Persona, en la que ahora pastan horizontalmente los gusanos. Con grandes palabras, con grandes dogmas aparentemente justos, cuando ya la llama de la Revolución se había apagado en ti, seguiste engañando a tus conciudadanos con las mayores bajezas, con la astucia más ruin y perversa, la de la enfermedad y la senectud. Enfermo de ambición y de orgullo, de cobardía y de miedo, te encerraste en ti mismo y convertiste el necesario aislamiento de tu país en el bastión-escondite de tu propia persona. Te rodeaste de rufianes que medraban en tu nombre; mantuviste a distancia al pueblo de quien recibiste la soberanía y el mando, bien comido, protegido, educado en el temor y la veneración, porque tú también en el fondo lo temías pero no lo venerabas. Te convertiste para la gente-muchedumbre en una Gran Obscuridad; en el gran Don-Amo que exige la docilidad a cambio del estómago lleno y la cabeza vacía. Ignorancia de un tiempo de encrucijada. Mejor que nadie, tú sabías que mientras la ciudad y sus privilegios dominan sobre la totalidad del Común, la Revolución no es tal sino su caricatura. Todo movimiento verdaderamente revolucionario, en los actuales tiempos de nuestras Repúblicas, única y manifiestamente comienza con la soberanía como un todo real en acto. Un siglo atrás, la Revolución Comunera se perdió cuando el poder del pueblo fue traicionado por los patricios de la capital. Quisiste evitar esto. Te quedaste a mitad de camino y no formaste verdaderos dirigentes revolucionarios sino una plaga de secuaces atraillados a tu sombra. Leíste mal la voluntad del Común y en consecuencia obraste mal, mientras tus chocheras de geróntropo giraban en el vacío de tu omnímoda voluntad. No, pequeña momia; la verdadera Revolución no devora a sus hijos. Únicamente a sus bastardos; a los que no son capaces de llevarla hasta sus últimas consecuencias. Hasta más allá de sus límites si es necesario. Lo absoluto no tiembla en llevar hasta el fin su pensamiento. Lo sabías. Lo copiaste en estos papeles sin destino ni destinatario. Tú vacilaste. Estás igualmente condenado. Tu pena es mayor que la de los otros. Para ti no hay rescate posible. A los otros se los comerá el olvido. Tú, ex Supremo, eres quien debe dar cuenta de todo y pagar hasta el último cuadrante... *(apelmazado, ilegible lo que sigue).*

...a media noche, bajarás a las mazmorras. Te pasearás entre las hileras de hamacas que cuelgan unas encima de otras, podridas por veinte años de obscuridad, sufrimiento y sudor. No te reconocerán. No te verán siquiera. No te verán ni oirán. Si aún hubieras tenido voz, te habría gustado insultarlos, hacer mucho ruido según tu costumbre; tomarte desquite de esos espectros que osarán ignorarte. ¡Escúchenme, malditos collones!, te habría gustado apostrofarlos, repitiendo por última vez lo que has barbotado millares de veces. Lo bueno, lo mejor de todo es que nadie te escucha ya. Inútil que te desgañites en el absoluto silencio. Recorrerás las filas de los prisioneros. Los mirarás a cada uno en los ojos lagañudos, cataratudos. No parpadearán. ¿Sabrás si sueñan y te sueñan como a un animal desconocido, como a un monstruo sin nombre? Sueño. Un sueño. Lo más secreto de un hombre y de una bestia. Serás para ellos simplemente la forma del olvido. Un vacío. Una obscuridad en esa obscuridad. Te tenderás por fin en una hamaca vacía. La última. La más baja entre las hileras de hamacas que oscilan levemente bajo arrobas de fierros cien veces más pesados que sus osamentas de espectros. Deshecha de moho y vejez, la hamaca dará contigo en el suelo. Nadie reirá. Silencio de tumba. Toda la noche pasarás ahí, tendido entre los pestilentes despojos. Los ojos cerrados, las manos cruzadas sobre el pecho. El sudor de esos miserables, sus cacas, sus orines, chorreando de hamaca en hamaca babearán sobre ti, lloverán gotas, gotas de cieno sepulcral. Te aplastarán hacia abajo cada vez más. Apuntarán tu inmovilidad con esos pilares al revés. Estalactitas creciendo sobre tu suprema impotencia. Cuando los ácaros, las sílfides, las curtonebras, las sarcófagas y todas las otras migraciones de larvas y orugas, de diminutos roedores y aradores necrófagos, acaben con lo que resta de tu estimada no-persona, en ese momento te asaltarán también unas ganas tremendas de comer. Terrible apetito. Tan terrible, que comerte el mundo, el universo entero, todavía sería poco para calmar tu hambre. Te acordarás del huevo que mandaste poner bajo las cenizas calientes para tu último desayuno, el que no alcanzaste a tomar. Harás un sobrehumano esfuerzo tratando de incorporarte bajo la mole de tiniebla que te aplasta. No podrás. Se te caerán los últimos pelos. Las larvas seguirán pastando en tus despojos tranquilamente. Con sus largos pelos tejerán una peluca a tu calvicie, de modo que tu mondo cráneo no sufra mucho frío. Mientras te estén comiendo a toda mandolina al son de sus laúdes y laudes, afónico, afásico, en catarrosa mudez agravada por la humedad, implorarás que te traigan tu huevo, el huevo embrionado, el huevo olvidado en la ceniza, el huevo que otros más astutos y menos olvidadizos ya habrán comido o arrojado al tacho de los desperdicios. Las cosas suceden de este modo. ¿Qué tal, Supremo Finado, si te dejamos así, condenado al hambre perpetua de comerte un güevo, por no haber sabido... *(empastado, ilegible el resto, inhallables los restos, desparramadas las carcomidas letras del Libro).*

APENDICE

1. *Los restos de EL SUPREMO*

El 31 de enero de 1961, una circular oficial convocó a los historiadores nacionales a un cónclave con el fin de "iniciar las gestiones tendientes a recuperar los restos mortales del Supremo Dictador y restituir al patrimonio nacional esas sagradas reliquias". La convocatoria se hizo extensiva a la ciudadanía exhortándola a colaborar en la patriótica Cruzada de reconquistar tanto el sepulcro del Fundador de la República como sus restos, desaparecidos, aventados por anónimos profanadores, los enemigos del Perpetuo Dictador.

Los ecos de la convocatoria llegan a los más apartados confines del país. Al igual que en otros momentos cruciales de la vida nacional la ciudadanía toda se pone de pie como un solo hombre y responde a una sola voz.

La única disonancia en esta afirmación plebiscitaria es ¡oh sorpresa! la de los especialistas, cronistas y folletinistas de la historia paraguaya. Una repentina e inesperada incertidumbre parece ensombrecer la conciencia historiográfica nacional acerca de cuál puede ser el único y auténtico cráneo de *El Supremo*. Las opiniones se dividen; los historiadores se contradicen, discuten, disputan ardorosa, vocingleramente. Es que —como cumpliéndose otra de las predicciones de *El Supremo*— esta iniciativa de unión nacional se convierte en terreno donde apunta el brote de una diminuta guerra civil, afortunadamente incruenta, puesto que se trata sólo de un enfrentamiento "papelario".

He aquí, en apretadas síntesis, algunas de las deposiciones de los historiadores nacionales más notorios sobre el tema (consignadas por orden de presentación):

De Benigno Riquelme García (23 de febrero de 1961):

"Cábeme manifestar a V. E. que, personalmente, y por las informaciones que son de mi conocimiento, soy de parecer de que existen razones valederas para admitir la presunción de que, tanto los restos (existentes en el Museo Histórico Nacional de Buenos Aires), como los existentes en nuestro Museo Godoi, han sido extraídos de una tumba que, indubitablemente, fue la del prócer evocado.

"Lo que podría cuestionarse sería la ya anteriormente citada impugnación de autenticidad de los mismos, calificación que podría subsanarse o ratificarse, luego del peritaje neutral que me permito, muy respetuosamente, sugerir a V. E., y que podrían efectuar las siguientes enumeradas instituciones:

SMITHSONIAN INSTITUTION
United States National Museum
Washington, D. C.

DEPARTMENT OF ANTHROPOLOGY
Yale University
U. S. A.

PEABODY MUSEUM OF AMERICAN ARCHAEOLOGY AND ETHNOLOGY
Harvard University
Cambridge, Massachusetts. U. S. A.

cuya competencia e imparcialidad en la materia, quedaría fuera de toda sospecha. En punto a la necesaria cautela que el Gobierno de la República deba guardar en la iniciación de las pertinentes gestiones, por comprensibles razones que no es de oportunidad explicar, creo que la misma no debe rayar en una excesiva prevención, hasta el extremo de no hacer uso de un gesto cuya ejemplaridad no podrá ser retaceada, cualquiera sea el veredicto de los centros científicos que me he permitido proponer". [Hay un informe adjunto que historia el destino de los restos existentes en el Museo Histórico Nacional de Buenos Aires y critica el estudio pericial del doctor Félix F. Outes sobre tales restos, recusando e invalidando irónicamente sus conclusiones.]

De Jesús Blanco Sánchez (14 de marzo de 1961):

"En primer término, he de decir a V. E. que me place sobremanera y me parece muy plausible la determinación del Superior Gobierno de honrar la memoria de nuestros próceres de la Independencia Nacional. Siendo así, y desde el momento que nuestro gobierno toma a su cargo esas gestiones, es fundamentalmente importante que ellas se realicen con absoluta seriedad y, sobre todo, se tomen cuantas medidas sean necesarias para evitar desagradables sorpresas, a las cuales no puede exponerse el Gobierno de la Nación.

"Bien sabe V. E. que si esos restos se encontraran en nuestro país no habría mayores problemas para el logro del feliz propósito perseguido, pues en última instancia siempre resalta el sentido simbólico que, por sobre todo, tienen estas cosas. Pero como esos restos deben traerse desde Buenos Aires, donde este prócer de nuestra Independencia ha sido tan combatido, especialmente por una poderosa y empecinada corriente de opinión adversa tanto a su persona como, sobre todo, a su labor de Gobernante, este asunto, y por estas razones, se vuelve delicado y digno de ser estudiado minuciosa y objetivamente. En tal inteligencia, creo que la referida corriente de opinión tiene renovado auge en la Argentina en estos momentos, y por tal motivo debemos prevenir la posibilidad de que los restos existentes en el Museo Histórico de Buenos Aires no fuesen auténticos; en este supuesto, nos expondríamos, seguramente, a una campaña de propaganda aleve que trataría inclusive de dejarnos en ridículo.

"Nadie puede dudar de la autenticidad del documento [se refiere al que parecería probar la autenticidad de los restos]. Para mí no lo prueba fehacientemente, pues quien por mucho tiempo tuvo esas reliquias 'en un cajón de fideos' y luego se las regaló a un extranjero, nos está diciendo elocuentemente que ellas no le merecieron jamás ningún interés, ni le despertaron sentido patriótico alguno."

De Manuel Peña Villamil (24 de marzo de 1961):

"Para informar a V. E., ceñido a un estricto criterio de investigación científica, se hace necesario responder a dos interrogantes que, aunque conexos, responden a planteamientos distintos. Primero, ¿pueden verosímilmente haber pertenecido al Dictador Perpetuo los restos existentes en el Museo Histórico Nacional de Buenos Aires? Segundo, ¿autoriza el estado actual de las investigaciones históricas sobre la materia al Superior Gobierno a iniciar gestiones oficiales para la devolución de esos restos mortales?

"Contestando al primer planteo manifiesto que no estoy en condiciones de afirmar o negar con autoridad que esos despojos sean auténticos. Previo a toda respuesta se hace necesario un examen de los procedimientos seguidos por el señor Loizaga para la exhumación de los restos del antiguo templo de la Encarnación. Existe sobre el particular la versión del propio señor Loizaga en carta enviada al historiador argentino, doctor Estanislao Zeballos. El historiador paraguayo Ricardo Lafuente Machaín, en un folleto titulado *Muerte y Exhumación de los restos del Dictador Perpetuo del Paraguay*, la recoge sin mayores variantes y sin aportar nueva investigación. Se cita como testigos presenciales del hecho al padre Becchi y al señor Juan Silvano Godoi. Este último retiró en aquella oportunidad otro cráneo de la misma sepultura, que se conserva en el museo de Asunción que lleva su nombre.

"Las observaciones que nos sugiere el modo como procedió el señor Loizaga para dicha exhumación son las siguientes: a) No obró guiado por un serio e imparcial espíritu de investigación histórica sino impulsado por la pasión política; b) No se apoyó en ningún examen pericial idóneo que descartara la posibilidad de un error acerca de los restos que exhumaba." [Siguen otras consideraciones en que cuestiona la autenticidad apoyada en un informe del médico paraguayo doctor Pedro Peña, publicada en el diario "La Prensa", Asunción, 1º-II-1898, y en el famoso estudio frenológico del médico argentino doctor Félix F. Outes, 1925, pieza clave de esta disputa musearia, publicado en el Boletín del Instituto de Investigaciones Históricas, Fac. Filosofía y Letras de Buenos Aires [tomo IV, pp. 1 y sigtes.]

De Julio César Chaves (28 de marzo de 1961):

"A mediados de 1841 se agitó el ambiente político paraguayo abriéndose una encendida polémica sobre la vida y la obra de El Supremo. Circularon panfletos y pasquines, corrieron prosas y versos. Movilizáronse entusiastamente sus enemigos y sus partidarios. Afirmaban los primeros que el Supremo no era digno de descansar en una iglesia y anunciaban públicamente que iban a apoderarse de sus restos para arrojarlos a un muladar. Es conveniente recordar que poco tiempo después apareció una mañana en la puerta del templo un cartel que se decía enviado por él, desde el infierno, suplicando se lo removiese de aquel lugar santo para alivio de sus pecados. Varias de las familias sañudamente perseguidas por el Supremo, entre ellas la de Machaín, no ocultaban por otra parte su proyecto de tomar venganza en sus restos. Los partidarios, a su vez, no permanecían inactivos. Realizaban constantes demostraciones populares llegando en manifestación hasta el sepulcro de su adalid. La tensión fue creciendo a lo largo del año 1841 y parece que llegó a su punto culminante el 20 de setiembre, día en que se cumplió el primer aniversario de la muerte del Supremo Dictador. Las pasiones desatadas amenazaban desatar la guerra civil; fue caldeándose el ambiente hasta poner en riesgo la paz de la nación, tan necesaria para afrontar y resolver graves problemas internacionales, económicos y sociales. Fue entonces cuando los Cónsules se decidieron a actuar con energía; mandaron hacer desaparecer el mausoleo que guardaba los restos y enterrar éstos 'no se sabe dónde'. Según la versión de Alfred Demersay (*Le Docteur Francia, Dictateur du Paraguay*, 1856): 'Él fue inhumado en la iglesia de la Encarnación y una columna de granito señalaba su última morada a la veneración y al cuito de sus numerosos partidarios. Se dijo que poco tiempo después del aniversario de ese día de duelo, el mausoleo desapareció y se difundió el rumor de que los restos del muy famoso Doctor habían sido transportados al cementerio de la iglesia. Una parte de esta novela era verdadera, pero el gobierno consular, autor misterioso de esta medida inspirada por la política, rechazaba toda idea de una profanación inútil. El Supremo reposa ahora en el lugar que la piedad de esos hombres le ha elegido, pero su tumba no ha cesado de dar sombra a sus sucesores'.

"Thomas Jefferson Page, comandante del buque norteamericano *Water Witch*, que arribó al Paraguay en misión de exploración y estudios, dice al respecto: 'Los templos están tenidos en buena condición, pero uno fue, evidentemente, menos frecuentado que los otros. El buen pueblo raramente alude a esto, porque un medroso misterio ultrapasa sus sagrados límites. Una serena mañana el templo fue abierto para la plegaria según costumbre: el monumento había sido desparramado y los huesos del tirano habían desaparecido para siempre. Nadie supo cómo, nadie preguntó dónde. Solamente se susurró que el diablo había reclamado lo suyo: cuerpo y alma'. (*La Plata, The Argentina Confederation and Paraguay*, London, 1859).

"¿Los restos donados por el Dr. Estanislao S. Zeballos al Museo Histórico Nacional de Buenos Aires pueden ser atribuidos al Dictador Perpetuo del Paraguay? Esos restos estuvieron durante largos años en exhibición en el citado museo; en la actualidad se encuentran en los sótanos de la institución, entre los objetos sin valor.

"Sólo conocemos dos opiniones, las dos valiosas y las dos negativas [se refiere a los estudios ya mencionados]. Outes, un eminente hombre de ciencia, llevado por su curiosidad de investigador, hizo el examen de los supuestos restos. Tras de examinarlos, afirmó: 'En primer término, la calota craneana, por su carácter morfológico y particularidades anatómicas, pertenece a un individuo de sexo femenino, a lo sumo de 40 años, y que con mucha probabilidad, no era un europeo, *sensu lato*. Entre la calota y la careta facial, no existe vinculación alguna. Prescindiendo de los caracteres que ofrece esta última, resultaría vano todo esfuerzo de reconstrucción valiéndose de ambas piezas, pues en las dos existe exceso de frontal. Ello demuestra, *prima facie*, que corresponde a dos individuos. La mandíbula, por último, es la de un niño que, al morir, conservaba la totalidad de su dentadura de leche'.

"Sus conclusiones son por tanto las siguientes: Primera: La calota perteneció a una mujer, a lo sumo de 40 años, y que no era europea; era negra o india. Segunda: La careta facial era de un adulto, no de un senil. Tercera: La mandíbula perteneció a un niño menor de seis años."

2. *Migración de los restos de EL SUPREMO*

De R. Antonio Ramos (6 de abril de 1961):

"Francisco Wisner de Morgenstern, que escribió un libro sobre El Supremo Dictador por encargo del Mariscal Francisco Solano López, anota lo siguiente: 'A los pocos meses de la muerte del Dictador el sacristán de la iglesia se sorprendió al encontrar una mañana abierto el sepulcro donde fuera sepultado. No se ha podido saber quiénes fueron los autores de tal hecho;

sin embargo, éstos habían dejado un rastro que se perdía en la orilla del río Paraguay, adonde se supone con bastante fundamento que fueron arrojados al agua, pues en dicha orilla se encontraron vestigios que así lo comprobaron. Corrían al respecto en la Asunción de aquella época varias versiones: una de ellas, de que fueron mandados sacar los restos del Dictador con hombres pagados por la familia M..., para ser hundidos en el río, en venganza de los fusilamientos de miembros de la misma familia, ordenados por el Dictador después de ser descubierta la última conspiración Yegros; otra versión era que una familia hizo extraer los restos del sepulcro para quemarlos y arrojar sus cenizas al viento; y finalmente, que otra familia, de común acuerdo con su sacerdote, los sacaron para ocultarlos en otro lugar'." [*Comentario del compilador*: Según la versión de Wisner, que basándose en susurros hace desaparecer los restos de El Supremo en el agua, en el fuego, en el aire o en la tierra, nos encontraríamos pues con que la migración de sus despojos profanados por el odio o la venganza, no se produjo.]

Sigamos, no obstante, con la deposición del Dr. Ramos:

"Wisner de Morgenstern da sin embargo otra versión vinculada con el testimonio que veremos a continuación. Carlos Loizaga, que formó parte del triunvirato creado en Asunción en 1869 y que negoció con el Barón de Cotegipe el tratado de paz con el Brasil [se refiere al gobierno títere puesto por las fuerzas de ocupación de la Guerra del 70, un año antes de que ésta finalizara], expresa en una carta dirigida al Dr. Estanislao Zeballos que él [el ex triunviro Loizaga], acompañado del padre Vecchi, cura de la Encarnación, exhumó 'los restos del tirano'. Esas reliquias —agrega— estaban antes en un sarcófago al lado del Altar Mayor de aquella iglesia y el cura D. Juan Gregorio Urbieta, después Obispo, los sacó una noche, en tiempos de D. Carlos Antonio López, y los sepultó en la contrasacristía, en 1841.

"En la carta aludida de Carlos Loizaga, éste afirma que en la exhumación de los 'restos del Tirano' le acompañó el padre Vecchi. Pero Ricardo de Lafuente Machaín afirma también que en la tarea estuvo además presente Juan Silvano Godoy. 'No obstante la reserva observada respecto al proyecto —expresa— el doctor Juan Silvano Godoy, secretario del Superior Tribunal de Justicia, lo supo, y a pesar de no ser invitado, decidió asistir. La noche designada aguardó la llegada del señor de Loizaga, oculto tras un pilar del templo. De allí se desprendió envuelto en su capa y un inmenso chambergo, tal un inmenso murciélago en forma humana. Debido a la sorpresa que le produjo tal aparición, dados el sitio, las circunstancias y las intenciones, o acaso pareciéndole éstas irreprochables, pasado el susto, el señor de Loizaga accedió sin dificultad a que el funcionario Godoy se agregara a él y a los peones y comenzaran a realizar el trabajo. Levantada la lápida y removida la tierra de los azadones, comenzaron a aparecer restos humanos. Se supuso que los del Supremo Dictador debían ser los de más arriba. El señor de Loizaga los mandó recoger y colocar dentro de un cajoncito de fideos llevado expresamente al efecto. Pero entre la tierra y los cascotes apareció otro cráneo que el señor Godoy se bajó a recoger y lo llevó bajo su capa. Dicen que el ex triunviro, señor de Loizaga, lo miró alejarse vacilando un instante en la duda de cuál de los dos cráneos sería el auténtico. Se afirmó sin embargo en la certeza de que los restos recogidos por él en el cajón de fideos eran los de El Supremo, y lo mandó colocar en un altillo de su casa, a la espera del destino que resolviera dar a su contenido.' " [El señor Godoy guardó el cráneo que recogiera aquella noche en su museo particular, digno de un varón del Renacimiento; de suerte que la historia misma de tales restos ha quedado ahorquetada dubitativamente en la encrucijada del cráneo bicéfalo del tirano, comentan otros escoliadores.]

Retoma la palabra el Dr. Ramos: "Veamos ahora dónde fue a parar el cráneo recogido por Loizaga. Estando en Asunción en 1876, el Dr. Honorio Leguizamón, como médico de la cañonera argentina *Paraná*, supo que 'los restos del Dictador Perpetuo estaban en poder de Carlos Loizaga'. La noticia le llegó por intermedio de la familia de éste. Leguizamón procuró 'ver y examinar los preciosos despojos'. Loizaga se resistió en un principio, pero después accedió a los deseos del médico argentino [que lo había atendido de una grave enfermedad, curándolo]. El propio Dr. Leguizamón hace el siguiente relato: 'Dentro de un cajón de fideos me fueron presentados los restos. Grande fue mi desencanto al encontrarme sólo con una masa informe de huesos fragmentados a martillazos. Conocido el temperamento de mi paciente así como su viejo odio contra el Dictador no me fue difícil aventurar la hipótesis acerca del motivo de esos martillazos. Del cráneo, sólo la parte superior estaba bien conservada. De los vestidos únicamente encontré la suela de un zapato que correspondía a un pie muy pequeño; probablemente de una criatura de corta edad. Conseguí del señor Loizaga, a quien condoné mis honorarios, me permitiera traer el cráneo de quien fuera El Supremo del Paraguay'.

"Posteriormente —concluye el Dr. Ramos— Leguizamón donó esa parte sana del cráneo al Dr. Estanislao Zeballos, quien a su vez lo donó al Museo Histórico Nacional de Buenos Aires. Según los últimos informes, el cráneo ha dejado de exhibirse al público como se hacía en épocas anteriores. Por las breves consideraciones que anteceden, que no pretenden haber agotado el tema, no puede afirmarse que el cráneo conservado en el Museo Histórico Nacional de Buenos Aires, sea el del Supremo Dictador. No existe certeza para una afirmación semejante."

De Marco Antonio Laconich (21 de abril de 1961)

"Después de la caída de Asunción en poder de la Triple Alianza, los legionarios [paraguayos] sentaron sus plantas en la capital saqueada y cautivada. Y se pusieron a remover como frenéticos lovisones [sic] la tierra sagrada de los muertos, para poder saciar en los restos de El Supremo sus odios de medio siglo. En 1870 Loizaga formaba parte del Triunvirato constituido en Asunción por los aliados, como gobierno "paraguayo" provisorio. Loizaga era un primate de la Legión. No ponemos en duda, por un instante, que fuese autor de la profanación funeraria, de la que parece ufanarse en su contestación al Dr. Zeballos. Por lo demas, se encontraba en situación privilegiada para acometerla con la mayor impunidad; pero si creyó encontrar el sepulcro del Dictador, y murió con esa creencia, sus ansias resultaron fallidas. Todo hace suponer que Loizaga metió las manos en alguna fosa común y de allí extrajo, en la oscuridad de la noche, los restos humanos que tuvo guardados en su casa, por mucho tiempo, en un cajón de fideos. Decimos fosa común, por los resultados del análisis de algunos de esos huesos, practicado por el Dr. Outes; huesos llevados por el Dr. H. Leguizamón.

"Vaya uno a saber si por una ironía del destino, con que el Señor se complace a veces en reprimir los rencores humanos, algunos de aquellos huesos que Loizaga tenía guardados en un cajón de fideos no fuesen los de algún pariente suyo muy querido... ¡Porque el Dictador, supongo, moriría sin sus dientes de leche!

"El resto del esqueleto —dice Loizaga— fue llevado por mí a un cementerio abierto." Siempre la falta de testigos en las andanzas de este sepulturero solitario. Si el resto del esqueleto era como el cráneo reconstruido, cabe el derecho de suponer que se compondría, por ejemplo, de cinco canillas [fémures], tres columnas vertebrales, cincuenta costillas, etc.; de lo que resultaría que el Dictador era un fenómeno esquelético extraordinario.

"De todas maneras, no deja de ser curioso, en verdad, que Loizaga y Godoy se retirasen del templo, envueltos en las sombras de la noche, con dos cráneos del Dictador, como si éste hubiese sido bicéfalo. Cada uno estaba convencido de llevar un auténtico cráneo de El Supremo."

[*Nota del compilador*: Loizaga, según revelación de una vieja esclava de la familia, tenía guardada en la misma alacena una urna con las cenizas de su abuela materna. Esta informante, en pleno uso de sus facultades mentales, a pesar de su edad más que centenaria, me refirió que una noche, por equivocación, preparó con esas cenizas la sopa que sirvió en la comida. La esclava, hoy liberta, me confió también que, en vista de que sus amos no se percataron de la equivocación, volvió a llenar la urna funeraria con arena del patio, de modo que no se descubriese su grave falta. Rogóme con muchos encarecimientos que no la delatara ni pusiera "en papel debalde estas zonceras". Como el descuido de la esclava configuraba una acción delictiva mucho más leve que la profanación y robo de los restos de *El Supremo,* cometidos por Loizaga, no sólo no incurro en infidencia sino, por el contrario, considero un deber de justicia dar a publicidad la relación de la ex esclava del ex triunviro.]

Continúa el Dr. Laconich:

"En fecha 23 de junio de 1906, el Dr. Honorio Leguizamón escribió al director de *La Nación* una carta que considero de suma importancia. En esta carta, el Dr. Leguizamón, médico de la cañonera argentina *Paraná* en aquella época, da cuenta de las circunstancias en que obtuvo de Loizaga, en el año 1876, los restos en cuestión, cedidos después por él al Dr. Zeballos, y finalmente donados por este último al Museo Histórico Nacional de Buenos Aires, en julio de 1890.

"'Estrelléme al principio —escribe el Dr. Leguizamón— con una rotunda negativa; pero convencido el Sr. Loizaga de que tenía la noticia del mejor origen, pues miembros de su propia familia declararonle habérmela transmitido, debió ceder a mi deseo y confesarme toda la verdad: su espíritu religioso le había impulsado a extraer estos restos, que profanaban el sitio donde se les había dado sepultura. Dentro de un cajón de fideos me fueron presentados los restos —y agrega esto, que conviene retener—: *Grande fue mi desencanto al encontrarme sólo con una masa informe de huesos fragmentados*...

"Tras el desencanto que experimento el Dr. Leguizamón al encontrarse con esto, se hacía una pregunta: '¿Respondería la fragmentación del esqueleto al ensañamiento vengativo de alguna víctima? No me atreví entonces a preguntarlo .

"La carta deja flotando entre líneas la sospecha de que Loizaga hubiese machacado con un mazo aquellos huesos, vengándose así del Dictador. En una post-data, el Dr. Leguizamón da andamiento a esa sospecha diciendo que 'era costumbre antigua de los guaraníes la de vengarse de los que habían sido sus enemigos, extrayendo sus huesos y rompiéndolos'.

"Sinceramente, creemos que esa costumbre de los guaraníes es un descubrimiento del Dr. Leguizamón, a la medida para el caso. Los guaraníes tenían más interés en la carne de sus enemigos que en sus huesos: se los comían tranquilamente, si eran apetecibles. Si no, que lo diga Hans Staden...

"La *masa informe de huesos fragmentados* parece confirmar lo de la fosa común, que va en armonía con la bóveda craneana de una mujer, la careta facial de un adulto y la mandíbula de un niño, entrevero de huesos que trasunta la pericia practicada por el Dr. Outes. Sin embargo...

"El Dr. Leguizamón atesta en su carta que en el cajón de fideos encontró de los vestidos únicamente 'íntegra la suela de un zapato que correspondía a un pie muy pequeño'. Es fama que el Supremo Dictador tenía las manos y pies pequeños, de lo que se sentía muy ufano como prueba de buen linaje; pero lo de 'muy pequeño' hace pensar en un niño.

"No es pues conveniente, a mi juicio, organizar este homenaje nacional con la repatriación de restos de autenticidad tan dudosa y discutida, como son los depositados actualmente en el Museo Histórico Nacional de Buenos Aires. Los antecedentes de una patraña ligada al cajón de fideos del legionario Loizaga —concluye el Dr. Laconich—, empañaría inevitablemente, en este caso, el homenaje a la esclarecida memoria del Prócer."

NOTA FINAL DEL COMPILADOR

Esta compilación ha sido entresacada —más honrado sería decir sonsacada— de unos veinte mil legajos, éditos e inéditos; de otros tantos volúmenes, folletos, periódicos, correspondencias y toda suerte de testimonios ocultados, consultados, espigados, espiados, en bibliotecas y archivos privados y oficiales. Hay que agregar a esto las versiones recogidas en las fuentes de la tradición oral, y unas quince mil horas de entrevistas grabadas en magnetófono, agravadas de imprecisiones y confusiones, a supuestos descendientes de supuestos funcionarios; a supuestos parientes y contraparientes de El Supremo, *que se jactó siempre de no tener ninguno; a epígonos, panegiristas y detractores no menos supuestos y nebulosos.*

Ya habrá advertido el lector que, al revés de los textos usuales, éste ha sido leído primero y escrito después. En lugar de decir y escribir cosa nueva, no ha hecho más que copiar fielmente lo ya dicho y compuesto por otros. No hay pues en la compilación una sola página, una sola frase, una sola palabra, desde el título hasta esta nota final, que no haya sido escrita de esa manera. "Toda historia no contemporánea es sospechosa", le gustaba decir a El Supremo. *"No es preciso saber cómo han nacido para ver que tales fabulosas historias no son del tiempo en que se escribieron. Harta diferencia hay entre un libro que hace un particular y lanza al pueblo, y un libro que hace un pueblo. No se puede dudar entonces que este libro es tan antiguo como el pueblo que lo dictó".*

Así, imitando una vez más al Dictador (los dictadores cumplen precisamente esta función: reemplazar a los escritores, historiadores, artistas, pensadores, etc.), el a-copiador declara, con palabras de un autor contemporáneo, que la historia encerrada en estos Apuntes *se reduce al hecho de que la historia que en ella debió ser narrada no ha sido narrada. En consecuencia, los personajes y hechos que figuran en ellos han ganado, por fatalidad del lenguaje escrito, el derecho a una existencia ficticia y autónoma al servicio del no menos ficticio y autónomo lector.*

Esta edición de 3000 ejemplares
se terminó de imprimir en
Indugraf S.A.
Sánchez de Loria 2251, Bs. As.,
en el mes de agosto de 1992.